Perspectives de la littérature française

Perspectives
de la littérature française

edited by

DAVID M. DOUGHERTY
University of Oregon

DORIS E. HERNRIED
City College of San Francisco

New York OXFORD UNIVERSITY PRESS 1961

© 1961 by Oxford University Press, Inc.
Library of Congress Catalogue Card Number: 61-6296

Second printing, 1965

Printed in the United States of America

Preface

In preparing these selections the editors have turned to the works of major authors, representative of the principal literary movements in France during the past four centuries. They have chosen texts that they believe to be within the reach of second-year college students of French; hence they have purposely excluded the works of such writers as Racine, Zola, Baudelaire, and Proust.

The introductions present a minimum of biographical details, dates, and titles; they are designed instead to give insight into the literary qualities of each author and to convey the true flavor of his work. More detailed introductions have been provided for some twentieth-century writers, in view of the relative inaccessibility of information about them.

The selections may be considered both as separate units and as representative segments of the works in question. Little attempt has been made to provide summaries of plots; the editors hope that sufficient interest will have been aroused to make students read some of the works more extensively. Order of presentation within each century was decided on the basis of the difficulty of the language and thought; considerations of variety of genre outweighed concern for chronology.

Major decisions regarding presentation, selection and interpretation of texts, and the contents of introductions and notes, were made jointly by the editors. Miss Hernried's particular responsibility embraced Beaumarchais, Musset, Balzac, Verlaine, and the twentieth-century authors; that of Mr. Dougherty included Lamartine, Hugo, Stendhal, Maupassant, Flaubert, and the seventeenth- and eighteenth-century writers, exclusive of Beaumarchais.

The editors take pleasure in expressing their sincere thanks to Mme Madeleine Milhaud, of Mills College, to Professors Carl L. Johnson, of the University of Oregon, and René L. Picard, of the Lycée de Fontainebleau (France), and to Mme Elisabeth Marlow and Mrs. Catherine B. Solinís, of the University of Oregon, for their generous assistance and invaluable advice. They are deeply grateful to the members of the staff of the Oxford University Press for their encouragement and co-operation.

March 1961

D. M. D.
D. E. H.

Table des Matières

LE VINGTIEME SIECLE 247

Perspectives de la littérature française

Le Dix-septième Siècle

Il serait difficile de parler des lettres françaises de l'époque dite «classique» sans consacrer quelques lignes à la littérature du siècle précédent. Ce fut au seizième siècle — l'époque de la Renaissance — que naquit la littérature française moderne. La conception de l'homme, ainsi que de la création littéraire et artistique, se renouvela. L'humanisme,[1] qui avait pris son essor en Italie et qui devait se faire sentir jusque dans l'Europe septentrionale, imagina l'homme d'après le modèle grec et romain — tel que l'avaient dépeint les auteurs classiques. L'homme de la Renaissance fut un être foncièrement bon, capable d'atteindre son plus grand bonheur dans cette vie. Il avait bien évolué depuis l'homme craintif, isolé et misérable du moyen âge.

Le dix-septième siècle continua la tradition humaniste de la Renaissance. Dès le début on tâcha de mettre de l'ordre dans les mœurs autant que dans les lettres. Dans les salons, surtout celui de Mme de Rambouillet,[2] les traits essentiels du classicisme — goût, discipline et raison — se développèrent chez toute une génération d'écrivains.

Ce fut également dans les salons que se répandit la préciosité — style littéraire exagéré qui résulta d'un effort conscient pour éviter les banalités d'expression et que Molière satirisa si souvent. Dans cette société raffinée se forma l'homme universel: *l'honnête homme* qui sait parler de tout sans exagération, sans enthousiasme, et surtout sans révéler sa propre spécialité. «L'honnête homme», devait dire La Rochefoucauld, «est celui qui ne se pique de rien.»

L'influence réformatrice d'un auteur secondaire, Malherbe, suffit pour modifier profondément la langue, en supprimant un vocabulaire excessif et un style exubérant. Cette influence s'ajouta à celle des salons et, plus tard, à celle de la jeune Académie française [3] pour faire du français un instrument d'expression à la fois claire et sensible.

La prose se développa dès le début du siècle. Si l'on prend comme point de

---

[1] *humanisme:* l'étude de l'homme, tel qu'il est révélé dans les littératures classiques
[2] *Mme de Rambouillet:* Catherine de Vivonne, marquise de Rambouillet, fonda en 1608 son célèbre salon qui devait être, pendant près d'un demi-siècle, un des centres littéraires les plus brillants d'Europe.
[3] *Académie française:* la première société officielle de gens de lettres, fondée à Paris en 1635 par ordre du Cardinal de Richelieu

départ la publication, en 1608, du plus connu des romans pastoraux, l'*Astrée* d'Honoré d'Urfé, on arrive, en passant par de nombreux ouvrages secondaires, au chef-d'œuvre du genre, *La Princesse de Clèves*, de Mme de La Fayette. Publié en 1678, ce portrait des mœurs et des sentiments de la noblesse mérite, par sa fine analyse psychologique et par son style sobre et châtié, d'être appelé le premier roman français moderne.

Outre Pascal et Mme de Sévigné, que nous allons étudier plus loin, il y a trois prosateurs de premier ordre à signaler. René Descartes, dont le *Discours de la méthode* (1637) fit étape dans le monde scientifique, fut mathématicien et philosophe plutôt qu'écrivain. Dans un style très latinisé, Descartes exposa sa nouvelle méthode de recherche, dont les traits essentiels sont l'ordre, la clarté et l'exactitude, et où la valeur de la recherche individuelle tient une place primordiale.

Les moralistes mondains, La Rochefoucauld et La Bruyère, occupent un rang unique dans les lettres françaises du siècle. Observateurs subtils et doués des mœurs des honnêtes gens, ils nous ont laissé des commentaires pénétrants sur la société de leur temps. Les *Maximes* de La Rochefoucauld, des spécula-tions sur les mobiles des actions humaines en forme d'épigrammes, affirment que la vertu n'existe pas, pour ainsi dire, et que nos actions les plus désintéressées ont toujours des buts égoïstes. Les *Caractères* de la Bruyère, ensemble d'ob-servations sur la conduite humaine, nous présentent, avec moins d'amertume que les *Maximes*, les défauts de la haute société qu'il avait eu l'occasion d'exa-miner de près.

Signalons aussi les ouvrages de deux ecclésiastiques éminents: les *Oraisons funèbres* de Bossuet, rédigées dans un style élevé, et prononcées, à l'occasion des funérailles de personnages importants, avec une rare éloquence; et le *Télémaque* de Fénelon, roman basé sur les prétendues aventures du fils d'Ulysse, qui sert de cadre à une critique peu voilée du gouvernement de Louis XIV.

Le théâtre tourna le dos aux modèles français, surtout à la tragi-comédie et à la pastorale. Grâce aux puissantes influences classiques, il s'inspira de plus en plus des chefs-d'œuvre de l'antiquité, autant pour la forme que pour le fond. Les fameuses unités — de temps, de lieu et d'action — héritées, croyait-on, du théâtre grec, furent adoptées par les dramaturges français à partir de la «querelle du *Cid*». Cet événement capital, dont nous donnons l'essentiel dans notre introduction au *Cid* de Corneille, marqua leur triomphe.

Racine [4] sut adapter son art aux règles classiques dès sa première tragédie im-portante, *Andromaque* (1667), et son œuvre reste l'expression la plus parfaite du classicisme français. Poète d'une rare sensibilité, dramaturge d'une puissance

[4] *Jean Racine* (1639–99): fit ses études à la maison des Granges, à Port-Royal des Champs; il s'établit à Paris à l'âge de vingt-trois ans.

extraordinaire, Racine se distingua par ses portraits d'hommes et surtout de femmes dominés par la passion. Ses intrigues sont bien plus simples que celles de Corneille et le lecteur (ou le spectateur) est conduit infailliblement à un dénouement où tout doit céder à la force de la passion. Ainsi qu'*Andromaque*, *Phèdre*, la tragédie la plus émouvante de Racine, et peut-être le suprême ouvrage tragique en langue française, fut tirée de l'histoire grecque. A la fin de sa carrière, après avoir renoncé au théâtre à cause de ses scrupules religieux, Racine écrivit deux tragédies bibliques, *Athalie* et *Esther*.

Nous présentons des textes représentatifs de cinq auteurs du siècle: les trois derniers actes du *Cid* de Corneille et *Les Précieuses ridicules* de Molière, à titre d'exemples de la tragédie et de la comédie; quelques pages des grands prosateurs Pascal et Mme de Sévigné; et cinq fables de La Fontaine, le poète le plus génial de l'époque.

JEAN DE LA FONTAINE [1621–95]

Jean de La Fontaine naquit à Château-Thierry [1] de famille bourgeoise. Après un stage comme séminariste, il fit de brèves études de droit. Suivant son mariage en 1647, il acheta une charge publique à Château-Thierry, mais il passa la plupart de son temps à Reims et à Paris.

Ses débuts littéraires lui valurent la protection de Fouquet [2] et il faisait de plus en plus figure dans le monde des lettres. Observateur fin et doué des différents milieux sociaux, il sut en retenir les traits essentiels — abus, hypocrisies, coutumes risibles — pour les mettre en valeur, plus tard, d'une façon inoubliable. En 1665 parut *Contes et nouvelles*, l'ouvrage licencieux et plein d'esprit gaulois [3] qui établit sa réputation littéraire. La première édition des *Fables* parut en 1668.

Pendant les trente dernières années de sa vie, La Fontaine n'écrivit qu'un nombre assez limité de fables, de contes et de ballades. Élu à l'Académie française, il fréquenta plusieurs salons parisiens où il connut les personnalités les plus célèbres de son temps. Sans situation précise, il jouit, pendant de longues années, de la protection de Mme de La Sablière, une des femmes les plus instruites du siècle.

Les *Fables* sont de courts récits en vers dont les personnages sont, pour la

[1] *Château-Thierry:* petite ville qui se trouve en Champagne, à l'est de Paris
[2] *Fouquet:* surintendant des finances du début du règne de Louis XIV, condamné à l'exil pour avoir volé des fonds du gouvernement
[3] *esprit gaulois:* broad, coarse humor, in the Rabelaisian manner

plupart, des animaux, et qui sont généralement précédés ou suivis d'un bref
commentaire moral. Tiré de l'immense connaissance que possédait La Fontaine
de la vie, cet enseignement moral est destiné à apprendre aux hommes à vivre
sans trop de difficultés, à se tirer d'affaire en suivant leur propre intérêt et en
évitant les conflits et les soucis de la vie de tous les jours.

Ces petits chefs-d'œuvre, excessivement simples au premier abord, sont
pourtant le fruit d'un travail extrêmement ardu. La Fontaine sentait mieux que
personne la valeur du rythme, l'importance du mot juste, l'effet d'une phrase
bien équilibrée. Bien qu'il ait choisi des thèmes fort banals, ses fables sont,
grâce à ses prodigieux dons d'artiste, de charmants bijoux poétiques, pleins
d'harmonie et de verve.

Fables

LE LOUP ET L'AGNEAU

La raison du plus fort est toujours la meilleure:
Nous l'allons montrer tout à l'heure.[1]

Un Agneau se désaltérait [2]
Dans le courant d'une onde pure;
Un Loup survient à jeun,[3] qui cherchait aventure,   5
Et que la faim en ces lieux attirait.
— Qui te [4] rend si hardi de troubler mon breuvage? [5]
Dit cet animal plein de rage:
Tu seras châtié de ta témérité.
— Sire, répond l'Agneau, que Votre Majesté   10
Ne se mette pas en colère;
Mais plutôt qu'elle [6] considère
Que je me vas désaltérant [7]
Dans le courant
Plus de vingt pas au-dessous d'Elle;   15
Et que par conséquent, en aucune façon,
Je ne puis troubler sa boisson.
— Tu la troubles, reprit cette bête cruelle;
Et je sais que de moi tu médis [8] l'an passé.
— Comment l'aurais-je fait si [9] je n'étais pas né?   20
Reprit l'Agneau, je tette [10] encor ma mère.

[1] *tout à l'heure:* dans un moment
[2] *se désaltérait:* was quenching his thirst
[3] *à jeun:* qui n'avait pas mangé depuis quelque temps
[4] *te:* tutoiement pour souligner le rang inférieur de l'agneau
[5] *breuvage:* boisson
[6] *elle:* c'est-à-dire votre majesté
[7] *je me vas désaltérant:* obsolete use of *aller* with present participle; note spelling of *vas* to denote peasant pronunciation
[8] *médis:* slandered
[9] *si:* puisque
[10] *tette:* suckle

— Si ce n'est toi, c'est donc ton frère.
   — Je n'en ai point. — C'est donc quelqu'un des tiens;
       Car vous ne m'épargnez [11] guère
       Vous, vos bergers et vos chiens.   25
On me l'a dit: [12] il faut que je me venge.
     Là-dessus, au fond des forêts
     Le Loup l'emporte, et puis le mange,
     Sans autre forme de procès. [13]

[11] *m'épargnez:* let me alone
[12] *on me l'a dit:* hearsay evidence is all that is left to the wolf

[13] *sans autre forme de procès:* without further ado; this last line has become a proverb

LE CHÊNE ET LE ROSEAU [14]

    Le Chêne, un jour, dit au Roseau:
Vous avez bien sujet d' [15] accuser la nature;
Un roitelet [16] pour vous est un pesant fardeau; [17]
     Le moindre vent qui d'aventure [18]
     Fait rider [19] la face de l'eau,   5
     Vous oblige à baisser la tête;
Cependant que [20] mon front, au Caucase pareil, [21]
Non content d'arrêter les rayons du soleil,
     Brave l'effort de la tempête.
Tout vous est aquilon, [22] tout me semble zéphyr. [22]   10
Encor si vous naissiez à l'abri du feuillage [23]
     Dont je couvre le voisinage,
     Vous n'auriez pas tant à souffrir,
     Je vous défendrais de l'orage:
     Mais vous naissez le plus souvent   15
Sur les humides bords des royaumes du vent.
La nature envers vous me semble bien injuste.
— Votre compassion, lui répondit l'arbuste, [24]
Part d'un bon naturel; [25] mais quittez ce souci:
     Les vents me sont moins qu'à vous redoutables;   20
Je plie, et ne romps pas. Vous avez jusqu'ici
     Contre leurs coups épouvantables [26]
     Résisté sans courber le dos;
Mais attendons la fin. Comme il disait ces mots,
Du bout de l'horizon accourt avec furie   25
     Le plus terrible des enfants [27]

[14] *roseau:* reed
[15] *vous avez bien sujet d':* vous avez une bonne raison pour
[16] *roitelet:* wren
[17] *fardeau:* burden
[18] *d'aventure:* par hasard
[19] *fait rider:* ripples
[20] *cependant que:* tandis que
[21] *au Caucase pareil:* like the Caucasus Mountains

[22] *aquilon . . . zéphyr:* vent violent . . . vent doux
[23] *du feuillage:* des feuilles
[24] *arbuste:* shrub
[25] *part d'un bon naturel:* vient de votre bon caractère
[26] *épouvantables:* frightful
[27] *enfants:* offspring

Que le Nord eût portés jusque-là dans ses flancs.²⁸
    L'arbre tient bon; ²⁹ le Roseau plie.
    Le vent redouble ses efforts
    Et fait si bien qu'il déracine ³⁰   30
Celui de qui la tête au ciel était voisine,
Et dont les pieds touchaient à l'empire des morts.

²⁸ *flancs:* womb   ³⁰ *déracine:* uproots
²⁹ *tient bon:* reste ferme

LA JEUNE VEUVE

La perte d'un époux ne va point sans soupirs:
On fait beaucoup de bruit, et puis on se console.
Sur les ailes du Temps la tristesse s'envole: ³¹
    Le Temps ramène les plaisirs.
    Entre la veuve d'une année   5
    Et la veuve d'une journée
La différence est grande: on ne croirait jamais
    Que ce fût la même personne.
L'une fait fuir les gens,³² et l'autre a mille attraits:
Aux soupirs vrais ou faux celle-là s'abandonne;   10
C'est toujours même note et pareil entretien.³³
    On dit qu'on est inconsolable:
    On le dit; mais il n'en est rien,³⁴
    Comme on verra par cette fable,
    Ou plutôt par la vérité.   15
    L'époux d'une jeune beauté
Partait pour l'autre monde. A ses côtés sa femme
Lui criait: Attends-moi, je te suis; et mon âme,
Aussi bien que la tienne, est prête à s'envoler.
    Le mari fit seul le voyage.   20
La belle avait un père, homme prudent et sage;
    Il laissa le torrent ³⁵ couler.
    A la fin, pour la consoler:
Ma fille, lui dit-il, c'est trop verser de larmes:
Qu'a besoin le défunt que vous noyiez vos charmes? ³⁶   25
Puisqu'il est ³⁷ des vivants, ne songez plus aux morts.
    Je ne dis pas que tout à l'heure ³⁸
    Une condition ³⁹ meilleure
    Change en des noces ces transports; ⁴⁰

³¹ *s'envole:* takes its flight   ³⁶ *noyiez vos charmes:* drown your beauty
³² *fait fuir les gens:* drives people away   (in tears)
³³ *pareil entretien:* same conversation   ³⁷ *il est:* il existe
³⁴ *il n'en est rien:* ce n'est pas vrai   ³⁸ *tout à l'heure:* immédiatement
³⁵ *le torrent:* les larmes   ³⁹ *condition:* situation
                                 ⁴⁰ *ces transports:* your mourning

Mais après certain temps souffrez qu'on vous propose   30
Un époux beau, bien fait,[41] jeune, et tout autre chose [42]
   Que le défunt. Ah! dit-elle aussitôt,
   Un cloître [43] est l'époux qu'il me faut.
Le père lui laissa digérer sa disgrâce.[44]
   Un mois de la sorte se passe;   35
L'autre mois [45] on l'emploie à changer tous les jours
Quelque chose à l'habit, au linge, à la coiffure:
   Le deuil enfin sert de parure,[46]
   En attendant d'autres atours.[47]
   Toute la bande des Amours   40
Revient au colombier; [48] les jeux, les ris, la danse
   Ont aussi leur tour [49] à la fin;
   On se plonge soir et matin
   Dans la fontaine de Jouvence.[50]
Le père ne craint plus ce défunt tant chéri;   45
Mais comme il ne parlait de rien à notre belle:
   Où donc est le jeune mari
   Que vous m'avez promis? dit-elle.

[41] *bien fait:* well built
[42] *tout autre chose:* tout à fait différent
[43] *cloître:* elle préfère passer le reste de ses jours dans un couvent
[44] *lui laissa digérer sa disgrâce:* lui laissa le temps d'oublier sa douleur
[45] *l'autre mois:* le mois suivant

[46] *parure:* ornement
[47] *atours:* parures
[48] *toute la . . . revient au colombier:* the whole flock of love birds returns to their nests
[49] *ont aussi leur tour:* take their turn as well
[50] *Jouvence:* Youth

LES ANIMAUX MALADES DE LA PESTE [51]

Un mal [52] qui répand la terreur,
Mal que le Ciel en sa fureur
Inventa pour punir les crimes de la terre,
La peste (puisqu'il faut l'appeler par son nom),
Capable d'enrichir en un jour l'Achéron,[53]   5
   Faisait aux animaux la guerre.
Ils ne mouraient pas tous, mais tous étaient frappés:
   On n'en voyait point d'occupés
A chercher le soutien [54] d'une mourante vie;
   Nul mets [55] n'excitait leur envie;   10
   Ni loups ni renards n'épiaient [56]
   La douce et l'innocente proie;
   Les tourterelles [57] se fuyaient:
Plus d'amour, partant [58] plus de joie.

[51] *peste:* plague
[52] *mal:* maladie
[53] *Achéron:* fleuve des enfers
[54] *soutien:* support

[55] *mets:* nourriture
[56] *épiaient:* were on the watch for
[57] *tourterelles:* turtle doves
[58] *partant:* donc

Le lion tint conseil, et dit: «Mes chers amis,   15
    Je crois que le ciel a permis
    Pour nos péchés cette infortune.
    Que le plus coupable de nous
Se sacrifie aux traits du céleste courroux; [59]
Peut-être il obtiendra la guérison commune.   20
L'histoire nous apprend qu'en de tels accidents,[60]
    On fait de pareils dévouements.[61]
Ne nous flattons donc point; voyons sans indulgence
    L'état de notre conscience.
Pour moi, satisfaisant mes appétits gloutons,   25
    J'ai dévoré force [62] moutons.
Que m'avaient-ils fait? Nulle offense:
Même il m'est arrivé quelquefois de manger
      Le berger.
Je me dévouerai [63] donc, s'il le faut: mais je pense   30
Qu'il est bon que chacun s'accuse ainsi que moi:
Car on doit souhaiter, selon toute justice,
    Que le plus coupable périsse.»
— Sire, dit le renard, vous êtes trop bon roi;
Vos scrupules font voir trop de délicatesse.   35
Eh bien! manger moutons, canaille,[64] sotte espèce,[65]
Est-ce un péché? Non, non. Vous leur fîtes, Seigneur,
    En les croquant,[66] beaucoup d'honneur;
    Et quant au berger, l'on peut dire
    Qu'il était digne de tous maux,   40
Étant de ces gens-là qui sur les animaux
    Se font un chimérique empire.» [67]
Ainsi dit le renard; et flatteurs d'applaudir. [68]
    On n'osa trop approfondir [69]
Du tigre, ni de l'ours, ni des autres puissances   45
    Les moins pardonnables offenses.
Tous les gens querelleurs, jusqu'aux simples mâtins,[70]
Au dire de [71] chacun, étaient de petits saints.
L'âne vint à son tour, et dit: «J'ai souvenance [72]
    Qu'en un pré de moines passant,   50
La faim, l'occasion, l'herbe tendre, et, je pense,
    Quelque diable aussi me poussant,
Je tondis [73] de ce pré la largeur de ma langue.[74]

---

[59] *traits du céleste courroux:* shafts of divine anger
[60] *accidents:* calamités
[61] *dévouements:* self-sacrifice
[62] *force:* beaucoup de
[63] *je me dévouerai:* je me sacrifierai
[64] *canaille:* scum
[65] *sotte espèce:* stupid breed
[66] *croquant:* crunching
[67] *chimérique empire:* fanciful control
[68] *d'applaudir:* applaudirent
[69] *approfondir:* insister sur les méfaits
[70] *mâtins:* mastiffs
[71] *au dire de:* selon
[72] *j'ai souvenance:* je me souviens
[73] *tondis:* sheared
[74] *la largeur de ma langue:* a section as wide as my tongue

Je n'en avais nul droit, puisqu'il faut parler net.»
A ces mots, on cria haro sur le baudet.[75]   55
Un loup, quelque peu clerc,[76] prouva par sa harangue
Qu'il fallait dévouer ce maudit animal,
Ce pelé,[77] ce galeux,[77] d'où venait tout leur mal.
Sa peccadille[78] fut jugée un cas pendable.[79]
Manger l'herbe d'autrui![80] quel crime abominable!   60
    Rien que la mort n'était capable
D'expier son forfait:[81] on le lui fit bien voir.[82]

Selon que vous serez puissant ou misérable,
Les jugements de cour[83] vous rendront blanc ou noir.

[75] *on cria haro sur le baudet:* they raised a hue and cry against the donkey
[76] *quelque peu clerc:* a bit learned
[77] *pelé, galeux:* hairless, mangy fellow
[78] *peccadille:* peccadillo, trifling offense
[79] *pendable:* fit to be punished by hanging

[80] *d'autrui:* belonging to someone else
[81] *forfait:* crime
[82] *on le lui fit bien voir:* on le lui prouva (en le pendant)
[83] *jugements de cour:* extension de l'expression *cour de justice* à la cour du roi

LA LAITIÈRE ET LE POT AU LAIT

Perrette, sur sa tête ayant un pot au lait
    Bien posé sur un coussinet,[84]
Prétendait[85] arriver sans encombre[86] à la ville.
Légère et court vêtue, elle allait à grands pas,
Ayant mis ce jour-là, pour être plus agile,   5
    Cotillon[87] simple et souliers plats.
    Notre laitière, ainsi troussée,[88]
    Comptait déjà dans sa pensée
Tout le prix de son lait, en employait l'argent,
Achetait un cent d'œufs, faisait triple couvée:[89]   10
La chose allait à[90] bien par son soin diligent.
    «Il m'est, disait-elle, facile
D'élever des poulets autour de ma maison;
    Le renard sera bien habile
S'il ne m'en laisse assez pour avoir un cochon.   15
Le porc à s'engraisser[91] coûtera peu de son,[92]
Il était, quand je l'eus,[93] de grosseur raisonnable;
J'aurai, le revendant, de l'argent bel et bon.[94]
Et qui m'empêchera de mettre en notre étable,
Vu le prix dont il est, une vache et son veau,   20

[84] *coussinet:* petit coussin
[85] *prétendait:* espérait
[86] *encombre:* accident
[87] *cotillon:* petticoat
[88] *troussée:* habillée
[89] *couvée:* brood
[90] *allait à:* marchait

[91] *le porc à s'engraisser:* fattening the pig
[92] *son:* bran
[93] *quand je l'eus:* L'emploi du passé simple indique que, dans son esprit, Perrette possède déjà l'animal.
[94] *l'argent bel et bon:* good hard cash

Que je verrai sauter au milieu du troupeau?»
Perrette là-dessus saute aussi, transportée: [95]
Le lait tombe: adieu veau, vache, cochon, couvée.
La dame [96] de ces biens,[97] quittant d'un œil marri[98]
    Sa fortune ainsi répandue,[99]   25
    Va s'excuser à son mari,
    En grand danger d'être battue.
    Le récit en farce en fut fait,[100]
    On l'appela le Pot au lait.

    Quel esprit ne bat la campagne? [101]   30
    Qui ne fait châteaux en Espagne? [102]
Picrochole,[103] Pyrrhus,[104] la Laitière, enfin tous,
    Autant les sages que les fous.
Chacun songe en veillant,[105] il n'est rien de plus doux:
Une flatteuse erreur emporte alors nos [106] âmes,   35
    Tout le bien du monde est à nous,
    Tous les honneurs, toutes les femmes.
Quand je suis seul, je fais au plus brave un défi;
Je m'écarte,[107] je vais détrôner le Sophi; [108]
    On m'élit roi, mon peuple m'aime;   40
Les diadèmes vont sur ma tête pleuvant: [109]
Quelque accident fait-il [110] que je rentre en [111] moi-même,
    Je suis gros Jean [112] comme devant.[113]

[95] *transportée:* carried away
[96] *dame:* owner, mistress
[97] *biens:* possessions
[98] *marri:* downcast
[99] *répandue:* spilled
[100] *en farce en fut fait:* was made into a farce (short comic play)
[101] *bat la campagne:* roams the country-side, i.e. raves or rambles
[102] *châteaux en Espagne:* air castles
[103] *Picrochole:* personnage de Rabelais qui rêva de faire des conquêtes
[104] *Pyrrhus:* roi d'Épire (Epirus) qui rêva de conquérir le monde

[105] *songe en veillant:* daydreams
[106] *nos:* La Fontaine includes himself (cf. the next eight lines)
[107] *je m'écarte:* I get off the subject
[108] *Sophi:* souverain de la Perse
[109] *vont . . . pleuvant:* obsolete use of *aller* with present participle to intensify action
[110] *quelque accident fait-il:* quand quelque accident fait
[111] *je rentre en:* je redeviens
[112] *gros Jean:* nom d'un paysan créé par Rabelais
[113] *devant:* auparavant

MOLIÈRE [1622–73]

Jean-Baptiste Poquelin, fils du marchand tapissier Jean Poquelin, naquit à
Paris et fit ses études au Collège de Clermont.[1] A l'âge de vingt et un ans, son
goût pour le théâtre étant devenu sa préoccupation dominante, il renonça à la

[1] *Collège de Clermont:* fameux collège jésuite, où Molière étudia surtout les auteurs latins
et français

succession de son père. Il fonda, avec la comédienne Madeleine Béjart, l'Illustre Théâtre, et sa troupe donna des représentations à Paris et à Rouen. Au bout de deux ans cette entreprise fit faillite. Molière et sa troupe quittèrent Paris pour séjourner treize ans en province. Ils firent de longues tournées dans le sud de la France, surtout en Languedoc,[2] où Molière gagna la protection du gouverneur. C'est vers la fin de cette époque qu'il fit ses débuts comme auteur dramatique.

En 1658, la troupe rentra à Paris et la grande période de la carrière de l'acteur-directeur-auteur commença. Après l'énorme succès des *Précieuses ridicules*, Molière reçut l'appui du roi. Dès lors il partagea le Théâtre du Petit-Bourbon[3] avec les comédiens italiens[4] et la troupe fut autorisée à s'appeler «troupe de Monsieur, frère unique du roi».

Ce fut pendant cette période extrêmement active que les principales œuvres de Molière furent composées et présentées.[5] La vie de l'auteur devint une lutte incessante contre la mauvaise fortune: jalousie de ses rivaux, dettes, maladies, malheurs personnels. Il mourut, pour ainsi dire, sur la scène; il fut pris d'une convulsion pendant qu'il jouait le rôle principal du *Malade imaginaire*.

Les Précieuses ridicules, outre son importance comme la première œuvre de Molière d'une réelle valeur littéraire, peut à juste titre être étudiée comme ouvrage représentatif du maître. Ses années d'apprentissage en province lui avaient valu une originalité de création artistique incontestable, un sens du comique très poussé, et une souplesse inégalée dans l'emploi de la langue parlée. Dans cette comédie se révèle pour la première fois le don extraordinaire de Molière pour la création de personnages, don qui quelques années plus tard, lui permettra de faire vivre sur la scène Tartuffe, l'hypocrite, Alceste, le misanthrope, Harpagon, l'avare, Monsieur Jourdain, le parvenu.

En 1659, les abus de langue et de mœurs dans les salons parisiens étaient devenus excessifs. Au début du siècle, grâce à l'influence de la marquise de Rambouillet,[6] on s'était efforcé de purifier la langue des grossièretés de toute sorte. Petit à petit, pourtant, un jargon plein de barbarismes et d'expressions exagérées s'était répandu jusque dans les milieux les plus élevés. Molière avait bien choisi le moment de lancer une satire aussi mordante qu'amusante.

Au moment où commence la scène III, Gorgibus, le père de Madelon, croit,

---

[2] *Languedoc:* province de l'ancienne France qui s'étend à l'ouest du Rhône le long des côtes méditerranéennes.

[3] *Théâtre du Petit-Bourbon:* au bout de deux ans cette salle fut démolie; grâce à l'intervention du roi, Molière et sa troupe s'établirent alors dans la Salle du Palais-Royal, où ils restèrent jusqu'à la mort de l'auteur en 1673.

[4] *comédiens italiens:* Les comédiens italiens, dirigés par le fameux Scaramouche, jouirent alors d'une immense popularité à Paris.

[5] *présentées:* Les pièces les plus estimées de Molière sont les suivantes: *L'École des femmes, Le Misanthrope, Tartuffe, L'Avare, Le Bourgeois Gentilhomme, Les Femmes savantes.*

[6] *marquise de Rambouillet:* Voir la note 2, à la page 3.

et avec raison, que les précieuses ont, en effet, rebuté La Grange et Du Croisy, jeunes nobles qui leur avaient rendu visite. La Grange, pour tirer vengeance de l'accueil inattendu qu'ils ont reçu, s'entend avec son valet, Mascarille, pour qu'il fasse, déguisé et secondé par le valet de Du Croisy, le bel esprit auprès des jeunes filles. Le fait que les deux précieuses s'étaient laissé duper par des valets déguisés n'avait rien d'invraisemblable pour les habitués du théâtre de cette époque. La réception enthousiaste de la pièce ouvrit la voie au génie de Molière.

Les Précieuses ridicules

PERSONNAGES

LA GRANGE,[1] ⎫
DU CROISY,   ⎬ amants rebutés [2]
GORGIBUS, bon bourgeois [3]
MADELON, fille de Gorgibus ⎫ Précieuses ridicules
CATHOS, nièce de Gorgibus ⎭
MAROTTE, servante des Précieuses ridicules
ALMANZOR, laquais des Précieuses ridicules
LE MARQUIS DE MASCARILLE, valet de La Grange
LE VICOMTE DE JODELET, valet de Du Croisy
DEUX PORTEURS DE CHAISE
VOISINES
VIOLONS

ACTE I

SCÈNE III — MAROTTE, GORGIBUS

MAROTTE
Que désirez-vous, Monsieur?

GORGIBUS
Où sont vos maîtresses?

MAROTTE
Dans leur cabinet.[4]

GORGIBUS
Que font-elles?

5

MAROTTE
De la pommade pour les lèvres.

GORGIBUS
C'est trop pommadé.[5] Dites-leur 10 qu'elles descendent. Ces pendardes-[6] là, avec leur pommade, ont, je pense, envie de me ruiner. Je ne vois partout que blancs d'œufs, lait virginal,[7] et

[1] La Grange: nom du célèbre acteur de la troupe de Molière, auteur du fameux Registre où se trouvent de précieux renseignements sur les représentations
[2] amants rebutés: rebuffed suitors
[3] bon bourgeois: typical family man
[4] cabinet: dressing room
[5] pommadé: too much lipstick — untranslatable play on words
[6] pendardes: scamps
[7] lait virginal: liquide dont se servaient les précieuses pour se blanchir les mains et la figure

mille autres brimborions [8] que je ne connais point. Elles ont usé, depuis que nous sommes ici, le lard [9] d'une douzaine de cochons, pour le moins, et quatre valets vivaient tous les jours des pieds de mouton [9] qu'elles emploient.

SCÈNE IV — MADELON, CATHOS, GORGIBUS

GORGIBUS

Il est bien nécessaire vraiment de faire tant de dépense pour vous graisser le museau.[10] Dites-moi un peu ce que vous avez fait à ces messieurs, que [11] je les vois sortir avec tant de froideur? Vous avais-je pas commandé de les recevoir comme des personnes que je voulais vous donner pour maris?

MADELON

Et quelle estime, mon père, voulez-vous que nous fassions [12] du procédé irrégulier [13] de ces gens-là?

CATHOS

Le moyen,[14] mon oncle, qu'une fille [15] un peu raisonnable se pût accommoder de [16] leur personne?

GORGIBUS

Et qu'y trouvez-vous à redire? [17]

MADELON

La belle galanterie que la leur! Quoi! débuter d'abord par le mariage!

GORGIBUS

Et par où veux-tu donc qu'ils débutent, par le concubinage? N'est-ce pas un procédé dont vous avez sujet de vous louer [18] toutes deux aussi bien que moi? Est-il rien de plus obligeant que cela? Et ce lien sacré où ils aspirent, n'est-il pas un témoignage de l'honnêteté de leurs intentions?

MADELON

Ah! mon père, ce que vous dites là est du dernier bourgeois.[19] Cela me fait honte de vous ouïr [20] parler de la sorte, et vous devriez un peu vous faire apprendre le bel air des choses.[21]

GORGIBUS

Je n'ai que faire [22] ni d'air ni de chanson. Je te dis que le mariage est une chose sainte et sacrée, et que c'est faire en [23] honnêtes gens que de débuter par là.

MADELON

Mon Dieu, que, si tout le monde vous ressemblait, un roman serait bientôt fini! La belle chose que ce serait, si d'abord Cyrus [24] épousait Mandane, et qu'Aronce de plain-pied [25] fût marié à Clélie!

[8] *brimborions:* trifles
[9] *lard . . . pieds de mouton:* pigs' fat and sheep's feet, used in cosmetics
[10] *museau:* snout — vulgar for face
[11] *que:* puisque
[12] *quelle estime . . . que nous fassions:* what regard, father, do you expect us to show?
[13] *irrégulier:* unconventional
[14] *le moyen:* comment voulez-vous?
[15] *fille:* jeune fille
[16] *se pût accommoder de:* could put up with

[17] *qu'y trouvez-vous à redire?:* what do you think is wrong with it?
[18] *sujet de vous louer:* raison d'être contentes
[19] *du dernier bourgeois:* the limit of middle-class vulgarity
[20] *ouïr:* entendre
[21] *le bel air des choses:* the proper manner of doing things
[22] *je n'ai que faire (de):* I'm not concerned with
[23] *faire en:* agir comme
[24] *Cyrus . . . Mandane . . . Aronce . . . Clélie:* personnages des romans pastoraux de Mlle de Scudéry
[25] *de plain-pied:* sans difficultés

GORGIBUS

Que me vient conter celle-ci?

MADELON

Mon père, voilà ma cousine qui vous
dira, aussi bien que moi, que le
mariage ne doit jamais arriver qu'après
les autres aventures. Il faut qu'un
amant,[26] pour être agréable, sache
débiter les beaux sentiments, pousser
le doux,[27] le tendre et le passionné, et
que sa recherche soit dans les formes.
Premièrement, il doit voir au temple,[28]
ou à la promenade, ou dans quelque
cérémonie publique, la personne dont
il devient amoureux; ou bien être conduit fatalement chez elle par un parent
ou un ami, et sortir de là tout rêveur
et mélancolique. Il cache un temps sa
passion à l'objet aimé, et cependant lui
rend plusieurs visites, où l'on ne manque jamais de mettre sur le tapis[29]
une question galante qui exerce les
esprits de l'assemblée. Le jour de la
déclaration arrive, qui se doit faire
ordinairement dans une allée de quelque jardin, tandis que la compagnie
s'est un peu éloignée; et cette déclaration est suivie d'un prompt courroux,[30]
qui paraît à notre rougeur, et qui, pour
un temps, bannit l'amant de notre présence. Ensuite il trouve moyen de nous
apaiser, de nous accoutumer insensiblement au discours[31] de sa passion,
et de tirer de nous cet aveu qui fait
tant de peine. Après cela viennent les
aventures, les rivaux qui se jettent à la
traverse d'[32]une inclination établie, les
persécutions des pères, les jalousies
conçues sur de fausses apparences, les
plaintes, les désespoirs, les enlèvements,[33] et ce qui s'ensuit. Voilà
comme les choses se traitent dans les
belles manières, et ce sont des règles
dont, en bonne galanterie, on ne
saurait se dispenser. Mais en venir de
but en blanc[34] à l'union conjugale, ne
faire l'amour qu'en faisant le contrat
du mariage, et prendre justement le
roman par la queue! encore un coup,
mon père, il ne se peut rien de plus
marchand[35] que ce procédé; et j'ai mal
au cœur[36] de la seule vision que cela
me fait.

GORGIBUS

Quel diable de jargon entends-je
ici? Voici bien du haut style!

CATHOS

En effet, mon oncle, ma cousine
donne dans le vrai de la chose.[37] Le
moyen de bien recevoir des gens qui
sont tout à fait incongrus[38] en galanterie? [. . .]

GORGIBUS

Je pense qu'elles sont folles toutes
deux, et je ne puis rien comprendre à
ce baragouin.[39] Cathos, et vous, Madelon . . .

MADELON

Eh! de grâce,[40] mon père, défaites-
vous de[41] ces noms étranges, et nous
appelez autrement.

[26] *amant:* amoureux (This famous speech
outlines the *précieuses'* ideas of courtship.)
[27] *débiter . . . pousser le doux:* s'exprimer
avec passion en langage précieux
[28] *temple:* église
[29] *mettre sur le tapis:* bring up for discussion
[30] *prompt courroux:* colère immédiate
[31] *discours:* déclaration
[32] *à la traverse de:* contre
[33] *enlèvements:* abductions

[34] *de but en blanc:* directement
[35] *marchand:* vulgaire
[36] *j'ai mal au cœur:* I get sick at my
stomach
[37] *donne dans . . . la chose:* gets to the
heart of the matter
[38] *incongrus:* improper
[39] *baragouin:* prattle
[40] *de grâce:* je vous en prie
[41] *défaites-vous de:* get rid of

GORGIBUS

Comment ces noms étranges! Ne sont-ce pas vos noms de baptème?

MADELON

Mon Dieu, que vous êtes vulgaire! Pour moi, un de mes étonnements, c'est que vous ayez pu faire d'une fille si spirituelle[42] que moi. A-t-on jamais parlé dans le beau style de Cathos ni de Madelon? et ne m'avouerez-vous pas que ce serait assez d'un de ces noms[43] pour décrier[44] le plus beau roman du monde?

CATHOS

Il est vrai, mon oncle, qu'une oreille un peu délicate pâtit[45] furieusement[46] à entendre prononcer ces mots-là; et le nom de Polyxène que ma cousine a choisi, et celui d'Aminte que je me suis donné, ont une grâce dont il faut que vous demeuriez d'accord.[47]

GORGIBUS

Écoutez, il n'y a qu'un mot qui serve: je n'entends point que vous ayez d'autres noms que ceux qui vous ont été donnés par vos parrains et marraines;[48] et pour ces messieurs dont il est question, je connais leurs familles, et leurs biens,[49] et je veux résolûment que vous vous disposiez à les recevoir pour maris. Je me lasse[50] de vous avoir sur les bras, et la garde de deux filles est une charge un peu trop pesante pour un homme de mon âge.

CATHOS

Pour moi, mon oncle, tout ce que je vous puis dire, c'est que je trouve le mariage une chose tout à fait choquante. Comment est-ce qu'on en peut souffrir la pensée?

MADELON

Souffrez que nous prenions un peu haleine[51] parmi le beau monde de Paris, où nous ne faisons que d'arriver.[52] Laissez-nous faire à loisir le tissu[53] de notre roman, et n'en pressez point tant la conclusion.

GORGIBUS

Il n'en faut point douter, elles sont achevées.[54] Encore un coup, je n'entends rien à toutes ces balivernes; je veux être maître absolu; et pour trancher[55] toutes sortes de discours, ou vous serez mariées toutes deux avant qu'il soit peu,[56] ou, ma foi! vous serez religieuses;[57] j'en fais un bon serment.

SCÈNE V — CATHOS, MADELON

CATHOS

Mon Dieu! ma chère, que ton père a la forme enfoncée dans la matière![58]

[42] spirituelle: witty
[43] que ce serait . . . ces noms: that one of these names would suffice
[44] décrier: belittle
[45] pâtit: souffre
[46] furieusement: perhaps the most popular superlative of the précieuses
[47] dont . . . d'accord: qu'il vous faut reconnaître
[48] parrains et marraines: godfathers and godmothers
[49] biens: property
[50] je me lasse: je deviens fatigué

[51] souffrez que . . . haleine: permettez-nous de demeurer un peu
[52] nous ne faisons que d'arriver: nous venons d'arriver
[53] tissu: fabric, structure
[54] achevées: complètement folles
[55] trancher: couper court à
[56] avant qu'il soit peu: dans très peu de temps
[57] religieuses: nuns (Au dix-septième siècle les filles rebelles en France étaient souvent obligées de se faire religieuses.)
[58] la forme . . . matière: mind overcome by materialistic considerations

que son intelligence est épaisse, et
qu'il fait sombre dans son âme! [59]

MADELON

Que veux-tu, ma chère? J'en suis en
confusion pour lui. J'ai peine à me
persuader que je puisse être véritablement sa fille, et je crois que quelque
aventure, un jour, me viendra dévelop- 10
per une naissance plus illustre.

CATHOS

Je le croirais bien; oui, il y a toutes 15
les apparences du monde; et pour moi,
quand je me regarde aussi . . .

SCÈNE VI — MAROTTE, CATHOS,   20
MADELON

MAROTTE

Voilà un laquais qui demande si
vous êtes au logis, et dit que son maître 25
vous veut venir voir.

MADELON

Apprenez, sotte, à vous énoncer [60] 30
moins vulgairement. Dites: «Voilà un
nécessaire qui demande si vous êtes en
commodité d'être visibles.» [61]

MAROTTE

Dame! je n'entends [62] point le latin,
et je n'ai pas appris, comme vous, la
filofie dans le Grand Cyre.[63]

MADELON

L'impertinente! Le moyen de
souffrir cela! Et qui est-il, le maître de
5 ce laquais?

MAROTTE

Il me l'a nommé le marquis de Mascarille.

MADELON

Ah! ma chère, un marquis! [64] Oui,
allez dire qu'on nous peut voir. C'est
sans doute un bel esprit qui aura ouï
15 parler [65] de nous.

CATHOS

Assurément, ma chère.

MADELON

Il faut le recevoir dans cette salle
basse,[66] plutôt qu'en notre chambre.
25 Ajustons un peu nos cheveux au moins,
et soutenons notre réputation. Vite,
venez nous tendre ici dedans le conseiller des grâces.[67]

MAROTTE

Par ma foi, je ne sais point quelle
bête c'est là: [68] il faut parler chrétien,
si vous voulez que je vous entende.

35   CATHOS

Apportez-nous le miroir, ignorante
que vous êtes, et gardez-vous bien d'en
salir la glace par la communication de
votre image.

[59] qu'il fait sombre dans son âme!: qu'il a
l'esprit peu éclairé!
[60] énoncer: exprimer
[61] nécessaire . . . en commodité d'être visibles: servant . . . able to be seen (vocab.
précieux)
[62] entends: comprends
[63] filofie . . . le Grand Cyre: philosophie
. . . le Grand Cyrus (Marotte's mispronun-
ciations)

[64] marquis: a titled suitor would be especially welcome
[65] qui aura ouï parler: who probably heard
[66] salle basse: room on the ground floor—
the précieuses commonly received in sumptuous bedrooms on the second floor
[67] conseiller des grâces: miroir (vocab.
précieux)
[68] quelle bête c'est là: what kind of animal
that is

SCÈNE VII — MASCARILLE, DEUX
PORTEURS

MASCARILLE

Holà! porteurs, holà! Là, là, là, là,
là, là. Je pense que ces marauds-[69] là
ont dessein de me briser à force de
heurter [70] contre les murailles et les
pavés.

1. PORTEUR

Dame! c'est que la porte est étroite:
vous avez voulu aussi que nous soyons
entrés jusqu'ici.

MASCARILLE

Je le crois bien. Voudriez-vous,
faquins,[71] que j'exposasse l'embonpoint [72] de mes plumes aux inclémen-
ces de la saison pluvieuse, et que
j'allasse imprimer mes souliers en
boue? [73] Allez, ôtez votre chaise [74]
d'ici.

2. PORTEUR

Payez-nous donc, s'il vous plaît,
Monsieur.

MASCARILLE

Hem?

2. PORTEUR

Je dis, Monsieur, que vous nous donniez de l'argent, s'il vous plaît.

MASCARILLE, lui donnant un soufflet [75]

Comment, coquin, demander de

l'argent à une personne de ma qualité! [76]

2. PORTEUR

Est-ce ainsi qu'on paye les pauvres
gens? et votre qualité nous donne-t-
elle à dîner?

MASCARILLE

Ah! ah! ah! je vous apprendrai à
vous connaître! Ces canailles-là s'osent
jouer à moi.[77]

1. PORTEUR, prenant un des bâtons [78] de sa chaise

Çà [79] payez-nous vitement!

MASCARILLE

Quoi?

1. PORTEUR

Je dis que je veux avoir de l'argent
tout à l'heure.[80]

MASCARILLE

Il [81] est raisonnable.

1. PORTEUR

Vite donc!

MASCARILLE

Oui-da.[82] Tu parles comme il faut,
toi; mais l'autre est un coquin qui ne
sait ce qu'il dit. Tiens: es-tu content?

1. PORTEUR

Non, je ne suis pas content: vous
avez donné un soufflet à mon camarade, et . . .

[69] marauds: rascals
[70] heurter: bump
[71] faquins: scum
[72] embonpoint: fine appearance
[73] imprimer mes souliers en boue: marcher
dans la boue (vocab. précieux)
[74] chaise: sedan chair, carried by two
porters
[75] soufflet: slap

[76] qualité: rank
[77] ces canailles . . . à moi: this riffraff
dares to joke with me
[78] bâtons: carrying rods
[79] Çà: come now
[80] tout à l'heure: immédiatement
[81] Il: cela
[82] Oui-da: sure!

MASCARILLE

Doucement. Tiens, voilà pour [83] le soufflet. On obtient tout de moi quand on s'y prend de la bonne façon.[84] Allez, venez me reprendre tantôt pour aller au Louvre,[85] au petit coucher.[86]

SCÈNE VIII — MAROTTE, MASCARILLE

MAROTTE

Monsieur, voilà mes maîtresses qui vont venir tout à l'heure.

MASCARILLE

Qu'elles ne se pressent point: [87] je suis ici posté commodément pour attendre.

MAROTTE

Les voici.

SCÈNE IX — MADELON, CATHOS
MASCARILLE, ALMANZOR

MASCARILLE, *après avoir salué*

Mesdames,[1] vous serez surprises, sans doute, de l'audace de ma visite; mais votre réputation vous attire cette méchante affaire,[2] et le mérite a pour moi des charmes si puissants, que je cours partout après lui.

MADELON

Si vous poursuivez le mérite, ce n'est pas sur nos terres que vous devez 5 chasser.

CATHOS

Pour voir chez nous le mérite, il a fallu que vous l'y ayez amené.

10

MASCARILLE

Ah! je m'inscris en faux [3] contre vos paroles. La renommée accuse juste [4] en contant ce que vous valez; et vous 15 allez faire pic, repic et capot [5] tout ce qu'il y a de galant dans Paris.

MADELON

Votre complaisance pousse un peu 20 trop avant la libéralité de ses louanges; [6] et nous n'avons garde, ma cousine et moi, de donner de notre sérieux dans le doux de votre flatterie.[7]

25   CATHOS

Ma chère, il faudrait faire donner des sièges.

MADELON

Holà, Almanzor!

30

ALMANZOR

Madame.

MADELON

Vite, voiturez-nous ici les commodités de la conversation.[8]

---

[83] *voilà pour:* that's what you get for
[84] *quand on . . . bonne façon:* when you 35 go about it in the right way
[85] *Louvre:* en 1659 le palais principal de Louis XIV
[86] *au petit coucher:* the King's ceremonious retiring, to which only the most favored nobles were admitted
[87] *qu'elles ne se pressent point:* qu'elles prennent leur temps

---

[1] *Mesdames:* terme réservé aux dames nobles au dix-septième siècle
[2] *cette méchante affaire:* this unpleasant business (which is unworthy of you)
[3] *je m'inscris en faux:* je proteste
[4] *accuse juste:* indique correctement

[5] *faire pic, repic, et capot:* Mascarille emploie le vocabulaire d'un jeu de cartes (piquet) pour prédire que les précieuses auront un succès brillant dans la société parisienne.
[6] *pousse un peu . . . louanges:* is somewhat too generous with its praise
[7] *nous n'avons garde . . . de votre flatterie:* we are far from taking your excessive flattery seriously
[8] *commodités de la conversation:* chaises (vocab. précieux)

MASCARILLE

Mais au moins, y a-t-il sûreté ici pour moi? [9]

CATHOS

Que craignez-vous?

MASCARILLE

Quelque vol de mon cœur, quelque assassinat de ma franchise.[10] Je vois ici des yeux qui ont la mine [11] d'être de fort mauvais garçons, de faire insulte aux libertés, et de traiter une âme de Turc à More.[12] [. . .]

MADELON

Ma chère, c'est le caractère enjoué.[13]

CATHOS

Je vois bien que c'est un Amilcar.[14]

MADELON

Ne craignez rien: nos yeux n'ont point de mauvais desseins, et votre cœur peut dormir en assurance sur leur prud'homie.[15]

CATHOS

Mais de grâce, Monsieur, ne soyez pas inexorable [16] à ce fauteuil qui vous tend les bras il y a un quart d'heure; contentez un peu l'envie qu'il a de vous embrasser.

[9] *y a-t-il sûreté ici pour moi?:* am I safe here?
[10] *franchise:* liberté
[11] *la mine:* l'air
[12] *de Turc à More:* sans pitié
[13] *enjoué:* gai
[14] *Amilcar:* personnage très gai de *Clélie,* roman pastoral de Mlle de Scudéry
[15] *dormir . . . prud'homie:* être tranquille à l'égard de l'honnêteté de leurs intentions
[16] *inexorable:* sans pitié (vocab. précieux)

MASCARILLE, *après s'être peigné et avoir ajusté ses canons* [17]

Eh bien, Mesdames, que dites-vous de Paris?

MADELON

Hélas! qu'en pourrions-nous dire? Il faudrait être l'antipode de la raison,[18] pour ne pas confesser que Paris est le grand bureau [19] des merveilles, le centre du bon goût, du bel esprit et de la galanterie.

MASCARILLE

Pour moi, je tiens que hors de Paris, il n'y a point de salut pour les honnêtes gens.[20]

CATHOS

C'est une vérité incontestable.

MASCARILLE

Il y fait un peu crotté; [21] mais nous avons la chaise.

MADELON

Il est vrai que la chaise est un retranchement [22] merveilleux contre les insultes de la boue et du mauvais temps.

MASCARILLE

Vous recevez beaucoup de visites: quel bel esprit est des vôtres? [23]

MADELON

Hélas! nous ne sommes pas encore connues; mais nous sommes en passe

[17] *canons:* ruffles on his breeches, below the knee
[18] *l'antipode de la raison:* le contraire du bon sens
[19] *le grand bureau:* le centre principal
[20] *il n'y a point . . . les honnêtes gens:* there's no salvation for sophisticated people
[21] *crotté:* muddy
[22] *retranchement:* fortification
[23] *est des vôtres?:* assiste à vos réunions?

de [24] l'être, et nous avons une amie particulière qui nous a promis d'amener ici tous ces messieurs du *Recueil des pièces choisies.*[25]

CATHOS

Et certains autres qu'on nous a nommés aussi pour être les arbitres souverains des belles choses.

MASCARILLE

C'est moi qui ferai votre affaire mieux que personne: ils me rendent tous visite; et je puis dire que je ne me lève [26] jamais sans une demi-douzaine de beaux esprits.

MADELON

Eh! mon Dieu, nous vous serons obligées de la dernière [27] obligation, si vous nous faites cette amitié; car enfin il faut avoir la connaissance de tous ces messieurs-là, si l'on veut être du beau monde. Ce sont ceux qui donnent le branle à [28] la réputation dans Paris, et vous savez qu'il y en a tel dont il ne faut que la seule fréquentation pour vous donner bruit de connaisseuse,[29] quand il n'y aurait rien autre chose que cela. Mais pour moi, ce que je considère particulièrement, c'est que, par le moyen de ces visites spirituelles, on est instruite de cent choses qu'il faut savoir de nécessité, et qui sont de l'essence d'un bel esprit. On apprend

par là chaque jour les petites nouvelles galantes, les jolis commerces de prose et de vers. [. . .] C'est là ce qui vous fait valoir [30] dans les compagnies; et si l'on ignore ces choses, je ne donnerais pas un clou de [31] tout l'esprit qu'on peut avoir.

CATHOS

En effet, je trouve que c'est renchérir sur [32] le ridicule, qu'une personne se pique d'esprit [33] et ne sache pas jusqu'au moindre [34] petit quatrain qui se fait chaque jour; et pour moi, j'aurais toutes les hontes du monde [35] s'il fallait qu'on vînt à [36] me demander si j'aurais vu quelque chose de nouveau que je n'aurais pas vu.

MASCARILLE

Il est vrai qu'il est honteux de n'avoir pas des premiers [37] tout ce qui se fait; mais ne vous mettez pas en peine: je veux établir chez vous une Académie [38] de beaux esprits, et je vous promets qu'il ne se fera pas un bout de vers dans Paris que vous ne sachiez par cœur avant tous les autres. Pour moi, tel que vous me voyez, je m'en escrime [39] un peu quand je veux; et vous verrez courir de ma façon, dans les belles ruelles [40] de Paris, deux cents chansons,[41] autant de sonnets, quatre

---

[24] *en passe de:* en train de
[25] *Recueil des pièces choisies:* anthologie de vers, probablement celle qui fut publiée en 1653
[26] *lève:* Mascarille prétend qu'il a des levers cérémonieux. (Cf. note 86, Sc. VII)
[27] *la dernière:* la plus grande
[28] *donnent le branle à:* lancent
[29] *bruit de connaisseuse:* la réputation d'être bien renseignée
[30] *valoir:* briller
[31] *je ne donnerais pas un clou de:* I would not give a pin for
[32] *renchérir sur:* exagérer

[33] *se pique d'esprit:* takes pride in being witty
[34] *jusqu'au moindre:* down to the least
[35] *aurais . . . du monde:* I should be terribly ashamed
[36] *vînt à:* happened to
[37] *de n'avoir pas des premiers:* not to be the first to know about
[38] *Académie:* nom donné à quelques-uns des salons les plus prétentieux
[39] *je m'en escrime:* I have a turn at it
[40] *ruelles:* ici, salons
[41] *chansons . . . sonnets . . . épigrammes . . . madrigaux . . . énigmes . . . portraits:* les vers les plus courants en France au dix-septième siècle

cents épigrammes et plus de mille madrigaux, sans compter les énigmes et les portraits.

MADELON

Je vous avoue que je suis furieusement pour les portraits; je ne vois rien de si galant que cela.

MASCARILLE

Les portraits sont difficiles et demandent un esprit profond; vous en verrez de ma manière qui ne vous déplairont pas.

CATHOS

Pour moi, j'aime terriblement les énigmes.

MASCARILLE

Cela exerce l'esprit, et j'en ai fait quatre encore ce matin, que je vous donnerai à deviner.

MADELON

Les madrigaux sont agréables, quand ils sont bien tournés.[42]

MASCARILLE

C'est mon talent particulier; et je travaille à mettre en madrigaux toute l'histoire romaine.

MADELON

Ah! certes, cela sera du dernier beau.[43] J'en retiens un exemplaire au moins, si vous le faites imprimer.

MASCARILLE

Je vous en promets à chacune un, et des mieux reliés.[44] Cela est au-dessous de ma condition;[45] mais je le fais seulement pour donner à gagner aux libraires [46] qui me persécutent.

MADELON

Je m'imagine que le plaisir est grand de se voir imprimé. [47]

MASCARILLE

Sans doute. Mais à propos, il faut que je vous die [48] un impromptu [49] que je fis hier chez une duchesse de mes amies que je fus [50] visiter; car je suis diablement fort sur les impromptus.

CATHOS

L'impromptu est justement la pierre de touche de l'esprit.

MASCARILLE

Écoutez donc.

MADELON

Nous y sommes de toutes nos oreilles.

MASCARILLE

Oh, oh! je n'y prenais pas garde:
Tandis que, sans songer à mal, je vous
  regarde,
Votre œil en tapinois me dérobe [51] mon
  cœur;
Au voleur, au voleur, au voleur, au
  voleur!

CATHOS

Ah! mon Dieu! voilà qui est poussé dans le dernier galant.[52]

[42] *tournés:* écrits
[43] *du dernier beau:* extremely beautiful
[44] *reliés:* bound
[45] *condition:* rank (Mascarille has completely fooled the girls as to his real station in life)
[46] *libraires:* booksellers
[47] *de se voir imprimé:* to see oneself in print
[48] *die:* obsolete for *dise*
[49] *impromptu:* vers fort populaire dans les salons de l'époque
[50] *fus:* allai
[51] *en tapinois . . . dérobe:* vole clandestinement
[52] *poussé dans le dernier galant:* carried to the extreme of gallantry

MASCARILLE

Tout ce que je fais a l'air cavalier; [53] cela ne sent point le pédant.[54]

MADELON

Il en est éloigné de plus de deux mille lieues.[55]

MASCARILLE

Avez-vous remarqué ce commencement: *Oh, oh?* Voilà qui est extraordinaire: *oh, oh!* Comme un homme qui s'avise [56] tout d'un coup: *oh, oh!* La surprise: *oh, oh!*

MADELON

Oui, je trouve ce *oh, oh!* admirable.

MASCARILLE

Il semble que cela ne soit rien.

CATHOS

Ah! mon Dieu, que dites-vous? Ce sont là de ces sortes de choses qui ne se peuvent payer.[57]

MADELON

Sans doute; et j'aimerais mieux avoir fait ce *oh, oh!* qu'un poème épique.

MASCARILLE

Tudieu! [58] vous avez le goût bon.

MADELON

Eh! je ne l'ai pas tout à fait mauvais.

MASCARILLE

Mais n'admirez-vous pas aussi *je n'y prenais pas garde? Je n'y prenais pas*

garde, je ne m'apercevais pas de cela: [59] façon de parler naturelle: *je n'y prenais pas garde. Tandis que sans songer à mal,* tandis qu'innocemment, 5 sans malice, comme un pauvre mouton, *je vous regarde,* c'est-à-dire, je m'amuse à vous considérer, je vous observe, je vous contemple; *Votre œil en tapinois . . .* Que vous semble de ce 10 mot *tapinois?* n'est-il pas bien choisi?

CATHOS

Tout à fait bien.

MASCARILLE

15   *Tapinois,* en cachette: il semble que ce soit un chat qui vienne de prendre une souris: [60] *tapinois.*

MADELON

20   Il ne se peut rien de mieux.[61]

MASCARILLE

Me dérobe mon cœur, me l'emporte, 25 me le ravit.[62] *Au voleur, au voleur, au voleur, au voleur!* Ne diriez-vous pas que c'est un homme qui crie et court après un voleur pour le faire arrêter? *Au voleur, au voleur, au voleur, au* 30 *voleur!*

MADELON

Il faut avouer que cela a un tour spirituel [63] et galant.

35

MASCARILLE

Je veux vous dire l'air que j'ai fait dessus.[64]

CATHOS

Vous avez appris la musique?

---

[53] *l'air cavalier:* a light touch
[54] *ne sent point le pédant:* is not at all stuffy, pedantic
[55] *lieues:* leagues
[56] *s'avise:* realizes
[57] *qui ne se peuvent payer:* that can't be bought
[58] *Tudieu!:* Gosh!
[59] *je ne . . . de cela:* I didn't notice that
[60] *souris:* mouse
[61] *Il ne . . . de mieux:* It couldn't be better.
[62] *emporte . . . ravit:* carries off
[63] *tour spirituel:* witty turn of phrase
[64] *dessus:* comme accompagnement

MASCARILLE

Moi? Point du tout.

CATHOS

Et comment donc cela se peut-il?

MASCARILLE

Les gens de qualité savent tout sans avoir jamais rien appris.

MADELON

Assurément, ma chère. [. . .]

MASCARILLE

Tout ce que je fais me vient naturellement, c'est sans étude.

MADELON

La nature vous a traité en vraie mère passionnée,[65] et vous en êtes l'enfant gâté.[66]

MASCARILLE

A quoi donc passez-vous le temps?

CATHOS

A rien du tout.

MADELON

Nous avons été jusqu'ici dans un jeûne effroyable de divertissements.[67]

MASCARILLE

Je m'offre à vous mener l'un de ces jours à la comédie,[68] si vous voulez; aussi bien [69] on en doit jouer une nouvelle que je serai bien aise que nous voyions ensemble.

MADELON

Cela n'est pas de refus.

MASCARILLE

Mais je vous demande d'applaudir comme il faut, quand nous serons là; car je me suis engagé de faire valoir la pièce,[70] et l'auteur m'en est venu prier encore ce matin. C'est la coutume ici qu'à nous autres gens de condition les auteurs viennent lire leurs pièces nouvelles, pour nous engager à les trouver belles, et leur donner de la réputation; et je vous laisse à penser si, quand nous disons quelque chose, le parterre [71] ose nous contredire. Pour moi, j'y suis fort exact; et quand j'ai promis à quelque poète, je crie toujours: «Voilà qui est beau,» devant que les chandelles soient allumées.[72]

MADELON

Ne m'en parlez point: c'est un admirable lieu que Paris; il s'y passe [73] cent choses tous les jours qu'on ignore dans les provinces, quelque spirituelle qu'on puisse être.

CATHOS

C'est assez: puisque nous sommes instruites, nous ferons notre devoir de nous écrier comme il faut [74] sur tout ce qu'on dira.

MASCARILLE

Je ne sais si je me trompe, mais vous avez toute la mine [75] d'avoir fait quelque comédie.

[65] en vraie mère passionnée: like a truly loving mother
[66] vous en . . . gâté: you are her (nature's) spoiled child
[67] un jeûne . . . divertissements: a frightful dearth of entertainment
[68] comédie: théâtre
[69] aussi bien: en effet
[70] faire valoir la pièce: call attention to the play's merit
[71] le parterre: the (people who sit in the) pit
[72] devant que . . . allumées: i.e. before the play has begun
[73] s'y passe: happen there
[74] nous écrier comme il faut: cry out in the proper way
[75] toute la mine: tout à fait l'air

MADELON

Eh! il pourrait être quelque chose de ce que vous dites.[76]

MASCARILLE

Ah! ma foi, il faudra que nous la voyions. Entre nous, j'en ai composé une que je veux faire représenter.

CATHOS

Hé, à quels comédiens la donnerez-vous?

MASCARILLE

Belle demande! Aux grands comédiens.[77] Il n'y a qu'eux qui soient capables de faire valoir les choses; les autres sont des ignorants qui récitent comme l'on parle;[78] ils ne savent pas faire ronfler[79] les vers, et s'arrêter au bel endroit: et le moyen de connaître où est le beau vers, si le comédien ne s'y arrête, et ne vous avertit[80] par là qu'il faut faire le brouhaha?[81]

CATHOS

En effet, il y a manière de faire sentir aux auditeurs les beautés d'un ouvrage; et les choses ne valent que ce qu'on les fait valoir.

MASCARILLE

Que vous semble de ma petite-oie?[82] La trouvez-vous congruante[83] à l'habit?

CATHOS

Tout à fait.

MASCARILLE

Le ruban est bien choisi.

MADELON

Furieusement bien. [. . .]

MASCARILLE

Que dites-vous de mes canons?

MADELON

Ils ont tout à fait bon air.

MASCARILLE

Je puis me vanter au moins qu'ils ont un grand quartier plus[84] que tous ceux qu'on fait.

MADELON

Il faut avouer que je n'ai jamais vu porter si haut[85] l'élégance de l'ajuste-ment.[86]

MASCARILLE

Attachez un peu sur ces gants la réflexion de votre odorat.[87]

MADELON

Ils sentent terriblement bon.

CATHOS

Je n'ai jamais respiré une odeur mieux conditionnée.[88]

---

[76] il pourrait . . . vous dites: there may be some truth in what you say
[77] grands comédiens: la troupe de l'Hôtel de Bourgogne, dont Molière se moqua souvent
[78] Other companies could not duplicate the exaggerated diction of the grands comédiens, nor imitate their manner of hesitating at the most beautiful lines.
[79] ronfler: boom
[80] avertit: warns, gives notice
[81] brouhaha: bruit des applaudissements

[82] petite-oie: accessories of dress, especially ribbons
[83] congruante: well matched
[84] un grand quartier plus: twelve full inches more
[85] porter si haut: carry so far
[86] ajustement: dress, attire
[87] Attachez . . . odorat: one of Molière's best attempts to reproduce the language of the précieuses
[88] conditionnée: an obviously forced use of the adjective

MASCARILLE

Et celle-là? (*Il donne à sentir les cheveux poudrés de sa perruque.*) [89]

MADELON

Elle est tout á fait de qualité; le sublime [90] en est touché délicieusement.

MASCARILLE

Vous ne me dites rien de mes plumes; comment les trouvez-vous?

CATHOS

Effroyablement belles.

MASCARILLE

Savez-vous que le brin me coûte un louis d'or? [91] Pour moi, j'ai cette manie de vouloir donner généralement sur [92] tout ce qu'il y a de plus beau.

MADELON

Je vous assure que nous sympathisons,[93] vous et moi: j'ai une délicatesse furieuse pour tout ce que je porte; et jusqu'à mes chaussettes,[94] je ne puis rien souffrir qui ne soit de la bonne ouvrière.[95]

MASCARILLE, *s'écriant brusquement*

Ahi,[96] ahi, ahi, doucement! Dieu me damne, Mesdames, c'est fort mal en user; [97] j'ai à me plaindre de votre procédé; cela n'est pas honnête.

CATHOS

Qu'est-ce donc? qu'avez-vous?

MASCARILLE

Quoi? toutes deux contre mon cœur, en même temps! m'attaquer à droit et à gauche! [98] Ah! c'est contre le droit des gens; [99] la partie n'est pas égale; et je m'en vais crier au meurtre.[100]

CATHOS

Il faut avouer qu'il dit les choses d'une manière particulière.

MADELON

Il a un tour admirable dans l'esprit.

CATHOS

Vous avez plus de peur que de mal, et votre cœur crie avant qu'on l'écorche.[101]

MASCARILLE

Comment diable! il est écorché depuis la tête jusqu'aux pieds.

SCÈNE X — MAROTTE, MASCARILLE, CATHOS, MADELON

MAROTTE

Madame, on demande à vous voir.

MADELON

Qui?

MAROTTE

Le vicomte de Jodelet.

MASCARILLE

Le vicomte de Jodelet?

[89] Mascarille lowers his head so that his perfumed wig can be smelled.
[90] *sublime:* cerveau (vocab. précieux)
[91] *le brin me coûte un louis d'or:* each feather costs me twenty-four *livres*
[92] *donner sur:* rechercher avec passion
[93] *sympathisons:* sommes d'accord
[94] *chaussettes:* silk understockings
[95] *de la bonne ouvrière:* made by a good house
[96] *ahi:* ouch! (mod. *aïe*)
[97] *en user:* se conduire
[98] *à droit et à gauche:* des deux côtés; note Molière's spelling: *droit*
[99] *droit des gens:* civil rights
[100] *je m'en vais crier au meurtre:* I shall cry out murder
[101] *avant qu'on l'écorche:* before it is skinned

MAROTTE

Oui, Monsieur.

CATHOS

Le connaissez-vous?

MASCARILLE

C'est mon meilleur ami.

MADELON

Faites entrer vitement.

MASCARILLE

Il y a quelque temps que nous ne nous sommes vus, et je suis ravi de cette aventure.

CATHOS

Le voici.

SCÈNE XI — JODELET, MASCARILLE, CATHOS, MADELON, MAROTTE

MASCARILLE

Ah! vicomte!

JODELET, *s'embrassant l'un l'autre*

Ah! marquis!

MASCARILLE

Que je suis aise de te rencontrer!

JODELET

Que j'ai de joie de te voir ici!

MASCARILLE

Baise-moi donc encore un peu, je te prie.

MADELON

Ma toute bonne,[1] nous commençons d'être connues; voilà le beau monde 5 qui prend le chemin de nous venir voir.

MASCARILLE

Mesdames, agreez [2] que je vous pré-10 sente ce gentilhomme-ci: sur ma parole, il est digne d'être connu de vous.

JODELET

Il est juste de venir vous rendre ce 15 qu'on vous doit; et vos attraits exigent leurs droits seigneuriaux sur [3] toutes sortes de personnes.

MADELON

20   C'est pousser vos civilités jusqu'aux derniers confins de la flatterie.

CATHOS

Cette journée doit être marquée 25 dans notre almanach comme une journée bienheureuse.

MADELON

Allons, petit garçon,[4] faut-il tou-30 jours vous répéter les choses? Voyez-vous pas qu'il faut le surcroît d'un fauteuil? [5]

MASCARILLE

35   Ne vous étonnez pas de voir le Vicomte de la sorte: il ne fait que sortir [6] d'une maladie qui lui a rendu le visage pâle comme vous le voyez.

JODELET

Ce sont fruits des veilles de la cour [7] et des fatigues de la guerre.

---

[1] *ma toute bonne:* ma chère
[2] *agréez:* permettez
[3] *vos attraits exigent leurs droits seigneuriaux sur:* your charms exert seignorial rights on
[4] *petit garçon:* i.e. le domestique

[5] *le surcroît d'un fauteuil:* un fauteuil de plus
[6] *il ne fait que sortir:* il vient de guérir
[7] *fruits des veilles de la cour:* results of (long) vigils at court

MASCARILLE

Savez-vous, Mesdames, que vous voyez dans le Vicomte un des vaillants hommes du siècle? C'est un brave à trois poils.[8]

JODELET

Vous ne m'en devez rien,[9] Marquis; et nous savons ce que vous savez faire aussi.

MASCARILLE

Il est vrai que nous nous sommes vus tous deux dans l'occasion.[10]

JODELET

Et dans des lieux où il faisait fort chaud.

MASCARILLE, *les regardant toutes deux*

Oui; mais non pas si chaud qu'ici. Hai, hai, hai!

JODELET

Notre connaissance s'est faite à l'armée; et la première fois que nous nous vîmes, il commandait un régiment de cavalerie sur les galères de Malte.[11]

MASCARILLE

Il est vrai; mais vous étiez pourtant dans l'emploi[12] avant que j'y fusse; et je me souviens que je n'étais que petit officer encore, que vous commandiez deux mille chevaux.

JODELET

La guerre est une belle chose; mais, ma foi, la cour récompense bien mal aujourd'hui les gens de service[13] comme nous.

MASCARILLE

C'est ce qui fait que je veux pendre l'épée au croc.[14]

CATHOS

Pour moi, j'ai un furieux tendre pour[15] les hommes d'épée.

MADELON

Je les aime aussi; mais je veux que l'esprit assaisonne[16] la bravoure.

MASCARILLE

Te souvient-il, Vicomte, de cette demi-lune que nous emportâmes[17] sur les ennemis au siège d'Arras?[18]

JODELET

Que veux-tu dire avec ta demi-lune? C'était bien une lune toute entière.[19]

MASCARILLE

Je pense que tu as raison.

JODELET

Il m'en doit bien souvenir,[20] ma foi: j'y fus blessé à la jambe d'un coup de grenade, dont je porte encore les mar-

[8] *un brave à trois poils:* un homme extrêmement brave
[9] *vous ne m'en devez rien:* vous ne m'êtes nullement inférieur
[10] *dans l'occasion:* i.e. in battle
[11] *il commandait . . . galères de Malte:* a completely nonsensical remark
[12] *dans l'emploi:* à l'armée
[13] *gens de service:* soldats du roi

[14] *pendre l'épée au croc:* i.e. renoncer au service militaire
[15] *j'ai un furieux tendre pour:* I'm frightfully fond of
[16] *assaisonne:* season
[17] *demi-lune que nous emportâmes:* part of a redoubt that we took
[18] *Arras:* ville dans le nord de la France prise aux Espagnols par les armées françaises en 1640
[19] *une lune toute entière:* an entire (enemy) position
[20] *il m'en doit bien souvenir:* je dois bien m'en souvenir

ques. Tâtez [21] un peu, de grâce; vous
sentirez quelque coup, c'était là.

CATHOS

Il est vrai que la cicatrice [22] est
grande.

MASCARILLE

Donnez-moi un peu votre main, et
tâtez celui-ci, là, justement au derrière
de la tête: y êtes-vous?

MADELON

Oui: je sens quelque chose.

MASCARILLE

C'est un coup de mousquet que je
reçus la dernière campagne que j'ai
faite.

JODELET

Voici un autre coup qui me perça de
part en part [23] à l'attaque de Gravelines. [24]

MASCARILLE, mettant la main sur le
bouton de son haut-de-chausses [25]

Je vais vous montrer une furieuse
plaie. [26]

MADELON

Il n'est pas nécessaire: nous le croy-
ons sans y regarder.

MASCARILLE

Ce sont des marques honorables,
qui font voir ce qu'on est.

CATHOS

Nous ne doutons point de ce que
vous êtes.

MASCARILLE

Vicomte, as-tu là ton carrosse? [27]

JODELET

Pourquoi?

MASCARILLE

Nous mènerions promener ces dames
hors des portes, [28] et leur donnerions
un cadeau.

MADELON

Nous ne saurions sortir aujourd'hui.

MASCARILLE

Ayons donc les violons pour danser.

JODELET

Ma foi, c'est bien avisé. [29]

MADELON

Pour cela, nous y consentons; mais il
faut donc quelque surcroît de compagnie.

MASCARILLE

Holà! Champagne, [30] Picard, Bour-
guignon, Casquaret, Basque, la Verdure, Lorrain, Provençal, la Violette!
Au diable soient tous les laquais! Je ne
pense pas qu'il y ait gentilhomme en
France plus mal servi que moi. Ces
canailles me laissent toujours seul.

MADELON

Almanzor, dites aux gens de Monsieur qu'ils aillent quérir [31] des vio-

---

[21] tâtez: feel
[22] cicatrice: scar
[23] de part en part: clear through
[24] Gravelines: ville sur la frontière franco-
belge
[25] haut-de-chausses: breeches
[26] plaie: wound

[27] carrosse: carriage
[28] hors des portes: hors de Paris
[29] c'est bien avisé: c'est une bonne idée
[30] Champagne, Picard, etc.: On appelait
souvent les domestiques par le nom de leur
province natale.
[31] quérir: chercher

lons, et nous faites venir ces Messieurs et ces Dames d'ici près, pour peupler la solitude de [32] notre bal. [. . .]

MASCARILLE

Vicomte, dis-moi un peu, y a-t-il longtemps que tu n'as vu la Comtesse?

JODELET

Il y a plus de trois semaines que je ne lui ai rendu visite.

MASCARILLE

Sais-tu bien que le Duc m'est venu voir ce matin, et m'a voulu mener à la campagne courir un cerf [33] avec lui?

MADELON

Voici nos amies qui viennent.

SCÈNE XII — JODELET, MASCARILLE, CATHOS, MADELON, MAROTTE, LUCILE, ALMANZOR

MADELON

Mon Dieu, mes chères, nous vous demandons pardon. Ces Messieurs ont eu fantaisie de nous donner les âmes des pieds; [34] et nous vous avons envoyé quérir pour remplir les vides [35] de notre assemblée.

LUCILE

Vous nous avez obligées, sans doute.

MASCARILLE

Ce n'est ici qu'un bal à la hâte; mais l'un de ces jours nous vous en donnerons un dans les formes. Les violons sont-ils venus?

ALMANZOR

Oui, Monsieur; ils sont ici.

CATHOS

Allons donc, mes chères, prenez place.

MASCARILLE, *dansant lui seul comme par prélude*

La, la, la, la, la, la, la, la.

MADELON

Il a tout à fait la taille [36] élégante.

CATHOS

Et a la mine de [37] danser proprement.[38]

MASCARILLE, *ayant pris Madelon*

Ma franchise [39] va danser la courante [40] aussi bien que mes pieds. En cadence, violons, en cadence. Oh! quels ignorants! Il n'y a pas moyen de danser avec eux. Le diable vous emporte! ne sauriez-vous jouer en mesure? La, la, la, la, la, la, la, la. Ferme,[41] ô violons de village.

JODELET, *dansant ensuite*

Holà! ne pressez pas si fort la cadence: je ne fais que sortir de maladie.

SCÈNE XIII — DU CROISY, LA GRANGE, MASCARILLE, JODELET

LA GRANGE

Ah! ah! coquins, que faites-vous ici? Il y a trois heures que nous vous cherchons.

---

[32] *peupler la solitude de:* faire venir plus de personnes à
[33] *courir un cerf:* to go deer hunting
[34] *les âmes des pieds:* les violons (qui conduisent la danse)
[35] *remplir les vides:* fill in the empty spaces

[36] *taille:* silhouette
[37] *a la mine de:* a l'air de
[38] *proprement:* élégamment
[39] *franchise:* boldness
[40] *la courante:* une danse à la mode
[41] *ferme:* steady

MASCARILLE, *se sentant battre*

Ahy! ahy! ahy! vous ne m'aviez pas dit que les coups en seraient aussi.[42]

JODELET

Ahy! ahy! ahy!

LA GRANGE

C'est bien à vous,[43] infâme que vous êtes, à vouloir faire l'homme d'importance.

DU CROISY

Voilà qui vous apprendra à vous connaître.[44]   (*Ils sortent.*)

SCÈNE XIV — MASCARILLE, JODELET, CATHOS, MADELON

MADELON

Que veut donc dire ceci?

JODELET

C'est une gageure.[45]

CATHOS

Quoi? vous laisser battre de la sorte!

MASCARILLE

Mon Dieu, je n'ai pas voulu faire semblant de rien; [46] car je suis violent, et je me serais emporté.[47]

MADELON

Endurer un affront comme celui-là, en notre présence!

MASCARILLE

Ce n'est rien: ne laissons pas d'achever.[48] Nous nous connaissons il y a
5 longtemps; et entre amis, on ne va pas se piquer pour si peu de chose.[49]

SCÈNE XV — DU CROISY, LA GRANGE, MASCARILLE, JODELET, MADELON,
10 CATHOS, VIOLONS

LA GRANGE

Ma foi, marauds, vous ne vous rirez pas de nous, je vous promets. Entrez,
15 vous autres.

(*Trois ou quatre spadassins entrent.*)

MADELON

20 Quelle est donc cette audace, de venir nous troubler de la sorte dans notre maison?

DU CROISY

25 Comment, Mesdames, nous endurerons que nos laquais soient mieux reçus que nous? qu'ils viennent vous faire l'amour à nos dépens,[50] et vous donnent le bal?

MADELON

Vos laquais?

LA GRANGE

35 Oui, nos laquais: et cela n'est ni beau ni honnête de nous les débaucher [51] comme vous faites.

MADELON

40 Ô Ciel! quelle insolence!

---

[42] *en seraient aussi:* would also be a part of it
[43] *bien à vous:* a fine thing for you
[44] *Voilà . . . à vous connaître:* this (the beating) will teach you to know your place
[45] *gageure:* wager
[46] *faire semblant de rien:* pretend that I knew anything

[47] *je . . . emporté:* I would have lost my temper
[48] *ne laissons pas d'achever:* let's go on with it, i.e. our dance
[49] *on ne va . . . peu de chose:* we're not going to be offended by such a trifle
[50] *à nos dépens:* à nos frais
[51] *nous les débaucher:* spoil them for us

LA GRANGE

Mais ils n'auront pas l'avantage de se servir de nos habits pour vous donner dans la vue; [52] et si vous les voulez aimer, ce sera, ma foi, pour leurs beaux yeux. Vite, qu'on les dépouille sur-le-champ.[53]

JODELET   10

Adieu notre braverie.[54]

MASCARILLE

Voilà le marquisat et la vicomté à bas.[55]   15

DU CROISY

Ha! ha! coquins, vous avez l'audace d'aller sur nos brisées! [56] Vous irez chercher autre part de quoi [57] vous 20 rendre agréables aux yeux de vos belles, je vous en assure.

LA GRANGE   25

C'est trop que de nous supplanter,[58] et de nous supplanter avec nos propres habits.

MASCARILLE   30

Ô Fortune, quelle est ton inconstance!

DU CROISY

Vite, qu'on leur ôte jusqu'à la moin- 35 dre chose.[59]

LA GRANGE

Qu'on emporte toutes ces hardes,[60] dépêchez. Maintenant, Mesdames, en

l'état qu'[61]ils sont, vous pouvez continuer vos amours avec eux tant qu'il vous plaira; nous vous laissons toute sorte de liberté pour cela, et nous vous 5 protestons,[62] Monsieur et moi, que nous n'en serons aucunement jaloux.

CATHOS

Ah! quelle confusion!

MADELON

Je crève de dépit.[63]

VIOLONS, au Marquis

Qu'est-ce donc que ceci? Qui nous payera, nous autres?

MASCARILLE

Demandez à Monsieur le Vicomte.

VIOLONS, au Vicomte

Qui est-ce qui nous donnera de l'argent?

JODELET

Demandez à Monsieur le Marquis.

SCENE XVI — GORGIBUS, MASCARILLE, JODELET, MADELON, CATHOS, VIOLONS

GORGIBUS

Ah! coquines que vous êtes, vous nous mettez dans de beaux draps blancs,[64] à ce que je vois; et je viens d'apprendre de belles affaires, vraiment, de ces messieurs qui sortent!

MADELON

Ah! mon père, c'est une pièce sanglante [65] qu'ils nous ont faite!

---

[52] vous donner dans la vue: to impress you
[53] les dépouille sur-le-champ: les déshabille tout de suite
[54] braverie: elegance of dress
[55] à bas: cast down
[56] aller sur nos brisées: rivaliser avec nous
[57] de quoi: the wherewithal to
[58] nous supplanter: take our places
[59] jusqu'à la moindre chose: down to the very last thing
[60] hardes: vêtements
[61] en l'état que: comme
[62] protestons: assurons
[63] je crève de dépit: je meurs de honte
[64] dans de beaux draps blancs: in a fine fix
[65] une pièce sanglante: un sale tour

GORGIBUS

Oui, c'est une pièce sanglante, mais qui est un effet de votre impertinence,[66] infâmes! Ils se sont ressentis [67] du traitement que vous leur avez fait; et cependant, malheureux que je suis, il faut que je boive [68] l'affront.

MADELON

Ah! je jure que nous en serons vengées, ou que je mourrai en la peine.[69]

Et vous, marauds, osez-vous vous tenir ici après votre insolence?

MASCARILLE

5 Traiter comme cela un marquis! Voilà ce que c'est que du monde: [70] la moindre disgrâce [71] nous fait mépriser de ceux qui nous chérissaient. Allons, camarade, allons chercher fortune au-
10 tre part; je vois bien qu'on n'aime ici que la vaine apparence, et qu'on n'y considère point la vertu toute nue.[72]

(Ils sortent tous deux.) [. . .]

[66] impertinence: insolence
[67] ils se sont ressentis: they resented
[68] boive: swallow
[69] en la peine: in the attempt
[70] voilà . . . du monde: that's the way society treats you

[71] disgrâce: malheur
[72] qu'on n'y considère . . . toute nue: there's no regard for unadorned merit (Nue obviously recalls to the audience the fact that Mascarille and Jodelet have been virtually stripped.)

MADAME DE SÉVIGNÉ [1626–96]

Si le dix-septième siècle nous a laissé de nombreuses lettres pleines d'esprit et de charme, c'est que, grâce à une nette amélioration du service des postes, les échanges de lettres se développèrent beaucoup au cours du siècle. Les lettres servaient, en quelque sorte, de journaux. Les gens quelque peu cultivés, sachant bien que leurs lettres passeraient de main en main, s'efforçaient d'écrire dans un style spirituel et soigné.

C'est dans les lettres de Mme de Sévigné que le genre épistolaire a trouvé son expression la plus élégante. Née Marie de Rabutin-Chantal, orpheline dès l'âge de sept ans, Mme de Sévigné fut élevée par ses grands-parents maternels et par son oncle. Elle épousa, à dix-huit ans, le marquis de Sévigné, dont elle eut deux enfants. Après la mort de son mari, Mme de Sévigné et ses enfants habitèrent sa propriété des Rochers en Bretagne. En 1663 elle se fixa définitivement à Paris. Pendant plus de trente-cinq ans elle traita mille sujets différents, s'adressant à de nombreux correspondants, mais surtout à son cousin, Bussy-Rabutin, et à sa fille, Mme de Grignan. Ses lettres sont, en somme, une sorte de chronique de la deuxième moitié du siècle, présentée avec une rare perspicacité. Événements de la cour, le fameux procès de Fouquet,[1] faits de guerre et exécutions publiques,

[1] Fouquet: Surintendant des finances de Louis XIV, il comparut devant la Chambre de justice en 1664, après avoir subi trois ans de détention. Le récit de son procès compte parmi les pages les plus animées de Mme de Sévigné.

tels sont les sujets qu'elle a traités avec verve, souvent avec originalité et d'un ton très personnel. Si ses épanchements maternels nous semblent quelquefois excessifs, nous restons toutefois sous le charme de sa sincérité et de son naturel.

Le style des *Lettres* est d'une simplicité classique, léger et sans prétention. A part La Fontaine, aucun auteur français du siècle ne nous parle plus directement. Malgré quelques traces de préciosité et de nombreuses négligences stylistiques, les *Lettres* de Mme de Sévigné nous touchent encore aujourd'hui par leur ton élégant autant que par leur profond intérêt humain.

Lettres

LA MORT DE VATEL [1]

A madame de Grignan

A Paris, ce dimanche 26e [2] avril 1671.

Il est dimanche 26 avril; cette lettre ne partira que mercredi; mais ceci n'est pas une lettre, c'est une relation que vient de me faire Moreuil,[3] à votre intention, de ce qui s'est passé à Chantilly touchant Vatel. Je vous écrivis vendredi qu'il s'était poignardé: [4] voici l'affaire en détail.

Le Roi arriva jeudi au soir; la chasse, les lanternes, le clair de la lune, la promenade, la collation [5] dans un lieu tapissé de [6] jonquilles, tout cela fut à souhait. On soupa. Il y eut quelques tables où le rôti manqua, à cause de plusieurs dîners où l'on ne s'était point attendu.[7] Cela saisit [8] Vatel; il dit plusieurs fois: «Je suis perdu d'honneur; voici un affront que je ne supporterai pas.» Il dit à Gourville: [9] «La tête me tourne, il y a douze nuits que je n'ai dormi; aidez-moi à donner des ordres.» Gourville le soulagea en ce qu'il put. Ce rôti qui avait manqué, non pas à la table du Roi, mais aux vingt-cinquièmes,[10] lui revenait toujours à la tête.[11] Monsieur le Prince [12] alla jusque dans sa chambre, et lui dit: «Vatel, tout va bien, rien n'était si beau que le souper du Roi.» Il lui dit: «Monseigneur, votre bonté m'achève;[13] je sais que le rôti a manqué à deux tables. — Point du tout, dit Monsieur le Prince, ne vous fâchez point,[14] tout va bien.» La nuit vient: le feu d'artifice [15] ne réussit pas, il fut couvert d'un nuage; il coûtait seize mille francs. A quatre heures du matin, Vatel s'en va partout, il trouve tout endormi; il rencontre un petit pourvoyeur [16] qui lui apportait seulement deux charges de

[1] *Vatel:* célèbre maître d'hôtel du Grand Condé au moment où Louis XIV séjourna à Chantilly
[2] *26e:* aujourd'hui on écrit *le 26*
[3] *Moreuil:* ami de Mme de Sévigné
[4] *poignardé:* stabbed
[5] *collation:* repas léger
[6] *tapissé de:* strewn with
[7] *où l'on . . . attendu:* which had not been anticipated
[8] *saisit:* affected deeply, shocked
[9] *Gourville:* Condé's major-domo
[10] *aux vingt-cinquièmes:* at some of the other twenty-five (tables)
[11] *lui revenait . . . tête:* kept coming back to his mind
[12] *Monsieur le Prince:* Condé
[13] *m'achève:* overwhelms me
[14] *ne vous fâchez point:* don't worry
[15] *feu d'artifice:* display of fireworks
[16] *pourvoyeur:* purveyor, caterer

marée;[17] il lui demande: «Est-ce là tout?» Il lui dit: «Oui, Monsieur.» Il ne savait pas que Vatel avait envoyé à tous les ports de mer. Il attend quelque temps; les autres pourvoyeurs ne viennent point; sa tête s'échauffait,[18] il croit qu'il n'aura point d'autre marée; il trouve Gourville, et lui dit: «Monsieur, je ne survivrai pas à cet affront-ci; j'ai de l'honneur et de la réputation à perdre.» Gourville se moque de lui. Vatel monte à sa chambre, met son épée contre la porte, et se la passe au travers du cœur; mais ce ne fut qu'au troisième coup, car il s'en donna deux qui n'étaient pas mortels: il tombe mort. La marée cependant arrive de tous côtés; on cherche Vatel pour la distribuer; on va à sa chambre; on heurte,[19] on enfonce[20] la porte; on le trouve noyé[21] dans son sang; on court à Monsieur le Prince, qui fut au désespoir. Monsieur le Duc[22] pleura; c'était sur Vatel que roulait[23] tout son voyage de Bourgogne. Monsieur le Prince le dit au Roi fort tristement: on dit que c'était à force d'avoir de l'honneur en sa manière; on le loua fort, on loua et blâma son courage. Le Roi dit qu'il y avait cinq ans qu'il retardait de venir à Chantilly, parce qu'il comprenait l'excès de cet embarras.

Il dit à Monsieur le Prince qu'il ne devait avoir que deux tables, et ne se point charger de tout le reste. Il jura qu'il ne souffrirait plus que Monsieur le Prince en usât ainsi;[24] mais c'était trop tard pour le pauvre Vatel.

Cependant Gourville tâche de réparer la perte de Vatel; elle le fut: on dîna très bien, on fit collation, on soupa, on se promena, on joua, on fut à la chasse; tout était parfumé de jonquilles, tout était enchanté. [. . .]

UNE JOURNÉE A VERSAILLES

A madame de Grignan

A Paris, mercredi 29 juillet 1676.

Voici un changement de scène qui vous paraîtra aussi agréable qu'à tout le monde. Je fus[25] samedi à Versailles avec les Villars:[26] voici comme cela va. Vous connaissez la toilette[27] de la reine, la messe, le dîner; mais il n'est plus besoin de se faire étouffer[28] pendant que Leurs Majestés sont à table; car à trois heures le roi, la reine, Monsieur,[29] Madame, Mademoiselle,[29] tout ce qu'il y a de princes et de princesses,[30] madame de Montespan,[31] toute sa suite, tous les courtisans, toutes les dames, enfin ce qui s'appelle la Cour de France, se trouve dans ce bel appartement du roi que vous connaissez. Tout est meublé divinement, tout est magnifique. On ne sait ce que c'est que d'y avoir chaud; on passe d'un lieu à l'autre sans faire la presse[32] nulle part. Un jeu de reversi[33] donne la forme, et fixe tout. Le roi est auprès

---

[17] *charges de marée:* expéditions de poissons de mer frais
[18] *sa tête s'échauffait:* il devenait très agité
[19] *heurte:* frappe
[20] *enfonce:* break in
[21] *noyé:* weltering
[22] *Monsieur le Duc:* fils aîné du Prince de Condé
[23] *sur Vatel que roulait:* de Vatel que dépendait
[24] *en usât ainsi:* handle things in this manner
[25] *fus:* allai

[26] *les Villars:* le futur maréchal de France et sa femme
[27] *toilette:* ceremonial dressing
[28] *se faire étouffer:* to be stifled
[29] *Monsieur:* le frère cadet du roi . . . *Mademoiselle:* Mlle de Montpensier
[30] *tout ce . . . princesses:* all the princes and princesses there were
[31] *madame de Montespan:* favorite de Louis XIV (1641–1707)
[32] *sans faire la presse:* without being crowded
[33] *reversi:* reversi(s) — a card game

de madame de Montespan, qui tient la carte; Monsieur, la reine et madame de Soubise;[34] Dangeau[35] et compagnie; mille louis sont répandus sur le tapis,[36] il n'y a point d'autres jetons.[37] Je voyais jouer Dangeau, et j'admirais combien nous sommes sots au jeu auprès de lui.[38] Il ne songe qu'à son affaire,[39] et gagne où les autres perdent; il ne néglige rien, il profite de tout, il n'est point distrait; en un mot, sa bonne conduite défie la fortune; aussi les deux cent mille francs en dix jours, les cent mille écus en un mois, tout cela se met sur le livre de sa recette.[40] Il dit que je prenais part à son jeu, de sorte que je fus assise très agréablement et très commodément. Je saluai le roi, ainsi que vous me l'avez appris; il me rendit mon salut, comme si j'avais été jeune et belle. La reine me parla aussi longtemps de ma maladie que si c'eût été une couche.[41] Elle me dit encore quelques mots de vous. M. le Duc me fit mille de ces caresses à quoi il ne pense pas.[42] [. . .] Vous savez ce que c'est que de recevoir un mot de tout ce que l'on trouve[43] en son chemin. Madame de Montespan me parla de Bourbon,[44] elle me pria de lui conter Vichy,[44] et comment je m'en

étais trouvée; elle me dit que Bourbon, au lieu de guérir un genou, lui a fait mal aux deux. Je lui trouvai le dos bien plat, comme disait la maréchale de la Meilleraie;[45] mais, sérieusement, c'est une chose surprenante que sa beauté; sa taille n'est pas de la moitié si grosse qu'elle était, sans que son teint, ni ses yeux, ni ses lèvres, en soient moins bien. Elle était tout habillée de point de France;[46] coiffée de mille boucles;[47] les deux des tempes lui tombent fort bas sur les joues; des rubans noirs sur sa tête, des perles de[48] la maréchale de l'Hôpital, embellies de boucles et de pendeloques[49] de diamants de la dernière beauté, trois ou quatres poinçons,[50] point de coiffe; en un mot, une triomphante beauté à faire admirer à tous les ambassadeurs. Elle a su qu'on se plaignait qu'elle empêchait toute la France de voir le roi; elle l'a redonné, comme vous voyez; et vous ne sauriez croire la joie que tout le monde en a ni de quelle beauté cela rend[51] la Cour. Cette agréable confusion, sans confusion,[52] de tout ce qu'il y de plus choisi,[53] dure depuis trois heures jusqu'à six. S'il vient des courriers, le roi se retire un moment pour lire ses lettres, et puis revient. Il y a toujours quelque musique qu'il écoute, et qui fait un très bon effet. Il cause avec les dames qui ont accoutumé d'avoir cet honneur. Enfin on quitte le

---

[34] *madame de Soubise:* Anne de Rohan (1643–1723)
[35] *Dangeau:* aide-de-camp de Louis XIV (1631–1712)
[36] *tapis:* baize covering of gaming table
[37] *jetons:* counters
[38] *combien . . . de lui:* what stupid gamblers we are compared to him
[39] *son affaire:* i.e. son jeu
[40] *le livre de sa recette:* his account book, under the heading *received*
[41] *que si . . . une couche:* comme si j'avais eu un enfant
[42] *ces caresses . . . pense pas:* unmeaning compliments
[43] *de tout ce que l'on trouve:* from everybody that one encounters
[44] *Bourbon . . . Vichy:* villes d'eau déjà célèbres au dix-septième siècle

[45] *la maréchale de la Meilleraie:* manner of referring, still used in French, to the wife of a Marshal of France
[46] *point de France:* French point (needlepoint lace)
[47] *boucles:* curls
[48] *de:* which belonged to
[49] *pendeloques:* pendants
[50] *poinçons:* bodkins
[51] *rend:* invests
[52] *sans confusion:* without actually being a state of confusion
[53] *de tout . . . plus choisi:* of all the most select people

jeu à six heures; on n'a point du tout de peine à faire les comptes.[54] On parle sans cesse, et rien ne demeure sur le cœur.[55] Combien avez-vous de cœurs? J'en ai deux, j'en ai trois, j'en ai un, j'en ai quatre; il n'en a donc que trois, que quatre; et Dangeau est ravi de tout ce caquet: [56] il découvre le jeu,[57] il tire ses conséquences, il voit à qui il a affaire; enfin, j'étais fort aise de voir cet excès d'habileté; vraiment c'est bien lui qui sait le dessous [58] des cartes, car il sait toutes les autres couleurs. On monte donc à six heures en calèche, le roi, madame de Montespan, Monsieur, madame de Thianges [59] et la Bonne d'Heudicourt [60] sur le trapontin,[61] c'est-à-dire comme en paradis, ou dans la gloire de Niquée.[62] Vous savez comme ces calèches sont faites; on ne se regarde point, on est tourné du même côté. La reine était dans une autre avec les princesses, et ensuite tout le monde attroupé, selon sa fantaisie. On va sur le canal [63] dans des gondoles, on y trouve de la musique, on revient à dix heures, on trouve la comédie; [64] minuit sonne, on fait médianoche; [65] voilà comme se passa le samedi.

[54] *faire les comptes:* settle the (gambling) debts
[55] *demeure sur le cœur:* rankles in anyone's mind
[56] *caquet:* chattering, prattle
[57] *découvre le jeu:* finds out what cards (the others) hold
[58] *dessous:* underside
[59] *madame de Thianges:* sœur de madame de Nevers, dont la beauté était célèbre
[60] *Bonne d'Heudicourt:* Bonne de Pons, marquise d'Heudicourt
[61] *trapontin:* small front seat; cf. mod. Fr. *straponon*
[62] *gloire de Niquée:* une des féeries (i.e. fairy-scenes) du roman *Amadis de Gaule*
[63] *canal:* le grand canal du parc de Versailles
[64] *comédie:* théâtre
[65] *médianoche:* repas de minuit

RÉFLEXIONS SUR LA VIE ET SUR LA MORT

A madame de Grignan

A Paris, mercredi 16 mars 1672.

Vous me demandez, ma chère enfant, si j'aime toujours bien la vie.

Je vous avoue que j'y trouve des chagrins cuisants; [66] mais je suis encore plus dégoûtée de la mort: je me trouve si malheureuse d'avoir à finir tout ceci par elle, que si je pouvais retourner en arrière, je ne demanderais pas mieux.

Je me trouve dans un engagement qui m'embarrasse: je suis embarquée dans la vie sans mon consentement; il faut que j'en sorte, cela m'assomme; [67] et comment en sortirai-je? Par où? par quelle porte? quand sera-ce? en quelle disposition? [68] Souffrirai-je mille et mille douleurs, qui me feront mourir désespérée? aurai-je un transport au cerveau? [69] mourrai-je d'un accident? Comment serai-je avec Dieu? [70] qu'aurai-je à lui présenter? la crainte, la nécessité feront-elles mon retour vers lui? N'aurai-je aucun autre sentiment que celui de la peur? Que puis-je espérer? suis-je digne du paradis? suis-je digne de l'enfer? Quelle alternative! Quel embarras! [71] Rien n'est si fou que de mettre son salut dans l'incertitude; [72] mais rien n'est si naturel, et la sotte vie que je mène est la chose du monde la plus aisée à comprendre. Je m'abîme [73] dans ces pensées, et je

[66] *cuisants:* bitter
[67] *assomme:* overwhelms
[68] *en quelle disposition?:* de quelle façon?
[69] *transport au cerveau:* stroke
[70] *Comment serai-je avec Dieu?:* How shall I face God?
[71] *embarras:* trouble
[72] *mettre . . . dans l'incertitude:* to be in doubt about one's salvation
[73] *m'abîme:* me plonge

trouve la mort si terrible, que je hais plus la vie parce qu'elle m'y mène, que par les épines [74] qui s'y rencontrent. Vous me direz que je veux vivre éternellement. Point du tout; mais si on m'avait demandé mon avis, j'aurais bien aimé à mourir entre les bras de ma nourrice: cela m'aurait ôté bien des ennuis, et m'aurait donné le ciel bien sûrement et bien aisément; mais parlons d'autre chose.

Je suis au désespoir que vous ayez eu Bajazet [75] par d'autres que par moi. C'est ce chien de Barbin [76] qui me hait, parce que je ne fais pas des Princesses de Clèves et de Montpensier.[77] Vous en avez jugé très juste et très bien, et vous aurez vu que je suis de votre avis. Je voulais vous envoyer la Champmeslé [78] pour vous réchauffer [79] la pièce. Le personnage de Bajazet est glacé; les mœurs des Turcs y sont mal observées; ils ne font point tant de façons pour se marier; [80] le dénouement [81] n'est point bien préparé: on n'entre point dans les raisons de cette grande tuerie.[82] Il y a pourtant des choses agréables, et rien de par-

faitement beau, rien qui enlève,[83] point de ces tirades de Corneille [84] qui font frissonner. Ma fille, gardons-nous bien de lui comparer Racine, sentons-en la différence. Il y des endroits froids et faibles, et jamais il n'ira plus loin qu'-Alexandre et qu'Andromaque.[85] Bajazet est au-dessous, au sentiment de bien des gens, et au mien, si j'ose me citer. Racine fait des comédies [86] pour la Champmeslé: ce n'est pas pour les siècles à venir. Si jamais il n'est plus jeune, et qu'il cesse d'être amoureux, ce ne sera plus la même chose. Vive donc notre vieil ami Corneille! Pardonnons-lui de méchants [87] vers, en faveur des divines et sublimes beautés qui nous transportent: ce sont des traits de maître [88] qui sont inimitables. Despréaux [89] en dit encore plus que moi: et en un mot, c'est le bon goût: tenez-vous-y . . .[90]

L'EXÉCUTION DE LA VOISIN [1]

A madame de Grignan

A Paris, 23ᵉ février 1680.

Je ne vous parlerai que de Mme Voisin: ce ne fut point mercredi, comme je vous l'avais mandé, qu'elle fut brûlée, ce ne fut qu'hier. Elle savait son arrêt dès [2] lundi, chose fort extraordinaire. Le soir elle dit à ses

---

[74] épines: soucis (de la vie)
[75] Bajazet: tragédie de Racine, écrite en 1672. Ce paragraphe indique à quel point Mme de Sévigné s'intéressait aux auteurs contemporains.
[76] Barbin: fameux libraire chez qui se publièrent les œuvres de beaucoup des auteurs classiques
[77] je ne fais pas . . . Montpensier: I am not a writer like Mme de La Fayette, author of La Princesse de Clèves and La Princesse de Montpensier.
[78] la Champmeslé: actrice favorite de Racine
[79] réchauffer: enliven
[80] ils ne font point . . . se marier: they don't put on so many airs about getting married
[81] dénouement: final outcome
[82] on n'entre point . . . tuerie: on ne comprend pas pourquoi il y a tant de gens tués
[83] enlève: carries (one) away

[84] Les tirades de Corneille sont restées célèbres.
[85] Alexandre . . . Andromaque: early tragedies of Racine
[86] comédies: pièces de théâtre, i.e. des tragédies
[87] méchants: mauvais
[88] traits de maître: master strokes
[89] Despréaux: Boileau (1636–1711), grand critique littéraire
[90] tenez-vous-y: stick to it

[1] La Voisin: Catherine des Hayes (1640–80), condamnée à être brûlée vive pour avoir vendu des poisons
[2] dès: à partir de

gardes: «Quoi? nous ne ferons point médianoche!» Elle mangea avec eux à minuit, par fantaisie, car il n'était point jour maigre,[3] elle but beaucoup de vin, elle chanta vingt chansons à boire. Le mardi elle eut la question ordinaire, extraordinaire;[4] elle avait dîné et dormi huit heures; elle fut confrontée à Mmes de Dreux, Le Féron[5] et plusieurs autres, sur le matelas:[6] on ne dit pas encore ce qu'elle a dit; on croit toujours qu'on verra des choses étranges.

Elle soupa le soir, et recommença, toute brisée[7] qu'elle était, à faire la débauche[8] avec scandale: on lui en fit honte, et on lui dit qu'elle ferait bien mieux de penser à Dieu, et de chanter un *Ave maris stella,*[9] ou un *Salve,*[9] que toutes ses chansons: elle chanta l'une et l'autre en ridicule,[10] elle mangea le soir et dormit. Le mercredi se passa de même en confrontations, et débauches, et chansons: elle ne voulut point voir de confesseur. Enfin le jeudi, qui était hier, on ne voulut lui donner qu'un bouillon: elle en gronda,[11] craignant de n'avoir pas la force de parler à ces Messieurs.[12] Elle vint en carrosse de Vincennes[13] à Paris; elle étouffa[14] un peu, et fut embarrassée; on la voulut faire confesser, point de nouvelles.[15] A cinq heures on la lia;[16] et avec une torche à la main, elle parut dans le tombereau,[17] habillée de blanc: c'est une sorte d'habit pour être brûlée; elle était fort rouge, et l'on voyait qu'elle repoussait le confesseur et le crucifix avec violence. Nous la vîmes passer à l'hôtel de Sully,[18] Mme de Chaulnes[19] et Mme de Sully,[19] la Comtesse,[19] bien d'autres. A Notre-Dame,[20] elle ne voulut jamais prononcer l'amende honorable,[21] et à la Grève[22] elle se défendit, autant qu'elle put, de sortir du tombereau: on l'en tira de force, on la mit sur le bûcher,[23] assise et liée avec du fer; on la couvrit de paille; elle jura beaucoup; elle repoussa la paille cinq ou six fois; mais enfin le feu s'augmenta, et on l'a perdue de vue, et ses cendres sont en l'air présentement.

Voilà la mort de Mme Voisin, célèbre par ses crimes et par son impiété. On croit qu'il y aura de grandes suites qui nous surprendront. Un juge, à qui mon fils disait l'autre jour que c'était une étrange chose que de la faire brûler à petit feu,[24] lui dit: «Ah! Monsieur! il y a certains petits adoucissements à cause de la faiblesse du sexe. — Eh quoi! Monsieur, on les étrangle? — Non, mais on leur jette des

[3] *jour maigre:* day of fasting or of abstinence

[4] *question ordinaire, extraordinaire:* increasing degrees of torture

[5] *Mmes de Dreux, Le Féron:* dames nobles qui fréquentaient la cour de Louis XIV

[6] *matelas:* où on l'avait mise après sa torture

[7] *toute brisée:* i.e. par la torture

[8] *faire la débauche:* boire et chanter

[9] *Ave maris stella . . . Salve:* prières à la Vierge

[10] *en ridicule:* en les tournant en ridicule

[11] *en gronda:* s'en plaignit

[12] *ces Messieurs:* ses juges

[13] *Vincennes:* ville près de Paris où La Voisin avait été emprisonnée

[14] *étouffa:* choked

[15] *point de nouvelles:* elle s'y refusa

[16] *lia:* bound

[17] *tombereau:* tumbril, large cart

[18] *l'hôtel de Sully:* hôtel qui appartenait à la famille Sully et qui existe encore dans la rue Saint-Antoine

[19] *Mme de Chaulnes, Mme de Sully, la Comtesse:* dames nobles, amies de l'auteur

[20] *Notre-Dame:* cathédrale de Paris, commencée en 1163

[21] *amende honorable:* aveu public d'un crime

[22] *à la Grève:* actuellement la place de l'Hôtel de Ville, lieu des exécutions au dix-septième siècle

[23] *bûcher:* stake, i.e. pile of fagots

[24] *à petit feu:* lentement

bûches [25] sur la tête; les garçons du bourreau [26] leur arrachent la tête avec des crocs [27] de fer.» Vous voyez bien, ma fille, que cela n'est pas si terrible que l'on pense: comment vous portez-vous de ce petit conte? [28] Il m'a fait grincer [29] les dents.

Une de ces misérables, qui fut pendue l'autre jour, avait demandé la vie à M. de Louvois,[30] et qu'en ce cas [31] elle dirait des choses étranges; elle fut refusée. «Eh bien! dit-elle, soyez persuadé que nulle douleur ne me fera dire une seule parole.» On lui donna la question ordinaire, extraordinaire et si extraordinairement ordinaire, qu'elle pensa [32] y mourir, comme une autre qui expira, le médecin lui tenant le pouls, cela soit dit en passant. Cette femme donc souffrit tout l'excès de ce martyre sans parler. On la mène à la Grève; avant que d'être jetée, elle dit qu'elle voudrait parler; elle se présente héroïquement: «Messieurs, dit-elle, assurez M. de Louvois que je suis sa servante, et que je lui ai tenu ma parole; allons, qu'on achève!» [33] Elle fut expédiée [34] à l'instant. Que dites-vous de cette sorte de courage? Je sais encore mille petits contes agréables comme celui-là; mais le moyen de tout dire? [35]

[25] *bûches:* logs
[26] *garçons du bourreau:* executioner's assistants
[27] *crocs:* hooks
[28] *comment . . . ce petit conte?:* comment vous sentez-vous après avoir lu cette histoire?
[29] *grincer:* grit, grind

[30] *M. de Louvois:* ministre de Louis XIV
[31] *qu'en ce cas:* avait dit que, si on l'épargnait
[32] *pensa:* faillit
[33] *qu'on achève:* get through with it
[34] *expédiée:* tuée
[35] *le moyen de tout dire?:* comment peut-on tout dire (écrire)?

PIERRE CORNEILLE [1606–84]

Pierre Corneille naquit à Rouen d'une vieille famille de robe.[1] A l'âge de seize ans il sortit du Collège des Jésuites pour devenir, deux ans plus tard, «avocat stagiaire».[2] Il réussit si bien au barreau qu'il acheta, en 1628, deux postes importants d'avocat du roi.

Les débuts littéraires de Corneille n'ont pas été suffisamment éclairés. Sa première comédie, *Mélite*, fut jouée à Paris vers 1630 et il débuta dans la tragédie avec *Médée* en 1635. A la fin de l'année suivante, *Le Cid* fut présenté au Théâtre du Marais, dont Mondory fut le directeur. Mondory, qui était un des premiers acteurs de l'époque, joua le rôle de Rodrigue. Le succès retentissant du *Cid* déclencha le plus célèbre débat littéraire du siècle — la fameuse «querelle du Cid».

L'attaque des adversaires de l'auteur, menée par l'illustre romancier et dramaturge, Georges de Scudéry, échoua au bout de quelques mois, mais pas avant d'avoir profondément ébranlé Corneille. Il fut accusé de plagiat, d'avoir

[1] *famille de robe:* famille distinguée dans la profession de la judicature
[2] *avocat stagiaire:* avocat débutant qui doit passer par une période de préparation

commis de nombreuses négligences de style, mais surtout d'avoir violé les règles [3] dites «classiques» de la composition dramatique. Dès le début de la discussion Corneille admit qu'il avait tiré son sujet d'un drame espagnol, *Las Mocedades del Cid* par Guillén de Castro (1569–1631). Dans sa réponse à Scudéry, il refusa toute discussion de la question des unités. Un an plus tard, les fameux *Sentiments de l'Académie française sur le Cid* furent publiés; dans une large mesure Scudéry et ses partisans furent soutenus.

Sans se soumettre entièrement aux jugements de l'Académie, Corneille modifia les trois tragédies qui furent jouées en 1640, *Horace, Polyeucte,* et *Cinna,* de façon à éviter de nouvelles accusations. Dans les quarante dernières années de sa vie, plus d'une vingtaine de ses pièces furent présentées sur la scène parisienne; aucune, pourtant, n'égala les quatre chefs-d'œuvre que nous avons signalés.

Dans les deux premiers actes du *Cid*, Don Rodrigue venge un grave affront fait à son père par le père de sa fiancée, Chimène, en le tuant dans un duel. La jeune fille, accablée de douleur, accourt au roi pour l'implorer de punir le meurtrier de son père; le vieux Don Diègue, père de Rodrigue, arrive à la cour en même temps pour défendre son fils.

Au troisième acte, Rodrigue ose se présenter chez Chimène. Caché hâtivement par la confidente de la jeune fille — et c'est ici que commence notre extrait — il entend Chimène déclarer qu'elle ne veut pas qu'un autre défende son honneur; il l'entend dire également qu'elle ne renoncera pas, pourtant, à sa vengeance. C'est à ce moment-là que Rodrigue apparaît devant elle.

Le Cid

PERSONNAGES

DON FERNAND, premier roi de Castille
DON DIÈGUE, père de don Rodrigue
DON GOMÈS, comte de Gormas, père de Chimène
DON RODRIGUE, amant de Chimène
DON SANCHE, amoureux de Chimène
DON ARIAS, ⎫
DON ALONSE, ⎬ gentilshommes castillans
CHIMÈNE, fille de don Gomès
ELVIRE, gouvernante de Chimène

La scène est à Séville.

---

[3] *règles:* Il s'agit des fameuses unités — de temps, de lieu, d'action — faussement attribuées à l'influence du théâtre grec, ainsi que de la bienséance et de la vraisemblance, traits essentiels du théâtre classique français.

ACTE III

Scène III — CHIMÈNE, ELVIRE

CHIMÈNE

Enfin je me vois libre, et je puis sans contrainte
De mes vives douleurs te faire voir l'atteinte; [1]
Je puis donner passage à mes tristes soupirs;
Je puis t'ouvrir mon âme et tous mes déplaisirs.[2]
   Mon père est mort, Elvire; et la première épée   5
Dont s'est armé Rodrigue a sa trame [3] coupée.
Pleurez, pleurez, mes yeux, et fondez-vous en eau!
La moitié [4] de ma vie a mis l'autre [4] au tombeau,
Et m'oblige à venger, après ce coup funeste,
Celle [5] que je n'ai plus sur celle qui me reste.   10

ELVIRE

Reposez-vous,[6] madame.

CHIMÈNE

               Ah! que mal à propos
Dans un malheur si grand tu parles de repos!
Par où sera jamais ma douleur apaisée,
Si je ne puis haïr la main qui l'a causée?
Et que dois-je espérer qu'[7] un tourment éternel,   15
Si je poursuis un crime, aimant le criminel?

ELVIRE

Il vous prive d'un père, et vous l'aimez encore!

CHIMÈNE

C'est peu de dire aimer, Elvire: je l'adore;
Ma passion s'oppose à mon ressentiment;
Dedans [8] mon ennemi je trouve mon amant; [9]   20
Et je sens qu'en dépit de toute ma colère,
Rodrigue dans mon cœur combat encor mon père:
Il l'attaque, il le presse, il cède, il se défend,
Tantôt [10] fort, tantôt [10] faible, et tantôt [10] triomphant;
Mais, en ce dur combat de colère et de flamme,[11]   25
Il déchire mon cœur sans partager mon âme; [12]

---

[1] *atteinte:* effect
[2] *mes déplaisirs:* mon malheur
[3] *sa trame:* la durée de sa vie
[4] *la moitié:* Rodrigue; *l'autre:* mon père
[5] *celle:* the one (refers to *moitié*)
[6] *reposez-vous:* collect yourself
[7] *que:* except

[8] *dedans:* in the person of
[9] *amant:* on dirait aujourd'hui «amoureux»
[10] *tantôt:* parfois
[11] *flamme:* amour (vocab. précieux)
[12] *âme:* volonté consciente

Et quoi que [13] mon amour ait sur moi de pouvoir,
Je ne consulte [14] point pour suivre mon devoir:
Je cours sans balancer où mon honneur m'oblige.
Rodrigue m'est bien cher, son intérêt [15] m'afflige;
Mon cœur prend son parti; mais, malgré son effort,   5
Je sais ce que je suis, et que mon père est mort.

ELVIRE

Pensez-vous le poursuivre?

CHIMÈNE

Ah! cruelle pensée!
Et cruelle poursuite où je me vois forcée!
Je demande sa tête, et crains de l'obtenir:
Ma mort suivra la sienne, et je le veux punir! [16]   10

ELVIRE

Quittez, quittez, madame, un dessein si tragique;
Ne vous imposez point de loi si tyrannique.

CHIMÈNE

Quoi! mon père étant mort, et presque entre mes bras
Son sang criera vengeance, et je ne l'orrai [17] pas!
Mon cœur, honteusement surpris par d'autres charmes,[18]   15
Croira ne lui devoir que d'impuissantes larmes!
Et je pourrai souffrir qu'un amour suborneur [19]
Sous un lâche silence étouffe mon honneur!

ELVIRE

Madame, croyez-moi, vous serez excusable
D'avoir moins de chaleur contre un objet aimable,[20]   20
Contre un amant si cher: vous avez assez fait,
Vous avez vu le Roi; n'en pressez point l'effet,
Ne vous obstinez point en cette humeur étrange.

CHIMÈNE

Il y va de ma gloire,[21] il faut que je me venge;
Et de quoi que [22] nous flatte un désir amoureux,   25
Toute excuse est honteuse aux esprits généreux.[23]

---

[13] *quoi que:* whatever
[14] *consulte:* hésite
[15] *son intérêt:* my love (concern) for him
[16] *je le veux punir:* first instance in this selection of word order common in seventeenth century—the object pronoun precedes auxiliary verb
[17] *orrai:* future of *ouïr,* obsolete verb meaning to hear

[18] *surpris . . . charmes:* i.e. taken by surprise by my love for Rodrigue
[19] *suborneur:* seductive
[20] *objet aimable:* personne charmante (vocab. précieux)
[21] *il y va de ma gloire:* my reputation is at stake
[22] *de quoi que:* however greatly
[23] *généreux:* nobles

ELVIRE

Mais vous aimez Rodrigue, il ne vous peut déplaire.

CHIMÈNE

Je l'avoue.

ELVIRE

Après tout, que pensez-vous donc faire?

CHIMÈNE

Pour conserver ma gloire et finir mon ennui,[24]
Le poursuivre, le perdre, et mourir après lui.

SCÈNE IV — DON RODRIGUE, CHIMÈNE,
ELVIRE

DON RODRIGUE [25]

Eh bien! sans vous donner la peine de poursuivre,   5
Assurez-vous l'honneur de m'empêcher de vivre.

CHIMÈNE

Elvire, où sommes-nous, et qu'est-ce que je voi? [26]
Rodrigue en ma maison! Rodrigue devant moi!

DON RODRIGUE

N'épargnez point mon sang: goûtez sans résistance
La douceur de ma perte et de votre vengeance.   10

CHIMÈNE

Hélas!

DON RODRIGUE

Écoute [27]-moi.

CHIMÈNE

Je me meurs.[28]

DON RODRIGUE

Un moment.

CHIMÈNE

Va, laisse-moi mourir.

---

[24] *ennui:* douleur
[25] L'apparition de Rodrigue chez Chimène
violenta la bienséance.

[26] *voi:* vois — visual rhyme common in Corneille
[27] *écoute:* note change to familiar form
[28] *je me meurs:* I am dying

DON RODRIGUE

Quatre mots seulement:
Après, ne me réponds qu'avecque [29] cette épée.

CHIMÈNE

Quoi! du sang de mon père encor toute trempée!

DON RODRIGUE

Ma Chimène . . .

CHIMÈNE

Ôte-moi cet objet odieux,
Qui reproche ton crime et ta vie à mes yeux.   5

DON RODRIGUE

Regarde-le plutôt pour exciter ta haine,
Pour croître [30] ta colère et pour hâter ma peine.

CHIMÈNE

Il est teint de mon sang.

DON RODRIGUE

Plonge-le dans le mien,
Et fais-lui perdre ainsi la teinture [31] du tien.

CHIMÈNE

Ah! quelle cruauté, qui tout en un jour tue   10
Le père par le fer, la fille par la vue!
Ôte-moi cet objet, je ne le puis souffrir:
Tu veux que je t'écoute, et tu me fais mourir!

DON RODRIGUE

Je fais ce que tu veux, mais sans quitter [32] l'envie
De finir par tes mains ma déplorable vie;   15
Car enfin n'attends pas de mon affection
Un lâche repentir [33] d'une bonne action.
L'irréparable effet d'une chaleur trop prompte [34]
Déshonorait mon père, et me couvrait de honte.
Tu sais comme un soufflet touche un homme de cœur; [35]   20
J'avais part à [36] l'affront, j'en ai cherché l'auteur:
Je l'ai vu, j'ai vengé mon honneur et mon père;

[29] avecque: old form of avec, here used to supply a needed syllable
[30] croître: augmenter
[31] teinture: couleur
[32] quitter: perdre

[33] lâche repentir: cowardly repentance
[34] une chaleur trop prompte: une réaction trop brusque
[35] cœur: courage
[36] j'avais part à: I was concerned in

Je le ferais encor, si j'avais à le faire.
Ce n'est pas qu'en effet contre mon père et moi
Ma flamme assez longtemps n'ait combattu pour toi;
Juge de son pouvoir: dans une telle offense
J'ai pu délibérer si j'en [37] prendrais vengeance.   5
Réduit à te déplaire, ou souffrir un affront,
J'ai pensé qu'à son tour mon bras était trop prompt;
Je me suis accusé de trop de violence;
Et ta beauté sans doute emportait la balance,
A moins que d'opposer [38] à tes plus forts appas [39]   10
Qu'un homme sans honneur ne te méritait pas;
Que, malgré cette part que j'avais en ton âme,
Qui m'aima généreux [40] me haïrait infâme;
Qu'écouter ton amour, obéir à sa voix,
C'était m'en rendre indigne et diffamer ton choix.[41]   15
Je te le dis encor; et quoique j'en soupire,[42]
Jusqu'au dernier soupir je veux bien [43] le redire:
Je t'ai fait une offense, et j'ai dû m'y porter [44]
Pour effacer ma honte, et pour te mériter;
Mais quitte envers l'honneur, et quitte envers mon père,   20
C'est maintenant à toi que je viens satisfaire:
C'est pour t'offrir mon sang qu'en ce lieu tu me vois.
J'ai fait ce que j'ai dû, je fais ce que je dois.
Je sais qu'un père mort t'arme contre mon crime;
Je ne t'ai pas voulu dérober [45] ta victime: 25
Immole [46] avec courage au sang qu'il a perdu
Celui qui met sa gloire à l'avoir répandu.

CHIMÈNE

Ah! Rodrigue, il est vrai, quoique [47] ton ennemie,
Je ne puis te blâmer d'avoir fui l'infamie,[48]
Et de quelque façon qu'éclatent mes douleurs,   30
Je ne t'accuse point, je pleure mes malheurs.
Je sais ce que l'honneur, après un tel outrage,
Demandait à l'ardeur d'un généreux courage:
Tu n'as fait le devoir que d'un homme de bien; [49]
Mais aussi, le faisant, tu m'as appris le mien.   35
Ta funeste valeur m'instruit par ta victoire;
Elle a vengé ton père et soutenu ta gloire:

---

[37] en: de lui
[38] à moins que d'opposer: si je n'avais pas opposé
[39] appas: charmes
[40] généreux: honorable, noble
[41] diffamer ton choix: discredit your choice (of me)
[42] j'en soupire: cela me tourmente
[43] bien: absolument

[44] m'y porter: le faire
[45] dérober: cacher
[46] immole: sacrifie
[47] quoique: although (I am)
[48] infamie: i.e. of letting his father's insult go unpunished
[49] tu n'as fait . . . de bien: tu as fait seulement le devoir d'un homme d'honneur

Même soin me regarde, et j'ai, pour m'affliger,[50]
Ma gloire à soutenir, et mon père à venger.
Hélas! ton intérêt [51] ici me désespère:
Si quelque autre malheur m'avait ravi mon père,
Mon âme aurait trouvé dans le bien [52] de te voir   5
L'unique allégement [53] qu'elle eût pu [54] recevoir;
Et contre ma douleur j'aurais senti des charmes,
Quand une main si chère eût essuyé mes larmes.
Mais il me faut te perdre après l'avoir perdu;
Cet effort sur ma flamme à mon honneur est dû;   10
Et cet affreux devoir, dont l'ordre m'assassine,
Me force à travailler moi-même à ta ruine.[55]
Car enfin n'attends pas de mon affection
De lâches sentiments pour ta punition.
De quoi qu'en ta faveur notre amour m'entretienne,   15
Ma générosité doit répondre à [56] la tienne:
Tu t'es, en m'offensant, montré digne de moi;
Je me dois, par ta mort, montrer digne de toi.

DON RODRIGUE

Ne diffère [57] donc plus ce que l'honneur t'ordonne:
Il demande ma tête, et je te l'abandonne;   20
Fais-en un sacrifice à ce noble intérêt:
Le coup m'en sera doux, aussi bien que l'arrêt.[58]
Attendre après mon crime une lente justice,
C'est reculer ta gloire [59] autant que mon supplice.
Je mourrai trop heureux, mourant d'un coup si beau.   25

CHIMÈNE

Va, je suis ta partie,[60] et non pas ton bourreau.
Si tu m'offres ta tête, est-ce à moi de la prendre?
Je la dois attaquer, mais tu dois la défendre;
C'est d'un autre que toi qu'il me faut l'obtenir,
Et je dois te poursuivre, et non pas te punir.   30

DON RODRIGUE

De quoi qu'en ma faveur notre amour t'entretienne,
Ta générosité doit répondre à la mienne;
Et pour venger un père emprunter d'autres bras,
Ma Chimène, crois-moi, c'est n'y répondre pas:
Ma main seule du mien a su venger l'offense,   35
Ta main seule du tien doit prendre la vengeance.

[50] *pour m'affliger:* as a grievous concern
[51] *ton intérêt:* mon amour pour toi
[52] *bien:* bonheur
[53] *allégement:* consolation
[54] *eût pu:* aurait pu
[55] *ruine:* perte
[56] *répondre à:* égaler
[57] *diffère:* remets
[58] *arrêt:* decree
[59] *reculer ta gloire:* postpone the vindication of your reputation
[60] *partie:* opponent

CHIMÈNE

Cruel! à quel propos sur ce point t'obstiner?
Tu t'es vengé sans aide, et tu m'en veux donner!
Je suivrai ton exemple, et j'ai trop de courage
Pour souffrir qu'avec toi ma gloire se partage.
Mon père et mon honneur ne veulent rien devoir   5
Aux traits [61] de ton amour ni de ton désespoir.

DON RODRIGUE

Rigoureux point d'honneur! [62] hélas! quoi que je fasse,
Ne pourrai-je à la fin obtenir cette grâce?
Au nom d'un père mort, ou de notre amitié,
Punis-moi par vengeance, ou du moins par pitié.   10
Ton malheureux amant aura bien moins de peine
A mourir par ta main qu'à vivre avec ta haine.

CHIMÈNE

Va, je ne te hais point.

DON RODRIGUE

        Tu le dois.

CHIMÈNE

        Je ne puis.

DON RODRIGUE

Crains-tu si peu le blâme, et si peu les faux bruits? [63]
Quand on saura mon crime, et que ta flamme dure,   15
Que ne publieront point l'envie et l'imposture!
Force-les au silence, et sans plus discourir, [64]
Sauve ta renommée en me faisant mourir.

CHIMÈNE

Elle éclate bien mieux en te laissant la vie;
Et je veux que la voix de la plus noire envie   20
Élève au ciel ma gloire et plaigne [65] mes ennuis,
Sachant que je t'adore et que je te poursuis.
Va-t'en, ne montre plus à ma douleur extrême
Ce qu'il faut que je perde, encore que je l'aime. [66]
Dans l'ombre de la nuit [67] cache bien ton départ;   25
Si l'on te voit sortir, mon honneur court hasard.
La seule occasion qu'aura la médisance, [68]

[61] *traits:* effects
[62] *point d'honneur:* strict Spanish conception of family honor
[63] *faux bruits:* rumeurs
[64] *discourir:* talk
[65] *plaigne:* pity
[66] *encore que je l'aime:* tout en l'aimant
[67] *ombre de la nuit:* Chimène l'engage à respecter la bienséance
[68] *médisance:* slander

C'est de savoir qu'ici j'ai souffert ta présence:
Ne lui donne point lieu d'attaquer ma vertu.

DON RODRIGUE

Que je meure!

CHIMÈNE

Va-t'en.

DON RODRIGUE

A quoi te résous-tu?

CHIMÈNE

Malgré des feux [69] si beaux, qui troublent ma colère,
Je ferai mon possible [70] à bien venger mon père;   5
Mais malgré la rigueur d'un si cruel devoir,
Mon unique souhait est de ne rien pouvoir.

DON RODRIGUE

Ô miracle d'amour!

CHIMÈNE

Ô comble de misères! [71]

DON RODRIGUE

Que de maux et de pleurs nous coûteront nos pères!

CHIMÈNE

Rodrigue, qui l'eût cru?

DON RODRIGUE

Chimène, qui l'eût dit?   10

CHIMÈNE

Que notre heur [72] fût si proche et sitôt se perdît?

DON RODRIGUE

Et que si près du port, contre toute apparence,[73]
Un orage si prompt [74] brisât notre espérance?

CHIMÈNE

Ah! mortelles douleurs!

[69] *des feux:* mon amour
[70] *mon possible:* tout ce que je peux
[71] *comble de misères:* summit of misfortune

[72] *heur:* bonheur
[73] *apparence:* probabilité
[74] *prompt:* soudain

DON RODRIGUE

Ah! regrets superflus!

CHIMÈNE

Va-t'en, encore un coup,[75] je ne t'écoute plus.

DON RODRIGUE

Adieu: je vais traîner une mourante vie,[76]
Tant que [77] par ta poursuite elle me soit ravie.

CHIMÈNE

Si j'en obtiens l'effet, je t'engage ma foi   5
De ne respirer pas un moment après toi.
Adieu: sors, et surtout garde bien [78] qu'on te voie.

ELVIRE

Madame, quelques maux que le ciel nous envoie . . .

CHIMÈNE

Ne m'importune plus, laisse-moi soupirer,
Je cherche le silence et la nuit pour pleurer.   10

La place publique

SCÈNE V — DON DIÈGUE

Jamais nous ne goûtons de parfaite allégresse:
Nos plus heureux succès sont mêlés de tristesse;
Toujours quelques soucis en ces événements
Troublent la pureté de nos contentements.
Au milieu du bonheur mon âme en sent l'atteinte: 15
Je nage dans la joie, et je tremble de crainte.
J'ai vu mort l'ennemi qui m'avait outragé,
Et je ne saurais [79] voir la main qui m'a vengé.
En vain je m'y travaille,[80] et d'un soin inutile,
Tout cassé [81] que je suis, je cours toute la ville: 20
Ce peu que mes vieux ans m'ont laissé de vigueur
Se consume sans fruit [82] à chercher ce vainqueur.
A toute heure, en tous lieux, dans une nuit si sombre
Je pense l'embrasser, et n'embrasse qu'une ombre;
Et mon amour, déçu [83] par cet objet trompeur,   25
Se forme des soupçons qui redoublent ma peur.

---

[75] *encore un coup:* une fois de plus (je te dis)
[76] *traîner une mourante vie:* endure a living death
[77] *tant que:* jusqu'a ce que
[78] *garde bien:* prends garde

[79] *saurais:* pourrais
[80] *je m'y travaille:* je m'efforce de le faire
[81] *cassé:* infirme
[82] *se consume sans fruit:* se consomme sans réussir
[83] *déçu:* misled

Je ne découvre point de marques de sa fuite;
Je crains du Comte mort les amis et la suite;
Leur nombre m'épouvante et confond [84] ma raison.
Rodrigue ne vit plus, ou respire en prison.
Justes cieux! me trompé-je [85] encore à l'apparence,   5
Ou si je vois [86] enfin mon unique espérance?
C'est lui, n'en doutons plus; mes vœux sont exaucés,
Ma crainte est dissipée, et mes ennuis cessés.

SCÈNE VI — DON DIÈGUE, DON RODRIGUE

DON DIÈGUE

Rodrigue, enfin le ciel permet que je te voie!

DON RODRIGUE

Hélas!

DON DIÈGUE

Ne mêle point de soupirs à ma joie;   10
Laisse-moi prendre haleine afin de te louer.
Ma valeur n'a point lieu [87] de te désavouer:
Tu l'as bien imitée, et ton illustre audace
Fait bien revivre en toi les héros de ma race: [88]
C'est d'eux que tu descends, c'est de moi que tu viens: 15
Ton premier coup d'épée égale tous les miens;
Et d'une belle ardeur ta jeunesse animée
Par cette grande épreuve atteint ma renommée.
Appui de ma vieillesse, et comble de mon heur,
Touche ces cheveux blancs à qui tu rends l'honneur,   20
Viens baiser cette joue, et reconnais la place
Où fut empreint l'affront que ton courage efface.

DON RODRIGUE

L'honneur vous en est dû: je ne pouvais pas moins,
Étant sorti de vous [89] et nourri par vos soins.
Je m'en tiens trop heureux, et mon âme est ravie   25
Que mon coup d'essai plaise à qui je dois la vie;
Mais parmi vos plaisirs ne soyez point jaloux
Si je m'ose à mon tour satisfaire après vous.
Souffrez qu'en liberté mon désespoir éclate;
Assez et trop longtemps votre discours le flatte. [90]   30
Je ne me repens point de vous avoir servi;
Mais rendez-moi le bien que ce coup m'a ravi.

---

[84] *confond:* trouble
[85] *me trompé-je?:* est-ce que je me trompe?
[86] *ou si je vois?:* or do I see?
[87] *n'a point lieu:* n'a pas de raison

[88] *race:* famille
[89] *sorti de vous:* i.e. votre enfant
[90] *flatte:* deceives by flattery

Mon bras, pour vous venger, armé contre ma flamme,
Par ce coup glorieux m'a privé de mon âme; [91]
Ne me dites plus rien; pour vous j'ai tout perdu:
Ce que je vous devais, je vous l'ai bien rendu.

DON DIÈGUE

Porte, porte plus haut le fruit de ta victoire: 5
Je t'ai donné la vie, et tu me rends ma gloire;
Et d'autant que [92] l'honneur m'est plus cher que le jour,[93]
D'autant plus [92] maintenant je te dois de retour.[94]
Mais d'un cœur magnanime éloigne ces faiblesses;
Nous n'avons qu'un honneur, il est tant de maîtresses! [95]   10
L'amour n'est qu'un plaisir, l'honneur est un devoir.

DON RODRIGUE

Ah! que me dites-vous?

DON DIÈGUE

Ce que tu dois savoir.

DON RODRIGUE

Mon honneur offensé sur moi-même se venge;
Et vous m'osez pousser à la honte du change! [96]
L'infamie est pareille, et suit également   15
Le guerrier sans courage et le perfide amant.
A ma fidélité ne faites point d'injure;
Souffrez-moi généreux sans me rendre parjure: [97]
Mes liens [98] sont trop forts pour être ainsi rompus;
Ma foi m'engage encor si [99] je n'espère plus;   20
Et ne pouvant quitter ni posséder Chimène,
Le trépas [100] que je cherche est ma plus douce peine.

DON DIÈGUE

Il n'est pas temps encor de chercher le trépas:
Ton prince et ton pays ont besoin de ton bras.
La flotte qu'on craignait, dans ce grand fleuve [101] entrée,   25
Croit surprendre la ville et piller la contrée.[102]
Les Mores vont descendre, et le flux [103] et la nuit
Dans une heure à nos murs les amène sans bruit.

[91] mon âme: i.e. l'amour de Chimène
[92] d'autant que . . . d'autant plus: since·
. . . all the more
[93] jour: vie
[94] de retour: in return
[95] il est tant de maîtresses: il y a tant de
jeunes filles
[96] change: changement de fiancée
[97] parjure: a perjurer

[98] mes liens: mon amour (pour Chimène)
[99] encor si: encore, même si
[100] le trépas: la mort
[101] la flotte . . . ce grand fleuve: la menace de l'invasion des Maures, dont la flotte,
selon don Diègue, est entrée dans le
Guadalquivir
[102] contrée: région
[103] flux: high tide

La cour est en désordre, et le peuple en alarmes:
On n'entend que des cris, on ne voit que des larmes.
Dans ce malheur public mon bonheur a permis
Que j'ai trouvé chez moi cinq cents de mes amis,
Qui sachant mon affront, poussés d'un même zèle,   5
Se venaient tous offrir à venger ma querelle.[104]
Tu les as prévenus; [105] mais leur vaillantes mains
Se tremperont bien mieux au sang des Africains.
Va marcher à leur tête où l'honneur te demande:
C'est toi que veut pour chef leur généreuse bande.   10
De ces vieux ennemis va soutenir l'abord: [106]
Là, si tu veux mourir, trouve une belle mort;
Prends-en l'occasion, puisqu'elle t'est offerte;
Fais devoir à ton roi son salut à ta perte; [107]
Mais reviens-en plutôt les palmes sur le front.   15
Ne borne pas ta gloire à venger un affront;
Porte-la plus avant: [108] force par ta vaillance
Ce monarque au pardon, et Chimène au silence;
Si tu l'aimes, apprends que revenir vainqueur,
C'est l'unique moyen de regagner son cœur.   20
Mais le temps est trop cher pour le perdre en paroles;
Je t'arrête en [109] discours, et je veux que tu voles.
Viens, suis-moi, va combattre, et montrer à ton roi
Que ce qu'il perd au [110] Comte il le recouvre en toi.

ACTE IV

Chez Chimène

Scène première — chimène, elvire

chimène

N'est-ce point un faux bruit? le sais-tu bien, Elvire?   25

elvire

Vous ne croiriez jamais comme [1] chacun l'admire,
Et porte [2] jusqu'au ciel, d'une commune voix,
De ce jeune héros les glorieux exploits.
Les Mores devant lui n'ont paru qu'à leur honte; [3]
Leur abord fut bien prompt, leur fuite encor plus prompte.   30

---

[104] *ma querelle:* i.e. avec le Comte
[105] *prévenus:* forestalled
[106] *l'abord:* l'attaque
[107] *fais devoir . . . à ta perte:* make your
king owe his safety to your death
[108] *plus avant:* plus loin

[109] *en:* par des
[110] *au:* par la mort du

[1] *comme:* combien
[2] *porte:* élève
[3] *honte:* disgrâce

Trois heures de combat laissent à nos guerriers
Une victoire entière et deux rois prisonniers.
La valeur de leur chef ne trouvait point d'obstacles.

CHIMÈNE

Et la main de Rodrigue a fait tous ces miracles?

ELVIRE

De ses nobles efforts ces deux rois sont le prix: 5
Sa main les a vaincus, et sa main les a pris.

CHIMÈNE

De qui peux-tu savoir ces nouvelles étranges?

ELVIRE

Du peuple, qui partout fait sonner ses louanges,
Le nomme de sa joie et l'objet et l'auteur,
Son ange tutélaire,[4] et son libérateur.   10

CHIMÈNE

Et le Roi, de quel œil voit-il tant de vaillance?

ELVIRE

Rodrigue n'ose encor paraître en sa présence;
Mais don Diègue ravi lui présente enchaînés,
Au nom de ce vainqueur, ces captifs couronnés,
Et demande pour grâce à ce généreux prince   15
Qu'il daigne voir la main qui sauve la province.[5]

CHIMÈNE

Mais n'est-il point blessé?

ELVIRE

                    Je n'en ai rien appris.
Vous changez de couleur! reprenez vos esprits.[6]

CHIMÈNE

Reprenons donc aussi ma colère affaiblie:
Pour avoir soin de lui[7] faut-il que je m'oublie?   20
On le vante, on le loue, et mon cœur y consent!
Mon honneur est muet, mon devoir impuissant!
Silence, mon amour, laisse agir ma colère:
S'il a vaincu deux rois, il a tué mon père;
Ces tristes vêtements,[8] où je lis mon malheur,   25

---

[4] *tutélaire:* gardien
[5] *province:* pays
[6] *reprenez vos esprits:* collect yourself
[7] *pour avoir soin de lui:* puisque je m'intéresse à lui
[8] *tristes vêtements:* sa tenue de deuil

Sont les premiers effets qu'ait produits sa valeur; [9]
Et quoi qu'on die [10] ailleurs d'un cœur si magnanime,
Ici tous les objets me parlent de son crime.
Vous qui rendez la force à mes ressentiments,
Voile, crêpes, habits, lugubres ornements,   5
Pompe que me prescrit [11] sa première victoire,
Contre ma passion soutenez bien ma gloire;
Et lorsque mon amour prendra trop de pouvoir,
Parlez à mon esprit de mon triste devoir,
Attaquez sans rien craindre une main triomphante.[12]   10

Chez le Roi

SCÈNE III — DON FERNAND, DON DIÈGUE, DON ARIAS, DON RODRIGUE, DON SANCHE

DON FERNAND

Généreux héritier d'une illustre famille,
Qui fut toujours la gloire et l'appui de Castille,[13]
Race [13] de tant d'aïeux en valeur signalés,[14]
Que l'essai de la tienne a sitôt égalés,
Pour te récompenser ma force est trop petite;   15
Et j'ai moins de pouvoir que tu n'as de mérite.
Le pays délivré d'un si rude ennemi,
Mon sceptre dans ma main par la tienne affermi,
Et les Mores défaits avant qu'en ces alarmes
J'eusse pu donner ordre à repousser leurs armes,   20
Ne sont point des exploits qui laissent à ton roi
Le moyen ni l'espoir de s'acquitter vers toi.
Mais deux rois tes captifs feront ta récompense.
Ils t'ont nommé tous deux leur Cid en ma présence:
Puisque Cid en leur langue est autant que seigneur,   25
Je ne t'envierai pas ce beau titre d'honneur.
Sois désormais le Cid: qu'à ce grand nom tout cède; [15]
Qu'il comble d'épouvante [16] et Grenade et Tolède,[17]
Et qu'il marque à tous ceux qui vivent sous mes lois
Et ce que tu me vaux,[18] et ce que je te dois.   30

DON RODRIGUE

Que Votre Majesté, Sire, épargne ma honte.

[9] *effets . . . sa valeur:* achievements of
his valor
[10] *die:* obsolete present subjunctive of *dire*
[11] *pompe . . . prescrit:* appareil funèbre
ordonné par
[12] The last line of Scene I and all of Scene
II have been omitted.
[13] *Castille:* ancient province, the nucleus of
Spain

[14] *signalés:* distingués
[15] *cède:* give way
[16] *comble d'épouvante:* overwhelm with
fear
[17] *Grenade et Tolède:* Granada and
Toledo, cities then held by the Moors
[18] *ce que tu me vaux:* your value to me

D'un si faible service elle fait trop de conte,[19]
Et me force à rougir devant un si grand roi
De mériter si peu l'honneur que j'en reçoi.
Je sais trop que je dois au bien [20] de votre empire,
Et le sang qui m'anime, et l'air que je respire;   5
Et quand je les perdrai [21] pour un si digne objet,
Je ferai seulement le devoir d'un sujet.

DON FERNAND

Tous ceux que ce devoir à mon service engage
Ne s'en acquittent pas avec même [22] courage;
Et lorsque la valeur ne va point dans [23] l'excès,   10
Elle ne produit point de si rares succès.
Souffre donc qu'on te loue, et de cette victoire
Apprends-moi plus au long [24] la véritable histoire.

DON RODRIGUE

Sire, vous avez su qu'en ce danger pressant,
Qui jeta dans la ville un effroi si puissant,[25]   15
Une troupe d'amis chez mon père assemblée
Sollicita [26] mon âme encor toute troublée . . .
Mais, Sire, pardonnez à ma témérité,[27]
Si j'osai l'employer sans votre autorité:
Le péril approchait; leur brigade était prête;   20
Me montrant à la cour, je hasardais ma tête;
Et s'il fallait la perdre, il m'était bien plus doux
De sortir de la vie en combattant pour vous.

DON FERNAND

J'excuse ta chaleur [28] à venger ton offense;
Et l'État défendu me parle en ta défense: 25
Crois que dorénavant Chimène a beau parler,[29]
Je ne l'écoute plus que pour la consoler.
Mais poursuis.

DON RODRIGUE

     Sous moi [30] donc cette troupe s'avance,
Et porte sur le front une mâle assurance.
Nous partîmes cinq cents; mais par un prompt renfort   30
Nous nous vîmes trois mille en arrivant au port,

---

[19] *D'un si faible service elle fait trop de conte:* attache trop d'importance à un si faible service
[20] *bien:* welfare
[21] *quand je les perdrai:* même si je les perdais
[22] *même:* pareil
[23] *dans:* jusqu'à

[24] *plus au long:* en plus de détails
[25] *un effroi si puissant:* une si grande peur
[26] *sollicita:* fit appel à
[27] *témérité:* rashness
[28] *chaleur:* zeal
[29] *a beau parler:* parle en vain
[30] *sous moi:* sous mes ordres

Tant,[31] à nous voir marcher avec un tel visage,[32]
Les plus épouvantés reprenaient de courage!
J'en cache les deux tiers, aussitôt qu'arrivés,
Dans le fond des vaisseaux qui lors [33] furent trouvés;
Le reste, dont le nombre augmentait à toute heure,[34]   5
Brûlant d'impatience autour de moi demeure,
Se couche contre terre, et sans faire aucun bruit,
Passe une bonne part d'une si belle nuit.
Par mon commandement la garde en fait de même,
Et se tenant cachée, aide à mon stratagème;   10
Et je feins hardiment d' [35] avoir reçu de vous
L'ordre qu'on me voit suivre et que je donne à tous.
Cette obscure clarté qui tombe des étoiles
Enfin avec le flux nous fait voir trente voiles; [36]
L'onde s'enfle dessous,[37] et d'un commun effort   15
Les Mores et la mer montent jusques au port.
On les laisse passer; tout leur paraît tranquille:
Point de soldats au port, point aux murs de la ville.
Notre profond silence abusant [38] leurs esprits,
Ils n'osent plus douter de nous avoir surpris;   20
Ils abordent [39] sans peur, ils ancrent, ils descendent,
Et courent se livrer aux mains qui les attendent.
Nous nous levons alors, et tous en même temps
Poussons jusques au ciel mille cris éclatants.
Les nôtres,[40] à ces cris, de nos vaisseaux répondent;   25
Ils paraissent armés, les Mores se confondent,[41]
L'épouvante les prend à demi descendus;
Avant que de combattre, ils s'estiment perdus.
Ils couraient au pillage, et rencontrent la guerre;
Nous les pressons sur l'eau, nous les pressons sur terre,   30
Et nous faisons courir des ruisseaux [42] de leur sang,
Avant qu'aucun résiste ou reprenne son rang.
Mais bientôt, malgré nous, leurs princes les rallient;
Leur courage renaît, et leurs terreurs s'oublient:
La honte de mourir sans avoir combattu   35
Arrête leur désordre, et leur rend leur vertu.[43]
Contre nous de pied ferme ils tirent leurs alfanges; [44]
De notre sang au leur font d'horribles mélanges.[45]

---

[31] *tant:* si bien que
[32] *avec un tel visage:* d'un air si assuré
[33] *lors:* alors
[34] *à toute heure:* tout le temps
[35] *je feins hardiment de:* je prétends audacieusement
[36] *voiles:* bateaux à voiles
[37] *l'onde s'enfle dessous:* the sea rises under their keels
[38] *abusant:* trompant

[39] *abordent:* rangent leurs bateaux le long de la rive du fleuve
[40] *les nôtres:* our men
[41] *se confondent:* tombent dans le désordre
[42] *ruisseaux:* streams
[43] *vertu:* courage
[44] *alfanges:* scimitars (curved swords)
[45] *de notre sang . . . mélanges:* notre sang et le leur font un horrible mélange

Et la terre, et le fleuve, et leur flotte, et le port,
Sont des champs de carnage, où triomphe la mort.
Ô combien d'actions, combien d'exploits célèbres
Sont demeurés sans gloire au milieu des ténèbres,[46]
Où chacun, seul témoin des grands coups qu'il donnait,   5
Ne pouvait discerner où le sort inclinait! [47]
J'allais de tous côtés encourager les nôtres,
Faire avancer les uns, et soutenir les autres,
Ranger [48] ceux qui venaient, les pousser [49] à leur tour,
Et ne l'ai pu savoir jusques au point du jour.[50]   10
Mais enfin sa clarté montre notre avantage:
Le More voit sa perte et perd soudain courage;
Et voyant un renfort qui nous vient secourir,
L'ardeur de vaincre cède à la peur de mourir.
Ils gagnent leurs vaisseaux, ils en coupent les câbles,   15
Poussent jusques aux cieux des cris épouvantable
Font retraite en tumulte, et sans considérer [51]
Si leurs rois avec eux peuvent se retirer.
Pour souffrir [52] ce devoir leur frayeur est trop forte:
Le flux les apporta; le reflux [53] les remporte,   20
Cependant que leurs rois, engagés [54] parmi nous,
Et quelque peu des leurs,[55] tous percés de nos coups,
Disputent vaillamment [56] et vendent bien [57] leur vie.
A se rendre moi-même en vain je les convie: [58]
Le cimeterre au poing,[59] ils ne m'écoutent pas;   25
Mais voyant à leurs pieds tomber tous leurs soldats,
Et que seuls désormais en vain ils se défendent,
Ils demandent le chef; je me nomme, ils se rendent.
Je vous les envoyai tous deux en même temps;
Et le combat cessa faute de combattants.   30
C'est de cette façon que, pour votre service . . .

Scène IV — DON FERNAND, DON DIÈGUE, DON RODRIGUE, DON ARIAS,
DON ALONSE, DON SANCHE

DON ALONSE

Sire, Chimène vient vous demander justice.

---

[46] *ténèbres:* darkness
[47] *où le sort inclinait:* in which direction
fate inclined
[48] *ranger:* send into battle formation
[49] *pousser:* faire avancer
[50] *au point du jour:* à l'aube
[51] *considérer:* remarquer
[52] *souffrir:* fulfill
[53] *reflux:* ebb tide

[54] *engagés:* combattant
[55] *quelque peu des leurs:* quelques-uns de
leurs soldats
[56] *disputent vaillamment:* se battent avec
courage
[57] *bien:* cher
[58] *convie:* summon
[59] *le cimeterre au poing:* with scimitars in
their hands

DON FERNAND

La fâcheuse nouvelle, et l'importun devoir! [60]
Va, je ne la veux pas obliger à te voir.
Pour tous remercîments il faut que je te chasse;
Mais avant que sortir, viens, que ton roi t'embrasse.
(*Don Rodrigue rentre.*)

DON DIÈGUE

Chimène le poursuit, et voudrait le sauver.   5

DON FERNAND

On m'a dit qu'elle l'aime, et je vais l'éprouver.[61]
Montrez un œil [62] plus triste.

SCÈNE V — DON FERNAND, DON DIÈGUE, DON ARIAS, DON SANCHE,
DON ALONSE, CHIMÈNE, ELVIRE

DON FERNAND

            Enfin, soyez contente,
Chimène, le succès répond à votre attente: [63]
Si de nos ennemis Rodrigue a le dessus,[64]
Il est mort à nos yeux des coups qu'il a reçus;   10
Rendez grâces au ciel qui vous en a vengée.
(*A don Diègue.*)
Voyez comme déjà sa couleur est changée.

DON DIÈGUE

Mais voyez qu'elle pâme; [65] et d'un amour parfait,
Dans cette pâmoison, Sire, admirez l'effet.[66]
Sa douleur a trahi [67] les secrets de son âme,   15
Et ne vous permet plus de douter de sa flamme.

CHIMÈNE

Quoi! Rodrigue est donc mort?

DON FERNAND

            Non, non, il voit le jour,
Et te conserve encore un immuable amour:
Calme cette douleur qui pour lui s'intéresse.[68]

---

[60] *importun devoir:* burdensome duty
[61] *l'éprouver:* put her to the test
[62] *Montrez un œil:* Prenez un air
[63] *attente:* expectation
[64] *le dessus:* the upper hand
[65] *pâme:* is fainting

[66] *et d'un amour . . . admirez l'effet:* and in her fainting, Sire, behold the result of perfect love
[67] *a trahi:* gave away
[68] *pour lui s'intéresse:* is aroused on his account

CHIMÈNE

Sire, on pâme de joie, ainsi que de tristesse:
Un excès de plaisir nous rend tous languissants; [69]
Et quand il surprend l'âme, il accable [70] les sens.

DON FERNAND

Tu veux qu'en ta faveur nous croyions l'impossible?
Chimène, ta douleur a paru trop visible.   5

CHIMÈNE

Eh bien! Sire, ajoutez ce comble à mon malheur,
Nommez ma pâmoison l'effet de ma douleur:
Un juste déplaisir à ce point m'a réduite.
Son trépas dérobait [71] sa tête à ma poursuite;
S'il meurt des coups reçus pour le bien du pays,   10
Ma vengeance est perdue et mes desseins trahis:
Une si belle fin m'est trop injurieuse.[72]
Je demande sa mort, mais non pas glorieuse,
Non pas dans un éclat qui l'élève si haut,
Non pas au lit d'honneur, mais sur un échafaud; [73]   15
Qu'il meure pour mon père, et non pour la patrie;
Que son nom soit taché, sa mémoire flétrie.[74]
Mourir pour le pays n'est pas un triste sort;
C'est s'immortaliser par une belle mort.
J'aime donc sa victoire, et je le puis sans crime;   20
Elle assure [75] l'État et me rend ma victime,
Mais noble, mais fameuse entre tous les guerriers,
Le chef, au lieu de fleurs,[76] couronné de lauriers;
Et pour dire en un mot ce que j'en considère,[77]
Digne d'être immolée aux mânes [78] de mon père . . .   25
   Hélas! à quel espoir me laissé-je emporter! [79]
Rodrigue de ma part n'a rien à redouter:
Que pourraient contre lui des larmes qu'on méprise?
Pour lui tout votre empire est un lieu de franchise; [80]
Là, sous votre pouvoir, tout lui devient permis;   30
Il triomphe de moi comme des ennemis.
Dans leur sang répandu la justice étouffée [81]
Au crime du vainqueur sert d'un nouveau trophée:

[69] *languissants:* abattus
[70] *accable:* overwhelms
[71] *dérobait:* stole
[72] *injurieuse:* offensive
[73] *échafaud:* scaffold
[74] *flétrie:* sullied
[75] *assure:* strengthens
[76] refers to the custom of crowning sacrificial victims with flowers
[77] *ce que j'en considère:* mon avis
[78] *mânes:* shades
[79] *me laissé-je emporter?:* am I letting myself be carried away?
[80] *franchise:* sûreté
[81] *étouffée:* choked

Nous en croissons [82] la pompe, et le mépris des lois
Nous fait suivre son char au milieu de deux rois.[83]

DON FERNAND

Ma fille, ces transports ont trop de violence.
Quand on rend la justice, on met tout en balance.
On a tué ton père, il était l'agresseur;   5
Et la même équité [84] m'ordonne la douceur.
Avant que d'accuser ce que j'en fais paraître,[85]
Consulte bien ton cœur: Rodrigue en est le maître,
Et ta flamme en secret rend grâces à ton roi,
Dont la faveur conserve un tel amant pour toi.   10

CHIMÈNE

Pour moi! mon ennemi! l'objet de ma colère!
L'auteur de mes malheurs! l'assassin de mon père!
De ma juste poursuite on fait si peu de cas [86]
Qu'on me croit obliger en ne m'écoutant pas!
    Puisque vous refusez la justice à mes larmes,   15
Sire, permettez-moi de recourir aux armes; [87]
C'est par là seulement qu'il a su m'outrager,
Et c'est aussi par là que je me dois venger.
A tous vos cavaliers je demande sa tête:
Oui, qu'un d'eux me l'apporte, et je suis sa conquête; [88]   20
Qu'ils le combattent, Sire; et le combat fini,
J'épouse le vainqueur, si Rodrigue est puni.
Sous votre autorité souffrez qu'on le publie.[89]

DON FERNAND

Cette vieille coutume en ces lieux établie,
Sous couleur [90] de punir un injuste attentat,   25
Des meilleurs combattants affaiblit un État;
Souvent de cet abus le succès déplorable
Opprime l'innocent, et soutient le coupable.
J'en dispense Rodrigue: il m'est trop précieux
Pour l'exposer aux coups d'un sort capricieux;   30
Et quoi qu'ait pu commettre un cœur si magnanime,
Les Mores en fuyant ont emporté son crime.

___

[82] *croissons:* augmentons
[83] Chimène fancies herself forced to follow Rodrigue's chariot along with the two Moorish kings that he has captured.
[84] *la même équité:* fairness itself
[85] *avant d'accuser ce que j'en fais paraître:* before blaming my action in the matter
[86] *de ma juste . . . peu de cas:* on attache si peu d'importance à ma juste poursuite
[87] *recourir aux armes:* have recourse to a duel
[88] *je suis sa conquête:* je l'épouserai
[89] *publie:* annonce partout
[90] *couleur:* prétexte

DON DIÈGUE

Quoi! Sire, pour lui seul vous renversez [91] des lois
Qu'a vu toute la cour observer tant de fois!
Que croira votre peuple et que dira l'envie,
Si sous votre défense il ménage [92] sa vie,
Et s'en fait un prétexte à ne paraître pas   5
Où tous les gens d'honneur cherchent un beau trépas?
De pareilles faveurs terniraient [93] trop sa gloire:
Qu'il goûte sans rougir les fruits de sa victoire.
Le Comte eut de l'audace; il l'en a su punir:
Il l'a fait en brave homme, et le doit maintenir. [94]   10

DON FERNAND

Puisque vous le voulez, j'accorde qu'il le fasse;
Mais d'un guerrier vaincu [95] mille prendraient la place,
Et le prix que Chimène au vainqueur a promis
De tous mes cavaliers ferait ses ennemis.
L'opposer seul à tous serait trop d'injustice: 15
Il suffit qu'une fois il entre dans la lice. [96]
    Choisis qui tu voudras, Chimène, et choisis bien;
Mais après ce combat ne demande plus rien.

DON DIÈGUE

N'excusez point par là ceux que son bras étonne: [97]
Laissez un champ ouvert [98] où n'entrera personne.   20
Après ce que Rodrigue a fait voir aujourd'hui,
Quel courage assez vain s'oserait prendre à lui? [99]
Qui se hasarderait contre un tel adversaire?
Qui serait ce vaillant, ou bien ce téméraire? [100]

DON SANCHE

Faites ouvrir le champ: vous voyez l'assaillant;   25
Je suis ce téméraire, ou plutôt ce vaillant.
    Accordez cette grâce à l'ardeur qui me presse,
Madame: vous savez quelle est votre promesse.

DON FERNAND

Chimène, remets-tu ta querelle en sa main?

[91] *renversez:* annulez
[92] *ménage:* prend trop de soin de
[93] *terniraient:* would sully
[94] *le doit maintenir:* should maintain that
it was his duty
[95] *vaincu:* defeated (by Rodrigue)

[96] *lice:* dueling arena
[97] *étonne:* terrifies
[98] *champ ouvert:* open field, as opposed to
lice
[99] *s'oserait prendre à lui:* oserait l'attaquer
[100] *téméraire:* rash person

CHIMÈNE

Sire, je l'ai promis.

DON FERNAND

Soyez prêt à demain.

DON DIÈGUE

Non, Sire, il ne faut pas différer[101] davantage:
On est toujours trop prêt quand on a du courage.

DON FERNAND

Sortir d'une bataille, et combattre à l'instant!

DON DIÈGUE

Rodrigue a pris haleine en vous la racontant.   5

DON FERNAND

Du moins une heure ou deux je veux qu'il se délasse.[102]
Mais de peur qu'en exemple un tel combat ne passe,
Pour témoigner à tous qu'à regret je permets
Un sanglant procédé[103] qui ne me plut jamais,
De moi ni de ma cour il n'aura la présence.   10
(Il parle à don Arias.[104])
Vous seul des combattants jugerez la vaillance:
Ayez soin que tous deux fassent en gens de cœur,
Et, le combat fini, m'amenez le vainqueur.
Qui qu'il soit, même prix est acquis à sa peine:[105]
Je le veux de ma main présenter à Chimène,   15
Et que pour récompense il reçoive sa foi.

CHIMÈNE

Quoi! Sire, m'imposer une si dure loi![106]

DON FERNAND

Tu t'en plains; mais ton feu, loin d'avouer[107] ta plainte,
Si Rodrigue est vainqueur, l'accepte sans contrainte.
Cesse de murmurer contre un arrêt si doux: 20
Qui que ce soit des deux, j'en ferai ton époux.

---

[101] *différer:* remettre
[102] *se délasse:* se repose
[103] *sanglant procédé:* ce vers rappelle que
Richelieu avait formellement interdit les
duels
[104] *don Arias:* membre de la suite du roi

[105] *à sa peine:* par ses efforts
[106] *une si dure loi:* un règlement tellement
sévère
[107] *ton feu, loin d'avouer:* ton amour, loin
de confirmer

ACTE V

Chez Chimène

CHIMÈNE

Quoi! Rodrigue, en plein jour! [1] d'où te vient cette audace?
Va, tu me perds d'honneur; [2] retire-toi, de grâce.

DON RODRIGUE

Je vais mourir, madame, et vous viens en ce lieu,
Avant le coup mortel, dire un dernier adieu:
Cet immuable amour qui sous vos lois [3] m'engage   5
N'ose accepter ma mort sans vous en faire hommage.[4]

CHIMÈNE

Tu vas mourir!

DON RODRIGUE

                    Je cours à ces heureux moments
Qui vont livrer ma vie à vos ressentiments.

CHIMÈNE

Tu vas mourir! Don Sanche est-il si redoutable
Qu'il donne l'épouvante à ce cœur indomptable? [5]   10
Qui t'a rendu si faible, ou qui le rend si fort?
Rodrigue va combattre, et se croit déjà mort!
Celui qui n'a pas craint les Mores, ni mon père,
Va combattre don Sanche, et déjà désespère!
Ainsi donc au besoin [6] ton courage s'abat!   15

DON RODRIGUE

Je cours à mon supplice,[7] et non pas au combat;
Et ma fidèle ardeur sait bien m'ôter l'envie,
Quand vous cherchez ma mort, de défendre ma vie.
    J'ai toujours même cœur; mais je n'ai point de bras
Quand il faut conserver ce qui ne vous plaît pas;   20
Et déjà cette nuit m'aurait été mortelle

[1] *en plein jour:* in broad daylight
[2] *tu me perds d'honneur:* you are ruining my reputation
[3] *vos lois:* your control (vocab. précieux)
[4] *sans vous en faire hommage:* without dedicating it to you
[5] *indomptable:* invincible
[6] *au besoin:* au cas de besoin
[7] *supplice:* torture

Si j'eusse combattu pour ma seule querelle; [8]
Mais défendant mon roi, son peuple et mon pays,
A me défendre mal [9] je les aurais trahis.
Mon esprit généreux ne hait pas tant la vie
Qu'il en veuille sortir par une perfidie. [10]   5
Maintenant qu'il s'agit de [11] mon seul intérèt,
Vous demandez ma mort, j'en accepte l'arrèt.
Votre ressentiment choisit la main d'un autre
(Je ne méritais pas de mourir de la vôtre):
On ne me verra point en repousser [12] les coups;   10
Je dois plus de respect à qui combat pour vous;
Et ravi de penser que c'est de vous qu'ils viennent,
Puisque c'est votre honneur que ses armes soutiennent,
Je vais lui présenter mon estomac ouvert, [13]
Adorant de sa main la vôtre qui me perd.   15

CHIMÈNE

Si d'un triste devoir la juste violence,
Qui me fait malgré moi poursuivre ta vaillance,
Prescrit [14] à ton amour une si forte loi
Qu'il te rend sans défense à qui combat pour moi,
En cet aveuglement ne perds pas la mémoire   20
Qu'ainsi que de ta vie il y va de ta gloire, [15]
Et que dans quelque éclat que Rodrigue ait vécu,
Quand on le saura mort, on le croira vaincu.
    Ton honneur t'est plus cher que je ne te suis chère,
Puisqu'il trempe [16] tes mains dans le sang de mon père,   25
Et te fait renoncer, malgré ta passion,
A l'espoir le plus doux de ma possession: [17]
Je t'en vois cependant faire si peu de conte,
Que sans rendre combat tu veux qu'on te surmonte. [18]
Quelle inégalité ravale ta vertu? [19]   30
Pourquoi ne l'as-tu plus, ou pourquoi l'avais-tu?
Quoi? n'es-tu généreux que pour me faire outrage?
S'il ne faut m'offenser, n'as-tu point de courage?
Et traites-tu mon père avec tant de rigueur,
Qu'après l'avoir vaincu, tu souffres un vainqueur?   35
Va, sans vouloir mourir, laisse-moi te poursuivre,
Et défends ton honneur, si tu ne veux plus vivre.

[8] *pour ma seule querelle:* seulement pour ma propre cause
[9] *à me défendre mal:* in defending myself badly
[10] *perfidie:* trahison
[11] *il s'agit de:* il est question de
[12] *repousser:* me défendre de
[13] *estomac ouvert:* unprotected body

[14] *prescrit:* ordonne
[15] *qu'ainsi . . . de ta gloire:* your reputation as well as your life is at stake
[16] *trempe:* dips
[17] *de ma possession:* i.e. de m'épouser
[18] *surmonte:* vainque
[19] *Quelle . . . ta vertu?:* Quelle inégalité d'humeur abaisse ton courage?

DON RODRIGUE

Après la mort du Comte, et les Mores défaits,
Faudrait-il à ma gloire encore d'autres effets? [20]
Elle peut dédaigner le soin [21] de me défendre:
On sait que mon courage ose tout entreprendre,
Que ma valeur peut tout, et que dessous les cieux,   5
Auprès de [22] mon honneur, rien ne m'est précieux.
Non, non, en ce combat, quoique vous veuilliez croire,
Rodrigue peut mourir sans hasarder sa gloire,
Sans qu'on l'ose accuser d'avoir manqué de cœur,
Sans passer pour vaincu, sans souffrir un vainqueur.   10
On dira seulement: «Il adorait Chimène;
Il n'a pas voulu vivre et mériter sa haine;
Il a cédé lui-même à la rigueur du sort
Qui forçait sa maîtresse à poursuivre sa mort:
Elle voulait sa tête; et son cœur magnanime,   15
S'il l'en eût refusée, eût pensé [23] faire un crime.
Pour venger son honneur il perdit son amour,
Pour venger sa maîtresse il a quitté le jour,
Préférant, quelque espoir qu'eût son âme asservie,[24]
Son honneur à Chimène, et Chimène à sa vie.»   20
Ainsi donc vous verrez ma mort en ce combat,
Loin d'obscurcir ma gloire, en rehausser l'éclat; [25]
Et cet honneur suivra mon trépas volontaire,
Que tout autre que moi n'eût pu [26] vous satisfaire.

CHIMÈNE

Puisque, pour t'empêcher de courir au trépas,   25
Ta vie et ton honneur sont de faibles appas,
Si jamais je t'aimai, cher Rodrigue, en revanche,
Défends-toi maintenant pour m'ôter [27] à don Sanche;
Combats pour m'affranchir d'une condition
Qui me donne à l'objet de mon aversion.   30
Te dirai-je encor plus? va, songe à ta défense,
Pour forcer mon devoir, pour m'imposer silence;
Et si tu sens pour moi ton cœur encore épris,[28]
Sors vainqueur d'un combat dont Chimène est le prix.
Adieu: ce mot lâché [29] me fait rougir de honte.   35

[20] encore d'autres effets: still more feats of
arms
[21] soin: concern
[22] auprès de: comparé à
[23] s'il l'en eût refusée, eût pensé: s'il le
lui avait refusé, aurait pensé
[24] qu'eût son âme asservie: que son âme
abattue ait pu avoir

[25] en rehausser l'éclat: heighten its lustre
[26] tout autre . . . n'eût pu: anyone except
me could not have
[27] m'ôter: m'enlever
[28] épris: amoureux
[29] lâché: that slipped out

DON RODRIGUE, *seul*

Est-il quelque ennemi qu'à présent je ne dompte?[30]
Paraissez, Navarrais, Mores et Castillans,[31]
Et tout ce que l'Espagne a nourri de vaillants:[32]
Unissez-vous ensemble, et faites une armée,
Pour combattre une main de la sorte animée: 5
Joignez tous vos efforts contre un espoir si doux;
Pour en venir à bout,[33] c'est trop peu que de vous.[34]

Chez Chimène

SCÈNE IV[35] — CHIMÈNE, ELVIRE

CHIMÈNE

Elvire, que je souffre, et que je suis à plaindre!
Je ne sais qu'espérer, et je vois tout à craindre;
Aucun vœu ne m'échappe où[36] j'ose consentir;   10
Je ne souhaite rien sans un prompt repentir.[37]
A deux rivaux pour moi je fais prendre les armes:
Le plus heureux succès me coûtera des larmes;
Et quoi qu'en ma faveur en ordonne le sort,
Mon père est sans vengeance, ou mon amant est mort.   15

ELVIRE

D'un et d'autre côté[38] je vous vois soulagée:
Ou vous avez Rodrigue, ou vous êtes vengée,
Et quoi que le destin puisse ordonner de vous,
Il soutient votre gloire, et vous donne un époux.

CHIMÈNE

Quoi! l'objet de ma haine ou de tant de colère!   20
L'assassin de Rodrigue ou celui de mon père!
De tous les deux côtés on me donne un mari
Encor tout teint du sang que j'ai le plus chéri;
De tous les deux côtés mon âme se rebelle:
Je crains plus que la mort la fin de ma querelle.[39]   25
Allez, vengeance, amour, qui troublez mes esprits,[40]
Vous n'avez point pour moi de douceurs à ce prix,[41]

[30] *dompte:* vainque
[31] Note that Moors are included with men from Navarre and Castille.
[32] *tout ce . . . de vaillants:* all the valiant warriors that Spain has bred
[33] *en venir à bout:* y réussir
[34] *c'est trop peu que de vous:* all of you together are not enough
[35] Scenes II and III have been omitted.
[36] *aucun vœu . . . où:* je n'exprime aucun désir auquel
[37] *prompt repentir:* quickly changing my mind
[38] *d'un et d'autre côté:* by either outcome
[39] *ma querelle:* mon désir de vengeance
[40] *mes esprits:* ma raison
[41] *à ce prix:* under such conditions (i.e. not being avenged)

Et toi, puissant moteur [42] du destin qui m'outrage,
Termine ce combat sans aucun avantage,
Sans faire aucun des deux ni vaincu ni vainqueur.

ELVIRE

Ce serait vous traiter avec trop de rigueur.
Ce combat pour votre âme est un nouveau supplice,   5
S'il vous laisse obligée à demander justice,
A témoigner toujours ce haut ressentiment,
Et poursuivre toujours la mort de votre amant.
Madame, il vaut bien mieux que sa rare vaillance,
Lui couronnant le front,[43] vous impose silence;   10
Que la loi du combat étouffe vos soupirs,
Et que le Roi vous force à suivre vos désirs.

CHIMÈNE

Quand il sera vainqueur, crois-tu que je me rende?
Mon devoir est trop fort, et ma perte trop grande,
Et ce n'est pas assez, pour leur faire [44] la loi,   15
Que celle du combat et le vouloir du Roi.
Il peut vaincre don Sanche avec fort peu de peine,
Mais non pas avec lui la gloire de Chimène;
Et quoi qu'à sa victoire un monarque ait promis,
Mon honneur lui fera mille autres ennemis.   20

ELVIRE

Gardez, pour vous punir de cet orgueil [45] étrange,
Que le ciel à la fin ne souffre qu'on vous venge.
Quoi! vous voulez encor refuser le bonheur
De pouvoir maintenant vous taire avec honneur?
Que prétend ce devoir, et qu'est-ce qu'il espère?   25
La mort de votre amant vous rendra-t-elle un père?
Est-ce trop peu pour vous que d'un coup de malheur? [46]
Faut-il perte sur perte, et douleur sur douleur?
Allez, dans le caprice où votre humeur s'obstine,[47]
Vous ne méritez pas l'amant qu'on vous destine;   30
Et nous verrons du ciel l'équitable courroux [48]
Vous laisser, par sa mort, don Sanche pour époux.

CHIMÈNE

Elvire, c'est assez des peines que j'endure,
Ne les redouble point de ce funeste augure.[49]

[42] *toi, puissant moteur:* Chimène s'adresse
à Dieu
[43] *lui couronnant le front:* crowning his
brow (with laurels)
[44] *faire:* imposer
[45] *orgueil:* haughtiness

[46] *est-ce . . . coup de malheur?:* is one
blow of misfortune not enough for you?
[47] *s'obstine:* persiste
[48] *courroux:* colère
[49] *augure:* prediction

Je veux, si je le puis, les éviter tous deux;
Sinon en ce combat Rodrigue a tous mes vœux:
Non qu'une folle ardeur de son côté me penche; [50]
Mais s'il était vaincu, je serais à [51] don Sanche:
Cette appréhension fait naître [52] mon souhait.   5
Que vois-je, malheureuse? Elvire, c'en est fait.[53]

SCÈNE V — DON SANCHE, CHIMÈNE, ELVIRE

DON SANCHE

Obligé d'apporter à vos pieds cette épée [54] . . .

CHIMÈNE

Quoi! du sang de Rodrigue encor toute trempée?
Perfide, oses-tu [55] bien te montrer à mes yeux,
Après m'avoir ôté ce que j'aimais le mieux?   10
    Éclate, mon amour, tu n'as plus rien à craindre:
Mon père est satisfait, cesse de te contraindre.
Un même coup a mis ma gloire en sûreté,
Mon âme au désespoir, ma flamme en liberté.

DON SANCHE

D'un esprit plus rassis [56] . . .

CHIMÈNE

                            Tu me parles encore,   15
Exécrable assassin d'un héros que j'adore?
Va, tu l'as pris en traître; [57] un guerrier si vaillant
N'eût [58] jamais succombé sous un tel assaillant.
N'espère rien de moi, tu ne m'as point servie:
En croyant me venger, tu m'as ôté la vie.   20

DON SANCHE

Étrange impression, qui, loin de m'écouter . . .

CHIMÈNE

Veux-tu que de sa mort je t'écoute vanter,[59]
Que j'entende à loisir [60] avec quelle insolence
Tu peindras son malheur, mon crime et ta vaillance?

[50] *de son côté me penche:* sways me in his favor
[51] *je serais à:* je devrais épouser
[52] *fait naître:* gives rise to
[53] *c'en est fait:* c'est fini
[54] *cette épée:* Chimène assumes that don Sanche has killed Rodrigue.

[55] *oses-tu?:* Chimène here uses familiar form in anger.
[56] *rassis:* serein
[57] *en traître:* treacherously
[58] *n'eût:* n'aurait
[59] *vanter:* boast
[60] *à loisir:* at length

Chez le Roi

SCÈNE VI — DON FERNAND, DON DIÈGUE, DON ARIAS, DON SANCHE,
DON ALONSE, CHIMÈNE, ELVIRE

CHIMÈNE

Sire, il n'est plus besoin de vous dissimuler
Ce que tous mes efforts ne vous ont pu celer.[61]
J'aimais, vous l'avez su; mais pour venger mon père,
J'ai bien voulu proscrire une tête si chère: [62]
Votre Majesté, Sire, elle-même a pu voir   5
Comme [63] j'ai fait céder mon amour au devoir.
Enfin Rodrigue est mort, et sa mort m'a changée
D'implacable ennemie en amante affligée.
J'ai dû cette vengeance à qui m'a mise au jour,[64]
Et je dois maintenant ces pleurs à mon amour.   10
Don Sanche m'a perdue en prenant ma défense,
Et du bras qui me perd je suis la récompense!
Sire, si la pitié peut émouvoir un roi,
De grâce, révoquez une si dure loi;
Pour prix d'une victoire où je perds ce que j'aime,   15
Je lui laisse mon bien; qu'il me laisse à moi-même;
Qu'en un cloître sacré [65] je pleure incessamment,
Jusqu'au dernier soupir, mon père et mon amant.

DON DIÈGUE

Enfin elle aime, Sire, et ne croit plus un crime
D'avouer par sa bouche un amour légitime.   20

DON FERNAND

Chimène, sors d'erreur,[66] ton amant n'est pas mort,
Et don Sanche vaincu t'a fait un faux rapport.

DON SANCHE

Sire, un peu trop d'ardeur malgré moi l'a déçue: [67]
Je venais du combat lui raconter l'issue.[68]
Ce généreux guerrier, dont son cœur est charmé: 25
«Ne crains rien, m'a-t-il dit, quand il m'a désarmé;
Je laisserais plutôt la victoire incertaine,
Que de répandre un sang hasardé [69] pour Chimène;
Mais puisque mon devoir m'appelle auprès du Roi,
Va de notre combat l'entretenir [70] pour moi,   30

[61] *celer:* cacher
[62] *proscrire une tête si chère:* i.e. mettre à prix la vie de Rodrigue
[63] *comme:* comment
[64] *à qui m'a mise au jour:* i.e. à mon père
[65] *un cloître sacré:* un couvent
[66] *sors d'erreur:* détrompe-toi
[67] *déçue:* trompée
[68] *issue:* outcome
[69] *hasardé:* risqué
[70] *l'entretenir:* lui parler (à Chimène)

De la part du vainqueur lui porter ton épée.»
Sire, j'y suis venu: cet objet l'a trompée;
Elle m'a cru vainqueur, me voyant de retour,
Et soudain sa colère a trahi son amour
Avec tant de transport et tant d'impatience,   5
Que je n'ai pu gagner un moment d'audience.[71]
   Pour moi, bien que vaincu, je me répute heureux;
Et malgré l'intérêt de mon cœur amoureux,
Perdant infiniment, j'aime encore ma défaite,
Qui fait le beau succès [72] d'une amour si parfaite.   10

DON FERNAND

Ma fille, il ne faut point rougir d'un si beau feu,
Ni chercher les moyens d'en faire un désaveu.[73]
Une louable honte en vain t'en sollicite: [74]
Ta gloire est dégagée,[75] et ton devoir est quitte;
Ton père est satisfait, et c'était le venger   15
Que mettre tant de fois ton Rodrigue en danger.
Tu vois comme le ciel autrement en dispose.[76]
Ayant tant fait pour lui,[77] fais pour toi quelque chose,
Et ne sois point rebelle à mon commandement,
Qui te donne un époux aimé si chèrement.   20

SCÈNE VII — DON FERNAND, DON DIÈGUE, DON ARIAS, DON RODRIGUE,
        DON ALONSE, DON SANCHE, CHIMÈNE, ELVIRE

DON RODRIGUE

Ne vous offensez point, Sire, si devant vous
Un respect amoureux me jette à ses genoux.
   Je ne viens point ici demander ma conquête: [78]
Je viens tout de nouveau [79] vous apporter ma tête,
Madame; mon amour n'emploiera point pour moi   25
Ni la loi du combat, ni le vouloir du Roi.
Si tout ce qui s'est fait est trop peu pour un père,
Dites par quels moyens il vous faut satisfaire.
Faut-il combattre encor mille et mille rivaux,
Aux deux bouts de la terre étendre mes travaux,[80]   30
Forcer moi seul un camp, mettre en fuite une armée,
Des héros fabuleux passer la renommée? [81]
Si mon crime par là se peut enfin laver,

---

[71] *un moment d'audience:* (Chimène's) listening to me for a minute
[72] *beau succès:* happy outcome
[73] *d'en faire un désaveu:* de le nier
[74] *t'en sollicite:* impels you to do it
[75] *dégagée:* liberée
[76] *dispose:* ordains

[77] *pour lui:* pour ton père
[78] *ma conquête:* i.e. la main de Chimène
[79] *tout de nouveau:* encore une fois
[80] *travaux:* feats of arms
[81] *des héros . . . la renommée:* surpass the fame of heroes of antiquity

J'ose tout entreprendre, et puis tout achever;
Mais si ce fier honneur,[82] toujours inexorable,
Ne se peut apaiser sans la mort du coupable,
N'armez plus contre moi le pouvoir des humains:
Ma tête est à vos pieds, vengez-vous par vos mains;   5
Vos mains seules ont droit de vaincre un invincible;
Prenez une vengeance à tout autre impossible.
Mais du moins que ma mort suffise à me punir:
Ne me bannissez point de votre souvenir;
Et puisque mon trépas conserve votre gloire,   10
Pour vous en revancher [83] conservez ma mémoire,
Et dites quelquefois, en déplorant mon sort:
«S'il ne m'avait aimée, il ne serait pas mort.»

CHIMÈNE

Relève-toi, Rodrigue. Il faut l'avouer, Sire,
Je vous en ai trop dit pour m'en pouvoir dédire.[84]   15
Rodrigue a des vertus que je ne puis haïr;
Et quand un roi commande, on lui doit obéir.
Mais à quoi que [85] déjà vous m'ayez condamnée,
Pourrez-vous à vos yeux souffrir cet hyménée? [86]
Et quand de mon devoir vous voulez cet effort,   20
Toute votre justice en [87] est-elle d'accord?
Si Rodrigue à l'État devient si nécessaire,
De ce qu'il fait pour vous dois-je être le salaire,
Et me livrer moi-même au reproche éternel
D'avoir trempé mes mains dans le sang paternel?   25

DON FERNAND

Le temps assez souvent a rendu légitime
Ce qui semblait d'abord ne se pouvoir sans crime:
Rodrigue t'a gagnée, et tu dois être à lui.
Mais quoique sa valeur t'ait conquise aujourd'hui,
Il faudrait que je fusse ennemi de ta gloire,   30
Pour lui donner sitôt le prix de sa victoire.
Cet hymen différé [88] ne rompt point une loi
Qui sans marquer de temps lui destine ta foi.[89]
Prends un an, si tu veux, pour essuyer tes larmes.
Rodrigue, cependant [90] il faut prendre les armes.   35
Après avoir vaincu les Mores sur nos bords,
Renversé leurs desseins, repoussé leurs efforts,
Va jusqu'en leur pays leur reporter la guerre,[91]

[82] *ce fier honneur:* i.e. Chimène's unyielding sense of honor
[83] *vous en revancher:* prendre votre revanche
[84] *m'en pouvoir dédire:* pouvoir le nier
[85] *à quoi que:* to whatever
[86] *hyménée:* mariage
[87] *en:* sur cela
[88] *hymen différé:* mariage remis
[89] *foi:* promesse de mariage
[90] *cependant:* in the meantime
[91] *leur reporter la guerre:* les attaquer

Commander mon armée, et ravager leur terre:
A ce nom seul de Cid ils trembleront d'effroi;
Ils t'ont nommé seigneur, et te voudront pour roi.
Mais parmi tes hauts faits [92] sois-lui toujours fidèle:
Reviens-en, s'il se peut,[93] encor plus digne d'elle;   5
Et par tes grands exploits fais-toi si bien priser [94]
Qu'il lui soit glorieux alors de t'épouser.

DON RODRIGUE

Pour posséder Chimène, et pour votre service,
Que peut-on m'ordonner que mon bras n'accomplisse?
Quoi qu'absent de ses yeux il me faille endurer,[95]   10
Sire, ce m'est trop d'heur de pouvoir espérer.

DON FERNAND

Espère en ton courage, espère en ma promesse;
Et possédant déjà le cœur de ta maîtresse,
Pour vaincre un point d'honneur [96] qui combat contre toi,
Laisse faire le temps, ta vaillance et ton roi.   15

[92] *hauts faits:* grands exploits
[93] *reviens en, s'il se peut:* reviens de ces
exploits, s'il est possible
[94] *priser:* estimer

[95] *endurer:* vivre péniblement
[96] *point d'honneur:* Dans cette expression
Corneille reprend l'idée centrale de l'intrigue.

BLAISE PASCAL [1623–62]

Né à Clermont-Ferrand, fils du président de la Cour des Aides,[1] Blaise Pascal
habita Paris dès l'âge de huit ans. Son goût pour les sciences se montra de fort
bonne heure. D'après le récit de sa sœur, il aura découvert de lui-même,
à l'âge de douze ans, les trente-deux premières propositions d'Euclide.[2] Quelques années plus tard, afin d'aider son père à faire ses comptes, Pascal inventa
une machine à calculer dont plusieurs modèles existent encore aujourd'hui.

Le jeune homme subit pour la première fois, en 1646, l'influence des
Jansénistes, groupe catholique connu pour son austérité et pour la pureté de
ses mœurs. Deux partisans de cette secte surent, par leur conversation, l'attirer à
leur doctrine ultra-sévère. Cependant Pascal poussa inlassablement ses recherches scientifiques: ses nombreux traités lui gagnèrent une réputation considérable dans le monde savant de Paris.

Après la mort de son père, Pascal développa ses relations mondaines et

[1] *Cour des Aides:* cour souveraine qui jugeait les affaires concernant l'assistance publique
[2] *Euclide:* géomètre grec, du troisième siècle avant Jésus-Christ, dont l'ouvrage principal
sert de base à la géométrie plane

fréquenta plusieurs salons parisiens. Ce fut pourtant au mois de novembre 1654, à la suite d'un accident de voiture, au pont de Neuilly, que la conversion religieuse de Pascal eut lieu. Il se retira près de Port-Royal, grande abbaye janséniste dans la vallée de Chevreuse.[3]

L'établissement quasi-définitif de Pascal à Port-Royal fut suivi de son intervention personnelle dans la querelle entre les Jansénistes et les Jésuites. Il épousa, avec toute l'ardeur de son esprit éveillé, la cause des Jansénistes. En janvier 1655 parut, anonyme, la première de ses célèbres *Lettres provinciales*.

Cependant la santé de Pascal s'altérait. Il abandonna la plupart de ses recherches pour se consacrer presque entièrement à la rédaction d'une vaste apologie[4] de la religion chrétienne. Dans cet ouvrage capital, *Les Pensées*, Pascal s'adresse directement aux libertins.[5] Par l'éloquence et par la persuasion, par toute la force de son génie, il essaya de les convaincre de la vérité incontestable de la religion de Jésus-Christ.

Dans le premier des morceaux qui suivent, *Misère de l'homme sans Dieu*, Pascal met en jeu tout son génie d'écrivain afin de prouver que l'homme, dépourvu du secours divin, est un être bien misérable. Dans le deuxième, *Les Puissances trompeuses*, il s'efforce de démontrer le rôle néfaste de l'imagination dans la vie de l'homme moyen. Notre troisième morceau est tiré de la fameuse partie des *Pensées* intitulée *La Grandeur de l'homme*. Ces pages comptent, par la beauté du style et l'élévation de la pensée, parmi les plus belles de la prose française.

[3] *vallée de Chevreuse:* vallée marécageuse et malsaine au dix-septième siècle, à une trentaine de kilomètres au sud-ouest de Paris
[4] *apologie:* c'est-à-dire «défense» ou «justification»
[5] *libertins:* libres penseurs

Les Pensées

I. MISÈRE DE L'HOMME SANS DIEU

Il faut se connaître soi-même:[1] quand cela ne servirait[2] pas à trouver le vrai, cela au moins sert à régler sa vie, et il n'y a rien de plus juste.

[1] *se connaître soi-même:* célèbre précepte de Socrate (469?–399 avant J.-C.)
[2] *quand cela ne servirait:* même si cela ne servait

DES DEUX INFINIS — DISPROPORTION DE L'HOMME

Que l'homme contemple donc la nature entière dans sa haute et pleine majesté; qu'il éloigne sa vue des objets bas[3] qui l'environnent. Qu'il regarde cette éclatante[4] lumière, mise comme

[3] *bas:* de ce monde
[4] *éclatante:* dazzling

une lampe éternelle pour éclairer l'univers; que la terre lui paraisse comme un point au prix du [5] vaste tour que cet astre décrit et qu'il s'étonne de ce que ce vaste tour lui-même n'est qu'une pointe très délicate à l'égard de [6] celui que les astres qui roulent dans le firmament embrassent.

Mais si notre vue s'arrête là, que l'imagination passe outre; [7] elle se lassera plutôt [8] de concevoir que la nature de fournir. Tout ce monde visible n'est qu'un trait [9] imperceptible dans l'ample sein de la nature. Nulle idée n'en approche. Nous avons beau enfler [10] nos conceptions, au delà des espaces imaginables, nous n'enfantons que des atomes, [11] au prix de la réalité des choses. C'est une sphère infinie dont le centre est partout, la circonférence nulle part. [12] Enfin c'est le plus grand caractère sensible de la toute-puissance de Dieu, que notre imagination se perde dans cette pensée.

Que l'homme, étant revenu à soi, considère ce qu'il est au prix de ce qui est; qu'il se regarde comme égaré dans ce canton détourné [13] de la nature; et que, de ce petit cachot [14] où il se trouve logé, j'entends [15] l'univers, il apprenne à estimer la terre, les royaumes, les villes et soi-même son juste prix. [16] Qu'est-ce qu'un homme dans l'infini?

Mais pour lui présenter un autre prodige [17] aussi étonnant, qu'il recherche dans ce qu'il connaît les choses les plus délicates. [18] Qu'un ciron [19] lui offre dans la petitesse de son corps des parties incomparablement plus petites, des jambes avec des jointures, des veines dans ces jambes, du sang dans ces veines, des humeurs [20] dans ce sang, des gouttes dans ces humeurs, des vapeurs [21] dans ces gouttes; que, divisant encore ces dernières choses, il épuise ses forces en ces conceptions, et que le dernier objet où il peut arriver soit maintenant celui de notre discours; il pensera peut-être que c'est là l'extrême petitesse de la nature.

Je veux lui faire voir là-dedans un abîme nouveau. Je veux lui peindre non seulement l'univers visible, mais l'immensité qu'on peut concevoir de la nature, dans l'enceinte de ce raccourci d'atome. [22] Qu'il y voie une infinité d'univers, dont chacun a son firmament, ses planètes, sa terre, en la même proportion que le monde visible; dans cette terre des animaux, et enfin des cirons, dans lesquels il retrouvera ce que les premiers ont donné; et trouvant encore dans les autres la même chose sans fin et sans repos, [23] qu'il se perde dans ces merveilles, aussi étonnantes dans leur petitesse que les autres par leur étendue; car qui n'admirera que [24] notre corps, qui tantôt [25] n'était pas perceptible dans l'univers, imperceptible lui-même dans le sein

---

[5] *au prix de:* comparé à
[6] *pointe très délicate à l'égard de:* détail insignifiant comparé à
[7] *outre:* beyond
[8] *plutôt:* avant
[9] *trait:* trace, dot
[10] *avons beau enfler:* enlarge in vain
[11] *atomes:* infinitely small entities, not atoms in the modern sense
[12] *nulle part:* nowhere
[13] *canton détourné:* endroit peu fréquenté
[14] *cachot:* cell
[15] *j'entends:* je veux dire
[16] *son juste prix:* sa juste valeur

[17] *prodige:* phénomène
[18] *délicates:* slight
[19] *ciron:* mite
[20] *humeurs:* microscopic fluids
[21] *vapeurs:* vapors
[22] *enceinte de ce raccourci d'atome:* womb of this abridged atom
[23] *repos:* stopping
[24] *n'admirera que:* will not be astounded by the fact that
[25] *tantôt:* tout à l'heure

du tout, soit à présent un colosse, un monde, ou plutôt un tout, à l'égard du néant [26] où l'on ne peut arriver?

Qui se considérera de la sorte s'effraiera de soi-même, [27] et, se considérant soutenu dans la masse [28] que la nature lui a donnée, entre ces deux abîmes de l'infini et du néant, il tremblera dans la vue de ces merveilles; et je crois que sa curiosité se changeant en admiration, il sera plus disposé à les contempler en silence qu'à les rechercher [29] avec présomption.

Car enfin, qu'est-ce que l'homme dans la nature? Un néant à l'égard de l'infini, un tout à l'égard du néant, un milieu entre rien et tout. Infiniment éloigné de comprendre [30] les extrêmes, la fin des choses et leur principe [31] sont pour lui invinciblement cachés dans un secret impénétrable, également incapable de voir le néant d'où il est tiré, et l'infini où il est englouti. [32]

Que fera-t-il donc, sinon d'apercevoir quelque apparence du milieu des choses, [33] dans un désespoir éternel de connaître ni leur principe ni leur fin? Toutes choses sont sorties du néant et portées jusqu'à l'infini. Qui suivra ces étonnantes démarches? [34] L'auteur de ces merveilles les comprend. Tout autre ne le peut faire . . .

Connaissons donc notre portée; [35] nous sommes quelque chose, et ne sommes pas tout; ce que nous avons d'être [36] nous dérobe [37] la connaissance des premiers principes, qui naissent du néant; et le peu que nous avons d'être [38] nous cache la vue de l'infini.

Notre intelligence tient dans l'ordre des choses intelligibles le même rang que notre corps dans l'étendue de la nature.

Bornés en tout genre, [39] cet état qui tient le milieu entre deux extrêmes se trouve en toutes nos puissances. [40] Nos sens n'aperçoivent rien d'extrême: trop de bruit nous assourdit; trop de lumière éblouit; trop de distance et trop de proximité empêchent la vue; trop de longueur et trop de brièveté de discours l'obscurcissent; trop de vérité nous étonne (j'en sais [41] qui ne peuvent comprendre que qui de zéro ôte quatre reste zéro); [42] les premiers principes ont trop d'évidence pour nous; trop de plaisir incommode; trop de consonances [43] déplaisent dans la musique; et trop de bienfaits irritent: nous voulons avoir de quoi surpayer [44] la dette.

Nous ne sentons ni l'extrême chaud ni l'extrême froid. Les qualités excessives nous sont ennemies, et non pas sensibles; [45] nous ne les sentons plus, nous les souffrons. [46] Trop de jeunesse et trop de vieillesse empêchent l'esprit, [47] trop et trop peu d'instruction;

---

[26] *néant:* nothingness
[27] *s'effraiera de soi-même:* will be frightened by himself
[28] *masse:* poids — suspendu entre les deux abîmes
[29] *rechercher:* étudier
[30] *comprendre:* embrace
[31] *principe:* origine, début
[32] *englouti:* swallowed up
[33] *milieu des choses:* midpoint between the infinitely large and the infinitely small
[34] *démarches:* mouvements
[35] *portée:* range
[36] *ce que nous avons d'être:* the fact that we exist

[37] *dérobe:* cache
[38] *le peu que nous avons d'être:* the littleness of our being
[39] *Bornés en tout genre:* limited in all respects
[40] *nos puissances:* nos facultés
[41] *j'en sais:* je connais des personnes
[42] *qui de zéro ôte quatre reste zéro:* four subtracted from zero leaves zero
[43] *consonances:* similar notes
[44] *surpayer:* overpay
[45] *sensibles:* perceptible through the senses
[46] *souffrons:* tolérons
[47] *empêchent l'esprit:* block the mental processes

enfin les choses extrêmes sont pour nous comme si elles n'étaient[48] point, et nous ne sommes point à leur égard: elles nous échappent, ou nous à elles. Voilà notre état véritable. C'est ce qui nous rend incapables de savoir certainement et d'ignorer absolument.[49] Nous voguons sur un milieu vaste,[50] toujours incertains et flottants, poussés d'un bout vers l'autre. Quelque terme où nous pensions[51] nous attacher et nous affermir, il branle et nous quitte[52] et si nous le suivons, il échappe à nos prises, nous glisse et fuit d'une fuite éternelle. Rien ne s'arrête pour nous. C'est l'état qui nous est naturel, et toutefois le plus contraire à notre inclination; nous brûlons de désir de trouver une assiette ferme,[53] et une dernière base constante pour y édifier une tour qui s'élève à l'infini;[54] mais tout notre fondement craque, et la terre s'ouvre jusqu'aux abîmes.

Ne cherchons donc point d'assurance et de fermeté. Notre raison est toujours déçue par l'inconstance des apparences; rien ne peut fixer le fini[55] entre les deux infinis, qui l'enferment et le fuient.

II. LES PUISSANCES TROMPEUSES

L'IMAGINATION

C'est cette partie décevante dans l'homme, cette maîtresse[56] d'erreur et de fausseté, et d'autant plus fourbe[57] qu'elle ne l'est pas toujours; car elle serait règle infaillible de vérité, si elle l'était infaillible du mensonge. Mais, étant le plus souvent fausse, elle ne donne aucune marque de sa qualité,[58] marquant du même caractère le vrai et le faux.

Je ne parle pas des fous, je parle des plus sages; et c'est parmi eux que l'imagination a le grand don de persuader les hommes. La raison a beau crier, elle ne peut mettre le prix aux choses.[59]

Cette superbe puissance,[60] ennemie de la raison, qui se plaît à la contrôler et à la dominer, pour montrer combien elle peut en toutes choses, a établi dans l'homme une seconde nature. Elle a ses heureux, ses malheureux, ses sains, ses malades, ses riches, ses pauvres; elle fait croire, douter, nier la raison; elle suspend[61] les sens, elle les fait sentir;[62] elle a ses fous et ses sages: et rien ne nous dépite[63] davantage que de voir qu'elle remplit ses hôtes[64] d'une satisfaction bien autrement pleine et entière[65] que la raison.

Les habiles par imagination se plaisent tout autrement à eux-mêmes que les prudents ne se peuvent raisonnablement plaire.[66] Ils regardent les gens avec empire;[67] ils disputent avec

[48] *étaient:* existaient
[49] *savoir . . . absolument:* to know for sure and to be positively ignorant
[50] *voguons sur un milieu vaste:* sail along in a vast sphere
[51] *quelque . . . nous pensions:* at whatever end we aim
[52] *il branle et nous quitte:* it falters and escapes from us
[53] *assiette ferme:* position stable
[54] *à l'infini:* to the sky
[55] *fini:* finite
[56] *maîtresse:* source, teacher
[57] *fourbe:* trompeuse
[58] *qualité:* valeur
[59] *mettre le prix aux choses:* établir la valeur relative des choses
[60] *superbe puissance:* i.e. l'imagination
[61] *suspend:* checks
[62] *les fait sentir:* quickens them
[63] *dépite:* fâche, ennuie
[64] *hôtes:* ceux chez qui elle loge
[65] *bien autrement . . . entière:* beaucoup plus complète
[66] *se plaisent . . . plaire:* find greater self-satisfaction than wise people possibly can
[67] *empire:* supériorité

hardiesse et confiance; les autres, avec crainte et défiance: et cette gaîté de visage leur donne souvent l'avantage dans l'opinion des écoutants, tant [68] des sages imaginaires ont de faveur auprès [69] des juges de même nature. Elle ne peut rendre sages les fous; mais elle les rend heureux, à l'envi de [70] la raison qui ne peut rendre ses amis que misérables, l'une [71] les couvrant de gloire, l'autre [71] de honte.

Qui dispense [72] la réputation? qui donne le respect et la vénération aux personnes, aux ouvrages, aux lois, aux grands, sinon cette faculté imaginante? Combien toutes les richesses de la terre (sont) insuffisantes sans son consentement!

Ne diriez-vous pas que ce magistrat, dont la vieillesse vénérable impose le respect à tout un peuple, se gouverne par une raison pure et sublime, et qu'il juge des choses dans leur nature sans s'arrêter à ces vaines circonstances [73] qui ne blessent [74] que l'imagination des faibles? Voyez-le entrer dans un sermon où il apporte un zèle tout dévot, renforçant la solidité de sa raison par l'ardeur de sa charité. [75] Le voilà prêt à l'ouïr [76] avec un respect exemplaire. Que le prédicateur vienne à [77] paraître, que la nature lui ait donné une voix enrouée [78] et un tour de vi-

sage [79] bizarre, que son barbier l'ait mal rasé, si le hasard l'a encore barbouillé de surcroît, [80] quelques grandes vérités qu'il annonce, je parie la perte de la gravité de notre sénateur. [81]

Le plus grand philosophe du monde, sur une planche plus large qu'il ne le faut, s'il y a au-dessous un précipice, quoique sa raison le convainque de sa sûreté, son imagination prévaudra. [82] Plusieurs n'en sauraient soutenir la pensée sans pâlir et suer. [83]

Je ne veux pas rapporter tous ses effets.

Qui ne sait que la vue de chats, de rats, l'écrasement [84] d'un charbon, etc., emportent la raison hors des gonds? [85] Le ton de voix impose aux plus sages, et change un discours et un poème de force. [86]

L'affection ou la haine change la justice de face. [87] Et combien un avocat bien payé par avance trouve-t-il plus juste la cause qu'il plaide! combien son geste hardi le fait-il paraître meilleur aux juges, dupés par cette apparence! Plaisante [88] raison qu'un vent manie, et à tous sens! [89]

Je rapporterais [90] presque toutes les actions des hommes qui ne branlent presque que par ses secousses. [91] Car la raison a été obligée de céder, et la plus sage [92] prend pour ses principes ceux

---

[68] *tant:* comme
[69] *ont de faveur auprès:* sont bien reçus
[70] *à l'envie de:* in emulation of
[71] *l'une:* l'imagination; *l'autre:* la raison
[72] *dispense:* metes out
[73] *vaines circonstances:* irrelevant details
[74] *blessent:* offensent
[75] *charité:* love of God
[76] *l'ouïr:* l'entendre
[77] *vienne à:* happen to
[78] *enrouée:* hoarse
[79] *tour de visage:* type de figure
[80] *barbouillé de surcroît:* disfigured in addition
[81] *sénateur:* pompous magistrate
[82] *prévaudra:* will win out

[83] *suer:* sweat
[84] *écrasement:* crushing
[85] *emportent . . . hors des gonds:* unhinge
[86] *change . . . de force:* modify the impact of a speech or poem
[87] *change . . . de face:* change the complexion of
[88] *plaisante:* ridiculous
[89] *à tous sens:* in all directions (like a weathervane)
[90] *je rapporterais:* j'aurais à rapporter
[91] *qui ne branlent . . . ses secousses:* who scarcely waver save under her (i.e. reason's) assaults
[92] *la plus sage:* la raison la plus sage

que l'imagination des hommes a témérairement introduits en chaque lieu.

Nos magistrats ont bien connu ce mystère. Leurs robes rouges, leurs hermines, dont ils s'emmaillotent,[93] en chats fourrés,[94] les palais où ils jugent, les fleurs de lis,[95] tout cet appareil auguste était fort nécessaire; et si les médecins n'avaient des soutanes et des mules,[96] et que les docteurs[97] n'eussent[97] des bonnets carrés et des robes trop amples de quatre parties,[98] jamais ils n'auraient dupé le monde qui ne peut résister à cette montre si authentique.[99] S'ils avaient la véritable justice et si les médecins avaient le vrai art de guérir, ils n'auraient que faire de[100] bonnets carrés; la majesté de ces sciences serait assez vénérable d'elle-même. Mais n'ayant que des sciences imaginaires, il faut qu'ils prennent ces vains instruments qui frappent l'imagination à laquelle ils ont affaire; et par là, ils s'attirent le respect. Les seuls gens de guerre[1] ne sont pas déguisés de la sorte, parce qu'en effet leur part est plus essentielle, ils s'établissent par la force, les autres par grimace.[2]

C'est ainsi que nos rois n'ont pas recherché ces déguisements. Ils ne se sont pas masqués d'habits extraordinaires pour paraître tels; mais ils se sont accompagnés de gardes, de hallebardes.[3] Ces troupes armées qui n'ont de mains et de force que pour eux, les trompettes et les tambours qui marchent au-devant, et ces légions qui les environnent, font trembler les plus fermes. Ils n'ont pas l'habit seulement, ils ont la force. Il faudrait avoir une raison bien épurée[4] pour regarder comme un autre homme le Grand Seigneur[5] environné, dans son superbe sérail,[6] de quarante mille janissaires.[7]

Nous ne pouvons pas seulement voir un avocat en soutane et le bonnet en tête, sans une opinion avantageuse de sa suffisance.[8]

L'imagination dispose de tout; elle fait la beauté, la justice, et le bonheur qui est le tout du monde[9] . . .

Voilà à peu près les effets de cette faculté trompeuse qui semble nous être donnée exprès pour nous induire[10] à une erreur nécessaire. Nous en avons bien d'autres principes.

Les impressions anciennes ne sont pas seules capables de nous abuser:[11] les charmes de la nouveauté ont le même pouvoir. De là viennent toutes les disputes des hommes, qui se reprochent ou de suivre leurs fausses impressions de l'enfance, ou de courir témérairement après les nouvelles.

Qui tient le juste milieu?[12] Qu'il paraisse, et qu'il le prouve. Il n'y a principe, quelque naturel qu'il puisse être, même depuis l'enfance, qu'on ne

---

[93] *s'emmaillotent:* s'enveloppent comme des bébés

[94] *chats fourrés:* sobriquet donné aux juges à cause de leur robe garnie de fourrure

[95] *fleurs de lis:* royal symbol used to adorn courtrooms

[96] *soutanes, mules:* long robes and slippers without heels

[97] *docteurs:* docteurs en théologie; *n'eussent:* n'avaient

[98] *de quatre parties:* by at least a foot

[99] *cette montre si authentique:* such an impressive show

[100] *ils n'auraient que faire de:* ils n'auraient pas besoin de

[1] *Les seuls gens de guerre:* les soldats seulement

[2] *grimace:* show

[3] *hallebardes:* halberdiers

[4] *bien épurée:* quite undefiled

[5] *Grand Seigneur:* le Sultan

[6] *sérail:* harem

[7] *janissaires:* palace guards

[8] *suffisance:* self-sufficiency

[9] *le tout du monde:* the principal goal

[10] *induire:* conduire

[11] *abuser:* tromper

[12] *tient le juste milieu:* keeps the due mean

fasse passer pour une fausse impression, soit de l'instruction, soit des sens.

«Parce, dit-on, que [vous] avez cru dès l'enfance [13] qu'un coffre était vide lorsque vous n'y voyiez rien, vous avez cru le vide possible. C'est une illusion de vos sens, fortifiée par la coutume, qu'il faut que la science corrige.» Et les autres disent: «Parce qu'on vous a dit dans l'école qu'il n'y a point de vide, on a corrompu [14] votre sens commun, qui le comprenait si nettement avant cette mauvaise impression, qu'il faut corriger en recourant à votre première nature.» [15] Qui [16] a donc trompé? le sens ou l'instruction?

Nous avons un autre principe d'erreur, *les maladies*. Elles nous gâtent le jugement et le sens; et si les grandes l'altèrent [17] sensiblement, je ne doute point que les petites n'y fassent impression à leur proportion.

Notre propre intérêt [18] est encore un merveilleux instrument pour nous crever [19] les yeux agréablement. Il n'est pas permis au plus équitable homme du monde d'être juge en sa cause; j'en sais qui, pour ne pas tomber dans [20] cet amour-propre, ont été les plus injustes du monde à contre-biais: [21] le moyen sûr de perdre une affaire toute juste était de la leur faire recommander par leurs proches parents.

III. LA GRANDEUR DE L'HOMME

Pensée fait la grandeur de l'homme. Toute la dignité de l'homme consiste en la pensée.

[13] *dès l'enfance:* all your life
[14] *corrompu:* perverted
[15] *première nature:* original state
[16] *qui:* qu'est-ce qui?
[17] *altèrent:* changent
[18] *propre intérêt:* selfish interest
[19] *crever:* put out
[20] *tomber dans:* fall prey to
[21] *à contre-biais:* in the opposite direction

La pensée est donc une chose admirable et incomparable par sa nature . . .

L'homme n'est qu'un roseau, le plus faible de la nature; mais c'est un roseau pensant. Il ne faut pas que l'univers entier s'arme pour l'écraser: une vapeur, une goutte d'eau suffit pour le tuer. Mais, quand l'univers l'écraserait,[22] l'homme serait encore plus noble que ce qui le tue, parce qu'il sait qu'il meurt, et l'avantage que l'univers a sur lui, l'univers n'en sait rien.

Toute notre dignité consiste donc en la pensée. C'est de là qu'il faut nous relever [23] et non de l'espace et de la durée,[24] que nous ne saurions remplir. Travaillons donc à bien penser: voilà le principe de la morale.

Ce n'est point de l'espace que je dois chercher ma dignité, mais c'est du règlement [25] de ma pensée. Je n'aurai pas davantage en possédant des terres: par l'espace, l'univers me comprend et m'engloutit [26] comme un point; par la pensée, je le comprends.

L'homme n'est ni ange ni bête, et le malheur veut que qui veut faire l'ange fait la bête.[27]

Nous avons une si grande idée de l'âme de l'homme, que nous ne pouvons souffrir d'en être méprisés, et de n'être pas dans l'estime d'une âme; et toute la félicité des hommes consiste dans cette estime.

La grandeur de l'homme est si visible, qu'elle se tire même de sa misère.[28] Car ce qui est nature aux

[22] *quand l'univers l'écraserait:* même si l'univers l'écrasait
[23] *nous relever:* raise ourselves
[24] *non de l'espace et de la durée:* not by space and time
[25] *règlement:* systematic control
[26] *me comprend et m'engloutit:* encompasses and swallows me up
[27] *fait la bête:* agit stupidement
[28] *elle . . . sa misère:* it comes even from his misery

animaux, nous l'appelons misère en l'homme; par où nous reconnaissons que sa nature étant aujourd'hui pareille à celle des animaux, il est déchu [29] d'une meilleure nature, qui lui était propre [30] autrefois.

Car qui se trouve malheureux de n'être pas roi, sinon un roi dépossédé? Trouvait-on Paul-Émile [31] malheureux de n'être plus consul? Au contraire, tout le monde trouvait qu'il était heureux de l'avoir été, parce que sa condition [32] n'était pas de l'être toujours. Mais on trouvait Persée[33] si malheureux de n'être plus roi, parce que sa condition était de l'être toujours, qu'on trouvait étrange de se qu'il supportait la vie. Qui se trouve malheureux de n'avoir qu'une bouche? et qui ne se trouvera malheureux de n'avoir qu'un œil? On ne s'est peut-être jamais avisé de s'affliger de n'avoir pas trois yeux; mais on est inconsolable de n'en point avoir.

La plus grande bassesse [34] de l'homme est la recherche de la gloire, mais c'est cela même qui est la plus grande marque de son excellence; car, quelque possession qu'il ait sur la terre, quelque santé et commodité essentielle qu'il ait, il n'est pas satisfait, s'il n'est dans l'estime des hommes. Il estime si grande la raison de l'homme que, quelque avantage qu'il ait sur la terre, s'il n'est placé avantageusement aussi dans la raison de l'homme, il n'est pas content. C'est la plus belle place du monde, rien ne le peut détourner de ce désir, et

c'est la qualité [35] la plus ineffaçable du cœur de l'homme.

Et ceux qui méprisent le plus les hommes, et les égalent [36] aux bêtes, encore veulent-ils [37] en être admirés et crus, et se contredisent-ils eux-mêmes par leur propre sentiment; leur nature, qui est plus forte que tout, les convainquant de la grandeur de l'homme plus fortement que la raison ne les convainc de leur bassesse.

Malgré la vue de toutes nos misères, qui nous touchent, qui nous tiennent à la gorge, nous avons un instinct [38] que nous ne pouvons réprimer,[39] qui nous élève . . .

S'il [40] se vante, je l'abaisse; s'il s'abaisse, je le vante et le contredis toujours, jusqu'à ce qu'il comprenne qu'il est un monstre incompréhensible.

Je blâme également, et ceux qui prennent parti de [41] louer l'homme, et ceux qui le prennent de le blâmer, et ceux qui le prennent de se divertir; et je ne puis approuver que ceux qui cherchent en gémissant.

Que l'homme maintenant s'estime son prix. Qu'il s'aime, car il y a en lui une nature capable de bien; mais qu'il n'aime pas pour cela les bassesses qui y sont. Qu'il se méprise, parce que cette capacité est vide; [42] mais qu'il ne méprise pas pour cela cette capacité naturelle. Qu'il se haïsse, qu'il s'aime: il a en lui la capacité de connaître la vérité et d'être heureux; mais il n'a point de vérité, ou constante, ou satisfaisante.

Je voudrais donc porter l'homme à

---

[29] *déchu:* fallen
[30] *lui était propre:* was characteristically his
[31] *Paul-Émile:* consul romain qui conquit la Macédoine (168 avant J.-C.)
[32] *condition:* destin
[33] *Persée:* roi de Macédoine qui fut vaincu et dépossédé par Paul-Émile
[34] *bassesse:* baseness, vulgarity

[35] *qualité:* trait
[36] *égalent:* comparent
[37] *encore veulent-ils:* they still wish
[38] *instinct:* aspiration for good
[39] *réprimer:* check, repress
[40] *il:* i.e. l'homme
[41] *prennent parti de:* se décident à
[42] *vide:* barren

désirer d'en [43] trouver, à être prêt, et dégagé des passions, pour la suivre où il la trouvera, sachant combien sa connaissance s'est obscurcie par les passions; je voudrais bien qu'il haït en soi la concupiscence qui le détermine d'elle-même [44] afin qu'elle ne l'aveuglât point pour faire son choix, et qu'elle ne l'arrêtât point quand il aura choisi.

. . . En un mot, l'homme connaît [45] qu'il est misérable: il est donc misérable, puisqu'il l'est; mais il est bien grand, puisqu'il le connaît.

Il est dangereux de trop faire voir à l'homme combien il est égal aux bêtes, sans lui montrer sa grandeur. Il est encore dangereux de lui trop faire voir 5 sa grandeur sans sa bassesse. Il est encore plus dangereux de lui laisser ignorer l'un et l'autre. Mais il est très avantageux de lui représenter [46] l'un et l'autre.

10 Il ne faut pas que l'homme croie qu'il est égal aux bêtes, ni aux anges, ni qu'il ignore l'un et l'autre,[47] mais qu'il sache l'un et l'autre.

[43] *en:* de la vérité
[44] *le détermine d'elle-même:* l'influence toute seule

[45] *connaît:* realizes
[46] *représenter:* démontrer
[47] *l'un et l'autre:* i.e. sa grandeur et sa bassesse

Le Dix-huitième Siècle

Les lettres françaises de la période 1715 à 1789, entre la mort de Louis XIV et la Révolution — qui firent un trait d'union entre la littérature classique et celle de l'époque romantique — se caractérisèrent par l'esprit dit «philosophique». Après la mort du roi, la cour perdit son autorité en fait de littérature; les nouveaux centres furent les salons et les cafés où l'on s'occupa autant de questions politiques et scientifiques que d'ouvrages purement littéraires.

La tradition classique ne fut pas abandonnée tout d'un coup. Dans la tragédie surtout on continua à imiter les chefs-d'œuvre de Corneille et de Racine; le plus éminent auteur tragique du siècle fut Voltaire, dont la renommée égala alors celle de Racine. Dans la comédie, *Le Jeu de l'amour et du hasard,* de Marivaux, se classe avec les deux chefs-d'œuvre de Beaumarchais, *Le Mariage de Figaro* et *Le Barbier de Séville,* mais le grand courant des lettres se dirigea vers d'autres buts. Toute une nouvelle génération d'écrivains se mit à étudier la société, plutôt que l'individu, afin d'en découvrir les défauts et de proposer des réformes. Il était hors de doute que l'autorité royale et ecclésiastique avait beaucoup baissé.

Les ouvrages de la première moitié du siècle n'allèrent guère plus loin que la satire et qu'une critique assez restreinte des institutions et des idées. Le nouvel esprit d'examen désintéressé se manifesta de bonne heure dans les œuvres du savant Bayle [1] et du rationaliste Fontenelle. [2] Plus tard, un nombre croissant d'ouvrages en prose se caractérisèrent par leur ton scientifique et nettement anti-chrétien.

La publication de l'*Encyclopédie* en 1751 fut suivie d'une série d'écrits violents contre les institutions établies qui devaient culminer dans les attaques destructives de Voltaire. Rédigée sous la direction de Denis Diderot, [3] l'*Encyclopédie,* un des ouvrages les plus influents du siècle, comprit, dans l'édition originale, trente-cinq immenses volumes. Le prestige intellectuel de la France était

---

[1] *Pierre Bayle* (1647–1706): fut connu surtout à cause de son *Dictionnaire historique et critique,* où il prêcha la tolérance pour les idées les plus outrées

[2] *Fontenelle* (1657–1757): neveu de Corneille et auteur de l'*Histoire des oracles* et des *Dialogues des morts,* exprima la nouvelle curiosité scientifique et insista sur l'importance de la recherche méthodique déjà énoncée par Descartes

[3] *Denis Diderot* (1713–84): fut aussi le créateur du *drame bourgeois* et l'auteur de trois romans

tel que ce vaste ouvrage orienta l'opinion, dans toute l'Europe occidentale, vers le progrès réel dans les sciences et vers la liberté de la pensée dans le domaine politique et religieux.

Les salons, nous l'avons dit, s'étaient entièrement libérés de l'influence de la cour. C'étaient de vrais centres où les hommes de lettres, les «philosophes», et les libertins s'étaient acquis une nouvelle autorité. On y discutait les idées révolutionnaires, les créations littéraires et artistiques, dans une atmosphère spirituelle mais sérieuse. Ce fut le salon de Mme Geoffrin [4] qui jouit alors d'une influence sur les gens de lettres comparable à celle qu'exerça l'Hôtel de Rambouillet au siècle précédent.

Les lettres françaises du dix-huitième siècle furent dominées par les grands noms de Voltaire et de Jean-Jacques Rousseau. Nous avons traité leurs principaux ouvrages, ainsi que leurs idées et leur influence littéraire et intellectuelle, dans les introductions qui précèdent les sélections que nous présentons.

[4] *Mme Geoffrin* (1699-1777): femme pieuse et spirituelle, reçut chez elle les écrivains, les artistes, et les philosophes les plus éminents du siècle

ALAIN-RENÉ LESAGE [1668–1747]

Né à Sarzeau,[1] de famille bourgeoise, Alain-René Lesage entra au Collège Jésuite de Vannes [1] à dix-huit ans, suivant la mort prématurée de ses parents. Il termina ses études à Paris, passa ses examens de droit, et se fit inscrire au barreau en 1692.

Lesage montra de bonne heure sa prédilection pour les lettres espagnoles. Il publia des traductions des pièces de Lope de Vega [2] et du *Don Quichotte* de Cervantes dans la version d'Avellaneda.[3] Pendant de longues années il fut associé à plusieurs théâtres de Paris, où il fit jouer plus d'une centaine de pièces, françaises et espagnoles. *Turcaret* demeure, sans aucun doute, sa première œuvre de théâtre.

Son ouvrage principal, *Gil Blas,* dont nous présentons quelques chapitres, parut en trois parties, la première en 1715. Fortement influencé par ses lectures des romans picaresques [4] espagnols, Lesage sut donner à *Gil Blas* un cachet

[1] *Sarzeau . . . Vannes:* petites villes dans le sud de la Bretagne
[2] *Lope de Vega* (1562–1635): peut-être le plus grand dramaturge espagnol; plus de quatre cents de ses pièces ont été publiées
[3] *Alonzo de Avellaneda:* nom de plume de l'écrivain espagnol qui publia un texte apocryphe du *Don Quichotte* en 1614
[4] *roman picaresque:* roman qui présente les aventures d'un coquin (pícaro); genre créé en Espagne dont l'œuvre la plus représentative est le *Lazarillo de Tormes*

espagnol extraordinaire. Le personnage principal a le caractère aussi castillan que français.

Ce récit raconte les aventures du jeune héros dans les plus divers milieux de la société du dix-huitième siècle. Gil Blas finit par décider de se faire domestique afin de vivre au dépens des autres dans un monde où le vice est partout et où la vertu n'existe presque plus. L'intention satirique de Lesage n'est que très légèrement voilée; son roman fut un des premiers à exposer la faiblesse humaine sur une assez vaste échelle.

Nous donnons un extrait du premier livre, où se déroulent les aventures de Gil Blas presque immédiatement après son départ de la maison de ses parents.

Histoire de Gil Blas de Santillane

COMMENT GIL BLAS TOMBA DANS CHARYBDE EN VOULANT ÉVITER SCYLLA [1]

Je ne me trouvai pas seul avec le muletier; il y avait deux enfants de famille [2] de Peñaflor [3] [. . .] et un jeune bourgeois d'Astorga [3] qui s'en retournait chez lui avec une jeune personne qu'il venait d'épouser.

En arrivant à Cacabelos,[3] nous descendîmes à la première hôtellerie en entrant dans le bourg, où le muletier nous laissa souper tranquillement; mais, sur la fin du repas, nous le [15] vîmes entrer d'un air furieux. «Par la mort! [4] s'écria-t-il, on m'a volé. J'avais dans un sac de cuir cent pistoles; [5] il faut que je les retrouve. Je vais chez le juge du bourg, qui n'entend pas rail- [20]

lerie [6] là-dessus, et vous allez tous avoir la question,[7] jusqu'à ce que vous ayez confessé le crime et rendu l'argent.» En disant cela d'un air fort [5] naturel, il sortit, et nous demeurâmes dans un extrême étonnement.

Il ne nous vint pas dans l'esprit [8] que ce pouvait être une feinte, parce que nous ne nous connaissions pas assez [10] pour pouvoir répondre les uns des autres. [. . .] D'ailleurs, nous étions tous de jeunes sots. Nous ne savons pas quelles formalités s'observent en pareil cas; nous crûmes de bonne foi qu'on commencerait par nous mettre à la gêne.[9] Aussi, cédant à notre frayeur, nous sortîmes de la chambre fort brusquement. [. . .]

Pour moi, plus épouvanté peut-être que tous les autres, je gagnai la campagne. Je traversai je ne sais combien de champs et de bruyères, et sautant tous les fossés que je trouvais sur mon passage, j'arrivai enfin auprès d'une

[1] en voulant éviter Scylla: Charybdis was a maelstrom and Scylla a shoal on opposite sides of the Strait of Messina between Italy and Sicily; the ancients believed that in avoiding the danger of one they risked succumbing to the other.
[2] enfants de famille: enfants de bonne famille
[3] Peñaflor, Astorga, Cacabelos: villes dans le nord de l'Espagne
[4] par la mort!: zounds!
[5] pistoles: monnaie du dix-huitième siècle

[6] qui n'entend pas raillerie: qui n'aime pas la plaisanterie
[7] question: torture infligée aux accusés
[8] il ne nous vint pas dans l'esprit: it didn't occur to us
[9] nous mettre à la gêne: nous torturer

forêt. J'allais m'y jeter et me cacher dans le plus épais hallier [10] lorsque deux hommes à cheval s'offrirent [11] tout à coup au-devant de mes pas. Ils crièrent: «Qui va là?» et comme ma surprise ne me permit pas de répondre sur-le-champ, ils s'approchèrent de moi; et, me mettant chacun un pistolet sur la gorge, ils me sommèrent [12] de leur apprendre qui j'étais, d'où je venais, ce que je voulais aller faire en cette forêt, et surtout de ne leur rien déguiser.[13] A cette manière d'interroger, je leur répondis que j'étais un jeune homme d'Oviédo [14] qui allait à Salamanque; [14] je leur contai même l'alarme qu'on venait de nous donner; et j'avouai que la crainte d'être appliqué [15] à la torture m'avait fait prendre la fuite. Ils firent un éclat de rire [16] à ce discours qui marquait ma simplicité; et l'un des deux me dit:

«Rassure-toi, mon ami; viens avec nous, et ne crains rien; nous allons te mettre en sûreté.»

A ces mots, il me fit monter en croupe [17] sur son cheval, et nous nous enfonçâmes [18] dans la forêt.

Je ne savais ce que je devais penser de cette rencontre; je n'en augurais pourtant rien de sinistre.

Je ne fus pas longtemps dans l'incertitude. Après quelques détours, que nous fîmes dans un grand silence, nous nous trouvâmes au pied d'une colline, où nous descendîmes de cheval.

«C'est ici que nous demeurons,» me dit un des cavaliers.

J'avais beau regarder [19] de tous côtés, je n'apercevais ni maison ni cabane, pas la moindre apparence d'habitation. Cependant, ces deux hommes levèrent une grande trappe de bois, couverte de broussailles,[20] qui cachait l'entrée d'une longue allée en pente [21] et souterraine, où les chevaux se jetèrent d'eux-mêmes,[22] comme des animaux qui y étaient accoutumés. Les cavaliers m'y firent entrer avec eux; puis, baissant la trappe avec des cordes qui y étaient attachées pour cet effet,[23] voilà le digne neveu de mon oncle Perez pris [24] comme un rat dans une ratière.

DESCRIPTION DU SOUTERRAIN, ET DE QUELLES CHOSES Y VIT GIL BLAS

Je connus alors avec quelle sorte de gens j'étais, et une frayeur plus grande et plus juste vint s'emparer de mes sens; [25] et je crus que j'allais perdre la vie avec mes ducats. Aussi, me regardant comme une victime qu'on conduit à l'autel, je marchais, déjà plus mort que vif, entre mes deux conducteurs, qui, sentant bien que je tremblais, m'exhortaient inutilement à ne rien craindre. Quand nous eûmes fait environ deux cents pas, en tournant et en descendant toujours, nous entrâmes dans une écurie qu'éclairaient deux grosses lampes de fer pendues à la

[10] *hallier:* thicket
[11] *s'offrirent:* apparurent
[12] *sommèrent:* called upon
[13] *déguiser:* cacher
[14] *Oviédo . . . Salamanque:* villes dans le nord-ouest de l'Espagne
[15] *appliqué:* soumis
[16] *firent un éclat de rire:* guffawed
[17] *en croupe:* derrière lui
[18] *nous nous enfonçâmes:* we disappeared

[19] *j'avais beau regarder:* je regardais en vain
[20] *broussailles:* underbrush
[21] *allée en pente:* sloping pathway
[22] *se jetèrent d'eux-mêmes:* rushed in of their own accord
[23] *effet:* purpose
[24] *voilà le digne neveu . . . pris:* me voilà pris
[25] *vint s'emparer de mes sens:* took hold of my senses

voûte. Il y avait une bonne provision de paille et plusieurs tonneaux remplis d'orge.[26] Vingt chevaux y pouvaient être à l'aise;[27] mais il n'y avait alors que les deux qui venaient d'arriver. Un vieux nègre, qui paraissait pourtant encore assez vigoureux, se mit à les attacher au râtelier.[28]

Nous sortîmes de l'écurie; et, à la triste lueur[29] de quelques autres lampes qui semblaient n'éclairer ces lieux que pour en montrer l'horreur, nous parvînmes à une cuisine où une vieille femme faisait rôtir des viandes sur un brasier,[30] et préparait le souper. La cuisine était ornée des ustensiles nécessaires, et tout auprès on voyait une office[31] pourvue de toutes sortes de provisions. La cuisinière (il faut que j'en fasse le portrait) était une personne de soixante et quelques années. Elle avait eu dans sa jeunesse les cheveux d'un blond très ardent;[32] car le temps ne les avait pas si bien blanchis qu'ils n'eussent encore quelques nuances de leur première couleur. Outre un teint olivâtre,[33] elle avait un menton pointu et relevé, avec des lèvres fort enfoncées;[34] un grand nez aquilin lui descendait sur la bouche, et ses yeux paraissaient d'un très beau rouge pourpré.

«Tenez, dame Léonarde, dit un des cavaliers en me présentant à ce bel ange des ténèbres,[35] voici un jeune garçon que nous vous amenons.»

Puis il se tourna de mon côté, et remarquant que j'étais pâle et défait: «Mon ami, me dit-il, reviens[36] de ta frayeur: on ne te veut faire aucun mal. Nous avions besoin d'un valet pour soulager notre cuisinière; nous t'avons rencontré, cela est heureux pour toi. Tu tiendras ici la place d'un garçon qui s'est laissé mourir depuis quinze jours.[37] C'était un jeune homme d'une complexion[38] très délicate. Tu me parais plus robuste que lui, tu ne mourras pas si tôt. Véritablement tu ne reverras plus le soleil; mais, en récompense, tu feras bonne chère et beau feu.[39] Tu passeras tes jours avec Léonarde, qui est une créature fort humaine; tu auras toutes tes petites commodités. Je veux te faire voir, a jouta-t-il, que tu n'es pas ici avec des gueux.»[40]

En même temps il prit un flambeau et m'ordonna de le suivre.

Il me mena dans une cave, où je vis une infinité de bouteilles et de pots de terre bien bouchés,[41] et qui étaient pleins, disait-il, d'un vin excellent. Ensuite il me fit traverser plusieurs chambres. Dans les unes, il y avait des pièces de toile; dans les autres, des étoffes de laine et des étoffes de soie. J'aperçus dans une autre de l'or et de l'argent, sans compter beaucoup de vaisselle à diverses armoiries.[42] Après cela, je le suivis dans un grand salon que trois lustres[43] de cuivre éclairaient, et qui servait de communication à d'autres chambres. Il me fit là de nouvelles questions. Il me demanda

---

[26] *orge:* barley
[27] *être à l'aise:* comfortably installed
[28] *râtelier:* rack
[29] *lueur:* lumière
[30] *brasier:* open grill
[31] *office:* pantry
[32] *ardent:* light
[33] *olivâtre:* olive-green
[34] *enfoncées:* shrunken
[35] *ange des ténèbres:* allusion au diable; ici il s'agit, bien entendu, de Léonarde

[36] *reviens:* remets-toi
[37] *qui s'est laissé mourir . . . jours:* who gave up and died two weeks ago
[38] *complexion:* santé
[39] *tu feras . . . beau feu:* tu mangeras bien et tu seras bien chauffé
[40] *gueux:* mendiants
[41] *bouchés:* corked
[42] *armoiries:* coats of arms
[43] *lustres:* chandeliers

comment je me nommais, pourquoi j'étais sorti d'Oviédo; et lorsque j'eus satisfait sa curiosité:

«Eh bien, Gil Blas, me dit-il, puisque tu n'as quitté ta patrie que pour chercher quelque bon poste, il faut que tu sois né coiffé,[44] pour être tombé entre nos mains. Je te l'ai déjà dit, tu vivras ici dans l'abondance, et rouleras sur l'or et sur l'argent.[45] D'ailleurs, tu y seras en sûreté. Tel est ce souterrain, que les officiers de la Sainte-Hermandad [46] viendraient cent fois dans cette forêt sans le découvrir. L'entrée n'en est connue que de moi seul et de mes camarades. [. . .]

Peut-être me demanderas-tu comment nous l'avons pu faire sans que les habitants des environs s'en soient aperçus; mais apprends, mon ami, que ce n'est point notre ouvrage, et qu'il est fait depuis longtemps. Après que les Maures se furent rendus maîtres de Grenade,[47] de l'Aragon [47] et de presque toute l'Espagne, les chrétiens qui ne voulurent point subir le joug des infidèles prirent la fuite, et vinrent se cacher dans ce pays-ci, dans la Biscaye [48] et dans les Asturies,[48] où le vaillant don Pélage [49] s'était retiré. Fugitifs et dispersés par pelotons,[50] ils vivaient dans les montagnes ou dans les bois. Les uns demeuraient dans les cavernes, et les autres firent plusieurs souterrains, du nombre desquels est

celui-ci. Ayant ensuite eu le bonheur de chasser d'Espagne leurs ennemis, ils retournèrent dans les villes. Depuis ce temps-là leurs retraites ont servi d'asile aux gens de notre profession. Il est vrai que la sainte Hermandad en a découvert et détruit quelques-unes, mais il en reste encore; et, grâces au ciel, il y a près de quinze années que j'habite impunément celle-ci. Je m'appelle le capitaine Rolando. Je suis chef de la compagnie; et l'homme que tu as vu avec moi est un de mes cavaliers.»

DE L'ARRIVÉE DE PLUSIEURS AUTRES VOLEURS DANS LE SOUTERRAIN

Comme le seigneur Rolando achevait de parler de cette sorte, il parut dans le salon six nouveaux visages. C'était le lieutenant avec cinq hommes de la troupe qui revenaient chargés de butin. Ils apportaient deux mannequins [51] remplis de sucre, de cannelle,[52] de poivre, de figues, d'amandes et de raisins secs. Le lieutenant adressa la parole au capitaine, et lui dit qu'il venait d'enlever ces mannequins à un épicier de Benavente,[53] dont il avait aussi pris le mulet. Après qu'il eut rendu compte de son expédition au bureau, les dépouilles [54] de l'épicier furent portées dans l'office. Alors il ne fut plus question que de se réjouir. On dressa dans le salon une grande table, et l'on me renvoya dans la cuisine, où la dame Léonarde m'instruisit de ce que j'avais à faire. Je cédai à la nécessité, puisque mon mauvais sort le vou-

[44] coiffé: lucky
[45] tu . . . rouleras sur l'or et sur l'argent: tu seras riche
[46] Sainte-Hermandad: police spéciale, organisée en Espagne au quinzième siècle
[47] Grenade . . . Aragon: provinces dans le sud et dans le nord de l'Espagne
[48] Biscaye . . . Asturies: provinces dans le nord de l'Espagne
[49] don Pélage: (Span. Don Pelayo) hero of the first successful resistance (eighth century) to the Moorish conquest of northern Spain
[50] pelotons: small groups
[51] mannequins: large wicker baskets
[52] cannelle: cinnamon
[53] Benavente: ville qui se trouve dans le nord de l'Espagne
[54] dépouilles: spoils

lait ainsi; et, dévorant[55] ma douleur, je me préparai à servir ces honnêtes gens.

Je débutai par le buffet, que je parai de tasses d'argent et de plusieurs bouteilles de terre pleines de ce bon vin que le seigneur Rolando m'avait vanté; j'apportai ensuite deux ragoûts,[56] qui ne furent pas plus tôt servis, que tous les cavaliers se mirent à table. Ils commencèrent à manger avec beaucoup d'appétit; et moi, debout derrière eux, je me tins prêt à leur verser du vin. Je m'en acquittai de si bonne grâce, quoique je n'eusse jamais fait ce métier-là, que j'eus le bonheur de m'attirer des compliments. Le capitaine, en peu de mots, leur conta mon histoire, qui les divertit fort. Ensuite il leur parla de moi fort avantageusement; mais j'étais alors revenu[57] des louanges, et j'en pouvais entendre sans péril. Là-dessus ils me louèrent tous; ils dirent que je paraissais être né pour être leur échanson;[58] que je valais cent fois mieux que mon prédécesseur. Et comme depuis sa mort c'était la señora[59] Léonarde qui avait l'honneur de présenter le nectar à ces dieux infernaux, ils la privèrent de ce glorieux emploi pour m'en revêtir.[60] Ainsi, nouveau Ganymède,[61] je succédai à cette vieille Hébé.[61]

Un grand plat de rôti, servi peu de temps après les ragoûts, vint achever de rassasier[62] les voleurs, qui, buvant à proportion qu'ils mangeaient, furent bientôt de belle humeur, et firent un beau[63] bruit. [. . .]

Enfin les huit voleurs parlèrent tour à tour et lorsque je les eus tous entendus, je ne fus pas surpris de les voir ensemble. Ils changèrent ensuite de discours. Il mirent sur le tapis[64] divers projets pour la campagne prochaine, et, après avoir formé une résolution, ils se levèrent de table pour s'aller coucher. Ils allumèrent des bougies et se retirèrent dans leurs chambres. Je suivis le capitaine Rolando dans la sienne, où, pendant que je l'aidais à se déshabiller: «Hé bien! Gil Blas, me dit-il d'un air gai, tu vois de quelle manière nous vivons. Nous sommes toujours dans la joie. La haine ni l'envie ne se glissent point parmi nous. Nous n'avons jamais ensemble le moindre démêlé[65] [. . .].»

DE LA TENTATIVE QUE FIT GIL BLAS POUR SE SAUVER[66]

Après que le capitaine des voleurs se fut mis au lit, je retournai dans le salon, où je remis tout en ordre. J'allai ensuite à la cuisine, où Domingo (c'était le nom du vieux nègre) et la dame Léonarde soupaient en m'attendant. Quoique je n'eusse point d'appétit, je ne laissai pas de m'asseoir auprès d'eux. Je ne pouvais manger; et comme je paraissais aussi triste que j'avais sujet de l'être, ces deux figures équivalentes[67] entreprirent de me consoler; ce qu'elles firent d'une manière plus propre à me mettre au désespoir qu'à soulager ma douleur.

[55] *dévorant:* swallowing
[56] *ragoûts:* stews
[57] *j'étais alors revenu:* I had become indifferent
[58] *échanson:* cup bearer
[59] *señora:* dame
[60] *revêtir:* invest (literally: clothe)
[61] *Ganymède . . . Hébé:* Ganymede, cup bearer of the gods; Hebe, daughter of Jupiter and Juno. Gil Blas is ironically compared to the former, Léonarde to the latter.
[62] *rassasier:* satisfy completely
[63] *beau:* grand
[64] *mirent sur le tapis:* discutèrent
[65] *démêlé:* unpleasant argument
[66] *se sauver:* escape
[67] *figures équivalentes:* equally disagreeable persons

«Pourquoi vous affligez-vous, mon fils? me dit la vieille; vous devez plutôt vous réjouir de vous voir ici. Vous êtes jeune, et vous paraissez facile; [68] vous vous seriez bientôt perdu dans le monde. . . .

— La dame Léonarde a raison, dit gravement à son tour le vieux nègre, et l'on peut ajouter à cela qu'il n'y a dans le monde que des peines. Rendez grâces au ciel, mon ami, d'être tout d'un coup délivré des périls, des embarras et des afflictions de la vie.»

J'essuyai [69] tranquillement ce discours, parce qu'il ne m'eût servi à rien de m'en fâcher. Je ne doute pas même, si je me fusse mis en colère, que je ne leur eusse apprêté [70] à rire à mes dépens. Enfin Domingo, après avoir bien bu et bien mangé, se retira dans son écurie. Léonarde prit aussitôt une lampe et me conduisit dans un caveau qui servait de cimetière aux voleurs qui mouraient de leur mort naturelle, et où je vis un grabat [71] qui avait plus l'air d'un tombeau que d'un lit.

«Voilà votre chambre, mon petit poulet, [72] me dit-elle en me passant doucement la main sous le menton; le garçon dont vous avez le bonheur d'occuper la place y a couché tant qu'il a vécu parmi nous, et il y repose encore après sa mort. Il s'est laissé mourir à la fleur de son âge; ne soyez pas assez simple [73] pour suivre son exemple.»

En achevant ces paroles, elle me donna la lampe, et retourna dans sa cuisine. Je posai la lampe à terre, et me jetai sur le grabat, moins pour prendre du repos que pour me livrer tout entier à mes réflexions.

«Ô ciel! dis-je, est-il une destinée aussi affreuse que la mienne? On veut que je renonce à la vue du ciel; et, comme si ce n'était pas assez d'être enterré tout vif à dix-huit ans, il faut encore que je sois réduit à servir des voleurs, à passer le jour avec des brigands, et la nuit avec des morts!»

Ces pensées, qui me semblaient très mortifiantes, et qui l'étaient en effet, me faisaient pleurer amèrement. Je maudis [74] cent fois l'envie que mon oncle avait eue de m'envoyer à Salamanque; mais, considérant que je me consumais en plaintes vaines, je me mis à rêver aux moyens de me sauver; et je me dis en moi-même: «Est-il donc impossible de me tirer d'ici?»

Je formai donc le dessein de m'enfuir. Je me levai quand je jugeai que Léonarde et Domingo reposaient. Je pris la lampe et sortis du caveau en me recommandant à tous les saints du paradis. Ce ne fut pas sans peine que je démêlai [75] tous les détours de ce nouveau labyrinthe. J'arrivai pourtant à la porte de l'écurie, et j'aperçus enfin l'allée que je cherchais. Je marche, j'avance vers la trappe avec une joie mêlée de crainte; mais, hélas! au milieu de l'allée je rencontrai une maudite grille de fer bien fermée, et dont les barreaux étaient si près de l'un l'autre [76] qu'on y pouvait à peine passer la main. Je me trouvai bien sot à la vue de ce nouvel obstacle dont je ne m'étais pas aperçu en entrant, parce que la grille était alors ouverte.

Je ne laissai pas pourtant de tâter [77] les barreaux. J'examinai la serrure; je tâchais même de la forcer, lorsque tout à coup je me sentis appliquer vigoureusement, entre les deux épaules, cinq

[68] *facile:* easily led into evil ways
[69] *essuyai:* put up with
[70] *apprêté:* caused
[71] *grabat:* mauvais lit
[72] *mon petit poulet:* my darling — an expression of mock endearment
[73] *simple:* naïf

[74] *maudis:* cursed
[75] *démêlai:* made my way through
[76] *de l'un l'autre:* l'un de l'autre
[77] *tâter:* touch

ou six coups de nerf de bœuf.[78] Je poussai un cri si perçant que le souterrain en retentit; et, regardant aussitôt derrière moi, je vis le vieux nègre en chemise, qui d'une main tenait une lanterne sourde,[79] et de l'autre, l'instrument de mon supplice. «Ah! ah! dit-il, petit drôle, vous voulez vous sauver! Oh! ne pensez pas que vous puissiez me surprendre; je vous ai bien entendu. Vous avez cru la grille ouverte, n'est-ce pas? Apprenez, mon ami, que vous la trouverez désormais toujours fermée. Quand nous retenons ici quelqu'un malgré lui, il faut qu'il soit plus fin que vous pour nous échapper.»

Cependant, au cri que j'avais fait, deux ou trois voleurs se réveillèrent en sursaut;[80] et, ne sachant si c'était la Sainte-Hermandad qui venait fondre sur eux,[81] ils se levèrent en appelant à haute voix leurs camarades. Dans un instant ils sont tous sur pied. Ils prennent leurs épées et leurs carabines et s'avancent jusqu'à l'endroit où j'étais avec Domingo. Mais sitôt qu'ils surent la cause du bruit qu'ils avaient entendu, leur inquiétude se convertit en éclats de rire.

«Comment donc, Gil Blas, me dit un des voleurs, il n'y a pas six heures que tu es avec nous, et tu veux déjà t'en aller? Il faut que tu aies bien de l'aversion pour la retraite. Eh! que ferais-tu donc si tu étais chartreux?[82] Va te coucher. Tu en seras quitte, cette fois-ci, pour [83] les coups que Domingo t'a donnés: mais, s'il t'arrive jamais de faire un nouvel effort pour te sauver,

par saint Barthélemy! nous t'écorcherons tout vif.» [84]

A ces mots il se retira. Les autres voleurs s'en retournèrent aussi dans leurs chambres en riant de tout leur cœur de la tentative que j'avais faite pour leur fausser compagnie.[85] Le vieux nègre, fort satisfait de son expédition, rentra dans son écurie; et je regagnai mon cimetière, où je passai le reste de la nuit à soupirer et à pleurer.

GIL BLAS ACCOMPAGNE LES VOLEURS. QUEL EXPLOIT IL FAIT SUR LES GRANDES ROUTES

Ce fut sur la fin d'une nuit du mois de septembre que je sortis du souterrain avec les voleurs. J'étais armé, comme eux; d'une carabine, de deux pistolets, d'une épée et d'une baïonnette, et je montais un assez bon cheval, qu'on avait pris au même gentilhomme dont je portais les habits.

Nous allâmes nous mettre en embuscade dans un petit bois qui bordait le grand chemin, dans un endroit d'où, sans être vus, nous pouvions voir tous les passants. Là, nous attendions que la fortune nous offrît quelque bon coup à faire,[86] quand nous aperçûmes un religieux de l'ordre de saint Dominique,[87] monté, contre l'ordinaire de ces bons pères, sur une mauvaise mule:

«Dieu soit loué! s'écria le capitaine en riant, voici le chef-d'œuvre [88] de Gil

---

[78] *nerf de bœuf:* rawhide whip
[79] *lanterne sourde:* dark lantern
[80] *en sursaut:* with a start
[81] *fondre sur eux:* burst in on them
[82] *chartreux:* Carthusian — monastic order noted for its strict vows
[83] *tu en seras quitte . . . pour:* you will get off with

[84] *saint Barthélemy . . . tout vif:* allusion à l'apôtre qui fut écorché (skinned alive) avant d'être crucifié
[85] *fausser compagnie:* échapper
[86] *quelque bon coup à faire:* a good piece of business
[87] *un religieux . . . Dominique:* a Dominican monk
[88] *chef-d'œuvre:* masterpiece, i.e. a made-to-order victim

Blas. Il faut qu'il aille détrousser[89] ce moine; voyons comme il s'y prendra.»[90]

Tous les voleurs jugèrent qu'effectivement cette commission me convenait, et ils m'exhortèrent à m'en bien acquitter.

«Messieurs, leur dis-je, vous serez contents: je vais mettre ce père nu comme la main,[91] et vous amener ici sa mule.

— Non, non, dit Rolando, elle n'en vaut pas la peine; apporte-nous seulement la bourse de Sa Révérence; c'est tout ce que nous exigeons de toi.

— Je vais donc, repris-je, sous les yeux de mes maîtres, faire mon coup d'essai;[92] j'espère qu'ils m'honoreront de leurs suffrages.»

Là-dessus, je sortis du bois et poussai vers le religieux, en priant le ciel de me pardonner l'action que j'allais faire. J'aurais bien voulu m'échapper dès ce moment-là, mais la plupart des voleurs étaient mieux montés que moi; s'ils m'eussent vu fuir, ils se seraient mis à mes trousses,[93] et m'auraient bientôt rattrapé, ou peut-être auraient-ils fait sur moi une décharge de leurs carabines, dont je me serais fort mal trouvé.[94] Je n'osai donc hasarder une démarche si délicate. Je joignis le père, et lui demandai la bourse en lui présentant le bout d'un pistolet. Il s'arrêta tout court pour me considérer; et, sans paraître fort effrayé:

«Mon enfant, me dit-il, vous êtes bien jeune; vous faites de bonne heure un vilain métier.

— Mon père, lui répondis-je, tout

vilain qu'il est,[95] je voudrais l'avoir commencé plus tôt.

— Ah! mon fils, répliqua le bon religieux, que dites-vous? quel aveuglement! souffrez que je vous représente l'état malheureux . . .

— Oh! mon père, interrompis-je avec précipitation, trêve de morale,[96] s'il vous plaît; je ne viens point sur les grands chemins pour entendre des sermons: je veux de l'argent.

— De l'argent! me dit-il d'un air étonné; vous jugez bien mal de la charité des Espagnols, si vous croyez que les personnes de mon caractère aient besoin d'argent pour voyager en Espagne. Détrompez-vous. On nous reçoit agréablement partout; on nous loge, on nous nourrit, et l'on ne nous demande pour cela que des prières. Enfin, nous ne portons point d'argent sur la route; nous nous abandonnons à la Providence.

— Eh! non, non, lui repartis-je, vous ne vous y abandonnez pas; vous avez toujours de bonnes pistoles pour être plus sûrs de la Providence. Mais, mon père, ajoutai-je, finissons: mes camarades, qui sont dans ce bois, s'impatientent; jetez tout à l'heure[97] votre bourse à terre, ou bien je vous tue.»

A ces mots, que je prononçai d'un air menaçant, le religieux sembla craindre pour sa vie.

«Attendez, me dit-il, je vais donc vous satisfaire, puisqu'il le faut absolument. Je vois bien qu'avec vous autres[98] les figures de rhétorique[99] sont inutiles.»

En disant cela, il tira de dessous sa robe une grosse bourse de peau de

---

[89] *détrousser:* rob
[90] *comme il s'y prendra:* how he will go about it
[91] *nu comme la main:* entièrement nu
[92] *coup d'essai:* trial stroke, i.e. first holdup
[93] *à mes trousses:* à ma poursuite
[94] *dont je me serais fort mal trouvé:* which would have left me in very bad shape

[95] *tout vilain qu'il est:* wicked as it may be
[96] *trêve de morale:* ne me faites pas de sermons
[97] *tout à l'heure:* tout de suite
[98] *vous autres:* you highwaymen
[99] *figures de rhétorique:* fine phrases

chamois, qu'il laissa tomber à terre. Alors je lui dis qu'il pouvait continuer son chemin, ce qu'il ne me donna pas la peine de répéter. Il pressa les flancs de sa mule, qui, démentant [100] l'opinion que j'avais d'elle, car je ne la croyais pas meilleure que celle de mon oncle, prit tout à coup un assez bon train.[101] Tandis qu'il s'éloignait, je mis pied à terre. Je ramassai la bourse, qui me parut pesante. Je remontai sur ma bête, et regagnai promptement le bois, où les voleurs, qui avaient toujours eu les yeux sur moi, m'attendaient avec impatience pour me féliciter, comme si la victoire que je venais de remporter m'eût coûté [102] beaucoup. A peine me donnèrent-ils le temps de descendre de cheval, tant ils s'empressaient de [103] m'embrasser.

«Courage, Gil Blas, me dit Rolando, tu viens de faire des merveilles. J'ai eu les yeux sur toi pendant ton expédition; j'ai observé ta contenance, je te prédis que tu deviendras un excellent voleur de grand chemin ou je ne m'y connais pas.» [104]

Le lieutenant et les autres applaudirent à la prédiction, et m'assurèrent que je ne pouvais manquer de l'accomplir quelque jour.

Après qu'ils m'eurent d'autant plus loué que je méritais moins de l'être, il leur prit envie [105] d'examiner le butin dont je revenais chargé.

«Voyons, dirent-ils, voyons ce qu'il y a dans la bourse du religieux.»

— Elle doit être bien garnie, continua l'un d'entre eux, car ces bons pères ne voyagent pas en pèlerins.» [106]

Le capitaine délia la bourse, l'ouvrit, et en tira deux ou trois poignées de petites médailles de cuivre, entremêlées d'Agnus Dei,[107] avec quelques scapulaires. A la vue d'un larcin si nouveau, tous les voleurs éclatèrent en ris [108] immodérés.

«Vive Dieu! [109] s'écria le lieutenant, nous avons bien de l'obligation à Gil Blas; il vient, pour son coup d'essai, de faire un vol fort salutaire à la compagnie.»

«Ma foi, Gil Blas, ajouta le capitaine, je te conseille, en ami, de ne plus te jouer [110] aux moines; ce sont des gens trop fins et trop rusés pour toi.»

DE L'ÉVÉNEMENT SÉRIEUX QUI SUIVIT CETTE AVENTURE

Nous demeurâmes dans le bois la plus grande partie de la journée, sans apercevoir aucun voyageur qui pût payer pour le religieux. Enfin nous en sortîmes pour retourner au souterrain, lorsque nous découvrîmes de loin un carrosse à quatre mules. Il venait à nous au grand trot,[1] et il était accompagné de trois hommes à cheval, qui me parurent bien armés et bien disposés à nous recevoir si nous étions assez hardis pour les insulter. Rolando fit faire halte à la troupe, pour tenir conseil là-dessus, et le résultat fut qu'on attaquerait.

Aussitôt, il nous rangea de la manière qu'il voulut, et nous marchâmes en bataille au-devant du carrosse. Malgré les applaudissements que j'avais reçus dans le bois, je me sentis

---

[100] démentant: proving untrue
[101] un assez bon train: a rather lively pace
[102] eût coûté: avait coûté
[103] s'empressaient de: se dépêchaient de
[104] je ne m'y connais pas: je n'en sais rien
[105] il leur prit envie: they wanted to
[106] en pèlerins: like pilgrims, i.e. without money

[107] Agnus Dei: medals stamped with the image of a lamb, symbol of Christ
[108] ris: rires
[109] Vive Dieu!: for goodness' sake!
[110] ne plus te jouer: not to try to outwit any more

---

[1] au grand trot: at a lively pace

saisi d'un grand tremblement, et bien- des coups, s'étaient un peu écartés,
tôt il sortit de tout mon corps une sueur après avoir perdu leurs guides. Pour
froide[2] qui ne me présageait rien de les mules, elles n'avaient pas branlé,[9]
bon. Pour surcroît de bonheur,[3] j'étais quoique, durant l'action, le cocher eût
au front de la bataille, entre le capi- quitté son siège pour se sauver. Nous
taine et le lieutenant, qui m'avaient mîmes pied à terre pour les dételer,[10]
placé là pour m'accoutumer au feu et nous les chargeâmes de plusieurs
tout d'un coup.[4] Rolando, remarquant malles que nous trouvâmes attachées
jusqu'à quel point la nature pâtissait devant et derrière le carrosse. Cela
chez moi,[5] me regarda de travers et fait, on prit par ordre du capitaine la
me dit d'un air brusque: «Écoute, Gil dame qui n'avait point encore rappelé
Blas, songe à faire ton devoir. Je t'aver- ses esprits,[11] et on la mit à cheval entre
tis que, si tu recules, je te casserai la les mains d'un voleur des plus robustes
tête d'un coup de pistolet.» J'étais trop et des mieux montés; puis, laissant sur
persuadé qu'il le ferait comme il le le grand chemin le carrosse et les
disait, pour négliger l'avertissement. morts dépouillés, nous emmenâmes
C'est pourquoi je ne pensai plus qu'à avec nous la dame, les mules et les
recommander mon âme à Dieu, puis- chevaux.
que je n'avais pas moins à craindre
d'un côté que de l'autre.

Je ne ferai point un détail de l'action: quoique présent, je ne voyais
rien, et ma peur, en me troublant
l'imagination, me cachait l'horreur du
spectacle même qui m'effrayait. Tout
ce que je sais, c'est qu'après un grand
bruit de mousquetades[6] j'entendis mes
compagnons crier à pleine tête:[7]
«Victoire! victoire!»

Le seigneur Rolando courut d'abord
à la portière du carrosse. Il y avait
dedans une dame de vingt-quatre à
vingt-cinq ans, qui s'était évanouie[8]
pendant le combat, et son évanouissement durait encore. [. . .]

Nous commençâmes par nous assurer des chevaux des cavaliers tués,
car ces animaux, épouvantés du bruit

DU GRAND DESSEIN QUE FORMA GIL BLAS, ET QUEL EN FUT L'ÉVÉNEMENT [12]

Il y avait déjà plus d'une heure qu'il
était nuit, quand nous arrivâmes au
souterrain. Nous menâmes d'abord les
bêtes à l'écurie, où nous fûmes obligés
nous-mêmes de les attacher au râtelier
et d'en avoir soin, parce que le vieux
nègre était au lit depuis trois jours
. . . Je songeai que le vieux nègre ne
pouvait se remuer, et que depuis son
indisposition la cuisinière avait la clef
de la grille.

Cette pensée m'échauffa l'imagination et me fit concevoir un projet que
je digérai[13] bien; puis j'en commençai
sur-le-champ l'exécution de la manière
suivante.

[2] *il sortit . . . une sueur froide:* I broke
out in a cold sweat all over
[3] *pour surcroît de bonheur:* to top my
good luck
[4] *tout d'un coup:* at one fell swoop
[5] *jusqu'à . . . pâtissait chez moi:* under
what strain I was
[6] *mousquetades:* musket fire
[7] *à pleine tête:* at the top of their voices
[8] *évanouie:* fainted

[9] *branlé:* stirred
[10] *dételer:* unhitch
[11] *rappelé ses esprits:* regained consciousness
[12] *événement:* outcome
[13] *digérai:* thought out (literally: digested)

Je feignis d'avoir la colique; je poussai d'abord des plaintes et des gémissements; ensuite, élevant la voix, je jetai de grands cris. Les voleurs se réveillent, et sont bientôt auprès de moi. Ils me demandent ce qui m'oblige à crier ainsi. Je répondis que j'avais une colique horrible; et, pour mieux le leur persuader, je me mis à grincer des dents,[14] à faire des grimaces et des contorsions effroyables, et à m'agiter d'une étrange façon. Après cela, je devins tout à coup tranquille, comme si mes douleurs m'eussent donné quelque relâche.[15] Un instant après, je me remis à faire des bonds sur mon grabat et à me tordre les bras. En un mot, je jouai si bien mon rôle, que les voleurs, tout fins qu'ils étaient, s'y laissèrent tromper, et crurent qu'en effet je sentais des douleurs violentes; mais, en faisant si bien mon personnage, je fus tourmenté d'une étrange façon; car, dès que mes charitables confrères s'imaginèrent que je souffrais, les voilà tous qui s'empressent à me soulager.[16] L'un m'apporte une bouteille d'eau-de-vie, et m'en fait avaler[17] la moitié; l'autre va chauffer une serviette, et vient me l'appliquer toute brûlante sur le ventre. J'avais beau crier miséricorde,[18] ils imputaient mes cris à ma colique, et continuaient à me faire souffrir des maux véritables, en voulant m'en ôter un que je n'avais point.

Cette scène dura près de trois heures. Après quoi les voleurs, jugeant que le jour ne devait pas être fort éloigné, se préparèrent à partir pour Mansilla.[19] [. . .]

«Gil Blas, me dit le seigneur Rolando; demeure ici, mon fils: repose-toi toute la journée, tu as besoin de repos.» [. . .]

Je parus très mortifié[20] de ne pouvoir être de la partie;[21] ce que je fis d'un air si naturel, qu'ils sortirent tous du souterrain sans avoir le moindre soupçon de mon projet.

Après leur départ, que j'avais tâché de hâter par mes vœux, je m'adressai ce discours: «Oh çà! Gil Blas, c'est à présent qu'il faut avoir de la résolution. Arme-toi de courage pour achever ce que tu as si heureusement commencé. La chose me paraît aisée. Domingo n'est point en état de s'opposer à ton entreprise, et Léonarde ne peut t'empêcher de l'exécuter. Saisis cette occasion de t'échapper. Tu n'en trouveras jamais peut-être une plus favorable.» Ces réflexions me remplirent de confiance. Je me levai. Je pris mon épée et mes pistolets, et j'allai d'abord à la cuisine; mais avant que d'y entrer, comme j'entendis parler Léonarde, je m'arrêtai pour l'écouter. Elle parlait à la dame inconnue, qui avait repris ses esprits[22] et qui, considérant toute son infortune, pleurait alors et se désespérait. «Pleurez, ma fille, lui disait la vieille, fondez en larmes. N'épargnez point[23] les soupirs, cela vous soulagera. Votre saisissement[24] était dangereux; mais il n'y a plus rien à craindre, puisque vous versez des pleurs. Votre douleur s'apaisera peu à peu, et vous vous accoutumerez à vivre ici avec nos messieurs, qui sont d'honnêtes gens. Vous serez mieux traitée qu'une princesse.

[14] *grincer des dents:* grit my teeth
[15] *relâche:* respite
[16] *me soulager:* come to my relief
[17] *avaler:* swallow
[18] *miséricorde:* mercy
[19] *Mansilla:* ville dans le nord-ouest de l'Espagne
[20] *mortifié:* déçu
[21] *être de la partie:* les accompagner
[22] *repris ses esprits:* repris connaissance
[23] *n'épargnez point:* don't hold back
[24] *saisissement:* shock

Ils auront pour vous mille complaisances et vous témoigneront tous les jours de l'affection. Il y a bien des femmes qui voudraient être à votre place.»

Je ne donnai pas le temps à Léonarde d'en dire davantage. J'entrai, et, lui mettant un pistolet sur la gorge, je la pressai d'un air menaçant de me remettre la clef de la grille. Elle fut troublée de mon action; et, quoique très avancée dans sa carrière,[25] elle se sentit encore assez attachée à la vie pour n'oser me refuser ce que je lui demandais. Lorsque j'eus la clef entre les mains, j'adressai la parole à la dame affligée:

«Madame, lui dis-je, le ciel vous envoie un libérateur, levez-vous pour me suivre; je vais vous mener où il vous plaira que je vous conduise.»

La dame ne fut pas sourde à ma voix, et mes paroles firent tant d'impression sur son esprit, que, rappelant tout ce qui lui restait de forces, elle se leva, vint se jeter à mes pieds, et me conjura de la sauver. Je la relevai, et l'assurai qu'elle pouvait compter sur moi. Ensuite je pris des cordes que j'aperçus dans la cuisine; et, à l'aide de la dame, je liai Léonarde aux pieds d'une grosse table, en lui protestant[26] que je la tuerais si elle poussait le moindre cri. La bonne Léonarde, persuadée que je n'y manquerais pas si elle osait me contredire, prit le parti[27] de me laisser faire tout ce que je voulus. J'allumai de la bougie, et j'allai avec l'inconnue à la chambre où étaient les espèces[28] d'or et d'argent. Je mis dans mes poches autant de pistoles et de doubles pistoles[29] qu'il y en put tenir;[30] et pour obliger la dame

à s'en charger aussi, je lui représentai[31] qu'elle ne faisait que reprendre son bien, ce qu'elle fit sans scrupule. Quand nous en eûmes une bonne provision, nous marchâmes vers l'écurie où j'entrai seul avec mes pistolets en état.[32] Je comptais bien que le vieux nègre, malgré sa goutte et son rhumatisme, ne me laisserait pas tranquillement seller et brider mon cheval; et j'étais dans la résolution de le guérir radicalement de tous ses maux s'il s'avisait de vouloir faire le méchant:[33] mais, par bonheur, il était alors si accablé des douleurs qu'il avait souffertes et de celles qu'il souffrait encore, que je tirai mon cheval de l'écurie sans même qu'il parût s'en apercevoir. La dame m'attendait à la porte. Nous enfilâmes[34] promptement l'allée par où l'on sortait du souterrain. Nous arrivons à la grille, nous l'ouvrons, et nous parvenons enfin à la trappe. Nous eûmes beaucoup de peine à la lever, ou plutôt, pour en venir à bout,[35] nous eûmes besoin de la force nouvelle que nous prêta l'envie de nous sauver.

Le jour commençait à paraître lorsque nous nous vîmes hors de cet abîme. Je me jetai en selle, la dame monta derrière moi, et, suivant au galop le premier sentier qui se présenta, nous sortîmes bientôt de la forêt. Nous entrâmes dans une plaine coupée de plusieurs routes; nous en prîmes une au hasard. Je mourais de peur qu'elle ne nous conduisît à Mansilla, et que nous ne rencontras-

---

[25] *avancée dans sa carrière:* vieille
[26] *protestant:* affirmant
[27] *prit le parti:* décida
[28] *espèces:* coins
[29] *doubles pistoles:* two-pistole pieces

[30] *autant . . . y en put tenir:* as many . . . as they would hold
[31] *lui représentai:* l'assurai
[32] *en état:* at the ready
[33] *s'il s'avisait . . . méchant:* if he took it into his head to get nasty
[34] *enfilâmes:* went along
[35] *pour en venir à bout:* to succeed in doing it

sions Rolando et ses camarades, ce qui
pouvait fort bien nous arriver. Heureusement ma crainte fut vaine. Nous

arrivâmes à la ville d'Astorga sur [36]
les deux heures après midi.

[36] *sur:* vers

VOLTAIRE [1694-1778]

De naissance parisienne, François-Marie Arouet, fils d'un notaire au Châtelet,
entra au Collège des Jésuites [1] à l'âge de dix ans. Sept ans après, il sortit du
collège pour entrer dans le monde et dans les lettres. En 1716, le jeune homme
fut exilé de Paris pour avoir écrit deux pièces contre le Régent [2] et, l'année
suivante, pour le même motif, il fut enfermé à la Bastille.[3]

Il est intéressant de constater que son premier succès littéraire fut comme
auteur dramatique. En 1718, l'année où il prit le nom de «Voltaire», sa tragédie
Œdipe fut jouée avec grand éclat. En 1726, à la suite de ses difficultés avec
le chevalier de Rohan,[4] Voltaire passa en Angleterre, où il devait rester trois
ans.

De retour à Paris, il publia plusieurs tragédies, dont les plus importantes sont
Brutus et Zaïre. En 1734 parurent *Les Lettres philosophiques ou anglaises,*
dont la condamnation presque immédiate n'étonna personne. Ses commentaires pénétrants sur les mœurs du grand pays anglo-saxon fixèrent le schéma
de beaucoup de ses œuvres postérieures en prose, surtout du conte philosophique.

Voltaire partit, en 1750, sur l'invitation de Frédéric le Grand,[5] pour un séjour
de presque trois ans en pays de langue allemande. Dès son retour en France, il
acheta la belle propriété de Ferney, à quelques kilomètres de Genève, sur la
frontière franco-suisse. Sa plume devint plus active que jamais; tragédies et
comédies, ouvrages historiques, son roman philosophique, *Candide* (1759),
parurent dans une succession ininterrompue.

Les vingt dernières années de sa vie furent consacrées à une activité littéraire
incessante et à une remarquable correspondance personnelle. Les œuvres de
sa maturité, telles que le *Dictionnaire philosophique* et *L'Essai sur les mœurs,*
témoignent de la profondeur de son esprit critique ainsi que de son inlassable
défense de la justice.

[1] *Collège des Jésuites:* actuellement le Lycée Louis-le-Grand
[2] *Régent:* Philippe d'Orléans, régent sous la minorité de Louis XV (1715–23)
[3] *Bastille:* fameuse prison d'état, détruite par les révolutionnaires en 1789
[4] *chevalier de Rohan:* membre d'une des plus illustres familles françaises de l'époque
[5] *Frédéric le Grand:* roi de Prusse, 1740–86; «ami des lettres, bon écrivain et se piquant
de philosophie, il écrivit des *Mémoires* en français. Il attira en Prusse, autour de sa résidence
de Sans-Souci, Voltaire et de nombreux savants et philosophes français.» (*Petit Larousse*)

Zadig, qui parut en 1747, présenta, dans le cadre déjà familier du conte pour la jeunesse, les idées philosophiques et même révolutionnaires dont Voltaire devint le porte-parole incontesté. Dans cette œuvre simple, d'esprit à la fois moqueur et fin, libre des entraves qui régissaient les grands genres, il s'attaqua aux abus et aux privilèges déjà surannés de l'ancien régime.[6] On comprendra, après la lecture attentive de l'extrait que nous avons choisi, à quel point Voltaire réussit, dans un ouvrage de petite envergure, à mettre en relief la sottise, le fanatisme et l'ignorance de son siècle.

[6] *ancien régime:* expression qui désigne le système du gouvernement en France avant la révolution de 1789

Zadig

I. LE BORGNE [1]

Du temps du roi Moabdar [2] il y avait à Babylone [3] un jeune homme nommé Zadig, né avec un beau naturel [4] [5] fortifié par l'éducation. Quoique riche et jeune, il savait modérer ses passions, il n'affectait rien, il ne voulait point toujours avoir raison, et savait respecter la faiblesse des hommes. On était [10] étonné de voir, qu'avec beaucoup d'esprit,[5] il n'insultât jamais par des railleries,[6] à ces propos si vagues, si rompus,[7] si tumultueux, à ces médisances téméraires,[8] à ces décisions [15] ignorantes, à ces turlupinades grossières,[9] à ce vain bruit de paroles, qu'on appelait conversation dans Babylone. Il avait appris dans le premier livre de Zoroastre [10] que l'amour-[20] propre [11] est un ballon gonflé de vent, dont il sort des tempêtes quand on lui a fait une piqûre. Zadig surtout ne

se vantait pas de mépriser les femmes et de les subjuguer. Il était généreux: il ne craignait point d'obliger des ingrats, suivant ce grand [5] précepte de Zoroastre: *Quand tu manges, donne à manger aux chiens, dussent-ils te mordre.* Il était aussi sage qu'on peut l'être; car il cherchait à vivre avec des sages. Instruit dans [10] les sciences des anciens Chaldéens,[12] il n'ignorait pas les principes physiques de la nature tels qu'on les connaissait alors, et savait de la métaphysique ce qu'on en a su dans tous les âges, c'est-[15] à-dire fort peu de chose. Il était fermement persuadé que l'année était de trois-cent soixante et cinq jours et un quart, malgré la nouvelle philosophie de son temps, et que le soleil était au [20] centre du monde; et quand les principaux mages [13] lui disaient avec une hauteur insultante, qu'il avait de mauvais sentiments, et que c'était être

[1] *borgne:* one-eyed man
[2] *Moabdar:* nom inventé par Voltaire
[3] *Babylone:* ancient city of Mesopotamia
[4] *beau naturel:* nice disposition
[5] *esprit:* wit
[6] *railleries:* harsh jests
[7] *rompus:* disconnected
[8] *médisances téméraires:* rash slander

[9] *turlupinades grossières:* crude jokes
[10] *Zoroastre:* fondateur mythique de la religion des mages
[11] *amour-propre:* vanité
[12] *Chaldéens:* Chaldeans, ancient inhabitants of southern Mesopotamia
[13] *mages:* magicians (priests among the ancient Persians)

ennemi de l'état que de croire que le soleil tournait sur lui-même, et que l'année avait douze mois, il se taisait sans colère et sans dédain.

Zadig avec de grandes richesses, et par conséquent avec des amis, ayant de la santé, une figure aimable, un esprit juste et modéré, un cœur sincère et noble, crut qu'il pouvait être heureux. Il devait[14] se marier à Sémire, que sa beauté, sa naissance et sa fortune rendaient le premier parti[15] de Babylone. Il avait pour elle un attachement solide et vertueux, et Sémire l'aimait avec passion. Ils touchaient au moment fortuné[16] qui allait les unir, lorsque se promenant ensemble vers une porte de Babylone sous les palmiers qui ornaient le rivage de l'Euphrate,[17] ils virent venir à eux des hommes armés de sabres et de flèches. C'était les satellites du jeune Orcan, neveu d'un ministre, à qui les courtisans de son oncle avaient fait accroire que tout lui était permis. Il n'avait aucune des grâces ni des vertus de Zadig; mais croyant valoir beaucoup mieux, il était désespéré de n'être pas préféré. Cette jalousie, qui ne venait que de sa vanité, lui fit penser qu'il aimait éperdument Sémire. Il voulait l'enlever.[18] Les ravisseurs la saisirent, et dans les emportements de leur violence ils la blessèrent, et firent couler le sang d'une personne dont la vue aurait attendri les tigres du mont Imaüs.[19] Elle perçait le ciel de ses plaintes. Elle s'écriait: Mon cher époux! on m'arrache à ce que[20]

j'adore. Elle n'était point occupée de son danger: elle ne pensait qu'à son cher Zadig.

Celui-ci dans le même temps la défendait avec toute la force que donnent la valeur et l'amour. Aidé seulement de deux esclaves, il mit les ravisseurs en fuite, et ramena chez elle Sémire évanouïe[21] et sanglante, qui en ouvrant les yeux vit son libérateur. Elle lui dit: Ô Zadig! je vous aimais comme mon époux: je vous aime comme celui à qui je dois l'honneur et la vie. Jamais il n'y eut un cœur plus pénétré[22] que celui de Sémire. Jamais bouche plus ravissante n'exprima des sentiments plus touchants par ces paroles de feu qu'inspirent le sentiment du plus grand des bienfaits, et le transport le plus tendre de l'amour le plus légitime. Sa blessure était légère, elle guérit bientôt. Zadig était blessé plus dangereusement; un coup de flèche reçu près de l'œil lui avait fait une plaie[23] profonde. Sémire ne demandait aux dieux que la guérison de son amant.[24] Ses yeux étaient nuit et jour baignés de larmes: elle attendait le moment où ceux de Zadig pourraient jouir de ses regards mais un abcès survenu à l'œil blessé fit tout craindre.[25] On envoya jusqu'à Memphis[26] chercher le grand médecin Hermès, qui vint avec un nombreux cortège.

Il visita le malade, et déclara qu'il perdrait l'œil; il prédit même le jour et l'heure où ce funeste accident devait arriver. Si c'eût été[27] l'œil droit, dit-il, je l'aurais guéri; mais les plaies de

---

[14] *devait:* was to
[15] *premier parti:* best match
[16] *touchaient . . . fortuné:* were nearing the happy moment
[17] *Euphrate:* fleuve de l'Asie mineure sur lequel se trouve Babylone
[18] *enlever:* abduct
[19] *mont Imaüs:* ancient name for the Himalayas

[20] *à ce que:* à celui que
[21] *évanouïe:* (who had) fainted
[22] *pénétré:* affected
[23] *plaie:* blessure
[24] *amant:* amoureux
[25] *fit tout craindre:* made (them) fear the worst
[26] *Memphis:* ancienne capitale de l'Égypte
[27] *si c'eût été:* si cela avait été

l'œil gauche sont incurables. Tout Babylone, en plaignant la destinée de Zadig, admira la profondeur de la science d'Hermès. Deux jours après l'abcès perça de lui-même, Zadig fut 5 guéri parfaitement. Hermès écrivit un livre, où il lui prouva qu'il n'avait pas dû [28] guérir. Zadig ne le lut point: mais dès qu'il put sortir, il se prépara à rendre visite à celle qui faisait l'espérance 10 du bonheur de sa vie, et pour qui seule il voulait avoir des yeux. Sémire était à la campagne depuis trois jours. Il apprit en chemin que cette belle dame, ayant déclaré hautement qu'elle avait 15 une aversion insurmontable pour les borgnes, venait de se marier à Orcan, la nuit même.[29] A cette nouvelle, [30] il tomba sans connaissance; sa douleur le mit au bord du tombeau; il fut long- 20 temps malade: mais enfin la raison l'emporta sur [31] son affliction, et l'atrocité de ce qu'il éprouvait, servit même à le consoler.

Puisque j'ai essuyé,[32] dit-il, un si 25 cruel caprice d'une fille élevée à la cour, il faut que j'épouse une citoyenne.[33] Il choisit Azora, la plus sage et la mieux née [34] de la ville; il l'épousa, et vécut un mois avec elle 30 dans les douceurs [35] de l'union la plus tendre. Seulement il remarquait en elle un peu de légèreté, et beaucoup de penchant à trouver toujours que les jeunes gens les mieux faits [36] étaient 35 ceux qui avaient le plus d'esprit et de vertu.

[28] n'avait pas dû: n'aurait pas dû
[29] la nuit même: that very night
[30] A cette nouvelle: quand il reçut cette nouvelle
[31] l'emporta sur: got the better of
[32] essuyé: souffert
[33] citoyenne: city girl, i.e. of bourgeois, rather than noble birth
[34] la mieux née: de la meilleure famille
[35] douceurs: bliss
[36] les jeunes . . . faits: the most handsome young men

II. LE NEZ

Un jour Azora revint d'une promenade toute en colère, et faisant de grandes exclamations. Qu'avez-vous, lui dit-il, ma chère épouse? qui vous peut mettre ainsi hors de vous-même? [37] Hélas! dit-elle, vous seriez indigné comme moi, si vous aviez vu le spectacle dont je viens d'être témoin.[38] J'ai été consoler la jeune veuve Cosrou, qui vient d'élever depuis deux jours [39] un tombeau à son jeune époux auprès du ruisseau [40] qui borde cette prairie. Elle a promis aux dieux dans sa douleur de demeurer auprès de ce tombeau, tant que [41] l'eau de ce ruisseau coulerait auprès. Eh bien, dit Zadig, voilà une femme estimable, qui aimait véritablement son mari! Ah, reprit Azora, si vous saviez à quoi elle s'occupait,[42] quand je lui ai rendu visite! A quoi donc, belle Azora? Elle faisait détourner [43] le ruisseau. Azora se répandit [44] en des invectives si longues, éclata en reproches si violents contre la jeune veuve, que ce faste [45] de vertu ne plut pas à Zadig.

Il avait un ami nommé Cador, qui était un de ces jeunes gens à qui sa femme trouvait plus de probité et de mérite qu'aux autres: il le mit dans sa confidence, et s'assura, autant qu'il le pouvait, de sa fidélité par un présent considérable. Azora, ayant passé deux jours chez une de ses amies à la campagne, revint le troisième jour à la maison. Des domestiques en pleurs lui

[37] hors de vous-même: beside yourself
[38] dont . . . témoin: que je viens de voir
[39] vient . . . deux jours: who erected just two days ago
[40] ruisseau: petite rivière
[41] tant que: aussi longtemps que
[42] à quoi elle s'occupait: ce qu'elle faisait
[43] détourner: change the course of
[44] se répandit: burst forth
[45] faste: display

annoncèrent que son mari était mort subitement la nuit même, qu'on n'avait pas osé lui porter cette funeste nouvelle, et qu'on venait d'ensevelir Zadig dans le tombeau de ses pères, au bout du jardin. Elle pleura, s'arracha[46] les cheveux, et jura de mourir.[47] Le soir, Cador lui demanda la permission de lui parler, et ils pleurèrent tous deux. Le lendemain, ils pleurèrent moins, et dînèrent ensemble. Cador lui confia que son ami lui avait laissé la plus grande partie de son bien,[48] et lui fit entendre qu'il mettrait son bonheur à partager sa fortune avec elle. La dame pleura, se fâcha, s'adoucit; le souper fut plus long que le dîner; on se parla avec plus de confiance: Azora fit l'éloge du[49] défunt; mais elle avoua qu'il avait des défauts dont Cador était exempt.

Au milieu du souper, Cador se plaignit d'un mal de rate[50] violent; la dame inquiète et empressée[51] fit apporter toutes les essences dont elle se parfumait, pour essayer s'il n'y en avait pas quelqu'une qui fût bonne pour le mal de rate; elle regretta beaucoup que le grand Hermès ne fût pas encore à Babylone; elle daigna même toucher le côté[52] où Cador sentait de si vives douleurs. Êtes-vous sujet à cette cruelle maladie? lui dit-elle avec compassion. Elle me met quelquefois au bord du tombeau,[53] lui répondit Cador, et il n'y a qu'un seul remède qui puisse me soulager; c'est de m'appliquer sur le côté le nez d'un homme qui soit mort la veille. Voilà un étrange remède, dit Azora. Pas plus étrange,

répondit-il, que les sachets du Sieur Arnou[54] contre l'apoplexie. Cette raison, jointe à l'extrême mérite du jeune homme, détermina[55] enfin la dame. Après tout, dit-elle, quand mon mari passera du monde d'hier dans le monde du lendemain sur le pont Tchinavar,[56] l'ange Asraël lui accordera-t-il moins le passage, parce que son nez sera un peu moins long dans la seconde vie que dans la première? Elle prit donc un rasoir; elle alla au tombeau de son époux, l'arrosa de ses larmes, et s'approcha pour couper le nez à Zadig, qu'elle trouva tout étendu dans la tombe. Zadig se relève en tenant son nez d'une main, et arrêtant le rasoir de l'autre. Madame, lui dit-il, ne criez plus tant contre la jeune Cosrou; le projet de me couper le nez vaut bien celui de détourner un ruisseau.

III. LE CHIEN ET LE CHEVAL

Zadig éprouva que le premier mois du mariage, comme il est écrit dans le livre du Zend,[57] est la lune du miel, et que le second est la lune de l'absinthe.[58] Il fut quelque temps après obligé de répudier Azora, qui était devenue trop difficile à vivre,[59] et il chercha son bonheur dans l'étude de la nature. Rien n'est plus heureux, disait-il, qu'un philosophe qui lit dans ce grand livre, que Dieu a mis sous nos yeux. Les vérités qu'il découvre sont à

[46] s'arracha: pulled out
[47] de mourir: qu'elle en mourrait
[48] bien: argent, possessions
[49] fit l'éloge de: eulogized
[50] mal de rate: pain in (his) spleen
[51] empressée: eager to help
[52] côté: side (of his body)
[53] au bord du tombeau: at death's door

[54] Sieur Arnou(lt): inventor of a supposed remedy for apoplexy
[55] détermina: décida
[56] Tchinavar: Chinvato Peretav, bridge which (according to Zoroaster) the souls of the righteous crossed after death
[57] livre du Zend: Zend Avesta, commentaire de la révélation de Zoroastre
[58] absinthe: employé ici au figuré — amertume
[59] difficile à vivre: hard to get along with

lui; il nourrit et il élève son âme; il vit tranquille; il ne craint rien des hommes, et sa tendre épouse ne vient point lui couper le nez.

Plein de ces idées, il se retira dans une maison de campagne sur les bords de l'Euphrate. Là il ne s'occupait pas à calculer combien de pouces [60] d'eau coulaient en une seconde sous les arches d'un pont, ou s'il tombait une ligne [61] cube de pluie dans le mois de la souris,[62] plus que dans le mois du mouton.[62] Il n'imaginait point de faire de la soie avec des toiles d'araignée,[63] ni de la porcelaine avec des bouteilles cassées; mais il étudia surtout les propriétés des animaux et des plantes, et il acquit bientôt une sagacité qui lui découvrait [64] mille différences où les autres hommes ne voient rien que d'uniforme.

Un jour se promenant auprès d'un petit bois, il vit accourir à lui un eunuque de la Reine, suivi de plusieurs officiers qui paraissaient dans la plus grande inquiétude, et qui couraient çà et là, comme des hommes égarés, qui cherchent ce qu'ils ont perdu de plus précieux. Jeune homme, lui dit le premier eunuque,[65] n'avez-vous point vu le chien de la Reine? Zadig répondit modestement: c'est une chienne et non pas un chien. Vous avez raison, reprit le premier eunuque. C'est une épagneule [66] très petite, ajouta Zadig.

Elle a fait depuis peu des chiens,[67] elle boite [68] du pied gauche de devant, et elle a les oreilles très longues. — Vous l'avez donc vue, dit le premier eunuque tout essoufflé.[69] Non, répondit Zadig, je ne l'ai jamais vue, et je n'ai jamais su si la Reine avait une chienne.

Précisément dans le même temps, par une bizarrerie ordinaire de la fortune, le plus beau cheval de l'écurie du Roi s'était échappé des mains d'un palfrenier [70] dans les plaines de Babylone. Le grand veneur,[71] et tous les autres officiers couraient après lui avec autant d'inquiétude que le premier eunuque après la chienne. Le grand veneur s'adressa à Zadig, et lui demanda, s'il n'avait point vu passer le cheval du Roi. C'est, répondit Zadig, le cheval qui galope le mieux. Il a cinq pieds de haut, le sabot [72] fort petit; il porte une queue de trois pieds et demi de long: les bossettes de son mors [73] sont d'or à vingt-trois carats, ses fers [74] sont d'argent à onze deniers.[75] Quel chemin a-t-il pris? où est-il? demanda le grand veneur. Je ne l'ai point vu, répondit Zadig, et je n'en ai jamais entendu parler.

Le grand veneur et le premier eunuque ne doutèrent pas que Zadig n'eût volé le cheval du Roi, et la chienne de la Reine; ils le firent conduire devant l'assemblée du grand Desterham,[76] qui le condamna au knout,[77] et

---

[60] *pouces:* inches
[61] *ligne:* one-twelfth of a *pouce*
[62] *le mois de la souris . . . du mouton:* mois du zodiac chinois représentés par des animaux
[63] *toiles d'araignée:* spider webs (Voltaire here refers sarcastically to the publications of members of the *Académie des sciences,* reflecting his irritation at their refusal to admit him.)
[64] *découvrait:* revealed
[65] *premier eunuque:* chief eunuch
[66] *épagneule:* spaniel
[67] *elle a fait . . . chiens:* she recently had a litter

[68] *boite:* limps
[69] *essoufflé:* out of breath
[70] *palfrenier:* groom
[71] *grand veneur:* Master of the Royal Hunt
[72] *sabot:* hoof
[73] *bossettes de son mors:* knobs of his bit
[74] *fers:* shoes
[75] *à onze deniers:* indique que le métal a un titre très élevé
[76] *grand Desterham:* governor
[77] *knout:* punishment by the knout, a whip of leather thongs, tipped with metal, was common in Russia in Voltaire's day

à passer le reste de ses jours en Sibérie. A peine le jugement fut-il rendu qu'on retrouva le cheval et la chienne. Les juges furent dans la douloureuse nécessité de réformer leur arrêt. Mais ils condamnèrent Zadig à payer quatre cents onces[78] d'or, pour avoir dit qu'il n'avait point vu ce qu'il avait vu; il fallut d'abord payer cette amende; après quoi il fut permis à Zadig de plaider sa cause au Conseil du grand Desterham; il parla en ces termes:

Étoiles de justice, abîmes des sciences,[79] miroirs de vérité, qui avez la pesanteur du plomb, la dureté du fer, l'éclat du diamant, et beaucoup d'affinité avec l'or.[80] Puisqu'il m'est permis de parler devant cette auguste assemblée, je vous jure par Orosmade,[81] que je n'ai jamais vu la chienne respectable de la Reine, ni le cheval sacré du Roi des Rois. Voici ce qui m'est arrivé. Je me promenais vers le petit bois, où j'ai rencontré depuis le vénérable eunuque, et le très illustre grand veneur. J'ai vu sur le sable les traces d'un animal, et j'ai jugé aisément que c'était celles d'un petit chien. Des sillons[82] légers et longs, imprimés[83] sur de petites éminences de sable[84] entre les traces des pattes, m'ont fait connaître que c'était une chienne dont les mammelles étaient pendantes,[85] et qu'ainsi elle avait fait des petits il y a peu de jours. D'autres traces en un sens différent, qui paraissaient toujours avoir rasé[86] la surface du sable à côté des pattes de devant, m'ont appris qu'elle avait les oreilles très longues, et comme j'ai remarqué que le sable était toujours moins creusé par une patte que par les trois autres, j'ai compris que la chienne de notre auguste Reine était un peu boiteuse, si je l'ose dire.[87]

A l'égard du cheval du Roi des Rois, vous saurez que me promenant dans les routes de ce bois, j'ai aperçu les marques des fers d'un cheval; elles étaient toutes à égales distances. Voilà, ai-je dit, un cheval qui a un galop parfait. La poussière des arbres, dans une route étroite qui n'a que sept pieds de large, était un peu enlevée[88] à droite et à gauche à trois pieds et demi du milieu de la route. Ce cheval, ai-je dit, a une queue de trois pieds et demi, qui par ses mouvements de droite et de gauche a balayé[89] cette poussière. J'ai vu sous les arbres, qui formaient un berceau[90] de cinq pieds de haut, les feuilles des branches nouvellement tombées; et j'ai connu[91] que ce cheval y avait touché; et qu'ainsi il avait cinq pieds de haut. Quant à son mors, il doit être d'or à vingt-trois carats, car il en a frotté les bossettes contre une pierre que j'ai reconnue être une pierre de touche,[92] et dont j'ai fait l'essai.[93] J'ai jugé enfin, par les

---

[78] *onces:* ounces (seizième partie de la livre dans l'ancienne mesure du poids)

[79] *abîmes des sciences:* persons whose knowledge of science is unlimited; Voltaire mockingly uses the exaggerated language of the law courts.

[80] *beaucoup d'affinité avec l'or:* characteristically Voltairian barb about judges' notorious "affinity" for gold

[81] *Orosmade:* Ormuzd, spirit of sovereign knowledge in Zoroastrianism

[82] *sillons:* furrows

[83] *imprimés:* marked

[84] *éminences de sable:* mounds of sand

[85] *dont les . . . pendantes:* whose nipples hung down

[86] *rasé:* scratched

[87] *si je l'ose dire:* if I may say so

[88] *enlevée:* taken away, removed

[89] *balayé:* brushed away

[90] *berceau:* arbor

[91] *j'ai connu:* j'ai reconnu le fait

[92] *pierre de touche:* hard black jasper, used to distinguish gold from copper

[93] *dont j'ai fait l'essai:* which I experimented with

marques que ses fers ont laissé sur des cailloux[94] d'une autre espèce, qu'il était ferré[95] d'argent à onze deniers de fin. Tous les juges admirèrent le profond et subtil discernement de Zadig; la nouvelle en vint jusqu'au Roi, et à la Reine. On ne parlait que de Zadig dans les antichambres, dans la chambre et dans le cabinet;[96] et quoique plusieurs mages opinassent[97] qu'on devait le brûler comme sorcier, le Roi ordonna qu'on lui rendît l'amende des quatre cents onces d'or à laquelle il avait été condamné. Le greffier,[98] les huissiers,[98] les procureurs[99] vinrent chez lui en grand appareil[100] lui rapporter ses quatre cents onces; ils en retinrent seulement trois cent quatre-vingt-dix-huit pour les frais de justice;[101] et leurs valets demandèrent des honoraires.[102]

Zadig vit combien il était dangereux quelquefois d'être trop savant, et se promit bien à la première occasion de ne point dire ce qu'il avait vu.

Cette occasion se trouva bientôt. Un prisonnier d'État s'échappa; il passa sous les fenêtres de sa maison. On interrogea Zadig, il ne répondit rien; mais on lui prouva qu'il avait regardé par la fenêtre. Il fut condamné pour ce crime à cinq cents onces d'or, et il remercia ses juges de leur indulgence, selon la coutume de Babylone. Grand Dieu![103] dit-il en lui-même, qu'[104] on est à plaindre quand on se promène dans un bois, où la chienne de la Reine et le cheval du Roi ont passé! Qu'il est dangereux de se mettre à la fenêtre! Et qu'il est difficile d'être heureux dans cette vie!

IV. L'ENVIEUX

Zadig voulut se consoler, par la philosophie et par l'amitié, des maux que lui avait fait la fortune.[1] Il avait dans un faubourg de Babylone une maison ornée avec goût, où il rassemblait tous les arts, et tous les plaisirs dignes d'un honnête homme.[2] Le matin sa bibliothèque était ouverte à tous les savants; le soir, sa table l'était à la bonne compagnie; mais il connut bientôt combien les savants sont dangereux; il s'éleva une grande dispute sur une loi de Zoroastre, qui défendait de manger du griffon.[3] Comment défendre le griffon, disaient les uns, si cet animal n'existe pas? Il faut bien qu'il existe, disaient les autres, puisque Zoroastre ne veut pas qu'on en mange. Zadig voulut les accorder,[4] en leur disant: S'il y a des griffons, n'en mangeons point; s'il n'y en a point, nous en mangerons encore moins, et par là nous obéïrons tous à Zoroastre.

Un savant, qui avait composé treize volumes sur les propriétés du griffon, et qui de plus était grand theürgite,[5] se hâta d'aller accuser Zadig devant un archimage[6] nommé Yébor, le plus sot des Chaldéens, et partant[7] le plus fanatique. Cet homme aurait fait em-

[94] *cailloux:* pebbles
[95] *ferré:* shod
[96] *dans les antichambres . . . le cabinet:* antichambres du palais royal, chambre du roi, cabinet du conseil du roi
[97] *opinassent:* aient eu l'opinion
[98] *greffier . . . huissiers:* clerk . . . bailiffs
[99] *procureurs:* attorneys
[100] *en grand appareil:* in full regalia
[101] *frais de justice:* court costs
[102] *honoraires:* tips (usual meaning: fees)
[103] *Grand Dieu!:* Good Heavens!
[104] *qu':* combien

[1] *fortune:* destinée
[2] *honnête homme:* man of the world, all-round gentleman
[3] *griffon:* gryphon
[4] *accorder:* mettre d'accord
[5] *theürgite:* magician; here, priest
[6] *archimage:* archmagus (chief magician)
[7] *partant:* donc

paler [8] Zadig pour la plus grande gloire du soleil, et en aurait récité le bréviaire de Zoroastre d'un ton plus satisfait. L'ami Cador (un ami vaut mieux que cent prêtres) alla trouver le vieux Yébor, et lui dit:

«Vivent le soleil et les griffons, gardez-vous bien de punir Zadig: c'est un saint; il a des griffons dans sa basse-cour,[9] et il n'en mange point; et son accusateur est un hérétique qui ose soutenir que les lapins ont le pied fendu,[10] et ne sont point immondes.[11]» «Eh bien, dit Yébor, en branlant sa tête chauve, il faut empaler Zadig, pour avoir mal pensé des griffons, et l'autre pour avoir mal parlé des lapins.» Cador appaisa l'affaire . . . Personne ne fut empalé; de quoi plusieurs docteurs murmurèrent,[12] et en présagèrent la décadence de Babylone. Zadig s'écria: «A quoi tient le bonheur! tout me persécute dans ce monde, jusqu'aux êtres qui n'existent pas.» Il maudit les savants, et ne voulut plus vivre qu'en bonne compagnie.

Il rassemblait chez lui les plus honnêtes gens [13] de Babylone, et les dames les plus aimables; il donnait des soupers délicats, souvent précédés de concerts, et animés par des conversations charmantes, dont il avait su [14] bannir l'empressement de montrer de l'esprit,[15] qui est la plus sûre manière de n'en point avoir, et de gâter la société la plus brillante. Ni le choix de ses amis, ni celui des mets [16] n'étaient faits par la vanité; car en tout il préférait

l'être au paraître,[17] et par là il s'attirait la considération [18] véritable, à laquelle il ne prétendait pas.

Vis-à-vis sa maison demeurait Arimaze,[19] personnage dont la méchante âme était peinte sur sa grossière physionomie. Il était rongé de fiel et bouffi d'orgueil; [20] et pour comble [21] c'était un bel esprit ennuyeux.[22] N'ayant jamais pu réussir dans le monde, il se vengeait par en médire.[23] Tout riche qu'il était,[24] il avait de la peine à rassembler chez lui des flatteurs. Le bruit des chars qui entraient le soir chez Zadig l'importunait,[25] le bruit de ses louanges l'irritait davantage. Il allait quelquefois chez Zadig, et se mettait à table sans être prié: il y corrompait [26] toute la joie de la société, comme on dit que les Harpies [27] infectent les viandes qu'elles touchent. Il lui arriva un jour de vouloir donner une fête à une dame, qui, au lieu de la recevoir,[28] alla souper chez Zadig. Un autre jour, causant avec lui dans le palais, ils abordèrent un ministre, qui pria Zadig à souper, et ne pria point Arimaze. Les plus implacables haines n'ont pas souvent des fondements plus importants. Cet homme, qu'on appe-

[17] *l'être au paraître:* being to appearing, i.e. reality to show
[18] *considération:* respect, regard
[19] *Arimaze:* Ahriman, spirit of evil in Zoroastrianism
[20] *rongé . . . d'orgueil:* tormented by bitterness and puffed with pride
[21] *pour comble:* as a crowning misfortune
[22] *bel esprit ennuyeux:* a witty person, but a bore
[23] *par en médire:* par en (de la société) dire du mal
[24] *tout riche qu'il était:* malgré le fait qu'il était riche
[25] *l'importunait:* l'ennuyait
[26] *corrompait:* spoiled
[27] *Harpies:* mythological monsters, having wings, claws, and women's faces
[28] *la recevoir:* i.e. accepter son invitation à la fête

[8] *empaler:* impale
[9] *basse-cour:* chicken yard
[10] *pied fendu:* split hoof
[11] *immondes:* unclean
[12] *murmurèrent:* protestèrent
[13] *les plus honnêtes gens:* the most urbane society
[14] *su:* pu
[15] *montrer de l'esprit:* to be witty
[16] *mets:* dishes (of food)

lait l'Envieux dans Babylone, voulut perdre[29] Zadig, parce qu'on l'appelait l'Heureux. L'occasion de faire du mal se trouve cent fois par jour, et celle de faire du bien une fois dans l'année, comme dit Zoroastre.[30]

L'Envieux alla chez Zadig, qui se promenait dans ses jardins avec deux amis et une dame, à laquelle il disait souvent des choses galantes, sans autre intention que celle de les dire. La conversation roulait sur une guerre que le Roi venait de terminer heureusement contre le prince d'Hircanie,[31] son vassal. Zadig qui avait signalé[32] son courage dans cette courte guerre, louait beaucoup le Roi, et encore plus la dame. Il prit ses tablettes, et écrivit quatre vers qu'il fit sur-le-champ,[33] et qu'il donna à lire à cette belle personne. Ses amis le prièrent de leur en faire part:[34] la modestie, ou plutôt un amour-propre bien entendu l'en empêcha. Il savait que des vers impromptus ne sont jamais bons que pour celle en l'honneur de qui ils sont faits: il brisa en deux la feuille des tablettes sur laquelle il venait d'écrire, et jeta les deux moitiés dans un buisson[35] de roses où on les chercha inutilement. Une petite pluie survint, on regagna la maison. L'Envieux, qui resta dans le jardin, chercha tant qu'il trouva un morceau de la feuille. Elle avait été tellement rompue, que chaque moitié de vers qui remplissait la ligne, faisait un sens, et même un vers d'une plus petite mesure: mais par un hasard encore plus étrange, ces petits vers se

trouvaient former[36] un sens qui contenait les injures les plus horribles contre le Roi; on y lisait:

Par les plus grand forfaits[37]
Sur le Trône affermi
Dans la publique paix
C'est le seul ennemi.

L'Envieux fut heureux pour la première fois de sa vie. Il avait entre les mains de quoi perdre un homme vertueux et aimable. Plein de cette cruelle joie, il fit parvenir jusqu'au Roi cette satire écrite de la main de Zadig: on le fit mettre en prison, lui, ses deux amis et la dame. Son procès lui fut bientôt fait,[38] sans qu'on daignât l'entendre. Lorsqu'il vint recevoir sa sentence, l'Envieux se trouva sur son passage,[39] et lui dit tout haut, que ses vers ne valaient rien. Zadig ne se piquait pas[40] d'être bon poète; mais il était au désespoir d'être condamné comme criminel de lèse-majesté,[41] et de voir qu'on retint en prison une belle dame et deux amis pour un crime qu'il n'avait pas fait. On ne lui permit pas de parler, parce que ses tablettes parlaient. Telle était la loi de Babylone. On le fit donc aller au supplice[42] à travers une foule de curieux, dont aucun n'osait le plaindre, et qui se précipitaient pour examiner son visage, et pour voir s'il mourrait avec bonne grâce. Ses parents seulement étaient affligés, car ils n'héri-

---

[29] *perdre:* ruin
[30] *comme dit Zoroastre:* maliciously false attribution of a commonplace maxim
[31] *Hircanie:* country in northern Asia Minor, along the Caspian Sea
[32] *signalé:* démontré
[33] *sur-le-champ:* tout de suite
[34] *leur en faire part:* les leur dire
[35] *buisson:* bush

[36] *se trouvaient former:* formaient par hasard
[37] *forfaits:* crimes
[38] *son procès . . . fait:* he was soon indicted
[39] *sur son passage:* along the route that he followed
[40] *ne se piquait pas:* did not pride himself
[41] *lèse-majesté:* high treason
[42] *aller au supplice:* go to (the place of) execution

taient pas.[43] Les trois quarts de son bien étaient confisqués au profit du Roi, et l'autre quart au profit de l'Envieux.

Dans le temps qu'il se préparait à la mort, le perroquet [44] du Roi s'envola de son balcon, et s'abattit [45] dans le jardin de Zadig sur un buisson de roses. Une pêche y avait été portée d'un arbre voisin par le vent: elle était tombée sur un morceau de tablette à écrire auquel elle s'était collée.[46] L'oiseau enleva la pêche et la tablette, et les porta sur les genoux du Monarque. Le Prince curieux y lut des mots qui ne formaient aucun sens, et qui paraissaient des fins de vers. Il aimait la poésie, et il y a toujours de la ressource [47] avec les Princes qui aiment les vers: l'aventure de son perroquet le fit rêver. La Reine, qui se souvenait de ce qui avait été écrit sur une pièce de la tablette de Zadig, se la fit apporter. On confronta [48] les deux morceaux, qui s'ajustaient [49] ensemble parfaitement; on lut alors les vers tels que Zadig les avait faits:

Par les plus grands forfaits j'ai vu
    troubler la Terre.
Sur le Trône affermi le Roi sait
    tout dompter.[50]
Dans la publique paix l'amour
    seul fait la guerre:
C'est le seul ennemi qui soit à re-
    douter.

Le roi ordonna aussitôt qu'on fît venir Zadig devant lui, et qu'on fît sortir de prison ses deux amis, et la belle dame. Zadig se jeta le visage contre terre aux pieds du Roi et de la Reine: il leur demanda très humblement pardon d'avoir fait de mauvais vers: il parla avec tant de grâce, d'esprit et de raison, que le Roi et la Reine voulurent le revoir. Il revint, et plut encore davantage. On lui donna tous les biens de l'Envieux qui l'avait injustement accusé: mais Zadig les rendit tous; et l'Envieux ne fut touché que du plaisir de ne pas perdre son bien. L'estime du roi s'accrut [51] de jour en jour pour Zadig. Il le mettait de [52] tous ses plaisirs, et le consultait dans toutes ses affaires. La Reine le regarda dès lors avec une complaisance qui pouvait devenir dangereuse pour elle, pour le Roi son auguste époux, pour Zadig et pour le royaume. Zadig commençait à croire qu'il n'est pas si difficile d'être heureux.

V. LES GÉNÉREUX

Le temps arriva où l'on célébrait une grande fête, qui revenait [53] tous les cinq ans. C'était la coutume à Babylone de déclarer solennellement, au bout de cinq années, celui des citoyens qui avait fait l'action la plus généreuse. Les grands et les mages étaient les juges. Le premier satrape,[54] chargé du soin [55] de la ville, exposait les plus belles actions qui s'étaient passées sous son gouvernement. On allait aux voix: [56] le Roi prononçait le jugement. On venait à cette solennité des extré-

[43] n'héritaient pas: would receive no inheritance
[44] perroquet: parrot
[45] s'abattit: alighted
[46] s'était collée: had become stuck
[47] il y a . . . ressource: there is always some leeway
[48] confronta: placed side by side
[49] s'ajustaient: fitted together
[50] dompter: vaincre

[51] s'accrut: s'augmenta
[52] Il le mettait de: he included him in
[53] revenait: recurred
[54] satrape: gouverneur de province
[55] soin: maintenance
[56] allait aux voix: votait

mités de la terre. Le vainqueur recevait des mains du Monarque une coupe d'or garnie de pierreries,[57] et le Roi lui disait ces paroles: *Recevez ce prix de la générosité, et puissent les Dieux me donner beaucoup de sujets qui vous ressemblent!*

Ce jour mémorable venu, le Roi parut sur son trône, environné des grands, des mages, et des députés de toutes les nations qui venaient à ces jeux,[58] où la gloire s'acquérait non par la légèreté [59] des chevaux, non par la force du corps, mais par la vertu. Le premier satrape rapporta [60] à haute voix les actions qui pouvaient mériter à leurs auteurs ce prix inestimable. Il ne parla point de la grandeur d'âme avec laquelle Zadig avait rendu à l'Envieux toute sa fortune: ce n'était pas une action qui méritât de disputer [61] le prix.

Il présenta d'abord un juge, qui ayant fait perdre un procès considérable à un citoyen, par une méprise [62] dont il n'était pas même responsable, lui avait donné tout son bien, qui était la valeur de ce que l'autre avait perdu.

Il produisit [63] ensuite un jeune homme, qui étant éperdument épris d'une fille [64] qu'il allait épouser, l'avait cédée à un ami près d'expirer d'amour pour elle, et qui avait encore payé la dot [65] en cédant la fille.

Ensuite il fit paraître un soldat, qui dans la guerre d'Hircanie avait donné encore un plus grand exemple de générosité. Des soldats ennemis lui enlevaient sa maîtresse,[66] et il la défendait contre eux; on vint lui dire que d'autres Hircaniens enlevaient sa mère à quelques pas de là: [67] il quitta en pleurant sa maîtresse, et courut délivrer sa mère: il retourna ensuite vers celle qu'il aimait, et la trouva expirante. Il voulut se tuer; sa mère lui remontra [68] qu'elle n'avait que lui pour tout secours,[69] et il eut le courage de souffrir la vie.

Les juges penchaient pour ce soldat. Le Roi prit la parole, et dit: «Son action et celles des autres sont belles; mais elles ne m'étonnent point; hier Zadig en a fait une qui m'a étonné. J'avais disgracié depuis quelques jours mon ministre et mon favori Coreb. Je me plaignais de lui avec violence, et tous mes courtisans m'assuraient que j'étais trop doux; [70] c'était à qui me dirait [71] le plus de mal de Coreb. Je demandai à Zadig ce qu'il en pensait, et il osa en dire du bien. J'avoue que j'ai vu, dans nos histoires, des exemples qu'on a payé de son bien une erreur; [72] qu'on a cédé sa maîtresse; qu'on a préféré une mère à l'objet de son amour: mais je n'ai jamais lu qu'un courtisan ait parlé avantageusement d'un ministre disgracié, contre qui son souverain était en colère. Je donne vingt mille pièces d'or à chacun de ceux dont on vient de réciter les actions généreuses: mais je donne la coupe à Zadig.

— Sire, lui dit-il, c'est votre Majesté seule qui mérite la coupe, c'est elle qui a fait l'action la plus inouïe, puisque

---

[57] *pierreries:* pierres précieuses
[58] *jeux:* contests
[59] *légèreté:* swiftness
[60] *rapporta:* related
[61] *disputer:* compete for
[62] *méprise:* erreur
[63] *produisit:* présenta
[64] *fille:* jeune fille
[65] *dot:* dowry
[66] *maîtresse:* fiancée

[67] *à quelques pas de là:* a few steps away
[68] *remontra:* objected
[69] *qu'elle n'avait . . . secours:* that he was her only help (support)
[70] *doux:* lenient
[71] *c'était à qui me dirait:* they competed to tell me
[72] *qu'on a payé . . . erreur:* qu'on a payé son erreur en donnant son bien

étant Roi, vous ne vous êtes point fâché contre votre esclave, lorsqu'il contredisait [73] votre passion. On admira le Roi et Zadig. Le juge qui avait donné son bien, l'amant qui avait marié sa maîtresse à son ami, le soldat qui avait préféré le salut de sa mère à celui de sa maîtresse, reçurent les présents du Monarque; ils virent leurs noms écrits dans le livre des généreux. Zadig eut la coupe. Le Roi acquit la réputation d'un bon prince, qu'il ne garda pas longtemps. Ce jour fut consacré par 5 des fêtes plus longues que la loi ne le portait.[74] La mémoire s'en conserve encore dans l'Asie. Zadig disait: Je suis donc enfin heureux; mais il se trompait.

[73] *contredisait:* opposait

[74] *portait:* indiquait

PIERRE-AUGUSTIN CARON DE BEAUMARCHAIS
[1732–99]

Ce qui explique, du moins en partie, la grande perspicacité et l'esprit ironique et satirique de Pierre-Augustin Caron, c'est qu'il pénétra dans beaucoup de milieux différents et qu'il put observer de près les différentes classes sociales. Il se soucia peu de renouveler les sujets, mais excella à comprendre et à manier les hommes dont il fit souvent la caricature juste et mordante.

Fils d'un horloger, Caron quitta l'école à l'âge de treize ans. Il débuta dans le métier de son père, mais il eut vite fait de se lancer dans une vie aventureuse et très variée: il devint un homme d'affaires aussi avisé que peu scrupuleux tant qu'il y eut profit. En 1761, il devint gentilhomme en achetant un titre de noblesse; dès lors il s'appela Pierre-Augustin Caron de Beaumarchais. Il fit des spéculations, se mêla à la politique et à la diplomatie; il devint même le maître de harpe des filles du roi Louis XV. La Révolution le ruina et le força à s'exiler pendant quelques années; il ne put revenir en France que peu d'années avant sa mort.

Beaumarchais est le mieux connu pour deux comédies d'intrigue très gaies — mais qui ne manquent pas de faire la critique des abus sociaux. La gaieté naît de l'esprit, du comique des mots, des reparties, et de l'action qui, bien que parfois fort invraisemblable, est vive et rapide. Dans toutes deux, *Le Barbier de Séville* (1775) et *Le Mariage de Figaro* (1778),[1] c'est l'auteur lui-même qui joue le premier rôle, puisque son héros, Figaro, exprime la vie et la philosophie intime de l'écrivain. Homme du peuple très intelligent, porte-parole de la bourgeoisie qui se moque des privilégiés — souvent inférieurs à lui par l'esprit comme par le talent — Figaro aime avant tout la vie, l'argent et l'intrigue. En songeant d'abord à lui-même, et cela d'une persévérance sans scrupules, il est capable

[1] *Le Mariage de Figaro* fut achevé en 1778 et reçu par la Comédie-Française en 1781. A cause de plusieurs interdictions, il ne fut joué qu'en 1784.

d'actes désintéressés.[2] Il est toujours spirituel et intelligent, et il sait être honnête, dévoué et serviable; il ne l'est pourtant, le plus souvent, qu'à condition d'être suffisamment bien payé.

D'un style frais et vigoureux, naturel tout en étant volontaire,[3] Beaumarchais nous montre que l'esprit peut avoir deux buts, celui d'amuser et celui d'attaquer la noblesse qui vit aux dépens du peuple qui réclame sa place dans la société.

Nous donnons presque tout des deux premiers actes du *Barbier de Séville*,[4] cette comédie où triomphent la jeunesse et l'amour, grâce à la finesse adroite de Figaro, le valet qui mène la comédie et fait la leçon à ses maîtres.

[2] *d'actes désintéressés:* Il faut mentionner au moins trois actes désintéressés de Beaumarchais: (1) il donna une partie de sa fortune pour fournir des armes et des munitions aux insurgés américains, (2) il fit publier, à ses propres frais, les œuvres de Voltaire, et (3) il fonda la Société des Auteurs Dramatiques pour protéger les auteurs jusque là très exploités par les comédiens.

[3] *volontaire:* L'art volontaire de Beaumarchais se voit dans son choix de mots: vieux mots et mots populaires, mots techniques et même mots inventés, selon l'occasion.

[4] Lors de sa publication, la pièce portait le sous-titre *La Précaution inutile*, puisque tous les efforts du vieillard, Bartholo, pour isoler Rosine sont inutiles.

Le Barbier de Séville

PERSONNAGES

LE COMTE ALMAVIVA, grand d'Espagne, qui aime Rosine
FIGARO, barbier de Séville, ancien serviteur du Comte
ROSINE, jeune fille noble, pupille [1] de Bartholo
BARTHOLO, médecin, tuteur [2] de Rosine dont il est amoureux et jaloux
DON BAZILE, maître à chanter de Rosine

ACTE I

Le théâtre représente une rue de Séville,[3] où toutes les croisées [4] sont grillées.

SCÈNE PREMIÈRE — LE COMTE, *seul, en grand manteau brun et chapeau rabattu. Il tire sa montre en se promenant.*

Le jour est moins avancé que je ne croyais. L'heure à laquelle elle a cou-tume de se montrer derrière sa jalousie [5] est encore éloignée. N'importe; il vaut mieux arriver trop tôt, que de manquer l'instant de la voir. Si quelque aimable [6] de la cour pouvait me deviner à cent lieues de Madrid,[7] arrêté tous les matins sous les fenêtres d'une femme à qui je n'ai jamais parlé, il me prendrait pour un Espagnol du temps d'Isabelle [8] . . . Pourquoi non? Cha-

[1] *pupille:* ward
[2] *tuteur:* guardian
[3] *Séville:* métropole du sud de l'Espagne, capitale de l'Andalousie
[4] *croisées:* fenêtres

[5] *jalousie:* Venetian blind
[6] *aimable:* gentilhomme élégant et galant
[7] *Madrid:* capitale de l'Espagne
[8] *Isabelle la Catholique* (1451–1504): reine d'Espagne et protectrice de Christophe Colomb

cun court après le bonheur. Il est pour moi dans le cœur de Rosine . . . Mais quoi! suivre une femme à Séville, quand Madrid et la cour offrent de toutes parts [9] des plaisirs si faciles? 5 . . . Et c'est cela même que je fuis. Je suis las des conquêtes que l'intérêt, la convenance ou la vanité nous présentent sans cesse. Il est si doux d'être aimé pour soi-même! Et si je pouvais 10 m'assurer sous ce déguisement . . . Au diable l'importun!

SCÈNE II — FIGARO, LE COMTE, *caché* 15

FIGARO, *une guitare sur le dos, attachée en bandoulière* [10] *avec un large ruban; il chantonne gaiement, un papier et un crayon à la main.* 20

[. . .] (*Il aperçoit le comte.*) J'ai vu cet abbé-là quelque part. (*Il se relève.*)

LE COMTE, *à part* 25
Cet homme ne m'est pas inconnu.

FIGARO
Eh non, ce n'est pas un abbé! Cet air altier et noble . . . 30

LE COMTE
Cette tournure grotesque . . .

FIGARO 35
Je ne me trompe point: c'est le comte Almaviva.

LE COMTE
Je crois que c'est ce coquin de 40 Figaro.

FIGARO
C'est lui-même, monseigneur.

LE COMTE
Maraud! [11] si tu dis un mot . . .

FIGARO
Oui, je vous reconnais; voilà les bontés familières dont vous m'avez toujours [12] honoré.

LE COMTE
Je ne te reconnaissais pas, moi. Te voilà si gros et si gras . . .

FIGARO
Que voulez-vous, monseigneur, c'est la misère. [. . .]

LE COMTE
Appelle-moi Lindor. Ne vois-tu pas, à mon déguisement, que je veux être inconnu?

FIGARO
Je me retire.

LE COMTE
Au contraire. J'attends ici quelque chose, et deux hommes qui jasent [13] sont moins suspects qu'un seul qui se promène. Ayons l'air de jaser. [. . .]

FIGARO
[. . .] Que regardez-vous donc toujours de ce côté?

LE COMTE
Sauvons-nous.

FIGARO
Pourquoi?

LE COMTE
Viens donc, malheureux! tu me perds. (*Ils se cachent.*)

[9] *de toutes parts:* partout
[10] *en bandoulière:* sur le dos
[11] *Maraud:* rascal, rogue

[12] Figaro avait été dans le service du comte.
[13] *jasent:* bavardent, causent

SCÈNE III — BARTHOLO, ROSINE

La jalousie du premier étage s'ouvre,
et Bartholo et Rosine se mettent à la
fenêtre.

ROSINE

Comme le grand air fait plaisir à respirer! . . . Cette jalousie s'ouvre si
rarement . . .

BARTHOLO

Quel papier tenez-vous là?

ROSINE

Ce sont des couplets de *la Précau-*
tion inutile, que mon maître à chanter
m'a donnés hier.

BARTHOLO

Qu'est-ce que *la Précaution inutile?*

ROSINE

C'est une comédie nouvelle.

BARTHOLO

Quelque drame encore! quelque sottise d'un nouveau genre! [14]

ROSINE

Je n'en sais rien. [. . .] (*Le papier*
lui échappe et tombe dans la rue.)
Ah! ma chanson! ma chanson est tombée . . .; courez, courez donc, monsieur! ma chanson elle sera perdue!

BARTHOLO

Que diable aussi, l'on tient ce qu'on
tient. (*Il quitte le balcon.*)

ROSINE *regarde en dedans et fait signe*
dans la rue

St, st (*Le comte paraît*); ramassez

vite et sauvez-vous. (*Le comte ne fait*
qu'un saut, ramasse le papier et rentre.)

BARTHOLO
sort de la maison et cherche

Où donc est-il? Je ne vois rien.

ROSINE

Sous le balcon, au pied du mur.

BARTHOLO

Vous me donnez là une jolie commission! Il est donc passé quelqu'un? [15]

ROSINE

Je n'ai vu personne.

BARTHOLO, *à lui-même*

Et moi qui ai la bonté de chercher!
. . . Bartholo, vous n'êtes qu'un sot,
mon ami: ceci doit vous apprendre à
ne jamais ouvrir de jalousies sur la rue.
(*Il rentre.*)

ROSINE, *toujours au balcon*

Mon excuse est dans mon malheur:
seule, enfermée, en butte à [16] la persé-
cution d'un homme odieux, est-ce un
crime de tenter à sortir d'esclavage?

BARTHOLO, *paraissant au balcon*

Rentrez, signora; [17] c'est ma faute si
vous avez perdu votre chanson; mais
ce malheur ne vous arrivera plus, je
vous jure. (*Il ferme la jalousie à la*
clef.)

SCÈNE IV — LE COMTE, FIGARO

Ils entrent avec précaution.

LE COMTE

A présent qu'ils se sont retirés, exa-

---

[14] *nouveau genre:* «Bartholo n'aimait pas
les drames. Peut-être avait-il fait quelque
tragédie dans sa jeunesse.» (Note de Beaumarchais)

[15] *Il est donc passé quelqu'un?:* Quelqu'un
a donc passé?
[16] *en butte à:* exposée à
[17] *signora:* italien pour madame

minons cette chanson dans laquelle
un mystère est sûrement renfermé.
C'est un billet!

FIGARO

Il demandait ce que c'est que *la
Précaution inutile!*

LE COMTE, *lit vivement*

«Votre empressement excite ma curiosité: sitôt [18] que mon tuteur sera
sorti, chantez indifféremment,[19] sur
l'air connu de ces couplets, quelque
chose qui m'apprenne enfin le nom,
l'état et les intentions de celui qui paraît s'attacher si obstinément à l'infortunée Rosine.»

FIGARO, *contrefaisant la voix de Rosine*

Ma chanson, ma chanson est tombée; courez, courez donc; (*Il rit.*) ah,
ah, ah! Oh! ces femmes! voulez-vous
donner de l'adresse [20] à la plus ingénue? enfermez-la.

LE COMTE

Ma chère Rosine!

FIGARO

Monseigneur, je ne suis plus en
peine des motifs [21] de votre mascarade; vous faites ici l'amour en perspective.

LE COMTE

Te voilà instruit; mais si tu jases . . .

FIGARO

Moi, jaser! Je n'emploierai point
pour vous rassurer les grandes phrases

---

[18] *sitôt:* aussitôt
[19] *indifféremment:* sans (montrer de l')émotion
[20] *adresse:* adroitness, shrewdness
[21] *je ne suis plus en peine des motifs:* je n'ignore plus les raisons

d'honneur et de dévouement dont on
abuse à la journée; [22] je n'ai qu'un
mot: mon intérêt vous répond de moi;
pesez tout à cette balance, et . . .

LE COMTE

Fort bien. Apprends donc que le
hasard m'a fait rencontrer au Prado,[23]
il y a six mois, une jeune personne
d'une beauté . . . ! Tu viens de la
voir. Je l'ai fait chercher en vain par
tout Madrid. Ce n'est que depuis peu
de jours que j'ai découvert qu'elle
s'appelle Rosine, est d'un sang noble,
orpheline, et mariée à un vieux médecin de cette ville, nommé Bartholo.

FIGARO

Joli oiseau, ma foi! difficile à dénicher! Mais qui vous a dit qu'elle était
femme du docteur?

LE COMTE

Tout le monde.

FIGARO

C'est une histoire qu'il a forgée en
arrivant de Madrid, pour donner le
change aux [24] galants et les écarter;
elle n'est encore que sa pupille, mais
bientôt . . .

LE COMTE, *vivement*

Jamais! . . . Ah! quelle nouvelle!
J'étais résolu de tout oser pour lui
présenter mes regrets, et je la trouve
libre! Il n'y a pas un moment à perdre;
il faut m'en faire aimer,[25] et l'arracher
à l'indigne engagement qu'on lui
destine. Tu connais donc ce tuteur?

FIGARO

Comme ma mère.

---

[22] *à la journée:* toujours
[23] *Prado:* grande promenade de Madrid
[24] *donner le change aux:* tromper les
[25] *m'en faire aimer:* me faire aimer d'elle

LE COMTE

Quel homme est-ce?

FIGARO, *vivement*

C'est un beau gros, court, jeune vieillard, gris pommelé,[26] rusé, rasé, blasé, qui guette, et furette,[27] et gronde, et geint tout à la fois.[28]

LE COMTE, *impatienté*

Eh! je l'ai vu. Son caractère?

FIGARO

Brutal, avare, amoureux et jaloux à l'excès de sa pupille, qui le hait à la mort.

LE COMTE

Ainsi, ses moyens de plaire sont . . .

FIGARO

Nuls.

LE COMTE

Tant mieux. Sa probité?

FIGARO

Tout juste autant qu'il en faut pour n'être point pendu.

LE COMTE

Tant mieux. Punir un fripon en se rendant heureux . . .

FIGARO

C'est faire à la fois le bien public et particulier: chef-d'œuvre de morale, en vérité, monseigneur!

LE COMTE

Tu dis que la crainte des galants lui fait fermer sa porte?

FIGARO

A tout le monde: s'il pouvait la calfeutrer[29] . . .

LE COMTE

Ah! diable, tant pis. Aurais-tu de l'accès chez lui?

FIGARO

Si j'en ai! *Primo,*[30] la maison que j'occupe appartient au docteur, qui m'y loge *gratis.*[31]

LE COMTE

Ah! ah!

FIGARO

Oui. Et moi, en reconnaissance, je lui promets dix pistoles[32] d'or par an, *gratis* aussi.

LE COMTE, *impatienté*

Tu es son locataire?

FIGARO

De plus, son barbier, son chirurgien, son apothicaire; il ne se donne pas dans sa maison un coup de rasoir, de lancette[33] ou de piston,[34] qui ne soit de la main de votre serviteur.

LE COMTE, *l'embrasse*

Ah! Figaro, mon ami, tu seras mon ange, mon libérateur, mon dieu tutélaire.[35] [. . .]

FIGARO

Il faut marcher . . . vite, que le

---

[26] *pommelé:* marqué de gris et de blanc
[27] *furette:* fouille, cherche avec soin
[28] *à la fois:* en même temps

[29] *calfeutrer:* to make (a room) draught-proof, i.e. to keep (her) behind locked doors
[30] *Primo:* latin pour premièrement
[31] *gratis:* latin pour gratuitement
[32] *pistoles:* pièces d'or espagnoles
[33] *lancette:* lancet
[34] *piston:* syringe or hypodermic
[35] *tutélaire:* tutelary; guardian (Note the play on words.)

soupçon n'ait pas le temps de naître. qu'il n'a jamais vu. Et comment vous
Il me vient une idée: le régiment de introduire après?
Royal-Infant [36] arrive en cette ville.

LE COMTE

5   Tu as raison.

LE COMTE

Le colonel est de mes amis.

FIGARO

FIGARO

C'est que vous ne pourrez peut-être
Bon. Présentez-vous chez le doc-   pas soutenir ce personnage difficile.
teur en habit de cavalier, avec un billet 10 Cavalier . . . pris de vin . . .
de logement;[37] il faudra bien qu'il vous
héberge; et moi, je me charge du reste.

LE COMTE

Tu te moques de moi. (Prenant un
LE COMTE   ton ivre.) N'est-ce point ici la maison
Excellent!   15 du docteur Bartholo, mon ami?

FIGARO   FIGARO

Il ne serait même pas mal que vous   Pas mal, en vérité; vos jambes seule-
eussiez l'air entre deux vins [38] . . .   ment un peu plus avinées.[41] (D'un ton
                                    20 plus ivre.) N'est-ce pas ici la mai-
LE COMTE   son . . . ?

A quoi bon?

LE COMTE

FIGARO   Fi donc! tu as l'ivresse du peuple.

Et le mener un peu lestement [39] sous 25
cette apparence déraisonnable.   FIGARO

C'est la bonne; c'est celle du plaisir.
LE COMTE

LE COMTE
A quoi bon?

30   La porte s'ouvre.
FIGARO

Pour qu'il ne prenne aucun om-   FIGARO
brage, et vous croie plus pressé de
dormir que d'intriguer chez lui.   C'est notre homme: éloignons-nous
                                    jusqu'à ce qu'il soit parti.
35
LE COMTE

Supérieurement vu! Mais que n'y   SCÈNE V — LE COMTE et FIGARO, cachés;
vas-tu,[40] toi?   BARTHOLO

FIGARO   BARTHOLO sort en parlant à la maison
Ah! oui, moi! Nous serons bien 40   Je reviens à l'instant; qu'on ne laisse
heureux s'il ne vous reconnaît pas, vous entrer personne. Quelle sottise à moi
                                    d'être descendu! Dès qu'[42]elle m'en
[36] le régiment de Royal-Infant: special priait, je devais bien m'en douter . . .
regiment of the Crown   Et Bazile qui ne vient pas! Il devait
[37] billet de logement: billeting order   45 tout arranger pour que mon mariage se
[38] entre deux vins: à moitié ivre
[39] lestement: briskly, lightly   [41] avinées: imbibées de vin
[40] que n'y vas-tu: pourquoi n'y vas-tu pas [42] Dès que: du moment que, puisque

fît secrètement demain: et point de nouvelles! Allons voir ce qui peut l'arrêter.

SCÈNE VI — LE COMTE, FIGARO

LE COMTE

Qu'ai-je entendu? Demain il épouse Rosine en secret!

FIGARO

Monseigneur, la difficulté de réussir ne fait qu'ajouter à la nécessité d'entreprendre.

LE COMTE

Quel est donc ce Bazile qui se mêle de son mariage?

FIGARO

Un pauvre hère[43] qui montre la musique à sa pupille, infatué de son art, friponneau,[44] besogneux,[45] à genoux devant un écu,[46] et dont il sera facile de venir à bout,[47] monseigneur ... (*Regardant à la jalousie.*) La v'là, la v'là.

LE COMTE

Qui donc?

FIGARO

Derrière sa jalousie, la voilà, la voilà. Ne regardez pas, ne regardez donc pas!

LE COMTE

Pourquoi?

FIGARO

Ne vous écrit-elle pas: *Chantez indifféremment?* c'est-à-dire: chantez comme si vous chantiez . . . seulement pour chanter. Oh! la v'là, la v'là.

LE COMTE

Puisque j'ai commencé à l'intéresser sans être connu d'elle, ne quittons point le nom de Lindor que j'ai pris mon triomphe en aura plus de charmes. (*Il déploie le papier que Rosine a jeté.*) Mais comment chanter sur cette musique? Je ne sais pas faire de vers, moi.

FIGARO

Tout ce qui vous viendra, monseigneur, est excellent: en amour, le cœur n'est pas difficile sur les productions de l'esprit . . . Et prenez ma guitare.

LE COMTE

Que veux-tu que j'en fasse? j'en joue si mal!

FIGARO

Est-ce qu'un homme comme vous ignore quelque chose? Avec le dos de la main; from, from, from . . . Chanter sans guitare à Séville! vous seriez bientôt reconnu, ma foi, bientôt dépisté.[48] (*Figaro se colle au mur, sous le balcon.*)

LE COMTE *chante en se promenant, et s'accompagnant sur sa guitare*

PREMIER COUPLET

Vous l'ordonnez, je me ferai connaître, Plus inconnu, j'osais vous adorer; En me nommant, que pourrais-je espérer? N'importe, il faut obéir à son maître.

FIGARO, *bas*

Fort bien, parbleu! Courage, monseigneur!

---

[43] *hère:* wretch
[44] *friponneau:* roguish, knavish
[45] *besogneux:* needy, impecunious
[46] *écu:* ancienne monnaie d'argent
[47] *venir à bout:* to break down
[48] *dépisté:* découvert

LE COMTE

DEUXIÈME COUPLET

Je suis Lindor, ma naissance est com- 5
mune;
Mes vœux sont ceux d'un simple
bachelier; [49]
Que n'ai-je, hélas! d'un brillant chevalier
A vous offrir le rang et la fortune! 10

FIGARO

Et comment, diable! je ne ferais pas
mieux, moi qui m'en pique.[50] [. . .] 15

LE COMTE

Crois-tu que l'on m'ait entendu?

ROSINE, *en dedans, chante* 20
[. . .]

Tout me dit que Lindor est charmant,
Que je dois l'aimer constamment . . .
(*On entend une croisée qui se ferme* 25
avec bruit.)

FIGARO

Croyez-vous qu'on vous ait entendu,
cette fois?

LE COMTE

Elle a fermé sa fenêtre; quelqu'un
apparemment est entré chez elle. 30

FIGARO

Ah! la pauvre petite! comme elle
tremble en chantant! Elle est prise,[51]
monseigneur.

LE COMTE

Elle se sert du moyen qu'elle-même
a indiqué. *Tout me dit que Lindor est
charmant.* Que de grâces! que d'esprit!

[49] *bachelier:* jeune homme
[50] *moi qui m'en pique:* moi qui m'en
vante, qui y ai des prétentions

FIGARO

Que de ruse! que d'amour! [. . .]

LE COMTE

C'en est fait,[52] je suis à ma Rosine
. . . pour la vie.

FIGARO

Vous oubliez, monseigneur, qu'elle 10
ne vous entend plus.

LE COMTE

Monsieur Figaro! je n'ai qu'un mot
à vous dire: elle sera ma femme; et si
vous servez bien mes projets en lui
cachant mon nom . . . Tu m'entends,
tu me connais [53] . . .

FIGARO

Je me rends. Allons, Figaro, vole à
la fortune, mon fils.

LE COMTE

Retirons-nous, crainte de nous
rendre suspects. [. . .]

ACTE II

30 *Le théâtre représente l'appartement de
Rosine. La croisée dans le fond du théâtre
est fermée par une jalousie grillée.*

SCÈNE PREMIÈRE — ROSINE *seule, un*
35 *bougeoir à la main. Elle prend du papier sur la table et se met à écrire.*

[. . .] tous les gens sont occupés; et
personne ne me voit écrire. Je ne sais
si ces murs ont des yeux et des oreilles,
40 ou si mon argus [1] a un génie malfai-

[51] *prise:* (par l'amour qu'elle a pour vous)
[52] *C'en est fait:* c'est fait, c'est fini
[53] *connais:* Le comte lui promet de
l'argent.

[1] *argus:* personnage mythologique à cent
yeux; surveillant à qui rien n'échappe

sant qui l'instruit à point nommé; [2] mais je ne puis dire un mot ni faire un pas, dont il ne devine sur-le-champ l'intention . . . Ah! Lindor! (*Elle cachette la lettre.*) Fermons toujours ma lettre, quoique j'ignore quand et comment je pourrai la lui faire tenir. Je l'ai vu à travers ma jalousie parler longtemps au barbier Figaro. C'est un bonhomme qui m'a montré quelquefois de la pitié: si je pouvais l'entretenir un moment!

SCÈNE II — ROSINE, FIGARO

ROSINE, *surprise*

Ah! monsieur Figaro, que je suis aise de vous voir!

FIGARO

Votre santé, madame?

ROSINE

Pas trop bonne, monsieur Figaro. L'ennui me tue.

FIGARO

Je le crois; il n'engraisse que les sots.

ROSINE

Avec qui parliez-vous donc là-bas si vivement? Je n'entendais pas: mais . . .

FIGARO

Avec un jeune bachelier de mes parents, de la plus grande espérance; plein d'esprit, de sentiments, de talents, et d'une figure fort revenante.[3]

ROSINE

Oh! tout à fait bien, je vous assure! Il se nomme? . . .

FIGARO

Lindor. Il n'a rien: mais s'il n'eût

pas quitté [4] brusquement Madrid, il pouvait y trouver quelque bonne place.

ROSINE, *étourdiment* [5]

Il en trouvera, monsieur Figaro; il en trouvera. Un jeune homme tel que vous le dépeignez n'est pas fait pour rester inconnu.

FIGARO, *à part*

Fort bien. (*Haut.*) Mais il a un grand défaut, qui nuira toujours à son avancement.

ROSINE

Un défaut, monsieur Figaro! Un défaut! en êtes-vous sûr?

FIGARO

Il est amoureux.

ROSINE

Il est amoureux! et vous appelez cela un défaut?

FIGARO

A la vérité [6] ce n'en est un que relativement à sa mauvaise fortune.[7]

ROSINE

Ah! que le sort est injuste! Et nomme-t-il la personne qu'il aime? Je suis d'une curiosité . . .

FIGARO

Vous êtes la dernière, madame, à qui je voudrais faire une confidence de cette nature.

ROSINE, *vivement*

Pourquoi, monsieur Figaro? Je suis

[2] *à point nommé:* à l'instant fixé
[3] *revenante:* plaisante, agréable

[4] *s'il n'eût pas quitté:* s'il n'avait pas quitté
[5] *étourdiment:* in a dazed way
[6] *A la vérité:* en vérité, en effet
[7] *sa mauvaise fortune:* son manque d'argent

discrète. Ce jeune homme vous appartient, il m'intéresse infiniment, . . .
dites donc.

FIGARO, *la regardant finement*

Figurez-vous la plus jolie petite mignonne, douce, tendre, accorte[8] et
fraîche, agaçant[9] l'appétit; pied furtif,[10] taille adroite,[11] élancée, bras
dodus,[12] bouche rosée, et des mains!
des joues! des dents! des yeux! . . .

ROSINE

Qui reste en cette ville?

FIGARO

En ce quartier.

ROSINE

Dans cette rue peut-être?

FIGARO

A deux pas de moi.

ROSINE

Ah! que c'est charmant . . . pour
monsieur votre parent. Et cette personne est . . . ?

FIGARO

Je ne l'ai pas nommée?

ROSINE, *vivement*

C'est la seule chose que vous ayez
oubliée, monsieur Figaro. Dites donc,
dites donc vite; si l'on rentrait, je ne
pourrais plus savoir . . .

FIGARO

Vous le voulez absolument, madame? Eh bien! cette personne est
. . . la pupille de votre tuteur.

ROSINE

La pupille . . . ?

FIGARO

Du docteur Bartholo; oui, madame.

ROSINE, *avec émotion*

Ah! monsieur Figaro! . . . Je ne
vous crois pas, je vous assure.

FIGARO

Et c'est ce qu'il brûle[13] de venir
vous persuader lui-même.

ROSINE

Vous me faites trembler, monsieur
Figaro.

FIGARO

Fi donc, trembler! mauvais calcul,
madame. Quand on cède à la peur du
mal, on ressent déjà le mal de la peur.
D'ailleurs, je viens de vous débarrasser
de tous vos surveillants jusqu'à demain.

ROSINE

S'il m'aime, il doit me le prouver en
restant absolument tranquille.

FIGARO

Eh! madame! amour et repos peu-
vent-ils habiter en[14] un même cœur?
La pauvre jeunesse est si malheureuse
aujourd'hui, qu'elle n'a que ce terrible
choix: amour sans repos, ou repos sans
amour.

ROSINE, *baissant les yeux*

Repos sans amour . . . paraît . . .

FIGARO

Ah! bien languissant. Il semble, en

---

[8] *accorte:* pleasing, trim
[9] *agaçant:* whetting
[10] *furtif:* caché, i.e. petit
[11] *adroite:* skillful, i.e. slender and graceful
[12] *dodus:* gras, potelés

[13] *c'est ce qu'il brûle:* le fait est qu'il désire ardemment
[14] *en:* dans le

effet, qu'amour sans repos se présente
de meilleure grâce: et pour moi, si
j'étais femme . . .

ROSINE, *avec embarras*

Il est certain qu'une jeune personne
ne peut empêcher un honnête homme
de l'estimer.

FIGARO

Aussi mon parent vous estime-t-il
infiniment.

ROSINE

Mais s'il allait faire quelque imprudence, monsieur Figaro, il nous
perdrait.

FIGARO, *à part*

Il nous perdrait! (*Haut*.) Si vous le
lui défendiez expressément par une
petite lettre . . . Une lettre a bien du
pouvoir.

ROSINE *lui donne la lettre qu'elle vient
d'écrire*

Je n'ai pas le temps de recommencer
celle-ci; mais en la lui donnant, dites-
lui . . . dites-lui bien . . .   (*Elle
écoute.*)

FIGARO

Personne, madame.

ROSINE

Que c'est par pure amitié, tout ce
que je fais.

FIGARO

Cela parle de soi. Tudieu![15] l'amour
a bien une autre allure!

ROSINE

Que[16] par pure amitié, entendez-

[15] *Tudieu!*: Zounds!
[16] *Que*: seulement

vous? Je crains seulement que, rebuté
par les difficultés . . .

FIGARO

5 Oui, quelque feu follet.[17] Souvenez-
vous, madame, que le vent qui éteint
une lumière allume un brasier, et que
nous sommes ce brasier-là. D'en parler
seulement, il exhale un tel feu qu'il
10 m'a presque enfiévré[18] de sa passion,
moi qui n'y ai que voir![19]

ROSINE

Dieux! j'entends mon tuteur. S'il
15 vous trouvait ici . . . Passez par le
cabinet du clavecin, et descendez le
plus doucement que vous pourrez.

FIGARO

20 Soyez tranquille. (*A part, montrant
la lettre.*) Voici qui vaut mieux que
toutes mes observations. (*Il entre dans
le cabinet.*)

25 SCÈNE III — ROSINE, *seule*

Je meurs d'inquiétude jusqu'à ce
qu'il soit dehors . . . Que je l'aime, ce
bon Figaro! c'est un bien honnête
30 homme, un bon parent! Ah! voilà mon
tyran; reprenons mon ouvrage. (*Elle
souffle la bougie, s'assied, et prend une
broderie au tambour.*[20])

35 SCÈNE IV — BARTHOLO, ROSINE

BARTHOLO, *en colère*

Ah! malédiction! l'enragé, le scélérat

40 [17] *feu follet*: flamme légère et fugitive
[18] *enfiévré*: gave a fever. «Le mot *enfiévré*,
qui n'est plus français, a excité la plus vive
indignation parmi les puritains littéraires; je
ne conseille à aucun galant homme de s'en
servir; mais Monsieur Figaro! [. . .]» (Note
45 de Beaumarchais.)
[19] *moi qui n'y ai que voir*: i.e. I who am
only a bystander
[20] *tambour*: (embroidery) frame

corsaire [21] de Figaro! Là, peut-on sortir un moment de chez soi sans être sûr en rentrant . . . ?

ROSINE

Qui vous met donc si fort en colère, monsieur?

BARTHOLO

Ce damné barbier qui vient d'écloper [22] toute ma maison en un tour de main: il donne un narcotique à L'Éveillé, [23] un sternutatoire [24] à La Jeunesse; [23] il saigne au pied Marceline; [23] il n'y a pas jusqu'à ma mule [25] . . . Sur les yeux d'une pauvre bête aveugle, un cataplasme! Parce qu'il me doit cent écus, il se presse de faire des mémoires. [26] Ah! qu'il les [27] apporte! . . . Et personne à l'antichambre! on arrive à cet appartement comme à la place d'armes. [28]

ROSINE

Et qui peut y pénétrer que [29] vous, monsieur?

BARTHOLO

J'aime mieux craindre sans sujet que de m'exposer sans précaution. Tout est plein de gens entreprenants, d'audacieux . . . N'a-t-on pas, ce matin encore, ramassé lestement votre chanson pendant que j'allais la chercher? Oh! je . . .

ROSINE

5 C'est bien mettre à plaisir [30] de l'importance à tout! Le vent peut avoir éloigné ce papier, le premier venu; que sais-je?

BARTHOLO

10 Le vent, le premier venu! . . . Il n'y a point de vent, madame, point de premier venu dans le monde; et c'est toujours quelqu'un posté là exprès qui ramasse les papiers qu'une femme a l'air de laisser tomber par mégarde.

ROSINE

A l'air, monsieur?

BARTHOLO

Oui, madame, a l'air.

ROSINE, à part

25 Oh! le méchant vieillard!

BARTHOLO

Mais tout cela n'arrivera plus; car je vais faire sceller cette grille.

ROSINE

30 Faites mieux; murez les fenêtres tout d'un coup; [31] d'une prison à un cachot, la différence est si peu de chose!

BARTHOLO

Pour celles qui donnent sur la rue, ce ne serait peut-être pas si mal . . . Ce barbier n'est pas entré chez vous, au moins?

ROSINE

Vous donne-t-il aussi de l'inquiétude?

[21] *corsaire:* impitoyable et rapace
[22] *écloper:* to cripple, to hurt
[23] *L'Eveillé, La Jeunesse, Marceline:* domestiques de Bartholo
[24] *sternutatoire:* sneezing-powder
[25] *il n'y a pas jusqu'à ma mule:* not even my mule (did he leave alone)
[26] *mémoires:* accounts, bills (to prove that he has paid through services rendered rather than with money)
[27] *les:* i.e. les cent écus
[28] *place d'armes:* parade ground
[29] *que:* sauf, excepté
[30] *à plaisir:* sans cause, de pure invention
[31] *tout d'un coup:* en une seule fois

BARTHOLO

Tout comme un autre.

ROSINE

Que vos répliques sont honnêtes! [32]

BARTHOLO

Ah! fiez-vous à tout le monde, et vous aurez bientôt à la maison une bonne femme pour vous tromper, de bons amis pour vous la souffler,[33] et de bons valets pour les y aider.

ROSINE

Quoi! vous n'accordez pas même [34] qu'on ait des principes contre la séduction de M. Figaro?

BARTHOLO

Qui diable entend [35] quelque chose à la bizarrerie des femmes, et combien j'en ai vu de ces vertus à principes . . . !

ROSINE, en colère

Mais, monsieur, s'il suffit d'être homme pour nous plaire, pourquoi donc me déplaisez-vous si fort?

BARTHOLO, stupéfait

Pourquoi? . . . pourquoi? . . . Vous ne répondez pas à ma question sur ce barbier.

ROSINE, outrée

Eh bien oui, cet homme est entré chez moi; je l'ai vu, je lui ai parlé. Je ne vous cache même pas que je l'ai trouvé fort aimable: et puissiez-vous en mourir de dépit!   (Elle sort.)
            [. . .]

SCÈNE VIII — BARTHOLO, DON BAZILE; FIGARO, caché dans le cabinet, paraît de temps en temps, et les écoute

BARTHOLO

[. . .] Ah! don [36] Bazile, vous veniez donner à Rosine sa leçon de musique?

BAZILE

C'est ce qui presse le moins.

BARTHOLO

J'ai passé chez vous sans vous trouver.

BAZILE

J'étais sorti pour vos affaires. Apprenez une nouvelle assez fâcheuse.

BARTHOLO

Pour vous?

BAZILE

Non, pour vous. Le comte Almaviva est en cette ville.

BARTHOLO

Parlez bas. Celui qui faisait chercher Rosine dans tout Madrid?

BAZILE

Il loge à la grande place, et sort tous les jours déguisé.

BARTHOLO

Il n'en faut point douter, cela me regarde. Et que faire?

BAZILE

Si c'était un particulier,[37] on viendrait à bout de l'écarter.

[32] honnêtes: courtoises
[33] souffler: enlever
[34] pas même: même pas
[35] entend: comprend

[36] don: titre espagnol; monsieur
[37] particulier: private person, i.e. someone unknown and unimportant

BARTHOLO

Oui, en s'embusquant le soir, armé, cuirassé[38] . . .

BAZILE

Bone Deus![39] se compromettre! Susciter une méchante affaire, à la bonne heure;[40] et pendant la fermentation, calomnier à dire d'experts;[41] *concedo.*[42]

BARTHOLO

Singulier moyen de se défaire d'un homme!

BAZILE

La calomnie, monsieur! Vous ne savez guère ce que vous dédaignez; j'ai vu les plus honnêtes gens près d'en être accablés. Croyez qu'il n'y a pas de plate méchanceté, pas d'horreurs, pas de conte absurde, qu'on ne fasse adopter aux oisifs d'une grande ville en s'y prenant bien:[43] et nous avons ici des gens d'une adresse! . . . [. . .] Ce qu'on fait partout pour écarter son ennemi, il faut le faire ici pour empêcher le vôtre d'approcher.

BARTHOLO

D'approcher? Je prétends bien épouser Rosine avant qu'elle apprenne seulement que ce comte existe.

BAZILE

En ce cas, vous n'avez pas un instant à perdre.

BARTHOLO

Et à qui tient-il,[44] Bazile? Je vous ai chargé de tous les détails de cette affaire.

BAZILE

Oui, mais vous avez lésiné sur[45] les frais; et dans l'harmonie du bon ordre, un mariage inégal,[46] un jugement inique,[47] un passe-droit[48] évident, sont des dissonances qu'on doit toujours préparer et sauver par l'accord parfait de l'or.

BARTHOLO, *lui donnant de l'argent*

Il faut en passer par où vous voulez;[49] mais finissons.

BAZILE

Cela s'appelle parler. Demain, tout sera terminé: c'est à vous d'empêcher que personne, aujourd'hui, ne puisse instruire la pupille.

BARTHOLO

Fiez-vous-en à moi. Viendrez-vous ce soir, Bazile?

BAZILE

N'y comptez pas. Votre mariage seul m'occupera toute la journée; n'y comptez pas.

BARTHOLO, *l'accompagne*

Serviteur.[50]

[38] *cuirassé:* armoured
[39] *Bone Deus!:* latin pour Bon Dieu!
[40] *à la bonne heure:* soit; voilà qui est bien
[41] *calomnier à dire d'experts:* to slander so as to give credence and notoriety to the slander
[42] *concedo:* latin pour je l'accorde
[43] *en s'y prenant bien:* en le faisant d'une manière adroite
[44] *à qui tient-il?:* de qui cela dépend-il?
[45] *vous avez lésiné sur:* you haggled over, were stingy about
[46] *inégal:* à cause de la différence d'âge de Rosine et de Bartholo
[47] *inique:* injuste, inéquitable
[48] *passe-droit:* faveur injuste
[49] *en passer par où vous voulez:* accepter ce que vous voulez
[50] *Serviteur:* Je suis votre serviteur, i.e. au revoir.

BAZILE

Restez, docteur, restez donc.

BARTHOLO

Non pas. Je veux fermer sur vous [51] la porte de la rue.

SCÈNE IX — FIGARO, *seul, sortant du cabinet*

Oh! la bonne précaution! Ferme, ferme la porte de la rue; et moi je vais la rouvrir au comte en sortant. C'est un grand maraud que ce Bazile! [52] heureusement il est encore plus sot. [53] Il faut un état, une famille, un nom, un rang, de la consistance [54] enfin, pour faire sensation dans le monde en calomniant. Mais un Bazile! il médirait, qu'on [55] ne le croirait pas.

SCÈNE X — ROSINE, *accourant;* FIGARO

ROSINE

Quoi! vous êtes encore là, monsieur Figaro?

FIGARO

Très heureusement pour vous, mademoiselle. Votre tuteur et votre maître à chanter, se croyant seuls ici, viennent de parler à cœur ouvert . . .

ROSINE

Et vous les avez écoutés, monsieur Figaro? Mais savez-vous que c'est fort mal!

FIGARO

D'écouter? C'est pourtant ce qu'il y a de mieux pour bien entendre. Apprenez que votre tuteur se dispose à vous épouser demain.

ROSINE

Ah! grands dieux! [56]

FIGARO

Ne craignez rien; nous lui donnerons tant d'ouvrage, qu'il n'aura pas le temps de songer à celui-là.

ROSINE

Le voici qui revient; sortez donc par le petit escalier. Vous me faites mourir de frayeur. [57]

(*Figaro s'enfuit.*)

SCÈNE XI — BARTHOLO, ROSINE

ROSINE

Vous étiez ici avec quelqu'un, monsieur?

BARTHOLO

Don Bazile que j'ai reconduit, et pour cause. [58] Vous eussiez mieux aimé [59] que c'eût été M. Figaro?

ROSINE

Cela m'est fort égal, je vous assure.

BARTHOLO

Je voudrais bien savoir ce que ce barbier avait de si pressé à vous dire?

ROSINE

Faut-il parler sérieusement? Il m'a rendu compte de l'état de Marceline, qui même n'est pas trop bien, à ce qu'il dit.

---

[51] *sur vous:* aussitôt que vous serez parti
[52] *C'est un grand maraud que ce Bazile:* Ce Bazile est un grand fripon.
[53] *encore plus sot:* (qu'il n'est mauvais)
[54] *consistance:* (social) standing
[55] *il médirait, qu'on:* même s'il calomniait, on

[56] *grands dieux!:* great heavens!
[57] *frayeur:* peur
[58] *cause:* Voir la dernière réplique de la Scène VIII.
[59] *eussiez mieux aimé:* auriez mieux aimé

BARTHOLO

Vous rendre compte! Je vais parier qu'il était chargé de vous remettre quelque lettre.

ROSINE

Et de qui, s'il vous plaît?

BARTHOLO

Oh! de qui! De quelqu'un que les femmes ne nomment jamais. Que sais-je, moi? Peut-être la réponse au papier de la fenêtre.

ROSINE, *à part*

Il n'en a pas manqué une seule.[60] (*Haut.*) Vous mériteriez bien que cela fût.

BARTHOLO *regarde les mains de Rosine*

Cela est. Vous avez écrit.

ROSINE, *avec embarras*

Il serait assez plaisant que vous eussiez le projet de m'en faire convenir.[61]

BARTHOLO, *lui prenant la main droite*

Moi! point du tout; mais votre doigt encore taché d'encre! Hein? rusée signora!

ROSINE, *à part*

Maudit homme!

BARTHOLO, *lui tenant toujours la main*

Une femme se croit bien en sûreté, parce qu'elle est seule.

ROSINE

Ah! sans doute . . . La belle preuve! . . . Finissez donc, monsieur, vous me tordez le bras. Je me suis

brûlée en chiffonnant[62] autour de cette bougie; et l'on m'a toujours dit qu'il fallait aussitôt tremper dans l'encre: c'est ce que j'ai fait.

BARTHOLO

C'est ce que vous avez fait? Voyons donc si un second témoin confirmera la déposition du premier. C'est ce cahier de papier où je suis certain qu'il y avait six feuilles; car je les compte tous les matins, aujourd'hui encore.[63]

ROSINE, *à part*

Oh! imbécile! . . .

BARTHOLO, *comptant*

Trois, quatre, cinq . . .

ROSINE

La sixième . . .

BARTHOLO

Je vois bien qu'elle n'y est pas, la sixième.

ROSINE, *baissant les yeux*

La sixième? Je l'ai employée à faire un cornet pour des bonbons que j'ai envoyés à la petite Figaro.[64]

BARTHOLO

A la petite Figaro? Et la plume qui était toute neuve, comment est-elle devenue noire? Est-ce en écrivant l'adresse de la petite Figaro?

ROSINE, *à part*

Cet homme a un instinct de jalousie! . . . (*Haut.*) Elle m'a servi à retracer une fleur effacée sur la veste que je vous brode au tambour.

[60] *Il n'en a pas manqué une seule:* i.e. rien ne lui a échappé
[61] *m'en faire convenir:* me le faire avouer

[62] *chiffonnant:* arranging rags, scraps of silk (for the embroidery?)
[63] *aujourd'hui encore:* et je l'ai (encore) fait aujourd'hui
[64] *la petite Figaro:* la fille de Figaro

BARTHOLO

Que cela est édifiant! Pour qu'on vous crût, mon enfant, il faudrait ne pas rougir en déguisant coup sur coup [65] la vérité; mais c'est ce que vous ne savez pas encore.

ROSINE

Eh! qui ne rougirait pas, monsieur, de voir tirer des conséquences [66] aussi malignes des choses le plus innocemment faites?

BARTHOLO

Certes, j'ai tort. Se brûler le doigt, le tremper dans l'encre, faire des cornets aux bonbons pour la petite Figaro, et dessiner ma veste au tambour! quoi de plus innocent? Mais que de mensonges entassés pour cacher un seul fait! . . . *Je suis seule, on ne me voit point; je pourrai mentir à mon aise.* Mais le bout du doigt reste noir, la plume est tachée, le papier manque! On ne saurait penser à tout. Bien certainement, signora, quand j'irai par la ville, un bon double tour me répondra de vous.[67]

SCÈNE XII — LE COMTE, BARTHOLO, ROSINE

LE COMTE, *en uniforme de cavalier, ayant l'air d'être entre deux vins, et chantant* [. . .]

BARTHOLO

Mais que nous veut cet homme? Un soldat! Rentrez chez vous, signora.

[65] *coup sur coup:* sans interruption
[66] *conséquences:* conclusions
[67] *un bon double tour me répondra de vous:* a double turn (of the key) will make sure of you, i.e. that you will not get away
[68] *je m'en moque comme de ça:* I don't give a hang about it

LE COMTE *chante* [. . .] *et s'avance vers Rosine*

Qui de vous deux, mesdames, se nomme le docteur Balordo? (*A Rosine, bas.*) Je suis Lindor.

BARTHOLO

Bartholo!

ROSINE, *à part*

Il parle de Lindor.

LE COMTE

Balordo, Barque à l'eau; je m'en moque comme de ça.[68] Il s'agit seulement de savoir laquelle des deux . . . (*A Rosine, lui montrant un papier.*) Prenez cette lettre.

BARTHOLO

Laquelle! Vous voyez bien que c'est moi! Laquelle! Rentrez donc, Rosine; cet homme paraît avoir du vin.[69] [. . .]

SCÈNE XIV — ROSINE, LE COMTE, BARTHOLO

ROSINE [. . .]

Monsieur le soldat, ne vous emportez point, de grâce! (*A Bartholo.*) Parlez-lui doucement, monsieur: un homme qui déraisonne . . .

LE COMTE

Vous avez raison; il déraisonne, lui; mais nous sommes raisonnables, nous! Moi poli, et vous jolie . . . enfin suffit. La vérité, c'est que je ne veux avoir affaire qu'à vous dans la maison.

ROSINE

Que puis-je pour votre service,[70] monsieur le soldat?

[69] *avoir du vin:* être ivre
[70] *Que puis-je pour votre service:* que puis-je faire pour vous être utile

LE COMTE

Une petite bagatelle, mon enfant. Mais s'il y a de l'obscurité dans mes phrases . . .

ROSINE

J'en saisirai l'esprit.

LE COMTE, *lui montrant la lettre*

Non, attachez-vous à la lettre, à la lettre. Il s'agit seulement . . . mais je dis en tout bien tout honneur,[71] que vous me donniez à coucher [72] ce soir.

BARTHOLO

Rien que cela?

LE COMTE

Pas davantage. Lisez le billet doux que notre maréchal des logis [73] vous écrit.

BARTHOLO

Voyons. (*Le comte cache la lettre, et lui donne un autre papier.*) [*Bartholo lit.*] «Le docteur Bartholo recevra, nourrira, hébergera, couchera . . .»

LE COMTE, *appuyant*

Couchera.

BARTHOLO

«Pour une nuit seulement, le nommé Lindor dit L'Écolier, cavalier du régiment . . .»

ROSINE

C'est lui, c'est lui-même.

BARTHOLO, *vivement à Rosine*

Qu'est-ce qu'il y a?

LE COMTE

Eh bien, ai-je tort à présent, docteur Barbaro?

BARTHOLO

On dirait que cet homme se fait un malin plaisir de m'estropier [74] de toutes les manières possibles. Allez au diable, Barbaro, Barbe à l'eau! et dites à votre impertinent maréchal des logis que, depuis mon voyage à Madrid, je suis exempt de loger des gens de guerre.

LE COMTE, *à part*

Ô ciel! fâcheux contretemps!

BARTHOLO

Ah! ah, notre ami, cela vous contrarie et vous dégrise un peu! Mais n'en décampez pas moins [75] à l'instant.

LE COMTE, *à part*

J'ai pensé [76] me trahir. (*Haut.*) Décamper! Si vous êtes exempt de gens de guerre, vous n'êtes pas exempt de politesse, peut-être? Décamper! montrez-moi votre brevet d'exemption; quoique je ne sache pas lire, je verrai bientôt.

BARTHOLO

Qu'à cela ne tienne.[77] Il est dans ce bureau.

LE COMTE, *pendant qu'il y va, dit, sans quitter sa place*

Ah! ma belle Rosine!

ROSINE

Quoi! Lindor, c'est vous?

[71] *en tout bien tout honneur:* dans une intention honnête
[72] *à coucher:* i.e. un lit
[73] *maréchal des logis:* (cavalry) sergeant
[74] *m'estropier:* mal prononcer mon nom
[75] *n'en décampez pas moins:* get out anyway
[76] *J'ai pensé:* j'ai eu l'impression que j'allais
[77] *Qu'à cela ne tienne:* peu importe

LE COMTE

Recevez au moins cette lettre.

ROSINE

Prenez garde, il a les yeux sur nous.

LE COMTE

Tirez votre mouchoir, je la laisserai tomber. (*Il s'approche.*)

BARTHOLO

Doucement, doucement, seigneur soldat; je n'aime point qu'on regarde ma femme de si près.

LE COMTE

Elle est votre femme?

BARTHOLO

Eh quoi donc?

LE COMTE

Je vous ai pris pour son bisaïeul paternel, maternel, sempiternel: [78] il y a au moins trois générations entre elle et vous.

BARTHOLO *lit un parchemin*

«Sur les bons et fidèles témoignages qui nous ont été rendus . . .»

LE COMTE *donne un coup de main sous les parchemins, qui les envoie au plancher*

Est-ce que j'ai besoin de tout ce verbiage?

BARTHOLO

Savez-vous bien, soldat, que si j'appelle mes gens, je vous fais traiter sur-le-champ comme vous le méritez?

LE COMTE

Bataille? Ah, volontiers, bataille! c'est mon métier à moi (*Montrant son pistolet de ceinture* [79]), et voici de quoi leur jeter de la poudre aux yeux.[80] Vous n'avez peut-être jamais vu de bataille, madame?

ROSINE

Ni ne veux en voir.

LE COMTE

Rien n'est pourtant aussi gai que bataille. Figurez-vous (*Poussant le docteur*) d'abord que l'ennemi est d'un côté du ravin, et les amis de l'autre. (*A Rosine, en lui montrant la lettre.*) Sortez le mouchoir. (*Il crache à terre.*) Voilà le ravin, cela s'entend.[81] (*Rosine tire son mouchoir; le comte laisse tomber sa lettre entre elle et lui.*)

BARTHOLO, *se baissant*

Ah, ah!

LE COMTE *la reprend et dit*

Tenez . . . moi qui allais vous apprendre les secrets de mon métier . . . Une femme bien discrète, en vérité! ne voilà-t-il pas [82] un billet doux qu'elle laisse tomber de sa poche?

BARTHOLO

Donnez, donnez.

LE COMTE

Dulciter,[83] papa! chacun son affaire. Si une ordonnance de rhubarbe [84] était tombée de la vôtre?

---

[78] *bisaïeul paternel, maternel, sempiternel:* paternal, maternal, eternal great-grandfather
[79] *de ceinture:* in his belt
[80] *jeter de la poudre aux yeux:* to bluff (Noter le jeu de mots.)

[81] *s'entend:* se comprend
[82] *ne voilà-t-il pas:* n'y a-t-il pas là
[83] *Dulciter:* latin pour doucement
[84] *rhubarbe:* rhubarb or else pact, concession. Play on the word; this could refer to a prescription or else to the marriage contract.

ROSINE *avance la main*

Ah! je sais ce que c'est, monsieur le
soldat. (*Elle prend la lettre, qu'elle
cache dans la petite poche de son* 5
tablier.)

BARTHOLO

Sortez-vous enfin?

10

LE COMTE

Eh bien, je sors. Adieu, docteur;
sans rancune. Un petit compliment,
mon cœur: priez la mort de m'oublier
encore quelques campagnes; la vie ne 15
m'a jamais été si chère.

BARTHOLO

Allez toujours.[85] Si j'avais ce crédit-
là sur la mort [86] . . .   20

LE COMTE

Sur la mort? N'êtes-vous pas médecin? Vous faites tant de choses pour
elle, qu'elle n'a rien à vous refuser. (*Il* 25
sort.)

SCÈNE XV — BARTHOLO, ROSINE

BARTHOLO *le regarde aller*   30

Il est enfin parti! (*A part.*) Dissimu-
lons.

ROSINE

Convenez pourtant, monsieur, qu'il 35
est bien gai, ce jeune soldat! A travers
son ivresse, on voit qu'il ne manque ni
d'esprit, ni d'une certaine éducation.

BARTHOLO   40

Heureux, m'amour,[87] d'avoir pu nous
en délivrer! Mais n'es-tu [88] pas un peu

curieuse de lire avec moi le papier
qu'il t'a remis?

ROSINE

Quel papier?

BARTHOLO

Celui qu'il a feint de ramasser pour
te le faire accepter.

ROSINE

Bon! c'est la lettre de mon cousin
l'officier, qui était tombée de ma poche.

BARTHOLO

J'ai idée, moi, qu'il l'a tirée de la
sienne.

ROSINE

Je l'ai très bien reconnue.

BARTHOLO

Qu'est-ce qu'il te coûte d'y regarder?

ROSINE

Je ne sais pas seulement [89] ce que
j'en ai fait.

BARTHOLO, *montrant la pochette*

Tu l'as mise là.

ROSINE

Ah, ah, par distraction.

BARTHOLO

Ah! sûrement. Tu vas voir que ce
sera quelque folie.

ROSINE, *à part*

Si je ne le mets pas en colère, il n'y
aura pas moyen de refuser.

BARTHOLO

Donne donc, mon cœur.

---

[85] *toujours:* néanmoins
[86] *Si j'avais ce crédit-là sur la mort:* if I
had that authority over death (I would never
see to it that you are spared)
[87] *m'amour:* mon amour

[88] *tu:* Noter le tutoiement.
[89] *Je ne sais pas seulement:* je ne sais
même pas

ROSINE

Mais quelle idée avez-vous en insistant, monsieur? Est-ce encore quelque méfiance?

BARTHOLO

Mais vous, quelle raison avez-vous de ne pas la montrer?

ROSINE

Je vous répète, monsieur, que ce papier n'est autre que la lettre de mon cousin, que vous m'avez rendue hier toute décachetée;[90] et puisqu'il en est question, je vous dirai tout net que cette liberté me déplaît excessivement.

BARTHOLO

Je ne vous entends pas.

ROSINE

Vais-je examiner les papiers qui vous arrivent? Pourquoi vous donnez-vous les airs[91] de toucher à ceux qui me sont adressés? Si c'est jalousie, elle m'insulte; s'il s'agit de l'abus d'une autorité usurpée, j'en suis plus révoltée encore.

BARTHOLO

Comment, révoltée! Vous ne m'avez jamais parlé ainsi.

ROSINE

Si je me suis modérée jusqu'à ce jour, ce n'était pas pour vous donner le droit de m'offenser impunément.

BARTHOLO

De quelle offense me parlez-vous?

ROSINE

C'est qu'il est inouï qu'on se permette d'ouvrir les lettres de quelqu'un

BARTHOLO

De sa femme?

ROSINE

Je ne la suis pas encore. Mais pourquoi lui donnerait-on la préférence d'une indignité qu'on ne fait à personne?

BARTHOLO

Vous voulez me faire prendre le change,[92] et détourner mon attention du billet qui, sans doute, est une missive de quelque amant. Mais je le verrai, je vous assure.

ROSINE

Vous ne le verrez pas. Si vous m'approchez, je m'enfuis de cette maison, et je demande retraite au premier venu.

BARTHOLO

Qui ne vous recevra point.

ROSINE

C'est ce qu'il faudra voir.[93]

BARTHOLO

Nous ne sommes pas ici en France, où l'on donne toujours raison aux femmes: mais, pour vous en ôter la fantaisie, je vais fermer la porte.

ROSINE, *pendant qu'il y va*

Ah ciel! que faire? . . . Mettons vite à la place la lettre de mon cousin, et donnons-lui beau jeu[94] à la prendre.

[90] *décachetée:* ouverte
[91] *vous donnez-vous les airs:* i.e. prenez-vous la liberté
[92] *me faire prendre le change:* me tromper
[93] *C'est ce qu'il faudra voir:* We will see about that.
[94] *beau jeu:* facilité et satisfaction

Elle fait l'échange, et met la lettre du cousin dans sa pochette, de façon qu'elle sorte un peu.)

BARTHOLO, *revenant*

Ah! j'espère maintenant la voir.

ROSINE

De quel droit, s'il vous plaît?

BARTHOLO

Du droit le plus universellement re-connu, celui du plus fort.

ROSINE

On me tuera plutôt que de l'obtenir de moi.

BARTHOLO, *frappant du pied*

Madame! madame! . . .

ROSINE *tombe sur un fauteuil, et feint de se trouver mal*[95]

Ah! quelle indignité! . . .

BARTHOLO

Donnez cette lettre, ou craignez ma colère.

ROSINE, *renversée*

Malheureuse Rosine!

BARTHOLO

Qu'avez-vous donc?

ROSINE

Quel avenir affreux!

BARTHOLO

Rosine!

ROSINE

J'étouffe de fureur.

BARTHOLO

Elle se trouve mal.

[95] *se trouver mal:* that she feels faint

ROSINE

Je m'affaiblis, je meurs.

5 BARTHOLO *lui tâte le pouls*[96] *et dit à part*

Dieux! la lettre! Lisons-la sans qu'elle en soit instruite.[97] (*Il continue à lui tâter le pouls, et prend la lettre,* 10 *qu'il tâche de lire en se tournant un peu.)*

ROSINE, *toujours renversée*

Infortunée! ah! . . .

15 BARTHOLO *lui quitte le bras, et dit à part*

Quelle rage a-t-on d'apprendre ce qu'on craint toujours de savoir!

20 ROSINE

Ah! pauvre Rosine!

BARTHOLO

25 L'usage des odeurs . . . produit ces affections spasmodiques. (*Il lit par der-rière le fauteuil, en lui tâtant le pouls. Rosine se relève un peu, le regarde finement, fait un geste de tête, et se* 30 *remet sans parler.)*

BARTHOLO, *à part*

Ô ciel! c'est la lettre de son cousin. Maudite inquiétude! Comment l'apai-35 ser maintenant? Qu'elle ignore au moins que je l'aie lue! (*Il fait semblant de la soutenir, et remet la lettre dans la pochette.)*

40 ROSINE *soupire*

Ah! . . .

BARTHOLO

Eh bien! ce n'est rien, mon enfant; 45 un petit mouvement de vapeurs, voilà

[96] *lui tâte le pouls:* takes her pulse
[97] *en soit instruite:* le sache

tout; car ton pouls n'a seulement pas varié. (*Il va prendre un flacon sur la console.*)

ROSINE, *à part*

Il a remis la lettre! fort bien.

BARTHOLO

Ma chère Rosine, un peu de cette eau spiritueuse? [98]

ROSINE

Je ne veux rien de vous: laissez-moi.

BARTHOLO

Je conviens que j'ai montré trop de vivacité sur ce billet.

ROSINE

Il s'agit bien du billet! C'est votre façon de demander les choses qui est révoltante.

BARTHOLO, *à genoux*

Pardon: j'ai bientôt senti tous mes torts; et tu me vois à tes pieds, prêt à les réparer.

ROSINE

Oui, pardon! lorsque vous croyez que cette lettre ne vient pas de mon cousin.

BARTHOLO

Qu'elle soit d'un autre ou de lui, je ne veux aucun éclaircissement.

ROSINE, *lui présentant la lettre*

Vous voyez qu'avec de bonnes façons, on obtient tout de moi. Lisez-la.

BARTHOLO

Cet honnête procédé dissiperait mes soupçons, si j'étais assez malheureux pour en conserver.

ROSINE

Lisez-la donc, monsieur.

BARTHOLO *se retire*

A Dieu ne plaise que je te fasse une pareille injure!

ROSINE

Vous me contrariez de la refuser.

BARTHOLO

Reçois en réparation cette marque de ma parfaite confiance. Je vais voir la pauvre Marceline, que ce Figaro a, je ne sais pourquoi, saignée au pied; n'y viens-tu pas aussi?

ROSINE

J'y monterai dans un moment.

BARTHOLO

Puisque la paix est faite, mignonne, donne-moi ta main. Si tu pouvais m'aimer, ah! comme tu serais heureuse!

ROSINE, *baissant les yeux*

Si vous pouviez me plaire, ah! comme je vous aimerais.

BARTHOLO

Je te plairai, je te plairai; quand [99] je te dis que je te plairai! (*Il sort.*)

SCÈNE XVI — ROSINE, *le regarde aller*

Ah! Lindor! Il dit qu'il me plaira! . . . Lisons cette lettre, qui a manqué de [100] me causer tant de chagrin. (*Elle lit et s'écrie.*) Ha! . . . j'ai lu trop tard; il me recommande de tenir une querelle ouverte [101] avec mon tuteur:

[98] *spiritueuse:* alcoolisée

[99] *quand:* peut être omis dans la traduction
[100] *manqué de:* failli
[101] *querelle ouverte:* open quarrel

j'en avais une si bonne, et je l'ai laissée échapper. En recevant la lettre, j'ai senti que je rougissais jusqu'aux yeux. Ah! mon tuteur a raison: je suis bien loin d'avoir cet usage du monde qui, 5 me dit-il souvent, assure le maintien des femmes en toute occasion! Mais un homme injuste parviendrait à faire une rusée de l'innocence même.

JEAN-JACQUES ROUSSEAU [1712–78]

Né à Genève, de parents protestants français, Jean-Jacques Rousseau reçut une éducation mal réglée dont il devait souffrir toute sa vie. A l'âge de seize ans il quitta Genève pour vagabonder pendant quelques mois en Savoie. Il fut recueilli par Mme de Warens, une jeune femme récemment convertie au catholicisme; ensuite il reprit sa vie vagabonde. Rousseau ne put jamais se dédommager de son manque de direction morale pendant ces années formatrices; il se sentait toujours en proie aux influences les plus contraires.

De retour en Savoie, Jean-Jacques retrouva Mme de Warens, chez qui il demeura pendant huit ans. Devant le grandiose spectacle de la nature, il jouit d'un loisir qui lui permit de continuer ses lectures, de pousser ses études musicales, et d'aiguiser sa sensibilité et son esprit.

En 1741, âgé de vingt-neuf ans, Jean-Jacques tâcha en vain de s'établir à Paris. Trois ans plus tard il regagna la capitale, où, pour un temps, il fut bien reçu dans la société. Sa liaison avec une servante entrava, pourtant, son entrée définitive dans les milieux où il tenait tellement à faire figure.

Les premiers ouvrages de Rousseau, le *Discours sur les sciences et les arts* et le *Discours sur l'origine de l'inégalité parmi les hommes,* énoncèrent la fameuse thèse qu'il développa dans plusieurs œuvres postérieures: l'homme, sain et vertueux à l'état primitif, a été corrompu par les effets de la civilisation. Il souligna un autre aspect de cette thèse dans sa célèbre *Lettre à d'Alembert sur les spectacles,* où il condamna le théâtre comme un raffinement néfaste de la civilisation.

Les ouvrages de sa maturité, *La Nouvelle Héloïse, Du contrat social,* et l'*Émile,* parurent entre 1758 et 1762. *La Nouvelle Héloïse,* «roman épistolaire écrit par deux amants», nous présente Jean-Jacques d'une façon très intime, passionné mais vertueux, prêchant les bénéfices de la nature. *Du contrat social,* qui décrit la société telle qu'elle devrait être, pose en principe que la volonté de l'individu doit être soumise à la volonté collective. L'*Émile* définit l'idéal pédagogique de Rousseau; dans son projet d'enseignement fort original, il insiste sur la nécessité de préserver la liberté intégrale de l'enfant.

Le dernier ouvrage capital de Jean-Jacques, les *Confessions,* nous le présente dans le cadre d'une apologie personnelle. «. . . je me suis montré tel que je fus», nous dit-il. Pendant les dernières années de sa vie il subit de grandes souffrances spirituelles, se croyant la victime d'une sorte de complot général qu'il était incapable de conjurer.

Dans les pages que nous donnons, prises au *Discours sur l'origine de l'inégalité,* Rousseau présente ses spéculations sur les origines des langues et de la propriété.

Discours sur l'origine de l'inégalité parmi les hommes

Le premier langage de l'homme, le langage le plus universel, le plus énergique, et le seul dont il eut besoin avant qu'il fallût persuader des hommes assemblés, est le cri de la nature. Comme ce cri n'était arraché que par une sorte d'instinct dans les occasions pressantes,[1] pour implorer du secours dans les grands dangers ou du soulagement dans les maux violents, il n'était pas d'un grand usage dans le cours ordinaire de la vie, où règnent[2] des sentiments plus modérés. Quand les idées des hommes commencèrent à s'étendre et à se multiplier, et qu'il s'établit entre eux une communication plus étroite, ils cherchèrent des signes plus nombreux et un langage plus étendu, ils multiplièrent les inflexions de la voix, et y joignirent les gestes, qui, par leur nature, sont plus expressifs, et dont le sens dépend moins d'une détermination antérieure.[3] Ils exprimaient donc les objets visibles et mobiles par des gestes, et ceux qui frappent l'ouïe[4] par des sons imitatifs: mais comme le geste n'indique guère que les objets présents ou faciles à décrire et les actions visibles; qu'il n'est pas d'un usage universel, puisque l'obscurité ou l'interposition d'un corps[5] le rendent inutile, et qu'il exige l'attention plutôt qu'il ne l'excite, on s'avisa enfin de lui substituer les articulations de la voix, qui, sans avoir le même rapport avec certaines idées, sont plus propres[6] à les représenter toutes comme signes institués; substitution qui ne put se faire que d'un commun consentement et d'une manière assez difficile à pratiquer pour des hommes dont les organes grossiers n'avaient encore aucun exercice, et plus difficile encore à concevoir en elle-même, puisque cet accord unanime dut être motivé, et que la parole paraît avoir été fort nécessaire pour établir l'usage de la parole.

On doit juger que les premiers mots dont les hommes firent usage eurent dans leur esprit[7] une signification beaucoup plus étendue que n'ont ceux qu'on emploie dans les langues déjà formées, et qu'ignorant la division du discours en ses parties constitutives, ils donnèrent d'abord à chaque mot le

[1] *occasions pressantes:* cas urgents
[2] *règnent:* prevail
[3] *antérieure:* previously agreed upon
[4] *l'ouïe:* l'oreille

[5] *l'interposition d'un corps:* the placing of an object between
[6] *propres:* appropriate
[7] *esprit:* mind

sens d'une proposition [8] entière. Quand ils commencèrent à distinguer le sujet d'avec [9] l'attribut, et le verbe d'avec [9] le nom, ce qui ne fut pas un médiocre effort de génie, les substantifs ne furent d'abord qu'autant de noms propres,[10] le présent de l'infinitif [11] fut le seul temps des verbes; et à l'égard des adjectifs, la notion ne s'en dut développer que fort difficilement, parce que tout adjectif est un mot abstrait, et que les abstractions sont des opérations [12] pénibles et peu naturelles.

Chaque objet reçut d'abord un nom particulier, sans égard aux genres et aux espèces, que ces premiers instituteurs [13] n'étaient pas en état de distinguer; et tous les individus se présentèrent isolés à leur esprit comme ils le sont dans le tableau de la nature. Si un chêne s'appelait A, un autre chêne s'appelait B; car la première idée qu'on tire de deux choses, c'est qu'elles ne sont pas la même; et il faut souvent beaucoup de temps pour observer ce qu'elles ont de commun: [14] de sorte que plus les connaissances étaient bornées, plus le dictionnaire devint étendu. L'embarras de cette nomenclature ne put être levé [15] facilement; car, pour ranger les êtres sous des dénominations communes et génériques, il en fallait connaître les propriétés et les différences; il fallait des observations et des définitions, c'est-à-dire de l'histoire naturelle et de la métaphysique, beaucoup plus que les hommes de ce temps-là n'en pouvaient avoir.

D'ailleurs les idées générales ne peuvent s'introduire dans l'esprit qu'à l'aide des mots, et l'entendement ne les saisit que par des propositions. C'est une des raisons pourquoi les animaux ne sauraient se former de telles idées, ni jamais acquérir la perfectibilité [16] qui en dépend. Quand un singe va sans hésiter d'une noix à l'autre, pense-t-on qu'il ait l'idée générale de cette sorte de fruit, et qu'il compare son archétype à ces deux individus? [17] Non, sans doute; [18] mais la vue de l'une de ces noix rappelle à sa mémoire les sensations qu'il a reçues de l'autre; et ses yeux, modifiés d'une certaine manière, annoncent à son goût la modification qu'il va recevoir. Toute idée générale est purement intellectuelle; pour peu que l'imagination s'en mêle,[19] l'idée devient aussitôt particulière. Essayez de vous tracer l'image d'un arbre en général, jamais vous n'en viendrez à bout; [20] malgré vous il faudra le voir petit ou grand, rare ou touffu,[21] clair ou foncé; et s'il dépendait de vous de n'y voir que [22] ce qui se trouve en tout arbre, cette image ne ressemblerait plus à un arbre.

Les êtres purement abstraits se voient de même, ou ne se conçoivent que par le discours. La définition seule du triangle vous en donne la véritable idée: sitôt que vous en figurez un dans votre esprit, c'est un tel [23] triangle et non pas un autre, et vous ne pouvez éviter d'en rendre les lignes sensibles

[8] *proposition:* phrase
[9] *d'avec . . . d'avec:* from
[10] *ne furent . . . de noms propres:* were at first only just so many proper names
[11] *infinitif:* indicatif
[12] *opérations:* i.e. opérations de l'esprit
[13] *instituteurs:* professeurs
[14] *ce qu'elles ont de commun:* their common characteristics
[15] *levé:* dissipé

[16] *perfectibilité:* capacity for improvement
[17] *individus:* individual specimens
[18] *Non, sans doute:* of course not
[19] *pour peu . . . s'en mêle:* however little the imagination may enter into it
[20] *jamais . . . à bout:* you will never succeed in doing it
[21] *rare ou touffu:* with few or many leaves
[22] *s'il dépendait . . . voir que:* and if it were your concern to see in it only
[23] *un tel:* a specific

ou le plan coloré.[24] Il faut donc énoncer[25] des propositions, il faut donc parler pour avoir des idées générales: car, sitôt que l'imagination s'arrête, l'esprit ne marche plus qu'à l'aide du discours. Si donc les premiers inventeurs n'ont pu donner des noms qu'aux idées qu'ils avaient déjà, il s'ensuit que les premiers substantifs n'ont jamais pu être que des noms propres. [10]

Mais lorsque, par des moyens que je ne conçois pas, nos nouveaux grammairiens commencèrent à étendre leurs idées et à généraliser leurs mots, l'ignorance des inventeurs dut assujétir[26] [15] cette méthode à des bornes fort étroites; et, comme ils avaient d'abord trop multiplié les noms des individus faute de connaître[27] les genres et les espèces, ils firent ensuite trop peu d'espèces et de genres, faute d'avoir considéré[28] les êtres par toutes leurs différences. Pour pousser les divisions assez loin, il eût fallu[29] plus d'expérience et de lumières[30] qu'ils n'en pouvaient avoir, et plus de recherches et de travail qu'ils n'y en voulaient employer. Or, si, même aujourd'hui, l'on découvre chaque jour de nouvelles espèces qui avaient échappé jusqu'ici à [30] toutes nos observations, qu'on pense combien il dut s'en dérober à[31] des hommes qui ne jugeaient des choses que sur le premier aspect.[32] Quant aux classes primitives et aux notions les [35] plus générales, il est superflu d'ajouter qu'elles durent leur échapper encore.[33] Comment, par exemple, auraient-ils imaginé ou entendu[34] les mots de matière, d'esprit, de substance, de mode, [5] de figure, de mouvement, puisque nos philosophes qui s'en servent depuis si longtemps ont bien de la peine[35] à les entendre eux-mêmes, et que, les idées qu'on attache à ces mots étant purement métaphysiques, ils n'en trouvaient aucun modèle dans la nature?

Je m'arrête à ces premiers pas, et je supplie mes juges de suspendre ici leur [15] lecture pour considérer, sur l'invention des seuls substantifs physiques,[36] c'est-à-dire sur la partie de la langue la plus facile à trouver, le chemin qui lui reste à faire pour exprimer toutes les pensées des hommes, pour prendre une [20] forme constante, pour pouvoir être parlée en public, et influer sur la société. Je les supplie de réfléchir à ce qu'il a fallu de temps et de connaissances[37] pour trouver les nombres, les [25] mots abstraits, les aoristes,[38] et tous les temps des verbes, les particules,[39] la syntaxe, lier les propositions, les raisonnements,[40] et former toute la logique du discours. Quant à moi, effrayé [30] des difficultés qui se multiplient, et convaincu de l'impossibilité presque démontrée que les langues aient pu naître et s'établir par des moyens purement humains, je laisse à qui voudra [35] l'entreprendre la discussion de ce dif-

---

[24] d'en rendre . . . plan coloré: picture it either as a clearly defined outline or a shaded plane surface

[25] énoncer: exprimer

[26] assujétir: restrict

[27] faute de connaître: because they did not know

[28] faute d'avoir considéré: because they had not examined

[29] il eût fallu: il aurait fallu

[30] lumières: connaissances

[31] combien . . . dérober à: how many must have escaped the notice of

[32] aspect: vue

[33] durent . . . encore: must also have escaped their notice

[34] entendu: compris

[35] bien de la peine: beaucoup de difficulté

[36] seuls substantifs physiques: common nouns only

[37] ce qu'il a fallu . . . connaissances: what time and knowledge were needed

[38] aoristes: past tense of Greek verbs

[39] particules: «petit mot qui ne peut être employé seul et qui s'unit à un radical pour le modifier» (Petit Larousse)

[40] raisonnements: arguments

ficile problème, lequel a été le plus nécessaire de la société déjà liée à l'institution des langues, ou des langues déjà inventées à l'établissement de la société.

Le premier qui ayant enclos un terrain s'avisa de [41] dire *Ceci est à moi,* et trouva des gens assez simples [42] pour le croire, fut le vrai fondateur de la société civile.[43] Que de [44] crimes, de guerres, de meurtres, que de misères et d'horreurs n'eût point épargnés au genre humain celui qui,[45] arrachant les pieux ou comblant le fossé,[46] eût crié à ses semblables: Gardez-vous d'[47] écouter cet imposteur; vous êtes perdus si vous oubliez que les fruits sont à tous, et que la terre n'est à personne! Mais il y a grande apparence [48] qu'alors les choses en étaient déjà venues au point de ne pouvoir plus durer [49] comme elles étaient: car cette idée de propriété, dépendant de beaucoup d'idées antérieures [50] qui n'ont pu naître que successivement, ne se forma pas tout d'un coup dans l'esprit humain. Il fallut faire bien des progrès, acquérir bien de l'industrie et des lumières, les transmettre et les augmenter d'âge en âge, avant que d'arriver à ce dernier terme de l'état de nature. Reprenons

donc les choses de plus haut,[51] et tâchons de rassembler sous un seul point de vue cette lente succession d'événements et de connaissances dans 5 leur ordre le plus naturel.

Le premier sentiment de l'homme fut celui de son existence; son premier soin, celui de sa conservation. Les productions de la terre lui fournissaient 10 tous les secours nécessaires; l'instinct le porta [52] à en faire usage. La faim, d'autres appétits, lui faisant éprouver tour-à-tour [53] diverses manières d'exister, il y en eut une qui l'invita à perpé- 15 tuer son espèce. Ce penchant aveugle,[54] dépourvu de tout sentiment du cœur, ne produisait qu'un acte purement animal: le besoin satisfait, les deux sexes ne se reconnaissaient plus, 20 et l'enfant même n'était plus rien à la mère sitôt qu'il pouvait se passer d'[55] elle.

Telle fut la condition de l'homme naissant; [56] telle fut la vie d'un animal 25 borné d'abord aux pures sensations, et profitant à peine des dons que lui offrait la nature, loin de songer à lui rien arracher. Mais il se présenta bientôt des difficultés; [57] il fallut apprendre 30 à les vaincre: la hauteur des arbres qui l'empêchait d'atteindre à leurs fruits, la concurrence [58] des animaux qui cherchaient à s'en nourrir, la férocité de ceux qui en voulaient à [59] sa propre 35 vie, tout l'obligea de s'appliquer aux exercices du corps; il fallut se rendre agile, vite à la course, vigoureux au combat. Les armes naturelles, qui sont les branches d'arbres et les pierres, se

---

[41] *s'avisa de:* se décida à
[42] *simples:* naïfs
[43] *civile:* civilisée
[44] *que de:* combien de
[45] *n'eût point . . . celui qui:* mankind would have been saved from by the one who
[46] *arrachant les . . . fossé:* pulling up the fence posts or filling in the ditch
[47] *gardez-vous de:* take care not to
[48] *mais . . . apparence:* il est très probable
[49] *de ne . . . durer:* de ne plus pouvoir continuer
[50] *idées antérieures:* previously conceived ideas
[51] *les choses de plus haut:* facts previously mentioned

[52] *porta:* led
[53] *éprouver tour-à-tour:* experience in turn
[54] *penchant aveugle:* unreasoning drive
[55] *se passer de:* get along without
[56] *naissant:* primitif
[57] *il se présenta . . . difficultés:* des difficultés se présentèrent bientôt
[58] *concurrence:* competition
[59] *en voulaient à:* menaçaient

trouvèrent bientôt sous sa main.[60] Il apprit à surmonter les obstacles de la nature, à combattre au besoin les autres animaux, à disputer sa subsistance aux hommes mêmes, ou à se dédommager de [61] ce qu'il fallait céder au plus fort.

À mesure que le genre humain s'étendit, les peines se multiplièrent avec les hommes. La différence des terrains, des climats, des saisons, dut les forcer à en mettre [62] dans leurs manières de vivre. Des années stériles, des hivers longs et rudes, des étés brûlants, qui consument tout, exigèrent d'eux une nouvelle industrie.[63] Le long de la mer et des rivières ils inventèrent la ligne et l'hameçon,[64] et devinrent pêcheurs et ichthyophages.[65] Dans les forêts ils se firent des arcs et des flèches,[66] et devinrent chasseurs et guerriers. Dans les pays froids ils se couvrirent des peaux des bêtes qu'ils avaient tuées. Le tonnerre, un volcan, ou quelque heureux hasard, leur fit connaître le feu, nouvelle ressource contre la rigueur de l'hiver: ils apprirent à conserver cet élément, puis à le reproduire, et enfin à en préparer les viandes qu'auparavant ils dévoraient crues.[67]

Cette application réitérée [68] des êtres divers à lui-même, et des uns aux autres, dut naturellement engendrer dans l'esprit de l'homme les perceptions de certains rapports. Ces relations que nous exprimons par les mots de grand, de petit, de fort, de faible, de vite, de lent, de peureux, de hardi, et d'autres idées pareilles, comparées au besoin, et presque sans y 5 songer, produisirent enfin chez lui [69] quelque sorte de réflexion, ou plutôt une prudence machinale qui lui indiquait les précautions les plus nécessaires à sa sûreté.

Les nouvelles lumières qui résultè-10 rent de ce développement augmentèrent sa supériorité sur les autres animaux en la lui faisant connaître. Il s'exerça à leur dresser des pièges, il 15 leur donna le change [70] en mille manières; et quoique plusieurs le surpassassent en force au combat, ou en vitesse à la course, de ceux qui pouvaient lui servir ou lui nuire,[71] il devint 20 avec le temps le maître des uns et le fléau [72] des autres. C'est ainsi que le premier regard qu'il porta sur lui-même y produisit le premier mouvement [73] d'orgueil; c'est ainsi que 25 sachant encore à peine distinguer les rangs, et se contemplant au premier [74] par son espèce, il se préparait de loin à y prétendre par son individu.[75]

Quoique ses semblables ne fussent 30 pas pour lui ce qu'ils sont pour nous, et qu'il n'eût guère plus de commerce avec eux qu'avec les autres animaux, ils ne furent pas oubliés dans ses observations. Les conformités [76] que le 35 temps put lui faire apercevoir entre eux, sa femelle et lui-même, lui firent juger de [77] celles qu'il n'apercevait pas;

---

[60] *se trouvèrent . . . main:* were soon available to him
[61] *se dédommager de:* compensate for
[62] *à en mettre:* à mettre de la différence
[63] *industrie:* ingenuity
[64] *hameçon:* hook
[65] *ichthyophages:* fish eaters
[66] *arcs . . . flèches:* bows and arrows
[67] *crues:* raw
[68] *application réitérée:* comparaison répétée

[69] *chez lui:* dans son esprit
[70] *il leur donna le change:* he fooled them
[71] *nuire:* harm
[72] *fléau:* scourge
[73] *mouvement:* impulse
[74] *se contemplant au premier:* picturing himself in the highest (rank)
[75] *de loin . . . individu:* bien à l'avance à y arriver personnellement
[76] *conformités:* ressemblances
[77] *juger de:* have an opinion of

et, voyant qu'ils se conduisaient tous comme il aurait fait en de pareilles circonstances, il conclut que leur manière de penser et de sentir était entièrement conforme à la sienne; et cette importante vérité, bien établie dans son esprit, lui fit suivre, par un pressentiment aussi sûr et plus prompt que la dialectique,[78] les meilleures règles de conduite que, pour son avantage et sa sûreté, il lui convint [79] de garder avec eux.

Instruit par l'expérience que l'amour du bien-être [80] est le seul mobile des actions humaines, il se trouva en état [81] de distinguer les occasions rares où l'intérêt commun devait le faire compter sur l'assistance de ses semblables, et celles plus rares encore où la concurrence devait le faire défier d' [82] eux. Dans le premier cas, il s'unissait avec eux en troupeau, ou tout au plus [83] par quelque sorte d'association libre qui n'obligeait personne, et qui ne durait qu'autant que le besoin passager qui l'avait formée. Dans le second, chacun cherchait à prendre ses avantages, soit [84] à force ouverte, s'il croyait le pouvoir, soit [84] par adresse et subtilité,[85] s'il se sentait le plus faible.

Voilà comment les hommes purent insensiblement acquérir quelque idée grossière des engagements mutuels, et de l'avantage de les remplir, mais seulement autant que pouvait l'exiger l'intérêt présent et sensible; [86] car la prévoyance n'était rien pour eux; et,

loin de s'occuper d'un avenir éloigné, ils ne songeaient pas même au lendemain.

S'agissait-il [87] de prendre un cerf, chacun sentait bien qu'il devait pour cela garder fidèlement son poste; mais si un lièvre venait à [88] passer à la portée de l'un d'eux, il ne faut pas douter qu'il ne le poursuivît sans scrupule, et qu'ayant atteint sa proie, il ne se souciât fort peu de faire manquer la leur à ses compagnons.[89]

Il est aisé de comprendre qu'un pareil commerce n'exigeait pas un langage beaucoup plus raffiné que celui des corneilles [90] ou des singes qui s'attroupent à peu près de même. Des cris inarticulés, beaucoup de gestes, et quelques bruits imitatifs, durent [91] composer pendant longtemps la langue universelle; à quoi joignant dans chaque contrée quelques sons articulés et conventionnels, dont, comme je l'ai déjà dit, il n'est pas trop facile d'expliquer l'institution, on eut des langues particulières, mais grossières, imparfaites, et telles à peu près qu'en ont encore aujourd'hui diverses nations sauvages.

Je parcours comme un trait [92] des multitudes de siècles, forcé par le temps qui s'écoule, par l'abondance des choses que j'ai à dire, et par le progrès presque insensible [93] des commencements; car plus les événements étaient lents à se succéder, plus ils sont prompts à décrire.[94]

[78] *dialectique:* «art de raisonner méthodiquement et avec justesse» (*Petit Larousse*)
[79] *il lui convint:* it behooved him
[80] *bien-être:* physical well-being
[81] *il se trouva en état:* he became able to
[82] *défier de:* be on his guard against
[83] *tout au plus:* at the very most
[84] *soit . . . soit:* whether . . . whether
[85] *subtilité:* cunning
[86] *sensible:* tangible

[87] *S'agissait-il:* s'il s'agissait
[88] *venait à:* happened to
[89] *il ne se . . . à ses compagnons:* that he cared very little about depriving his fellows of theirs
[90] *corneilles:* crows
[91] *durent:* must have
[92] *parcours comme un trait:* pass over quickly
[93] *insensible:* imperceptible
[94] *plus ils sont . . . décrire:* plus on peut les décrire rapidement

Ces premiers progrès mirent enfin l'homme à portée d'[95]en faire de plus rapides. Plus l'esprit s'éclairait, et plus l'industrie se perfectionna. Bientôt, cessant de s'endormir sous le premier arbre, ou de se retirer dans des cavernes, on trouva quelques sortes de haches de pierres dures et tranchantes qui servirent à couper du bois, creuser[96] la terre, et faire des huttes de branchages[97] qu'on s'avisa ensuite d'enduire d'argile et de boue.[98] Ce fut là l'époque d'une première révolution qui forma l'établissement et la distinction des familles, et qui introduisit une sorte de propriété, d'où peut-être naquirent[99] déjà bien des querelles et des combats. Cependant, comme les plus forts furent vraisemblablement[100] les premiers à se faire des logements qu'ils se sentaient capables de défendre, il est à croire[1] que les faibles trouvèrent plus court et plus sûr de les imiter que de tenter de les déloger: et quant à ceux qui avaient déjà des cabanes,[2] aucun d'eux ne dut chercher à s'approprier celle de son voisin, moins parce qu'elle ne lui appartenait pas, que parce qu'elle lui était inutile, et qu'il ne pouvait s'en emparer[3] sans s'exposer à un combat très vif avec la famille qui l'occupait.

Les premiers développements du cœur[4] furent l'effet d'une situation nouvelle qui réunissait dans une habitation commune les maris et les fem-5 mes, les pères et les enfants. L'habitude de vivre ensemble fit naître les plus doux sentiments qui soient connus des hommes, l'amour conjugal et 5 l'amour paternel. Chaque famille devint une petite société, d'autant mieux unie[5] que l'attachement réciproque et la liberté en étaient les seuls liens; et ce fut alors que s'établit la première 10 différence dans la manière de vivre des deux sexes, qui jusqu'ici[6] n'en avaient eu qu'une. Les femmes devinrent plus sédentaires, et s'accoutumèrent à garder[7] la cabane et les enfants, 15 tandis que l'homme allait chercher la subsistance commune. Les deux sexes commencèrent aussi, par une vie un peu plus molle,[8] à perdre quelque chose de leur férocité et de leur 20 vigueur. Mais si chacun séparément devint moins propre à[9] combattre les bêtes sauvages, en revanche[10] il fut plus aisé de s'assembler pour leur résister en commun.

Dans ce nouvel état, avec une vie simple et solitaire, des besoins très bornés, et les instruments qu'ils avaient inventés pour y pourvoir,[11] les hommes, jouissant d'un fort grand 30 loisir, l'employèrent à se procurer plusieurs sortes de commodités inconnues à leurs pères; et ce fut là le premier joug[12] qu'ils s'imposèrent sans y songer, et la première source de 35 maux qu'ils préparèrent à leurs descendants; car, outre qu'[13]ils continuè-

---

[95] *à portée de:* capable de
[96] *creuser:* dig, i.e. cultivate
[97] *huttes de branchages:* rustic cabins (made of branches)
[98] *d'enduire d'argile et de boue:* to coat with clay and mud
[99] *naquirent:* s'élevèrent
[100] *vraisemblablement:* sans doute

[1] *il est à croire:* on peut supposer
[2] *cabanes:* rude huts or shelters
[3] *s'en emparer:* la prendre
[4] *du cœur:* des émotions

[5] *d'autant mieux unie:* all the more close-knit
[6] *jusqu'ici:* jusqu'alors
[7] *garder:* s'occuper de
[8] *molle:* soft, easy
[9] *propre à:* capable de
[10] *en revanche:* on the other hand
[11] *pour y pourvoir:* to provide for it
[12] *joug:* yoke (Rousseau parle souvent du joug qu'imposa la société à l'homme primitif.)
[13] *outre que:* in addition to the fact that

rent ainsi à s'amollir[14] le corps et l'esprit, ces commodités ayant par l'habitude perdu presque tout leur agrément,[15] et étant en même temps dégénérées en de vrais besoins, la privation en devint beaucoup plus cruelle que la possession n'en était douce; et l'on était malheureux de les perdre, sans être heureux de les posséder.

On entrevoit un peu mieux ici[16] comment l'usage de la parole s'établit ou se perfectionna insensiblement[17] dans le sein[18] de chaque famille, et l'on peut conjecturer encore comment diverses causes particulières[19] purent étendre le langage et en accélérer le progrès en le rendant plus nécessaire. De grandes inondations[20] ou des tremblements de terre environnèrent d'eaux ou de précipices des cantons[21] habités; des révolutions du globe détachèrent et coupèrent en îles des portions du continent. On conçoit qu'entre des hommes ainsi rapprochés, et forcés de vivre ensemble, il dut se former[22] un idiome commun, plutôt qu'entre ceux qui erraient librement dans les forêts de la terre ferme. Ainsi il est très possible qu'après leurs premiers essais de navigation, des insulaires[23] aient porté parmi nous l'usage de la parole; et il est au moins très vraisemblable que la société et les langues ont pris naissance dans les îles, et s'y sont perfectionnées avant que d'être connues dans le continent.

Tout commence à changer de face.[24] Les hommes errant jusqu'ici dans les bois, ayant pris une assiette[25] plus fixe, se rapprochent lentement, se réunis-5 sent en diverses troupes, et forment enfin dans chaque contrée une nation particulière, unie[26] de mœurs et de caractères, non par des règlements et des lois, mais par le même genre de vie 10 et d'aliments,[27] et par l'influence commune du climat. Un voisinage permanent ne peut manquer d'engendrer enfin quelque liaison entre diverses familles. De jeunes gens de différents 15 sexes habitent des cabanes voisines; le commerce passager que demande la nature en amène bientôt un autre non moins doux et plus permanent par la fréquentation mutuelle. On s'ac-20 coutume à considérer différents objets[28] et à faire des comparaisons; on acquiert insensiblement des idées de mérite et de beauté qui produisent des sentiments de préférence. A force de[29] 25 se voir, on ne peut plus se passer de se voir encore. Un sentiment tendre et doux s'insinue dans l'âme,[30] et par la moindre opposition devient une fureur impétueuse: la jalousie s'éveille avec 30 l'amour; la discorde triomphe, et la plus douce des passions reçoit des sacrifices de sang humain.

A mesure que[31] les idées et les sentiments se succèdent, que l'esprit et le 35 cœur s'exercent, le genre humain continue à s'apprivoiser,[32] les liaisons

[14] *s'amollir:* to allow themselves to become soft in
[15] *agrément:* plaisir
[16] *on entrevoit . . . ici:* here we get a somewhat better glimpse of
[17] *insensiblement:* without (their) being aware of it
[18] *sein:* bosom
[19] *particulières:* individuelles
[20] *inondations:* floods
[21] *cantons:* political districts; the term is still used in Switzerland

[22] *il dut se former:* there must have developed
[23] *insulaires:* islanders
[24] *face:* aspect
[25] *assiette:* habitat
[26] *unie:* alike
[27] *aliments:* nourriture
[28] *objets:* personnes
[29] *A force de:* as a result of
[30] *s'insinue dans l'âme:* finds its way into the heart
[31] *A mesure que:* as
[32] *s'apprivoiser:* to become "tame"

s'étendent et les liens se resserrent.[33] On s'accoutuma à s'assembler devant les cabanes ou autour d'un grand arbre: le chant et la danse, vrais enfants de l'amour et du loisir, devinrent l'amusement ou plutôt l'occupation des hommes et des femmes oisifs et attroupés.[34] Chacun commença à regarder les autres et à vouloir être regardé soi-même, et l'estime publique eut un prix.[35] Celui qui chantait ou dansait le mieux, le plus beau, le plus fort, le plus adroit, ou le plus éloquent, devint le plus considéré;[36] et ce fut là le premier pas vers l'inégalité, et vers le vice en même temps: de ces premières préférences naquirent d'un côté la vanité et le mépris; de l'autre, la honte et l'envie; et la fermentation causée par ces nouveaux levains[37] produisit enfin des composés funestes[38] au bonheur et à l'innocence.

Sitôt que les hommes eurent commencé à s'apprécier mutuellement, et que l'idée de la considération fut formée dans leur esprit, chacun prétendit y avoir droit, et il ne fut plus possible d'en manquer impunément[39] pour personne. De là sortirent les premiers devoirs de la civilité,[40] même parmi les sauvages; et de là tout tort volontaire[41] devint un outrage, parce qu'avec le mal qui résultait de l'injure[42] l'offensé y voyait[43] le mépris de sa personne, souvent plus insup-

portable que le mal même. C'est ainsi que, chacun punissant le mépris qu'on lui avait témoigné[44] d'une manière proportionnée au cas qu'il faisait de lui-même,[45] les vengeances devinrent terribles, et les hommes sanguinaires et cruels. Voilà précisément le degré où étaient parvenus la plupart des peuples sauvages qui nous sont connus; et c'est faute d'[46]avoir suffisamment distingué les idées, et remarqué combien ces peuples étaient déjà loin du premier état de nature,[47] que plusieurs se sont hâtés de conclure que l'homme est naturellement cruel, et qu'il a besoin de police[48] pour l'adoucir;[49] tandis que rien n'est si doux que lui dans son état primitif, lorsque, placé par la nature à des distances égales de la stupidité des brutes et des lumières funestes de l'homme civil, et borné également par l'instinct et par la raison à se garantir du[50] mal qui le menace, il est retenu par la pitié naturelle[51] de faire lui-même du mal à personne, sans y être porté[52] par rien, même après en avoir reçu. Car, selon l'axiome du sage Locke,[53] *il ne saurait y avoir[54] d'injure où il n'y a point de propriété.*

Mais il faut remarquer que la société commencée et les relations déjà

[33] *se resserrent:* tighten
[34] *attroupés:* réunis
[35] *prix:* valeur
[36] *considéré:* estimé
[37] *levains:* ferments
[38] *composés funestes:* résultats fatals
[39] *d'en manquer impunément:* to lack (respect) with impunity
[40] *civilité:* courtoisie
[41] *tout tort volontaire:* any deliberate offense
[42] *injure:* insulte
[43] *l'offensé y voyait:* the offended person considered it to be

[44] *témoigné:* montré
[45] *cas . . . de lui-même:* his own self-esteem
[46] *faute de:* because of failure to
[47] *premier état de nature:* genuinely primitive state (Rousseau insists that the status of savage tribes of his own day should not be mistaken for that of primitive man.)
[48] *police:* a police force
[49] *adoucir:* soften
[50] *se garantir de:* se protéger de
[51] *naturelle:* instinctive
[52] *porté:* amené
[53] *Locke:* philosophe anglais (1632–1704), dont le système était basé sur l'expérience humaine
[54] *il ne saurait y avoir:* il ne peut pas y avoir

établies entre les hommes exigeaient en eux des qualités différentes de celles qu'ils tenaient de leur constitution [55] primitive; que la moralité commençant à s'introduire dans les actions humaines, et chacun, avant les lois, étant seul juge et vengeur des offenses qu'il avait reçues, la bonté [56] convenable au pur état de nature n'était plus celle qui convenait à la société naissante; qu'il fallait que les punitions devinssent plus sévères à mesure que les occasions d'offenser devenaient plus fréquentes; et que c'était à la terreur des vengeances de tenir lieu du frein de lois.[57] Ainsi, quoique les hommes fussent devenus moins endurants,[58] et que la pitié naturelle eût déjà souffert quelque altération, cette période du développement des facultés humaines, tenant un juste milieu entre l'indolence de l'état primitif et la pétulante [59] activité de notre amour-propre, dut être l'époque la 5 plus heureuse et la plus durable. Plus on y réfléchit, plus on trouve que cet état était le moins sujet aux révolutions, le meilleur à [60] l'homme; et qu'il n'en a dû sortir que [61] par quelque funeste hasard, qui, pour l'utilité 10 commune eût dû ne jamais arriver.[62] L'exemple des sauvages, qu'on a presque tous trouvés à ce point,[63] semble confirmer que le genre humain était 15 fait pour y rester toujours, que cet état est la véritable jeunesse du monde, et que tous les progrès ultérieurs ont été, en apparence, autant de pas vers la perfection de l'individu et en effet 20 vers la décrépitude de l'espèce.[64]

[55] *constitution:* constitution physique
[56] *bonté:* bonté naturelle
[57] *tenir lieu du frein des lois:* replace the check of the law
[58] *endurants:* robustes
[59] *pétulante:* impétueuse
[60] *à:* pour

[61] *n'en a dû sortir que:* must have only emerged from it
[62] *eût dû ne jamais arriver:* n'aurait jamais dû arriver
[63] *point:* stage of development
[64] *la décrépitude de l'espèce:* the decline of the human species

Le Dix-neuvième Siècle

Le développement de la littérature française présente un phénomène assez semblable à l'oscillation d'un balancier. Cette oscillation est un changement essentiellement continu et fluide; les mêmes traits persistent, mais c'est l'orientation du mouvement qui change. Il n'y a pas de transformations abruptes — plutôt une continuité, un va-et-vient assez régulier qui tend vers une sorte d'évolution. Cette oscillation se manifeste dans les tendances littéraires depuis le dix-septième siècle jusqu'à la fin du dix-neuvième. Elle est particulièrement évidente pendant les diverses périodes du dix-neuvième siècle.

Le dix-septième siècle fut la période classique, c'est-à-dire une époque plutôt conformiste et stable où tout, hommes et choses, fut soumis à deux grandes forces, la raison et l'autorité. S'il existait une divergence ou même une contradiction entre ces deux forces, on trouvait un compromis. Le dix-huitième siècle, on pourrait l'appeler l'ère de la raison, le siècle révolutionnaire, ou le siècle philosophique. La soumission à la tradition s'affaiblit de plus en plus, et le raisonnement indépendant et critique mena vers le nouvel idéal: une tolérance croissante et un art plus libre, moins discipliné, plus conscient des événements politiques et plus franc à les critiquer que pendant le régime de la monarchie absolue et toute-puissante. Considérée dans cet ensemble de trois cents ans, la première partie du dix-neuvième siècle fut la période romantique où l'individualisme et l'analyse psychologique du «moi» eurent une importance prépondérante.

Analysons d'un peu plus près le dix-neuvième siècle où ce mouvement oscillatoire — cette progression de réaction à réaction — est si apparent.

Par quoi le romantisme se caractérise-t-il? Par l'éveil d'un lyrisme qui sommeillait depuis le seizième siècle; par l'exotisme, c'est-à-dire par un intérêt, tout nouveau alors, dans des pays étrangers et lointains, donc mal connus, mystérieux et attrayants; par l'analyse — et souvent la confession — de la sensibilité, de l'émotion, de l'émotivité, des espoirs secrets et des craintes cachées de l'écrivain; par une technique poétique et théâtrale libérée de presque toutes les règles si consciencieusement imposées et suivies auparavant; par une attitude personnelle envers tout, même envers la nature qui acquiert une importance croissante dans la littérature.

La poésie romantique, quoique fort individualiste, s'accorda bien avec cette effusion et cet épanchement des sentiments. Les principaux poètes romantiques sont Alphonse de Lamartine, dans l'œuvre duquel la nature se mêle si souvent à l'émotion personnelle; Alfred de Vigny, chez qui frappe le stoïcisme en face de la cruauté de la nature; Victor Hugo, qui révèle son attitude individuelle — et parfois inconstante — envers la vie, la politique, la religion et ses expériences personnelles; et Alfred de Musset, qui, le plus souvent, fait la confession de son «moi» en des termes lyriques et musicaux. Le théâtre romantique, le mieux représenté par Alfred de Vigny, Victor Hugo, Alexandre Dumas, père et fils, et Alfred de Musset, fut infiniment plus libre en expression et en techniques théâtrales qu'auparavant, mais enclin, à quelques exceptions[1] près, à être déclamatoire et ennuyeux. Le roman romantique, dont Alexandre Dumas, père, Victor Hugo, et Prosper Mérimée sont les meilleurs représentants, fut lyrique. Il évoqua, souvent avec grande puissance, ou l'antiquité ou l'histoire nationale. Il risqua, pourtant, de devenir incroyable, superficiel et sentimental quand il manqua de vérité psychologique et de descriptions pénétrantes. Dans les œuvres de Stendhal et de Balzac, analysées individuellement un peu plus loin, ces qualités se rencontrent pourtant bien souvent. On est donc porté à appeler ces deux écrivains des romantiques réalistes ou des réalistes romantiques.

La réaction contre le romantisme se fit voir d'abord dans ce que l'on appelle le réalisme, c'est-à-dire des œuvres en prose comme celles de Gustave Flaubert, qui s'efforça d'observer et de décrire, d'un point de vue objectif et précis, la réalité matérielle externe au «moi» de l'auteur. Le réalisme, poussé à l'extrême, devint, dans la deuxième moitié du siècle, le naturalisme. Comme l'écrivain réaliste, l'auteur naturaliste évita la sentimentalité et la subjectivité, et écrivit d'une manière exacte et objective; il eut, par contre, plus de prétentions scientifiques et analysa d'une façon presque clinique les maux de la société dont il présenta souvent le côté le plus scabreux. Le naturalisme, dont Émile Zola et Guy de Maupassant sont les représentants les plus connus, eut une influence énorme sur la littérature du monde entier, en particulier sur nombre d'auteurs tels que Sinclair Lewis, Dos Passos, et Steinbeck.

Dans cette évolution qui amène à l'époque contemporaine, le théâtre subit le moins de changements: il continua libre de règles, mais, à part quelques comédies politiques et sociales,[2] il se contenta de plus en plus tout simplement d'amuser le public.[3]

[1] *exceptions:* Les comédies de Musset forment l'exception la plus frappante.
[2] *politiques et sociales:* Émile Augier et Alexandre Dumas, fils, furent les plus grands hommes de théâtre de cette époque à s'occuper de politique et de problèmes sociaux et moraux.
[3] *le public:* Les grands amuseurs furent d'une part Eugène Labiche et de l'autre Meilhac et Halévy qui écrivirent surtout en collaboration.

En poésie, la réaction contre le romantisme se manifesta dans le Parnasse,[4] école de poésie objective et concise, dont le but fut l'art et la beauté purs. Un poète parnassien ne devait jamais se révéler dans son œuvre; il lui fallait maîtriser son art afin d'atteindre à une expression esthétique frappante. Le balancier littéraire avait donc oscillé de la subjectivité romantique à un art concis et froid — mais il continua sa course et arriva au symbolisme.[5] Le symbolisme fut à la fois une réaction contre l'effusion romantique qui avait si souvent abouti à la superficialité et contre la présentation exacte du monde extérieur qui avait mené les Parnassiens vers une sorte de matérialisme. Les Symbolistes voulurent pénétrer dans les coins les plus secrets de l'âme par la suggestion, l'insinuation et l'évocation, et surtout par l'emploi d'une langue pleine d'images et de nuances musicales. Selon eux, la musique exprime clairement ce que les mots sont si souvent incapables d'exprimer.

Voilà les grandes lignes des tendances littéraires du dix-neuvième siècle, tendances qui, à première vue, peuvent paraître bien divergentes et même disparates, mais qui, en fin de compte, représentent un ensemble bien harmonieux. Chacune est née dans le passé — et chacune exerce une influence plus ou moins importante sur la littérature contemporaine.

ALPHONSE DE LAMARTINE [1790–1869]

Premier en date des poètes romantiques, Lamartine, fils d'une vieille famille bourguignonne, fit d'excellentes études au Collège de Belley, près de Lyon. Il voyagea beaucoup et passa l'année 1811–12 en Italie. Dès sa première œuvre, les *Méditations poétiques* (1820), Lamartine se distingua par sa façon fort personnelle d'exprimer les grands thèmes lyriques de son temps — l'amour, la foi religieuse, le goût de la nature.

Nous constatons dans ses peintures de l'âme en détresse un lyrisme harmonieux et mélancolique, plus touchant que profond. On remarquera dans les poèmes que nous avons choisis à quel point Lamartine fut inspiré par son amour pour Julie — Madame Charles — dont il avait fait la connaissance pendant ses vacances en Savoie et dont la mort inattendue provoqua le grand bouleversement de sa vie.

Même dans ses œuvres d'inspiration religieuse, telles que *Le Temple*, Lamartine trouva facilement l'occasion de faire allusion à sa bien-aimée. Il se dis-

[4] *le Parnasse:* Les Parnassiens les plus importants sont Théophile Gautier, Leconte de Lisle et José-Maria de Hérédia.
[5] *symbolisme:* Les Symbolistes les plus connus sont Charles Baudelaire, Paul Verlaine, Arthur Rimbaud et Stéphane Mallarmé.

tinguait aussi par sa manière unique de s'identifier avec la nature et de s'entretenir avec elle d'une façon très intime.

Lamartine publia de nombreux ouvrages historiques. Pendant plus de vingt ans, il s'intéressa à la politique et, grâce à ses dons d'orateur, il devint, en 1848 ministre des affaires étrangères et chef du gouvernement provisoire.

Les quatre poèmes suivants, tous extraits des *Méditations poétiques*, font preuve de la virtuosité lyrique de Lamartine et de sa capacité d'exprimer avec force et sincérité les thèmes que nous avons signalés.

Hymne au soleil

Vous avez pris pitié de sa longue douleur!
Vous me rendez le jour, Dieu que l'amour implore!
Déjà mon front couvert d'une molle pâleur,[1]
Des teintes de la vie à ses yeux se colore;
Déjà dans tout mon être une douce chaleur   5
Circule avec mon sang, remonte dans mon cœur:
    Je renais pour aimer encore!

Mais la nature aussi se réveille en ce jour!
Au doux soleil de mai nous la voyons renaître;
Les oiseaux de Vénus [2] autour de ma fenêtre   10
Du plus chéri des mois [3] proclament le retour!
Guidez mes premiers pas dans nos vertes campagnes!
Conduis-moi, chère Elvire,[4] et soutiens ton amant.
Je veux voir le soleil s'élever lentement,
Précipiter son char [5] du haut de nos montagnes,   15
Jusqu'à l'heure où dans l'onde il ira s'engloutir,[6]
Et cédera les airs au nocturne zéphyr!
Viens! Que crains-tu pour moi? Le ciel est sans nuage!
Ce plus beau de nos jours passera sans orage;
Et c'est l'heure où déjà sur les gazons [7] en fleurs   20
Dorment près des troupeaux les paisibles pasteurs!

Dieu! que les airs sont doux! Que la lumière est pure!
Tu règnes en vainqueur sur toute la nature,
Ô soleil! et des cieux, où ton char est porté,
    Tu lui [8] verses la vie et la fécondité!   25

[1] *pâleur:* En convalescence après une maladie sérieuse, le poète parle de la guérison effectuée par l'action des rayons du soleil.

[2] *oiseaux de Vénus:* La colombe était, chez les Romains, l'oiseau consacré à Vénus.

[3] *plus chéri des mois:* mai

[4] *Elvire:* Mme Charles, l'amante de Lamartine

[5] *char:* chariot

[6] *s'engloutir:* to be swallowed up, i.e. to set

[7] *gazons:* pastures

[8] *lui:* i.e. à la nature

Le jour où,[9] séparant la nuit de la lumière,
L'Éternel [10] te lança dans ta vaste carrière,
L'univers tout entier te reconnut pour roi;
Et l'homme, en t'adorant, s'inclina devant toi!
De [11] ce jour, poursuivant ta carrière enflammée,   30
Tu décris [12] sans repos ta route accoutumée;
L'éclat de tes rayons ne s'est point affaibli,
Et sous la main des temps ton front n'a point pâli!

Quand la voix du matin vient réveiller l'aurore,   35
L'Indien,[13] prosterné, te bénit et t'adore!
Et moi, quand le midi de ses feux bienfaisants
Ranime par degrés mes membres languissants,
Il me semble qu'un Dieu, dans tes rayons de flamme,
En échauffant mon sein pénètre dans mon âme!   40
Et je sens de ses fers [14] mon esprit détaché [15]
Comme si du Très-Haut le bras m'avait touché!
Mais ton sublime auteur [16] défend-il de le croire?
N'es-tu point, ô soleil! un rayon de sa gloire?
Quand tu vas mesurant l'immensité des cieux,   45
Ô soleil! n'es-tu point un regard de ses yeux?
Ah! si j'ai quelquefois, aux jours de l'infortune,
Blasphémé [17] du soleil la lumière importune; [18]
Si j'ai maudit [17] les dons que j'ai reçus de toi,
Dieu qui lis dans les cœurs, ô Dieu, pardonne-moi!   50
Je n'avais pas goûté la volupté [19] suprême
De revoir la nature auprès de ce que j'aime,[20]
De sentir dans mon cœur, aux rayons d'un beau jour,
Redescendre à la fois et la vie et l'amour!
Insensé! [21] J'ignorais tout le prix de la vie!   55
Mais ce jour me l'apprend et je te glorifie! [22]

[9] *Le jour où . . .:* le jour de la création
[10] *L'Éternel:* Dieu
[11] *De:* à partir de
[12] *décris:* poursuis
[13] *L'Indien:* l'indigène de l'Inde (India)
[14] *fers:* bonds
[15] *détaché:* libéré

[16] *sublime auteur:* Dieu
[17] *Blasphémé . . . maudit:* cursed
[18] *importune:* troublesome
[19] *volupté:* plaisir
[20] *ce que j'aime:* celle que j'aime
[21] *Insensé:* stupid fool
[22] *glorifie:* honor

Le Temple

Qu'il est doux, quand du soir l'étoile solitaire,[1]
Précédant de la nuit le char silencieux,[2]
S'élève lentement dans la voûte des cieux,[3]

[1] *l'étoile solitaire:* l'étoile du soir
[2] *le char silencieux:* la lune

[3] *la voûte des cieux:* canopy of heaven

Et que l'ombre et le jour se disputent la terre,[4]
Qu'il est doux de porter son pas [5] religieux   5
Dans le fond du vallon, vers ce temple rustique
Dont la mousse a couvert le modeste portique,
Mais où le ciel encore parle à des cœurs pieux!

Salut, bois consacré! Salut, champ funéraire,
Des tombeaux du village humble dépositaire;   10
Je bénis en passant tes simples monuments.
Malheur à qui des morts profane la poussière!
J'ai fléchi le genou devant leur humble pierre,
Et la nef [6] a reçu mes pas retentissants.[7]

Quelle nuit! quel silence! au fond du sanctuaire   15
A peine on aperçoit la tremblante [8] lumière
De la lampe qui brûle auprès des saints autels,
Seule elle luit [9] encore, quand l'univers sommeille:
Emblème consolant de la bonté qui veille [10]
Pour recueillir ici les soupirs des mortels.   20
Avançons. Aucun bruit n'a frappé mon oreille;
Le parvis [11] frémit [12] sous mes pas mesurés;
Du sanctuaire enfin j'ai franchi les degrés.[13]
Murs sacrés! saints autels! je suis seul, et mon âme
Peut verser devant vous ses douleurs et sa flamme,[14]   25
Et confier au ciel [15] des accents ignorés,[16]
Que lui seul connaîtra, que vous seuls entendrez.

Mais quoi! de ces autels j'ose approcher sans crainte
J'ose apporter, grand Dieu! dans cette auguste enceinte
Un cœur encore brûlant de douleur et d'amour!   30
Et je ne tremble pas que [17] ta majesté sainte
Ne venge le respect qu'on doit à son séjour! [18]
Non: je ne rougis [19] plus du feu qui me consume:
L'amour est innocent quand la vertu l'allume.
Aussi pur que l'objet [20] à qui je l'ai juré,   35
Le mien brûle mon cœur, mais c'est d'un feu sacré;
La constance l'honore et le malheur l'épure.
Je l'ai dit à la terre, à toute la nature;

[4] *se disputent la terre:* contend for control of the earth
[5] *porter son pas:* to bend one's steps
[6] *nef:* nave
[7] *retentissants:* echoing
[8] *tremblante:* flickering
[9] *luit:* gleams
[10] *veille:* watches
[11] *parvis:* outer sanctuary
[12] *frémit:* shudders
[13] *degrés:* marches
[14] *flamme:* amour
[15] *au ciel:* à Dieu
[16] *ignorés:* inconnus
[17] *que:* de peur que
[18] *séjour:* abode
[19] *rougis:* blush
[20] *objet:* personne

Devant tes saints autels je l'ai dit sans effroi:
J'oserais, Dieu puissant, la nommer devant toi.   40

Oui, malgré la terreur que ton temple m'inspire,
Ma bouche a murmuré tout bas le nom d'Elvire; [21]
Et ce nom répété [22] de tombeaux en tombeaux,
Comme l'accent plaintif d'une ombre qui soupire,
De l'enceinte funèbre a troublé le repos.   45

Adieu, froids monuments! adieu, saintes demeures!
Deux fois l'écho nocturne a répété les heures
Depuis que devant vous mes larmes ont coulé:
Le ciel a vu ces pleurs, et je sors consolé.
Peut-être au même instant, sur un autre rivage,   50
Elvire veille ainsi, seule avec mon image,
Et dans un temple obscur, les yeux baignés de pleurs,
Vient aux autels déserts confier ses douleurs.

[21] *Elvire:* cf. *Hymne au soleil,* note 4   [22] *répété:* retold

Invocation

Ô toi [1] qui m'apparus dans ce désert du monde,
Habitante du ciel, passagère en ces lieux! [2]
Ô toi qui fis briller dans cette nuit profonde
    Un rayon d'amour à mes yeux;

A mes yeux étonnés montre-toi [3] tout entière,   5
Dis-moi quel est ton nom, ton pays, ton destin.
    Ton berceau [4] fut-il sur la terre?
    Ou n'es-tu qu'un souffle [5] divin?

Vas-tu revoir demain l'éternelle lumière?
Ou dans ce lieu d'exil, de deuil, et de misère, [6]   10
Dois-tu poursuivre encore ton pénible chemin?
Ah! quel que soit ton nom, ton destin, ta patrie,
Ou fille de la terre, ou du divin séjour, [7]
    Ah! laisse-moi, toute ma vie,
    T'offrir mon culte [8] ou mon amour.   15

[1] *toi:* Il s'agit de Julie (Mme Charles), dont Lamartine lamente la mort dans *Le Lac,* le plus célèbre de ses poèmes.
[2] *en ces lieux:* sur la terre
[3] *montre-toi:* révèle-toi
[4] *berceau:* cradle
[5] *souffle:* breath
[6] *misère:* Le poète fait allusion à ce monde, lieu d'exil et de souffrance pour le chrétien et, dans ce cas-ci, pour l'amoureux.
[7] *du divin séjour:* du ciel
[8] *culte:* worship

Si tu dois,[9] comme nous, achever ta carrière; [10]
Sois mon appui,[11] mon guide, et souffre qu'en tous lieux,
De tes pas adorés je baise la poussière.
Mais si tu prends ton vol, et si, loin de nos yeux,
Sœur des anges, bientôt tu remontes près d'eux,   20
Après m'avoir aimé quelques jours sur la terre,
Souviens-toi de mci dans les cieux.

[9] *Si tu dois:* si c'est ton destin de   [11] *appui:* support
[10] *achever ta carrière:* continuer à vivre

L'Automne

Salut! bois couronnés d'un reste de verdure! [1]
Feuillages jaunissants sur les gazons épars! [2]
Salut, derniers beaux jours! le deuil de la nature
Convient à [3] la douleur et plaît à mes regards!

Je suis [4] d'un pas rêveur le sentier solitaire,   5
J'aime à revoir encore, pour la dernière fois,
Ce soleil pâlissant, dont la faible lumière
Perce [5] à peine à mes pieds l'obscurité des bois!

Oui, dans ces jours d'automne où la nature expire,
A [6] ses regards voilés [7] je trouve plus d'attraits,   10
C'est l'adieu d'un ami, c'est le dernier sourire
Des lèvres que la mort va fermer pour jamais!

Ainsi prêt à quitter l'horizon de la vie,[8]
Pleurant de mes longs jours l'espoir évanoui,
Je me retourne encore, et d'un regard d'envie   15
Je contemple ses biens [9] dont je n'ai pas joui!

Terre, soleil, vallons, belle et douce nature,
Je vous dois une larme, aux bords de mon tombeau;
L'air est si parfumé! la lumière est si pure!
Aux regards d'un mourant le soleil est si beau!   20

Je voudrais maintenant vider [10] jusqu'à la lie [11]
Ce calice mêlé de nectar et de fiel! [12]

[1] *reste de verdure:* ce qui reste de la verdure de l'été
[2] *épars:* sparse, thin
[3] *Convient à:* is suitable to
[4] *suis:* du verbe *suivre*
[5] *perce:* pénètre
[6] *A:* dans
[7] *regards voilés:* dimmed look

[8] *quitter . . . vie:* mourir (Puisque ce
poème fut écrit en 1819, on aurait tort de
prendre ce vers trop au pied de la lettre.)
[9] *biens:* bonheur
[10] *vider:* empty
[11] *lie:* dregs
[12] *fiel:* gall

Au fond de cette coupe où je buvais la vie,
Peut-être restait-il une goutte de miel? [13]

Peut-être l'avenir me gardait-il encore   25
Un retour [14] de bonheur dont l'espoir est perdu?
Peut-être dans la foule, une âme que j'ignore [15]
Aurait compris mon âme et m'aurait répondu? . . .

La fleur tombe en livrant ses parfums au zéphyre;
A la vie, au soleil, ce sont là ses adieux;   30
Moi, je meurs; et mon âme, au moment qu'elle expire,
S'exhale [16] comme un son triste et mélodieux.

[13] *miel:* honey   [15] *que j'ignore:* que je ne connais pas
[14] *retour:* recurrence   [16] *S'exhale:* breathes itself away

ALFRED DE MUSSET [1810–57]

Alfred de Musset s'attacha au *Cénacle,* club de poètes romantiques dont
Victor Hugo était le chef, quand il n'avait que dix-huit ans. Il publia ses
meilleures œuvres avant d'atteindre l'âge de trente ans et fut élu à l'Académie
française en 1852. Intimement lié au *Cénacle* pendant peu de temps seulement, il développa un art qui est vraiment sien, en poésie comme au théâtre,[1]
un art qui se distingue par l'originalité comme par la sincérité et par la gaîté
mélangée de mélancolie et d'émotion de son auteur. Très souvent ses poèmes
et ses pièces prouvent que Musset put écrire un petit chef-d'œuvre au sujet de
rien du tout, le thème central restant toujours l'amour. Musset était convaincu
que l'amour est le bien suprême et sacré, et que rien n'est si tragique
qu'une tragédie d'amour (comme la sienne avec George Sand [2] qui l'inspira plus
qu'aucune autre expérience personnelle). Son œuvre lui est donc toute particulière bien qu'il soit resté l'enfant de son siècle.

Dans *Fantasio* (1834), comédie en deux actes dont le deuxième est cité
ici, le personnage dont dépend le dénouement est Fantasio, jeune homme d'une
ville de Bavière.[3] Comme Musset lui-même, Fantasio souffre d'un ennui op-
pressif bien que sans cause précise. Il adore le changement; il boit trop; il est

[1] *théâtre:* Bien que le mieux connu pour sa poésie — avec des recueils comme *Contes d'Espagne et d'Italie* (1830) et *Les Nuits* (1835) — et ensuite pour son théâtre, réuni en partie sous le titre *Comédies et Proverbes* (1840), Musset écrivit aussi un roman autobio-graphique, des contes, beaucoup d'articles de journaux, et une correspondance importante.
[2] *George Sand* (1804–76): romancière française d'une imagination très romanesque, qui rappela ses amours avec Musset dans *Elle et Lui* (1859)
[3] *Bavière:* Bavaria

gai et triste à tour de rôle; il est spirituel et fin, essentiellement poète; avant tout, la cause qu'il défend, c'est l'amour.

Au premier acte on apprend qu'Elsbeth, fille du roi de Bavière, doit, pour des raisons politiques, épouser le Prince de Mantoue [4] qu'elle n'a encore jamais vu. Fantasio, poursuivi par des créanciers, ne peut pas rester chez lui; il sait que la place de bouffon du roi est libre [5] et décide donc de se déguiser en bouffon afin d'entrer au service du roi. Entretemps, le Prince de Mantoue arrive; voulant se faire une idée juste de la princesse Elsbeth avant de l'épouser, il change de place et de vêtements avec son aide de camp, Marinoni.

[4] *Mantoue:* Mantua
[5] *la place . . . est libre:* Saint-Jean, l'ancien bouffon, est enterré ce jour même.

Fantasio

PERSONNAGES

Le Roi de Bavière
Elsbeth, sa fille
Le Prince de Mantoue
Marinoni, son aide de camp
Fantasio, jeune homme de la ville
La Gouvernante d'Elsbeth
Un Page

ACTE II

Scène première

Le jardin du roi de Bavière.

Entrent elsbeth et sa gouvernante   5

LA GOUVERNANTE

Mes pauvres yeux en ont pleuré, pleuré un torrent du ciel.

ELSBETH

Tu es si bonne! Moi aussi j'aimais Saint-Jean; il avait tant d'esprit! Ce n'était point un bouffon ordinaire.

LA GOUVERNANTE

Dire que le pauvre homme est allé là-haut [1] la veille de vos fiançailles! Lui qui ne parlait que de vous à dîner et à souper, tant que le jour durait. Un [20]

[1] *est allé là-haut:* i.e. est mort

garçon si gai, si amusant, qu'il faisait aimer la laideur, et que les yeux le cherchaient toujours en dépit d'eux-mêmes!

ELSBETH

Ne me parle pas de mon mariage; c'est encore là un plus grand malheur.

10   LA GOUVERNANTE

Ne savez-vous pas que le prince de Mantoue arrive aujourd'hui? On dit que c'est un Amadis. [2]

15   ELSBETH

Que dis-tu là, ma chère? Il est horrible et idiot, tout le monde le sait déjà ici.

[2] *Amadis:* héros d'un roman espagnol, *Amadís de Gaula,* type des amants fidèles et respectueux et des chevaliers errants

LA GOUVERNANTE

En vérité?[3] on m'avait dit que c'était un Amadis.

ELSBETH

Je ne demandais pas un Amadis, ma chère; mais cela est cruel, quelquefois, de n'être qu'une fille de roi. Mon père est le meilleur des hommes; le mariage qu'il prépare assure la paix de son royaume; il recevra en récompense la bénédiction d'un peuple; mais moi, hélas! j'aurai la sienne, et rien de plus.

LA GOUVERNANTE

Comme vous parlez tristement!

ELSBETH

Si je refusais le prince, la guerre serait bientôt recommencée; quel malheur que ces traités de paix se signent toujours avec des larmes! Je voudrais être une forte tête,[4] et me résigner à épouser le premier venu, quand cela est nécessaire en politique. Être la mère d'un peuple, cela console les grands cœurs, mais non les têtes faibles. Je ne suis qu'une pauvre rêveuse; peut-être la faute en est-elle à tes romans, tu en as toujours dans tes poches.

LA GOUVERNANTE

Seigneur! n'en dites rien.

ELSBETH

J'ai peu connu la vie, et j'ai beaucoup rêvé.

LA GOUVERNANTE

Si le prince de Mantoue est tel que vous le dites, Dieu ne laissera pas cette affaire-là s'arranger, j'en suis sûre.

ELSBETH

Tu crois! Dieu laisse faire les hommes, ma pauvre amie, et il ne fait 5 guère plus de cas de [5] nos plaintes que du bêlement [6] d'un mouton.

LA GOUVERNANTE

Je suis sûre que, si vous refusiez le 10 prince, votre père ne vous forcerait pas.

ELSBETH

Non certainement il ne me forcerait 15 pas; et c'est pour cela que je me sacrifie. Veux-tu que j'aille dire à mon père d'oublier sa parole, et de rayer d'un trait de plume son nom respectable sur un contrat qui fait des milliers 20 d'heureux? Qu'importe qu'il fasse une malheureuse? Je laisse mon bon père être un bon roi.

LA GOUVERNANTE

Hi! hi! (*Elle pleure.*)

ELSBETH

Ne pleure pas sur moi, ma bonne; tu me ferais peut-être pleurer moi-même, 30 et il ne faut pas qu'une royale fiancée ait les yeux rouges. Ne t'afflige pas de tout cela. Après tout, je serai une reine, c'est peut-être amusant; je prendrai peut-être goût à [7] mes parures, que 35 sais-je? à mes carrosses, à ma nouvelle cour; heureusement qu'il y a pour une princesse autre chose dans le mariage qu'un mari. Je trouverai peut-être le bonheur au fond de ma corbeille de 40 noces.[8]

5 *il ne fait guère plus de cas de:* il n'attache guère plus d'importance à
6 *bêlement:* bleating
7 *je prendrai peut-être goût à:* I shall perhaps develop a taste for
8 *au fond de ma corbeille de noces:* parmi mes cadeaux de noces

LA GOUVERNANTE

Vous êtes un vrai agneau pascal.[9]

ELSBETH

Tiens, ma chère, commençons toujours par en rire, quitte à [10] en pleurer quand il en sera temps. On dit que le prince de Mantoue est la plus ridicule chose du monde.

LA GOUVERNANTE

Si Saint-Jean était là!

ELSBETH

Ah! Saint-Jean! Saint-Jean!

LA GOUVERNANTE

Vous l'aimiez beaucoup, mon enfant.

ELSBETH

Cela est singulier; son esprit m'attachait à lui avec des fils imperceptibles qui semblaient venir de mon cœur; sa perpétuelle moquerie de mes idées romanesques me plaisait à l'excès,[11] tandis que je ne puis supporter qu'avec peine bien des gens qui abondent dans mon sens;[12] je ne sais ce qu'il y avait autour de lui, dans ses yeux, dans ses gestes, dans la manière dont il prenait son tabac. C'était un homme bizarre; tandis qu'il me parlait, il me passait devant les yeux des tableaux délicieux; sa parole donnait la vie, comme par enchantement, aux choses les plus étranges.

LA GOUVERNANTE

C'était un vrai Triboulet.[13]

ELSBETH

Je n'en sais rien; mais c'était un diamant d'esprit.

LA GOUVERNANTE

Voilà des pages qui vont et viennent; je crois que le prince ne va pas tarder à se montrer; il faudrait retourner au palais pour vous habiller.

ELSBETH

Je t'en supplie, laisse-moi un quart d'heure encore; va préparer ce qu'il me faut: hélas, ma chère, je n'ai plus longtemps à rêver.

LA GOUVERNANTE

Seigneur! est-il possible que ce mariage se fasse, s'il vous déplaît? Un père sacrifier sa fille! le roi serait un véritable Jephté,[14] s'il le faisait.

ELSBETH

Ne dis pas de sottises de mon père; va, ma chère, prépare ce qu'il me faut. (*La gouvernante sort.*)

ELSBETH, *seule*

Il me semble qu'il y a quelqu'un derrière ces bosquets.[15] Est-ce le fantôme de mon pauvre bouffon que j'aperçois dans ces bluets,[16] assis sur la prairie? Répondez-moi; qui êtes-vous? que faites-vous là à cueillir ces fleurs? (*Elle s'avance vers un tertre.[17]*)

FANTASIO, *assis, vêtu en bouffon, avec une bosse et une perruque*

Je suis un brave cueilleur de fleurs, qui souhaite le bonjour à vos beaux yeux.

---

[9] *Vous êtes un vrai agneau pascal:* i.e. vous vous sacrifiez pour le bien du royaume
[10] *quitte à:* peut-être pour
[11] *à l'excès:* à l'extrême
[12] *qui abondent dans mon sens:* qui me donnent raison
[13] *Triboulet:* un bouffon du 16ème siècle

[14] *Jephté:* personnage de l'ancien Testament qui sacrifia sa fille à la suite d'un vœu
[15] *bosquets:* thickets
[16] *bluets:* cornflowers
[17] *tertre:* mound, knoll

ELSBETH

Que signifie cet accoutrement? qui êtes-vous pour venir parodier sous cette large perruque un homme que j'ai aimé? Êtes-vous écolier en bouffonnerie?

FANTASIO

Plaise à Votre Altesse Sérénissime,[18] je suis le nouveau bouffon du roi; le majordome m'a reçu favorablement; je suis présenté au valet de chambre; les marmitons[19] me protègent depuis hier au soir, et je cueille modestement des fleurs en attendant qu'il me vienne de l'esprit.

ELSBETH

Cela me paraît douteux, que vous cueilliez jamais cette fleur-là.

FANTASIO

Pourquoi? l'esprit peut venir à un homme vieux, tout comme à une jeune fille. Cela est si difficile quelquefois de distinguer un trait spirituel d'une grosse sottise! Beaucoup parler, voilà l'important; le plus mauvais tireur de pistolet peut attraper la mouche,[20] s'il tire sept cent quatre-vingts coups à la minute, tout aussi bien que le plus habile homme qui n'en tire qu'un ou deux bien ajustés.[21] Je ne demande qu'à être nourri convenablement pour la grosseur de mon ventre, et je regarderai mon ombre au soleil pour voir si ma perruque pousse.

ELSBETH

En sorte que vous voilà revêtu des

dépouilles[22] de Saint-Jean? Vous avez raison de parler de votre ombre; tant que vous aurez ce costume, elle lui ressemblera toujours, je crois, plus que vous.

FANTASIO

Je fais en ce moment une élégie qui décidera de mon sort.

ELSBETH

En quelle façon?

FANTASIO

Elle prouvera clairement que je suis le premier homme du monde, ou bien elle ne vaudra rien du tout. Je suis en train de bouleverser l'univers pour le mettre en acrostiche;[23] la lune, le soleil et les étoiles se battent pour entrer dans mes rimes, comme des écoliers à la porte d'un théâtre de mélodrames.

ELSBETH

Pauvre homme! quel métier tu entreprends! faire de l'esprit à tant par heure![24] N'as-tu ni bras ni jambes, et ne ferais-tu pas mieux de labourer la terre que ta propre cervelle?

FANTASIO

Pauvre petite! quel métier vous entreprenez! épouser un sot que vous n'avez jamais vu! — N'avez-vous ni cœur ni tête, et ne feriez-vous pas mieux de vendre vos robes que votre corps?

ELSBETH

Voilà qui est hardi, monsieur le nouveau venu!

---

[18] *Sérénissime:* très sereine (titre donné à un personnage important)
[19] *marmitons:* cook's boys
[20] *attraper la mouche:* to make a bull's-eye
[21] *ajustés:* aimed

[22] *revêtu des dépouilles:* habillé dans les vêtements; *dépouilles* are either outer skins (of animals) or effects of a deceased person
[23] *acrostiche:* acrostic
[24] *à tant par heure:* at a set price per hour

FANTASIO

Comment appelez-vous cette fleur-là, s'il vous plaît?

ELSBETH

Une tulipe. Que veux-tu prouver?

FANTASIO

Une tulipe rouge, ou une tulipe bleue?

ELSBETH

Bleue, à ce qu'il me semble.

FANTASIO

Point du tout, c'est une tulipe rouge.

ELSBETH

Veux-tu mettre un habit neuf à une vieille sentence?[25] tu n'en as pas besoin pour dire que des goûts et des couleurs il ne faut pas disputer.

FANTASIO

Je ne dispute pas; je vous dis que cette tulipe est une tulipe rouge, et cependant je conviens qu'elle est bleue.

ELSBETH

Comment arranges-tu cela?

FANTASIO

Comme votre contrat de mariage. Qui peut savoir sous le soleil s'il est né bleu ou rouge? Les tulipes elles-mêmes n'en savent rien. Les jardiniers et les notaires font des greffes[26] si extraordinaires que les pommes deviennent des citrouilles,[27] et que les chardons[28]

sortent de la mâchoire de l'âne pour s'inonder de sauce dans le plat d'argent d'un évêque. Cette tulipe que voilà s'attendait bien à être rouge; mais on l'a mariée; elle est tout étonnée d'être bleue: c'est ainsi que le monde entier se métamorphose sous les mains de l'homme; et la pauvre dame Nature doit se rire parfois au nez de bon cœur,[29] quand elle mire[30] dans ses lacs et dans ses mers son éternelle mascarade. Croyez-vous que ça sentît la rose dans le paradis de Moïse?[31] ça ne sentait que le foin vert. La rose est fille de la civilisation; c'est une marquise comme vous et moi.

ELSBETH

La pâle fleur de l'aubépine[32] peut devenir une rose, et un chardon peut devenir un artichaut; mais une fleur ne peut en devenir une autre: ainsi qu'importe à la nature? on ne la change pas, on l'embellit ou on la tue. La plus chétive violette mourrait plutôt que de céder si l'on voulait, par des moyens artificiels, altérer sa forme d'une étamine.[33]

FANTASIO

C'est pourquoi je fais plus de cas d'une violette que d'une fille de roi.

ELSBETH

Il y a de[34] certaines choses que les bouffons eux-mêmes n'ont pas le droit de railler; fais-y attention. Si tu as écouté ma conversation avec ma gouvernante, prends garde à tes oreilles.

---

[25] *un habit neuf à une vieille sentence:* une nouvelle application à un vieux proverbe

[26] *greffes:* grafts (in the horticultural sense)

[27] *citrouilles:* pumpkins

[28] *chardons:* thistles

[29] *se rire parfois au nez de bon cœur:* sometimes laugh heartily to herself

[30] *mire:* regarde

[31] *le paradis de Moïse:* le paradis décrit par Moïse, le plus grand personnage de l'ancien Testament

[32] *aubépine:* hawthorn

[33] *étamine:* stamen

[34] *de:* De nos jours, on n'emploie plus *de* dans cette construction.

FANTASIO

Non pas à mes oreilles, mais à ma langue. Vous vous trompez de sens; il y a une erreur de sens[35] dans vos paroles.

ELSBETH

Ne me fais pas de calembour,[36] si tu veux gagner ton argent, et ne me compare pas à des tulipes, si tu ne veux gagner autre chose.

FANTASIO

Qui sait? un calembour console de bien des chagrins, et jouer avec les mots est un moyen comme un autre de jouer avec les pensées, les actions et les êtres. Tout est calembour ici-bas, et il est aussi difficile de comprendre le regard d'un enfant de quatre ans que le galimatias[37] de trois drames modernes.

ELSBETH

Tu me fais l'effet de regarder le monde à travers un prisme tant soit peu[38] changeant.

FANTASIO

Chacun a ses lunettes; mais personne ne sait au juste de quelle couleur en sont les verres. Qui est-ce qui pourra me dire au juste si je suis heureux ou malheureux, bon ou mauvais, triste ou gai, bête ou spirituel?

ELSBETH

Tu es laid, du moins; c'est certain.

FANTASIO

Pas plus certain que votre beauté. Voilà votre père qui vient avec votre futur mari. Qui est-ce qui peut savoir si vous l'épouserez? (*Il sort.*)

ELSBETH

Puisque je ne puis éviter la rencontre du prince de Mantoue, je ferai aussi bien d'aller au-devant de lui.[39] (*Entrent le roi, Marinoni sous le costume de prince et le prince vêtu en aide de camp.*)

LE ROI

Prince, voici ma fille. Pardonnez-lui cette toilette de jardinière; vous êtes ici chez un bourgeois qui en gouverne d'autres, et notre étiquette est aussi indulgente pour nous-mêmes que pour eux.

MARINONI

Permettez-moi de baiser cette main charmante, madame, si ce n'est pas une trop grande faveur pour mes lèvres.

LA PRINCESSE

Votre Altesse m'excusera si je rentre au palais. Je la verrai, je pense, d'une manière plus convenable à la présentation de ce soir. (*Elle sort.*)

LE PRINCE

La princesse a raison; voilà une divine pudeur.

LE ROI, *à Marinoni*

Quel est donc cet aide de camp qui vous suit comme votre ombre? Il m'est insupportable de l'entendre ajouter une remarque inepte à tout ce que nous disons. Renvoyez-le, je vous en prie. (*Marinoni parle bas au prince.*)

LE PRINCE, *de même*

C'est fort adroit de ta part de lui

---

[35] *sens:* Cette fois, *sens* veut dire *jugement.*
[36] *calembour:* jeu de mots
[37] *galimatias:* grandiloquent nonsense
[38] *tant soit peu:* ever so little
[39] *aller au-devant de lui:* aller à sa rencontre

avoir persuadé de m'éloigner; je vais tâcher de joindre la princesse et de lui toucher [40] quelques mots délicats sans faire semblant de rien.[41] (*Il sort.*)

LE ROI

Cet aide de camp est un imbécile, mon ami; que pouvez-vous faire de cet homme-là?

MARINONI

Hum! hum! Poussons quelques pas plus avant,[42] si Votre Majesté le permet; je crois apercevoir un kiosque tout à fait charmant dans ce bocage.[43] (*Ils sortent.*)

SCÈNE II

Une autre partie du jardin.

LE PRINCE, *entrant*

Mon déguisement me réussit à merveille; j'observe, et je me fais aimer. Jusqu'ici tout va au gré de [44] mes souhaits; le père me paraît un grand roi, quoique trop sans façon,[45] et je m'étonnerais si je ne lui avais plu tout d'abord. J'aperçois la princesse qui rentre au palais; le hasard me favorise singulièrement. (*Elsbeth entre; le prince l'aborde.*) Altesse, permettez à un fidèle serviteur de votre futur époux de vous offrir les félicitations sincères que son cœur humble et dévoué ne peut contenir en vous voyant. Heureux les grands de la terre! ils peuvent vous épouser, moi je ne le puis pas; cela m'est tout à fait impos-

sible; je suis d'une naissance obscure; je n'ai pour tout bien qu'un nom redoutable à l'ennemi, un cœur pur et sans tache bat sous ce modeste uniforme; je suis un pauvre soldat criblé [46] de balles des pieds à la tête; je n'ai pas un ducat; [47] je suis solitaire et exilé de ma terre natale comme de ma patrie céleste, c'est-à-dire du paradis de mes rêves; je n'ai pas un cœur de femme à presser sur mon cœur; je suis maudit et silencieux.

ELSBETH

Que me voulez-vous, mon cher monsieur? Êtes-vous fou, ou demandez-vous l'aumône?

LE PRINCE

Qu'il serait difficile de trouver des paroles pour exprimer ce que j'éprouve! Je vous ai vue passer toute seule dans cette allée; j'ai cru qu'il était de mon devoir de me jeter à vos pieds, et de vous offrir ma compagnie jusqu'à la poterne.[48]

ELSBETH

Je vous suis obligée; rendez-moi le service de me laisser tranquille. (*Elle sort.*)

LE PRINCE, *seul*

Aurais-je [49] eu tort de l'aborder? Il le fallait cependant, puisque j'ai le projet de la séduire sous mon habit supposé. Oui, j'ai bien fait de l'aborder. Cependant elle m'a répondu d'une manière désagréable. Je n'aurais peut-être pas dû lui parler si vivement. Il le fallait pourtant bien, puisque son mariage est presque assuré, et que je

[40] *toucher:* dire
[41] *sans faire semblant de rien:* surreptitiously
[42] *Poussons quelques pas plus avant:* allons un peu plus loin
[43] *bocage:* grove
[44] *au gré de:* selon
[45] *sans façon:* sans cérémonie

[46] *criblé:* couvert, percé
[47] *ducat:* ancienne monnaie d'or
[48] *poterne:* postern (gate)
[49] *Aurais-je:* Noter l'emploi du conditionnel pour exprimer la conjecture.

suis censé[50] devoir supplanter Marinoni, qui me remplace. J'ai eu raison
de lui parler vivement. Mais la réponse
est désagréable. Aurait-elle [49] un cœur
dur et faux? Il serait bon de sonder [51]
adroitement la chose. (*Il sort.*)

SCÈNE III

Une antichambre.

FANTASIO, *couché sur un tapis*

Quel métier délicieux que celui de
bouffon! J'étais gris,[52] je crois, hier soir,
lorsque j'ai pris ce costume et que [53] je
me suis présenté au palais; mais, en
vérité, jamais la saine raison ne m'a
rien inspiré qui valût cet acte de folie.
J'arrive, et me voilà reçu, choyé,[54]
enregistré, et ce qu'il y a de mieux encore, oublié. Je vais et viens dans ce
palais comme si je l'avais habité toute
ma vie. Tout à l'heure, j'ai rencontré le
roi; il n'a pas même eu la curiosité de
me regarder; son bouffon étant mort,
on lui a dit: «Sire, en voilà un autre.»
C'est admirable! Dieu merci, voilà ma
cervelle à l'aise,[55] je puis faire toutes
les balivernes [56] possibles sans qu'on
me dise rien pour m'en empêcher; je
suis un des animaux domestiques du
roi de Bavière, et si je veux, tant que
je garderai ma bosse et ma perruque,
on me laissera vivre jusqu'à ma mort
entre un épagneul et une pintade.[57]
En attendant, mes créanciers peuvent
se casser le nez contre ma porte tout
à leur aise. Je suis aussi bien en sûreté

ici, sous cette perruque, que dans les
Indes occidentales.[58]

N'est-ce pas la princesse que j'aperçois dans la chambre voisine, à travers
cette glace? Elle rajuste son voile de
noces; deux longues larmes coulent sur
ses joues; en voilà une qui se détache
comme une perle et qui tombe sur sa
poitrine. Pauvre petite! j'ai entendu ce
matin sa conversation avec sa gouvernante; en vérité, c'était par hasard;
j'étais assis sur le gazon, sans autre
dessein que celui de dormir. Maintenant la voilà qui pleure et qui ne se
doute guère que je la vois encore.[59]
Ah! si j'étais un écolier de rhétorique,
comme je réfléchirais profondément
sur cette misère couronnée, sur cette
pauvre brebis [60] à qui on met un ruban
rose au cou pour la mener à la boucherie! Cette petite fille est sans doute
romanesque; il lui est cruel d'épouser
un homme qu'elle ne connaît pas. Cependant elle se sacrifie en silence. Que
le hasard est capricieux! il faut que
je me grise, que je rencontre l'enterrement de Saint-Jean, que je prenne son
costume et sa place, que je fasse enfin
la plus grande folie de la terre, pour
venir voir tomber, à travers cette glace,
les deux seules larmes que cette enfant versera peut-être sur son triste
voile de fiancée! (*Il sort.*)

SCÈNE IV — LE PRINCE, MARINONI

Une allée du jardin.

LE PRINCE

Tu n'es qu'un sot, colonel.

MARINONI

Votre Altesse se trompe sur mon
compte de la manière la plus pénible.

---

[50] *censé:* supposed
[51] *sonder:* chercher à connaître
[52] *gris:* à moitié ivre
[53] *que:* lorsque
[54] *choyé:* bien soigné
[55] *ma cervelle à l'aise:* mon esprit tranquille
[56] *balivernes:* discours frivoles
[57] *un épagneul et une pintade:* a spaniel
and a guinea-fowl

[58] *les Indes occidentales:* l'Amérique
[59] *encore:* encore une fois
[60] *brebis:* lamb

LE PRINCE

Tu es un maître butor.[61] Ne pouvais-tu pas empêcher cela? Je te confie le plus grand projet qui se soit enfanté [62] depuis une suite d'années incalculable, et toi, mon meilleur ami, mon plus fidèle serviteur, tu entasses [63] bêtises sur bêtises. Non, non, tu as beau dire;[64] cela n'est point pardonnable.

MARINONI

Comment pouvais-je empêcher Votre Altesse de s'attirer les désagréments qui sont la suite nécessaire du rôle supposé qu'elle joue? Vous m'ordonnez de prendre votre nom et de me comporter en véritable prince de Mantoue. Puis-je empêcher le roi de Bavière de faire un affront à mon aide de camp? Vous aviez tort de vous mêler de nos affaires.

LE PRINCE

Je voudrais bien qu'un maraud comme toi se mêlât de me donner des ordres! [65]

MARINONI

Considérez, Altesse, qu'il faut cependant que je sois le prince ou que je sois l'aide de camp. C'est par votre ordre que j'agis.

LE PRINCE

Me dire que je suis un impertinent en présence de toute la cour, parce que j'ai voulu baiser la main de la princesse! Je suis prêt à lui [66] déclarer la guerre, et à retourner dans mes États pour me mettre à la tête de mes armées.

MARINONI

Songez donc, Altesse, que ce mauvais compliment s'adressait à l'aide de camp et non au prince. Prétendez-vous qu'on vous respecte sous ce déguisement?

LE PRINCE

Il suffit. Rends-moi mon habit.

MARINONI, ôtant l'habit

Si mon souverain l'exige, je suis prêt à mourir pour lui.

LE PRINCE

En vérité, je ne sais que résoudre. D'un côté, je suis furieux de ce qui m'arrive, et, d'un autre, je suis désolé de renoncer à mon projet. La princesse ne paraît pas répondre indifféremment aux mots à double entente [67] dont je ne cesse de la poursuivre. Déjà je suis parvenu deux ou trois fois à lui dire à l'oreille des choses incroyables. Viens, réfléchissons à tout cela.

MARINONI, tenant l'habit

Que ferai-je, Altesse?

LE PRINCE

Remets-le, remets-le, et rentrons au palais. (Ils sortent.)

SCÈNE V — LA PRINCESSE ELSBETH, LE ROI

LE ROI

Ma fille, il faut répondre franchement à ce que je vous demande: Ce mariage vous déplaît-il?

---

[61] un maître butor: très stupide
[62] enfanté: créé
[63] entasses: pile, heap
[64] tu as beau dire: tu t'excuses en vain
[65] Je voudrais . . . me donner des ordres!: I would like to see a rogue like you taking a hand in giving me orders!
[66] lui: au roi de Bavière
[67] double entente: deux interprétations

ELSBETH

C'est à vous, Sire, de répondre vous-même. Il me plaît, s'il vous plaît; il me déplaît, s'il vous déplaît.

LE ROI

Le prince m'a paru être un homme ordinaire, dont il est difficile de rien dire. La sottise de son aide de camp lui fait seule tort dans mon esprit; quant à lui, c'est peut-être un bon prince, mais ce n'est pas un homme élevé. Il n'y a rien en lui qui me repousse ou qui m'attire. Que puis-je te dire là-dessus? Le cœur des femmes a des secrets que je ne puis connaître; elles se font des héros parfois si étranges, elles saisissent [68] si singulièrement un ou deux côtés d'un homme qu'on leur présente, qu'il est impossible de juger pour elles, tant qu'on n'est pas guidé par quelque point tout à fait sensible. Dis-moi donc clairement ce que tu penses de ton fiancé.

ELSBETH

Je pense qu'il est prince de Mantoue, et que la guerre recommencera demain entre lui et vous, si je ne l'épouse pas.

LE ROI

Cela est certain, mon enfant.

ELSBETH

Je pense donc que je l'épouserai, et que la guerre sera finie.

LE ROI

Que les bénédictions de mon peuple te rendent grâces pour ton père! Ô ma fille chérie! je serais heureux de cette alliance; mais je ne voudrais pas voir dans ces beaux yeux cette tristesse qui

[68] *saisissent:* comprennent

dément leur résignation. Réfléchis encore quelques jours. (*Il sort. — Entre Fantasio.*)

ELSBETH

Te voilà, pauvre garçon, comment te plais-tu ici?

FANTASIO

Comme un oiseau en liberté.

ELSBETH

Tu aurais mieux répondu, si tu avais dit comme un oiseau en cage. Ce palais en est une assez belle; cependant c'en est une.

FANTASIO

La dimension d'un palais ou d'une chambre ne fait pas l'homme plus ou moins libre. Le corps se remue où il peut; l'imagination ouvre quelquefois des ailes grandes comme le ciel dans un cachot grand comme la main.

ELSBETH

Ainsi donc, tu es un heureux fou?

FANTASIO

Très heureux. Je fais la conversation avec les petits chiens et les marmitons. Il y a là un roquet [69] pas plus haut que cela dans la cuisine, qui m'a dit des choses charmantes.

ELSBETH

En quel langage?

FANTASIO

Dans le style le plus pur. Il ne ferait pas une seule faute de grammaire dans l'espace d'une année.

ELSBETH

Pourrais-je entendre quelques mots de ce style?

[69] *roquet:* pug dog

FANTASIO

En vérité, je ne le voudrais pas; c'est une langue qui est particulière. Il n'y a pas que les roquets qui la parlent, les arbres et les grains de blé eux-mêmes la savent aussi; mais les filles de roi ne la savent pas. A quand votre noce?

ELSBETH

Dans quelques jours tout sera fini.

FANTASIO

C'est-à-dire tout sera commencé. Je compte vous offrir un présent de ma main.

ELSBETH

Quel présent? Je suis curieuse de cela.

FANTASIO

Je compte vous offrir un joli petit serin empaillé,[70] qui chante comme un rossignol.

ELSBETH

Comment peut-il chanter, s'il est empaillé?

FANTASIO

Il chante parfaitement.

ELSBETH

En vérité, tu te moques de moi avec un rare acharnement.[71]

FANTASIO

Point du tout. Mon serin a une petite serinette[72] dans le ventre. On pousse tout doucement un petit res- sort[73] sous la patte gauche, et il

chante tous les opéras nouveaux, exactement comme mademoiselle Grisi.[74]

ELSBETH

C'est une invention de ton esprit, sans doute?

FANTASIO

En aucune façon. C'est un serin de cour; il y a beaucoup de petites filles très bien élevées qui n'ont pas d'autres procédés que celui-là. Elles ont un petit ressort sous le bras gauche, un joli petit ressort en diamant fin, comme la montre d'un petit-maître.[75] Le gouverneur ou la gouvernante fait jouer[76] le ressort, et vous voyez aussitôt les lèvres s'ouvrir avec le sourire le plus gracieux; une charmante casca- telle[77] de paroles mielleuses[78] sort avec le plus doux murmure, et toutes les convenances sociales, pareilles à des nymphes légères, se mettent aussitôt à dansotter[79] sur la pointe du pied autour de la fontaine merveilleuse. Le prétendu[80] ouvre des yeux ébahis; l'assistance chuchote avec indulgence, et le père, rempli d'un secret contente- ment, regarde avec orgueil les boucles d'or de ses souliers.

ELSBETH

Tu parais revenir volontiers sur de certains sujets. Dis-moi, bouffon, que t'ont donc fait ces pauvres jeunes filles, pour que tu en fasses si gaiement la satire? Le respect d'aucun devoir ne peut-il trouver grâce devant toi?

---

[74] *Grisi:* Giulia Grisi chanta au Théâtre des Italiens à Paris à partir de 1832.
[75] *un petit-maître:* a dandy
[76] *jouer:* fonctionner
[77] *cascatelle:* petite cascade
[78] *mielleuses:* doucereuses, hypocrites
[79] *dansotter:* to dance stiffly
[80] *prétendu:* fiancé

[70] *serin empaillé:* stuffed canary
[71] *acharnement:* relentlessness
[72] *serinette:* bird-organ
[73] *ressort:* spring

FANTASIO

Je respecte fort la laideur; c'est pourquoi je me respecte moi-même si profondément.

ELSBETH

Tu parais quelquefois en savoir plus que tu n'en dis. D'où viens-tu donc, et qui es-tu, pour que, depuis un jour que tu es ici, tu saches déjà pénétrer des mystères que les princes eux-mêmes ne soupçonneront jamais? Est-ce à moi que s'adressent tes folies, ou est-ce au hasard que tu parles?

FANTASIO

C'est au hasard;[81] je parle beaucoup au hasard:[81] c'est mon plus cher confident.

ELSBETH

Il semble en effet t'avoir appris ce que tu ne devrais pas connaître. Je croirais volontiers que tu épies mes actions et mes paroles.

FANTASIO

Dieu le sait. Que vous importe?

ELSBETH

Plus que tu ne peux penser. Tantôt dans cette chambre, pendant que je mettais mon voile, j'ai entendu marcher tout à coup derrière la tapisserie. Je me trompe fort si ce n'était toi qui marchais.

FANTASIO

Soyez sûre que cela reste entre votre mouchoir et moi. Je ne suis pas plus indiscret que je ne suis curieux. Quel plaisir pourraient me faire vos chagrins? quel chagrin pourraient me faire vos plaisirs? Vous êtes ceci, et

moi cela. Vous êtes jeune, et moi je suis vieux; belle, et je suis laid, riche, et je suis pauvre. Vous voyez bien qu'il n'y a aucun rapport entre nous. Que vous importe que le hasard ait croisé sur sa grande route deux roues qui ne suivent pas la même ornière,[82] et qui ne peuvent marquer sur la même poussière? Est-ce ma faute s'il m'est tombé, pendant que je dormais, une de vos larmes sur la joue?

ELSBETH

Tu me parles sous la forme d'un homme que j'ai aimé, voilà pourquoi je t'écoute malgré moi. Mes yeux croient voir Saint-Jean; mais peut-être n'es-tu qu'un espion?

FANTASIO

A quoi cela me servirait-il? Quand il serait[83] vrai que votre mariage vous coûterait quelques larmes, et quand je l'aurais[84] appris par hasard, qu'est-ce que je gagnerais à l'aller raconter?[85] On ne me donnerait pas une pistole[86] pour cela, et on ne vous mettrait pas au cabinet noir.[87] Je comprends très bien qu'il doit être assez ennuyeux d'épouser le prince de Mantoue. Mais, après tout, ce n'est pas moi qui en suis chargé. Demain ou après-demain vous serez partie pour Mantoue avec votre robe de noce, et moi je serai encore sur ce tabouret[88] avec mes vieilles chausses.[89] Pourquoi voulez-vous que je vous en veuille? Je n'ai pas de raison pour désirer votre mort; vous ne m'avez jamais prêté d'argent.

---

[81] *au hasard:* play on words: in the first case, *to chance;* in the second, *haphazardly*

[82] *ornière:* rut, groove
[83] *Quand il serait:* même s'il était
[84] *quand je l'aurais:* même si je l'avais
[85] *à l'aller raconter:* à aller le raconter
[86] *pistole:* ancienne monnaie d'or
[87] *cabinet noir:* dark closet (for punishment)
[88] *tabouret:* stool
[89] *chausses:* breeches

ELSBETH

Mais si le hasard t'a fait voir ce que je veux qu'on ignore, ne dois-je pas te mettre à la porte, de peur de nouvel accident?

FANTASIO

Avez-vous le dessein de me comparer à un confident de tragédie,[90] et craignez-vous que je ne suive votre ombre en déclamant? Ne me chassez pas, je vous en prie. Je m'amuse beaucoup ici. Tenez, voilà votre gouvernante qui arrive avec des mystères plein ses poches.[91] La preuve que je ne l'écouterai pas, c'est que je m'en vais à l'office manger une aile de pluvier[92] que le majordome a mise de côté pour sa femme. (*Il sort.*)

LA GOUVERNANTE, *entrant*

Savez-vous une chose terrible, ma chère Elsbeth?

ELSBETH

Que veux-tu dire? tu es toute tremblante.

LA GOUVERNANTE

Le prince n'est pas le prince, ni l'aide de camp non plus. C'est un vrai conte de fées.

ELSBETH

Quel imbroglio[93] me fais-tu là?

LA GOUVERNANTE

Chut! chut! C'est un des officiers du prince lui-même qui vient de me le dire. Le prince de Mantoue est un véritable Almaviva;[94] il est déguisé et caché parmi les aides de camp; il a voulu sans doute chercher à vous voir et à vous connaître d'une manière féerique. Il est déguisé, le digne seigneur, il est déguisé comme Lindor;[94] celui qu'on vous a présenté comme votre futur époux n'est qu'un aide de camp nommé Marinoni.

ELSBETH

Cela n'est pas possible!

LA GOUVERNANTE

Cela est certain, certain mille fois. Le digne homme est déguisé, il est impossible de le reconnaître; c'est une chose extraordinaire.

ELSBETH

Tu tiens cela, dis-tu, d'un officier?

LA GOUVERNANTE

D'un officier du prince. Vous pouvez le lui demander à lui-même.

ELSBETH

Et il ne t'a pas montré parmi les aides de camp le véritable prince de Mantoue?

LA GOUVERNANTE

Figurez-vous qu'il en tremblait lui-même, le pauvre homme, de ce qu'il me disait. Il ne m'a confié son secret que parce qu'il désire vous être agréable, et qu'il savait que je vous préviendrais. Quant à Marinoni, cela est positif; mais, pour ce qui est du[95] prince véritable, il ne me l'a pas montré.

---

[90] *un confident de tragédie:* un confident comme on en trouve dans les tragédies françaises classiques
[91] *avec des mystères plein ses poches:* avec ses poches pleines de mystères
[92] *pluvier:* plover (African bird)
[93] *imbroglio:* confusion
[94] *Almaviva:* le comte qui, sous le nom de Lindor, est l'amoureux de Rosine dans *Le Barbier de Séville* de Beaumarchais
[95] *pour ce qui est du:* quant au

ELSBETH

Cela me donnerait quelque chose à penser, si c'était vrai. Viens, amène-moi cet officier. (*Entre un page.*)

LA GOUVERNANTE

Qu'y a-t-il, Flamel? Tu parais hors d'haleine.

LE PAGE

Ah! madame! c'est une chose à en mourir de rire. Je n'ose parler devant Votre Altesse.

ELSBETH

Parle: qu'y a-t-il encore de nouveau?

LE PAGE

Au moment où le prince de Mantoue entrait à cheval dans la cour, à la tête de son état-major, sa perruque s'est enlevée dans les airs, et a disparu tout à coup.

ELSBETH

Pourquoi cela? Quelle niaiserie!

LE PAGE

Madame, je veux mourir si ce n'est pas la vérité. La perruque s'est enlevée en l'air au bout d'un hameçon.[96] Nous l'avons retrouvée dans l'office, à côté d'une bouteille cassée; on ignore qui a fait cette plaisanterie. Mais le duc n'en est pas moins furieux, et il a juré que si l'auteur n'en est pas puni de mort, il déclarera la guerre au roi votre père, et mettra tout à feu et à sang.

ELSBETH

Viens écouter toute cette histoire, ma chère. Mon sérieux [97] commence à m'abandonner. (*Entre un autre page.*)

ELSBETH

Eh bien! quelle nouvelle?

LE PAGE

Madame, le bouffon du roi est en prison: c'est lui qui a enlevé la perruque du prince.

ELSBETH

Le bouffon est en prison? et sur l'ordre du prince?

LE PAGE

Oui, Altesse.

ELSBETH

Viens, chère mère, il faut que je te parle. (*Elle sort avec sa gouvernante.*)

SCÈNE VI — LE PRINCE, MARINONI

LE PRINCE

Non, non, laisse-moi me démasquer. Il est temps que j'éclate. Cela ne se passera pas ainsi. Feu et sang! une perruque royale au bout d'un hameçon! Sommes-nous chez les barbares, dans les déserts de la Sibérie? [1] Y a-t-il encore sous le soleil quelque chose de civilisé et de convenable? J'écume [2] de colère, et les yeux me sortent de la tête.

MARINONI

Vous perdez tout par cette violence.

LE PRINCE

Et ce père, ce roi de Bavière, ce monarque vanté dans tous les almanachs de l'année passée! cet homme qui a un

[1] *Sibérie:* grande région de la partie russe de l'Asie

[2] *écume:* froth. Remarquer le manque de modération et de bon sens dans toute cette scène où le Prince se montre sous son vrai jour.

[96] *hameçon:* fish-hook
[97] *sérieux:* gravité

extérieur si décent, qui s'exprime en termes si mesurés et qui se met à rire en voyant la perruque de son gendre voler dans les airs! car enfin, Marinoni, je conviens que c'est ta perruque qui a été enlevée; mais n'est-ce pas toujours celle du prince de Mantoue, puisque c'est lui que l'on croit voir en toi? Quand je pense que si c'eût été [3] moi, en chair et en os, ma perruque aurait peut-être. . . . Ah! il y a une providence; lorsque Dieu m'a envoyé tout d'un coup l'idée de me travestir; [4] lorsque cet éclair a traversé ma pensée: «Il faut que je me travestisse», ce fatal événement était prévu par le destin. C'est lui qui a sauvé de l'affront le plus intolérable la tête qui gouverne mes peuples. Mais par le ciel! tout sera connu. C'est trop longtemps trahir ma dignité. Puisque les majestés divines et humaines sont impitoyablement violées et lacérées, puisqu'il n'y a plus chez les hommes de notions du bien et du mal, puisque le roi de plusieurs milliers d'hommes éclate de rire comme un palefrenier [5] à la vue d'une perruque, Marinoni, rends-moi mon habit.

MARINONI, *ôtant son habit*

Si mon souverain le commande, je suis prêt à souffrir pour lui mille tortures.

LE PRINCE

Je connais ton dévouement. Viens, je vais dire au roi son fait [6] en propres termes.

MARTINONI

Vous refusez la main de la prin-

cesse? Elle vous a cependant lorgné [7] d'une manière évidente pendant tout le dîner.

LE PRINCE

Tu crois? Je me perds dans un abîme de perplexités. Viens toujours, allons chez le roi.

MARTINONI, *tenant l'habit*

Que faut-il faire, Altesse?

LE PRINCE

Remets-le pour un instant. Tu me rendras tout à l'heure; ils seront bien plus pétrifiés en m'entendant prendre le ton qui me convient, sous ce frac [8] de couleur foncée. (*Ils sortent.*)

SCÈNE VII

Une prison.

FANTASIO, *seul*

Je ne sais s'il y a une providence, mais c'est amusant d'y croire. Voilà pourtant une pauvre petite princesse qui allait épouser à son corps défendant [9] un animal immonde, un cuistre [10] de province, à qui le hasard a laissé tomber une couronne sur la tête, comme l'aigle d'Eschyle sa tortue.[11] Tout était préparé; les chandelles allumées, le prétendu poudré, la pauvre petite confessée.[12] Elle avait essuyé les deux larmes que j'ai vues couler ce matin. Rien ne manquait

[3] *c'eût été:* cela avait été
[4] *travestir:* déguiser
[5] *palefrenier:* stableman, groom
[6] *dire au roi son fait:* to tell the king off

[7] *lorgné:* regardé du coin de l'œil
[8] *frac:* habit
[9] *à son corps défendant:* malgré elle
[10] *cuistre:* ill-bred pedant
[11] *comme l'aigle d'Eschyle sa tortue:* allusion à une légende d'après laquelle Eschyle, le père de la tragédie grecque, serait mort, le crâne fracassé par une tortue qu'un aigle laissa tomber sur lui
[12] *confessée:* avait fait sa confession

que deux ou trois capucinades[13] pour
que le malheur de sa vie fût en
règle.[14] Il y avait dans tout cela la
fortune de deux royaumes, la tranquillité de deux peuples; et il faut que
j'imagine de me déguiser en bossu,
pour venir me griser derechef[15] dans
l'office de notre bon roi, et pour pêcher
au bout d'une ficelle la perruque de
mon cher allié! En vérité, lorsque je
suis gris, je crois que j'ai quelque chose
de surhumain. Voilà le mariage manqué et tout remis en question. Le
prince de Mantoue a demandé ma
tête, en échange de sa perruque. Le
roi de Bavière a trouvé la peine un peu
forte, et n'a consenti qu'à la prison. Le
prince de Mantoue, grâce à Dieu, est
si bête qu'il se ferait plutôt couper en
morceaux que d'en démordre;[16] ainsi
la princesse reste fille, du moins pour
cette fois. S'il n'y a pas là le sujet d'un
poème épique en douze chants, je ne
m'y connais pas. Pope et Boileau[17] ont
fait des vers admirables sur des sujets
bien moins importants. Ah! si j'étais
poète, comme je peindrais la scène de
cette perruque voltigeant[18] dans les
airs! Mais celui qui est capable de
faire de pareilles choses dédaigne de
les écrire. Ainsi la postérité s'en
passera. (*Il s'endort. — Entrent Elsbeth
et sa gouvernante, une lampe à la
main.*)

ELSBETH

Il dort; ferme la porte doucement.

LA GOUVERNANTE

Voyez; cela n'est pas douteux. Il a

ôté sa perruque postiche,[19] sa diffor-
mité a disparu en même temps; le
voilà tel qu'il est, tel que ses peuples
le voient sur son char de triomphe;
c'est le noble prince de Mantoue.

ELSBETH

Oui, c'est lui; voilà ma curiosité
satisfaite; je voulais voir son visage, et
rien de plus; laisse-moi me pencher sur
lui. (*Elle prend la lampe.*) Psyché,
prends garde à ta goutte d'huile.[20]

LA GOUVERNANTE

Il est beau comme un vrai Jésus.

ELSBETH

Pourquoi m'as-tu donné à lire tant
de romans et de contes de fées? Pourquoi as-tu semé dans ma pauvre
pensée tant de fleurs étranges et mystérieuses?

LA GOUVERNANTE

Comme vous voilà émue sur la
pointe de vos petits pieds!

ELSBETH

Il s'éveille; allons-nous-en.

FANTASIO, *s'éveillant*

Est-ce un rêve? Je tiens le coin d'une
robe blanche.

ELSBETH

Lâchez-moi; laissez-moi partir.

FANTASIO

C'est vous, Princesse! Si c'est la
grâce du bouffon du roi que vous
m'apportez si divinement, laissez-moi

[13] *capucinades:* sermons triviaux et plats
[14] *en règle:* dans l'état exigé
[15] *derechef:* de nouveau
[16] *d'en démordre:* to give up his point
[17] *Pope,* Alexander (1688–1744): poète et
philosophe anglais; *Boileau,* Nicolas (1636–
1711): poète et critique français

[18] *voltigeant:* volant ça et là
[19] *postiche:* artificielle
[20] *Psyché, prends garde à ta goutte d'huile:*
allusion à la fable où Psyché réveille l'Amour
endormi en laissant tomber sur lui une
goutte d'huile

remettre ma bosse et ma perruque; ce sera fait dans un instant.

LA GOUVERNANTE

Ah! Prince, qu'il vous sied mal de nous tromper ainsi! Ne reprenez pas ce costume; nous savons tout.

FANTASIO

Prince? Où en voyez-vous un?

LA GOUVERNANTE

A quoi sert-il de dissimuler?

FANTASIO

Je ne dissimule pas le moins du monde; par quel hasard m'appelez-vous prince?

LA GOUVERNANTE

Je connais mes devoirs envers Votre Altesse.

FANTASIO

Madame, je vous supplie de m'expliquer les paroles de cette honnête dame. Y a-t-il réellement quelque méprise[21] extravagante, ou suis-je l'objet d'une raillerie?[22]

ELSBETH

Pourquoi le demander, lorsque c'est vous-même qui raillez?

FANTASIO

Suis-je donc un prince, par hasard? Concevrait-on quelque soupçon sur l'honneur de ma mère?

ELSBETH

Qui êtes-vous, si vous n'êtes pas le prince de Mantoue?

FANTASIO

Mon nom est Fantasio; je suis un

[21] *méprise:* erreur
[22] *raillerie:* plaisanterie

bourgeois de Munich.[23] (*Il lui montre une lettre.*)

ELSBETH

5 Un bourgeois de Munich? Et pourquoi êtes-vous déguisé? Que faites-vous ici?

FANTASIO

10 Madame, je vous supplie de me pardonner. (*Il se jette à genoux.*)

ELSBETH

15 Que veut dire cela? Relevez-vous, homme, et sortez d'ici! Je vous fais grâce d'une punition que vous mériteriez peut-être. Qui vous a poussé à cette action?

20

FANTASIO

Je ne puis dire le motif qui m'a conduit ici.

ELSBETH

25 Vous ne pouvez le dire? et cependant je veux le savoir.

FANTASIO

30 Excusez-moi, je n'ose l'avouer.

LA GOUVERNANTE

Sortons, Elsbeth; ne vous exposez pas à entendre des discours indignes 35 de vous. Cet homme est un voleur, ou un insolent qui va vous parler d'amour.

ELSBETH

40 Je veux savoir la raison qui vous a fait prendre ce costume.

FANTASIO

Je vous supplie, épargnez-moi.[24]

[23] *Munich:* capitale de la Bavière
[24] *épargnez-moi:* spare me

ELSBETH

Non, non! parlez, ou je ferme cette
porte sur vous pour dix ans.

FANTASIO

Madame, je suis criblé de dettes;
mes créanciers ont obtenu un arrêt [25]
contre moi; à l'heure où je vous parle,
mes meubles sont vendus, et si je
n'étais dans cette prison, je serais dans
une autre. On a dû venir m'arrêter hier
au soir; ne sachant où passer la nuit, ni
comment me soustraire [26] aux pour-
suites des huissiers,[27] j'ai imaginé de
prendre ce costume et de venir me
réfugier aux pieds du roi; si vous me
rendez la liberté, on va me prendre au
collet; [28] mon oncle est un avare qui vit
de pommes de terre et de radis, et qui
me laisse mourir de faim dans tous les
cabarets du royaume. Puisque vous
voulez le savoir, je dois vingt mille
écus.

ELSBETH

Tout cela est-il vrai?

FANTASIO

Si je mens, je consens à les payer.
(On entend un bruit de chevaux.)

LA GOUVERNANTE

Voilà des chevaux qui passent; c'est
le roi en personne. Si je pouvais faire
signe à un page! (Elle appelle par la
fenêtre.) Holà! Flamel, où allez-vous
donc?

LE PAGE, en dehors

Le prince de Mantoue va partir.

25 *arrêt:* judgment
26 *me soustraire:* échapper
27 *huissiers:* process-servers, bailiffs
28 *me prendre au collet:* m'arrêter

LA GOUVERNANTE

Le prince de Mantoue!

LE PAGE

Oui, la guerre est déclarée. Il y a eu
entre lui et le roi une scène épouvantable devant toute la cour, et le mariage de la princesse est rompu.

ELSBETH

Entendez-vous cela, monsieur Fantasio? vous avez fait manquer mon
mariage.

LA GOUVERNANTE

Seigneur, mon Dieu! le prince de
Mantoue s'en va, et je ne l'aurai pas
vu!

ELSBETH

Si la guerre est déclarée, quel malheur!

FANTASIO

Vous appelez cela un malheur, Altesse? Aimeriez-vous mieux un mari
qui prend fait et cause [29] pour sa
perruque? Eh! Madame, si la guerre
est déclarée, nous saurons quoi faire
de nos bras; les oisifs de nos prome-
nades mettront leurs uniformes; moi-
même je prendrai mon fusil de chasse,
s'il n'est pas encore vendu. Nous irons
faire un tour d'Italie, et si vous entrez
jamais à Mantoue, ce sera comme une
véritable reine, sans qu'il y ait besoin
pour cela d'autres cierges [30] que nos
épées.

ELSBETH

Fantasio, veux-tu rester le bouffon
de mon père? Je te paie tes vingt mille
écus.

29 *prend fait et cause:* lutte, fait la guerre
30 *d'autres cierges:* i.e. ceux que l'on met
dans les églises au moment d'un mariage

FANTASIO

Je le voudrais de grand cœur;[31] mais, en vérité, si j'y étais forcé, je sauterais par la fenêtre pour me sauver un de ces jours.

ELSBETH

Pourquoi? Tu vois que Saint-Jean est mort; il nous faut absolument un bouffon.

FANTASIO

J'aime ce métier plus que tout autre; mais je ne puis faire aucun métier. Si vous trouvez que cela vaille vingt mille écus de vous avoir débarrassée du prince de Mantoue, donnez-les-moi et ne payez pas mes dettes. Un gentil-homme sans dettes ne saurait où se présenter. Il ne m'est jamais venu à l'esprit de me trouver sans dettes.

[31] *de grand cœur:* volontiers

ELSBETH

Eh bien! je te les donne; mais prends les clefs de mon jardin: le jour où tu 5 t'ennuieras d'être poursuivi par tes créanciers, viens te cacher dans les bluets où je t'ai trouvé ce matin; aie soin de reprendre ta perruque et ton habit bariolé;[32] ne parais pas devant 10 moi sans cette taille contrefaite[33] et ces grelots[34] d'argent, car c'est ainsi que tu m'as plu: tu redeviendras mon bouffon pour le temps qu'il te plaira de l'être, et puis tu iras à tes affaires. 15 Maintenant tu peux t'en aller, la porte est ouverte.

LA GOUVERNANTE

Est-il possible que le prince de Man-toue soit parti sans que je l'aie vu! 20

[32] *bariolé:* de beaucoup de couleurs
[33] *taille contrefaite:* corps difforme
[34] *grelots:* small bells (worn on jester's clothes)

HONORÉ DE BALZAC [1799–1850]

En 1829, après divers échecs littéraires et commerciaux, Honoré de Balzac commença à écrire ses grandes œuvres. Travaillant très rapidement – souvent pour payer des dettes – il publia quatre-vingt-dix romans, des nouvelles, des pièces, des lettres, d'autres écrits encore, en une vingtaine d'années. En 1842 il groupa ses romans sous le titre général de *La Comédie humaine*. Il se voulut le «secrétaire de la Société»,[1] et expliqua dans l'avant-propos de *La Comédie humaine* que son œuvre comporterait «à la fois l'histoire et la critique de la Société, l'analyse de ses maux et la discussion de ses principes». Y réussit-il?

Quoique ses œuvres soient alourdies de très longues descriptions et de digres-sions d'ordre philosophique, politique, métaphysique et scientifique qui sont loin d'ajouter à l'intérêt du récit, Balzac présenta un grand nombre des aspects de la vie et de la société de son temps. En lisant ses romans – divisés en *Scènes de la vie privée, Scènes de la vie parisienne, Scènes de la vie militaire, Scènes*

[1] Dans l'avant-propos de *La Comédie humaine* Balzac continua: «La société française allait être l'historien, je ne devais être que le secrétaire.»

de la vie de campagne, etc. — il devient évident, néanmoins, que Balzac fut toujours et avant tout un créateur et un conteur, non pas un historien.

L'extrait qui suit est tiré de *La Peau de chagrin* (1831) qui appartient à la partie de *La Comédie humaine* que Balzac intitula *Études philosophiques.*

Le Marquis Raphaël de Valentin, jeune homme complètement inexpérimenté et très honorable, reste sans famille à l'âge de vingt-deux ans. Ayant payé les dettes de son père, il est presque ruiné. Il se réfugie donc pendant trois ans dans une mansarde de l'hôtel Saint-Quentin où il entreprend d'écrire des œuvres qui puissent attirer sur lui l'attention publique, lui faire une fortune et l'introduire dans le monde qui l'attire tout en l'effrayant. Son rêve ne se réalise pas. Il se laisse convaincre de changer d'habitation et de mode de vie; un ami l'entraîne dans le monde, dans le jeu, et dans la débauche.[2] Méprisé par une femme qu'il croit aimer, dégoûté de lui-même, totalement ruiné et craignant de déshonorer son nom, il décide de se suicider. Pour attendre la tombée de la nuit, quand il pourra se noyer dans la Seine sans être vu, il entre chez un antiquaire.

[2] Cet ami est Eugène de Rastignac, aventurier et débauché, que l'on retrouve dans plusieurs romans balzaciens.

La Peau de chagrin

Figurez-vous un petit vieillard sec et maigre, vêtu d'une robe en velours noir, serrée autour de ses reins par un gros cordon de soie. Sur sa tête, une calotte[1] en velours également noir laissait passer, de chaque côté de la figure, les longues mèches de ses cheveux blancs et s'appliquait sur le crâne de manière à rigidement encadrer le front. La robe ensevelissait le corps comme dans un vaste linceul,[2] et ne permettait de voir d'autre forme humaine qu'un visage étroit et pâle. Sans le bras décharné,[3] qui ressemblait à un bâton sur lequel on aurait posé[4] une étoffe et que le vieillard tenait en l'air pour faire porter[5] sur le jeune homme toute la clarté de la lampe, ce visage aurait paru suspendu dans les 5 airs. Une barbe grise et taillée en pointe cachait le menton de cet être bizarre, et lui donnait l'apparence de ces têtes judaïques qui servent de types aux artistes quand ils veulent 10 représenter Moïse.[6] Les lèvres de cet homme étaient si décolorées, si minces, qu'il fallait une attention particulière pour deviner la ligne tracée par la bouche dans son blanc visage. 15 [. . .] Une finesse d'inquisiteur, trahie

[1] *calotte:* petit bonnet rond
[2] *linceul:* winding-sheet, shroud
[3] *décharné:* très maigre
[4] *on aurait posé:* Noter l'emploi du conditionnel qui indique que l'action est contraire au fait.

[5] *faire porter:* diriger
[6] *Moïse:* dans l'ancien Testament, libère les Hébreux en les conduisant d'Égypte en pays de Chanaan. D'habitude il est représenté avec une barbe et des traits qui expriment la volonté et l'énergie.

par les sinuosités [7] de ses rides et par les plis circulaires dessinés sur ses tempes, accusait [8] une science profonde des choses de la vie. Il était impossible de tromper cet homme qui semblait avoir le don de surprendre les pensées au fond des cœurs les plus discrets. Les mœurs de toutes les nations du globe et leurs sagesses se résumaient sur sa face froide, comme les productions du monde entier se trouvaient accumulées dans ses magasins poudreux; [9] vous y auriez lu [10] la tranquillité lucide d'un Dieu qui voit tout, ou la force orgueilleuse d'un homme qui a tout vu. Un peintre aurait, avec deux expressions différentes et en deux coups de pinceau, [11] fait de cette figure une belle image du Père Éternel ou le masque ricaneur du Méphistophélès, [12] car il se trouvait tout ensemble une suprême puissance dans le front et de sinistres railleries [13] sur la bouche. [. . .] Le vieillard se tenait debout, immobile, inébranlable [14] comme une étoile au milieu d'un nuage de lumière; ses yeux verts, pleins de ne je sais quelle [15] malice calme, semblaient éclairer le monde moral comme sa lampe illuminait ce cabinet mystérieux. Tel fut le spectacle étrange qui surprit le jeune homme au moment où il ouvrit les yeux, après avoir été bercé par des pensées de mort et de fantasques [16]

images. [. . .] Il trembla [. . .] devant cette lumière et ce vieillard, agité par l'inexplicable pressentiment de quelque pouvoir étrange: mais cette émotion était semblable à celle que nous avons tous éprouvée devant Napoléon, [17] ou en présence de quelque grand homme brillant de génie et revêtu [18] de gloire.

— Monsieur désire voir le portrait de Jésus-Christ peint par Raphaël? [19] lui dit courtoisement le vieillard d'une voix dont la sonorité claire et brève avait quelque chose de métallique. Et il posa la lampe sur le fût [20] d'une colonne brisée, de manière à ce que la boîte brune reçût toute la clarté.

Aux noms religieux de Jésus-Christ et de Raphaël, il échappa au jeune homme un geste de curiosité, sans doute attendu par le marchand qui fit jouer un ressort. [21] Soudain le panneau d'acajou glissa dans une rainure, [22] tomba sans bruit et livra la toile [23] à l'admiration de l'inconnu. A l'aspect de cette immortelle création, il oublia les fantaisies du magasin, [. . .] redevint homme, reconnut dans le vieillard une créature de chair, bien vivante, nullement fantasmagorique, [24] et revécut dans le monde réel. La tendre sollicitude, la douce sérénité du

---

[7] *sinuosités:* sinuosity, windings
[8] *accusait:* révélait
[9] *poudreux:* poussiéreux
[10] *vous y auriez lu:* on aurait pu y lire
[11] *deux coups de pinceau:* two brush-strokes
[12] *Méphistophélès:* le nom donné au diable dans la vieille légende du docteur Faust et dans le *Faust* de Goethe
[13] *railleries:* moqueries
[14] *inébranlable:* ferme
[15] *je ne sais quelle:* une certaine
[16] *fantasques:* bizarres

[17] *Napoléon Ier Bonaparte* (1769–1821): se fit empereur des Français; beaucoup de personnes le considèrent un des plus grands génies militaires et politiques de tous les temps.
[18] *revêtu:* couvert
[19] *Raphaël* (1483–1520): peintre, sculpteur et architecte italien
[20] *fût:* shaft
[21] *fit jouer un ressort:* set a spring in motion
[22] *le panneau d'acajou glissa dans une rainure:* the mahogany panel slid away in a slot
[23] *livra la toile:* offrit la peinture
[24] *fantasmagorique:* illusory, chimeric

divin visage, influèrent[25] aussitôt sur lui. Quelque parfum épanché[26] des cieux dissipa les tortures infernales qui lui brûlaient la moelle des os.[27] La tête du Sauveur des hommes paraissait sortir des ténèbres figurées[28] par un fond noir; une auréole de rayons étincelait vivement autour de sa chevelure d'où cette lumière voulait sortir; sous le front, sous les chairs,[29] il y avait une éloquente conviction qui s'échappait de chaque trait par de pénétrants effluves;[30] les lèvres vermeilles venaient de faire entendre la parole de vie, et le spectateur en cherchait le retentissement[31] sacré dans les airs, il en demandait les ravissantes paraboles au silence, il l'écoutait dans l'avenir, la retrouvait dans les enseignements du passé. L'Évangile[32] était traduit par la simplicité calme de ces adorables yeux où se réfugiaient les âmes troublées; enfin sa religion se lisait tout entière en un suave et magnifique sourire qui semblait exprimer ce précepte où elle se résume: *aimez-vous les uns les autres!* Cette peinture inspirait une prière, recommandait le pardon, étouffait l'égoïsme, éveillait toutes les vertus endormies. Partageant le privilège des enchantements de la musique, l'œuvre de Raphaël vous jetait sous le charme impérieux des souvenirs, et son triomphe était complet, on oubliait le peintre. Le prestige[33] de la lumière agissait encore sur cette merveille; par moments il semblait que la tête s'élevât dans le lointain, au sein de[34] quelque nuage.

— J'ai couvert cette toile de pièces d'or,[35] dit froidement le marchand.

— Eh! bien, il va falloir mourir, s'écria le jeune homme qui sortait d'une rêverie dont la dernière pensée l'avait ramené vers sa fatale destinée, en le faisant descendre, par d'insensibles déductions, d'une dernière espérance à laquelle il s'était attaché.

— Ah! ah! j'avais donc raison de me méfier de toi, répondit le vieillard en saisissant les deux mains du jeune homme qu'il serra par les poignets dans l'une des siennes, comme dans un étau.[36]

L'inconnu sourit tristement de cette méprise[37] et dit d'une voix douce: — Hé! monsieur, ne craignez rien, il s'agit de ma vie et non de la vôtre. Pourquoi n'avouerais-je pas une innocente supercherie,[38] reprit-il après avoir regardé le vieillard inquiet. En attendant la nuit, afin de pouvoir me noyer sans esclandre,[39] je suis venu voir vos richesses. Qui ne pardonnerait ce dernier plaisir à un homme de science et de poésie?

Le soupçonneux marchand examina d'un œil sagace le morne visage de son faux chaland[40] tout en l'écoutant parler. Rassuré bientôt par l'accent de cette voix douloureuse, ou lisant peut-être dans ces traits décolorés les sinistres destinées qui naguère[41] avaient

[25] *influèrent:* eurent une influence
[26] *épanché:* versé doucement
[27] *lui brûlaient la moelle des os:* which turned the marrow of his bones, i.e. qui le consumaient tout entier
[28] *figurées:* représentées
[29] *les chairs:* la chair, le corps
[30] *effluves:* emanations
[31] *retentissement:* son, écho
[32] *L'Évangile:* the Gospel
[33] *prestige:* magic
[34] *au sein de:* au milieu de
[35] *J'ai couvert cette toile de pièces d'or:* I sank a fortune into this painting
[36] *étau:* vice
[37] *méprise:* erreur
[38] *supercherie:* hoax
[39] *esclandre:* tapage, scandale
[40] *chaland:* acheteur
[41] *naguère:* peu de temps avant

fait frémir [42] les joueurs, il lâcha les mains. [. . .]

— Quelle erreur vous engage à mourir?

— Ne cherchez pas le principe [43] de ma mort dans les raisons vulgaires qui commandent la plupart des suicides. Pour me dispenser de vous dévoiler des souffrances inouïes et qu'il est difficile d'exprimer en langage humain, je vous dirai que je suis dans la plus profonde, la plus ignoble, la plus perçante de toutes les misères. Et, ajouta-t-il d'un ton de voix dont la fierté sauvage démentait ses paroles précédentes, je ne veux mendier ni secours ni consolations.

— Eh! eh! Ces deux syllabes que d'abord le vieillard fit entendre pour toute réponse ressemblèrent au cri d'une crécelle.[44] Puis il reprit ainsi: — Sans vous forcer à m'implorer, sans vous faire rougir, et sans vous donner un centime,[45] [. . .] sans vous offrir quoi que ce soit en or, argent, billon,[46] papier, billet, je veux vous faire plus riche, plus puissant et plus considéré que ne peut l'être un roi constitutionnel.

Le jeune homme crut le vieillard en enfance,[47] et resta comme engourdi,[48] sans oser répondre.

— Retournez-vous, dit le marchand en saisissant tout à coup la lampe pour en diriger la lumière sur le mur qui faisait face au portrait, et regardez cette Peau de chagrin,[49] ajouta-t-il.

Le jeune homme se leva brusque ment et témoigna quelque surprise e apercevant au-dessus du siège où i s'était assis un morceau de chagri accroché sur le mur, et dont la dimen sion n'excédait pas celle d'une pea de renard; mais, par un phénomèn inexplicable au premier abord,[50] cett peau projetait au sein de la profond obscurité qui régnait dans le magasi des rayons si lumineux que vous eus siez dit d'une petite comète.[51] Le jeun incrédule s'approcha de ce prétendu talisman qui devait le préserver d malheur, et s'en moqua par une phras mentale. Cependant, animé d'un curiosité bien légitime, il se pench pour la regarder alternativement sou toutes les faces,[53] et découvrit bientô une cause naturelle à cette singulièr lucidité: les grains noirs du chagri étaient si soigneusement polis et s bien brunis, les rayures [54] capricieuse en étaient si propres et si nettes que pareilles à des facettes de grenat,[55] le aspérités [56] de ce cuir oriental fo maient autant de petits foyers [57] qu réfléchissaient vivement la lumière. I démontra mathématiquement la raiso de ce phénomène au vieillard, qui pour toute réponse, sourit avec malice Ce sourire de supériorité fit croire a jeune savant qu'il était dupe en ce mo ment de quelque charlatanisme. Il n voulut pas emporter une énigme d

etc. Balzac, n'aurait-il pourtant pas chois ce titre et ce genre de cuir aussi pour l'autr sens du mot *chagrin*, c'est-à-dire, tristesse e souci?

[50] *au premier abord:* tout d'abord
[51] *si lumineux que vous eussiez dit d'un petite comète:* so bright that you might hav thought it to come from a small comet
[52] *prétendu:* soi-disant, supposé
[53] *sous toutes les faces:* de tous les côté
[54] *rayures:* streaks
[55] *grenat:* garnet
[56] *aspérités:* roughnesses of the surface
[57] *foyers:* focus points

[42] *frémir:* trembler
[43] *principe:* raison
[44] *crécelle:* rattle
[45] *centime:* centième partie d'un franc
[46] *billon:* copper coin
[47] *en enfance:* in his second childhood, in his dotage
[48] *engourdi:* numb(ed)
[49] Peau de chagrin: Un *chagrin* est un cuir fait de peau d'âne, de cheval, etc., dont on se sert pour couvrir des boîtes, des livres,

lus dans la tombe, et retourna romptement la peau comme un enant pressé de connaître les secrets de on jouet nouveau.

— Ah! ah! s'écria-t-il, voici l'em- 5 reinte du sceau [58] que les Orientaux omment le cachet [58] de Salomon.[59]

— Vous le connaissez donc? deanda le marchand, dont les narines aissèrent passer deux ou trois bouffées 10 'air qui peignirent plus d'idées que 'en pouvaient exprimer les plus nergiques paroles.

— Existe-t-il au monde un homme ssez simple pour croire à cette 15 himère? s'écria le jeune homme, iqué [60] d'entendre ce rire muet et lein d'amères dérisions. Ne savezous pas, ajouta-t-il, que les supertitions de l'Orient ont consacré la 20 orme mystique et les caractères menongers de cet emblème qui représente ne puissance fabuleuse? Je ne crois as devoir être plus taxé de niaiserie [61] ans cette circonstance que si je par- 25 uis des Sphinx [62] ou des Griffons,[63] ont l'existence est en quelque sorte cientifiquement admise.

— Puisque vous êtes un orientaliste, eprit le vieillard, peut-être lirez-vous 30 ette sentence.

Il apporta la lampe près du talisman ue le jeune homme tenait à l'envers, t lui fit apercevoir des caractères in-

crustés dans le tissu cellulaire de cette peau merveilleuse, comme s'ils eussent été [64] produits par l'animal auquel elle avait jadis appartenu.

— J'avoue, s'écria l'inconnu, que je ne devine guère le procédé dont on se sera servi [65] pour graver si profondément ces lettres sur la peau d'un onagre.[66]

Et, se retournant avec vivacité vers les tables chargées de curiosités, ses yeux parurent y chercher quelque chose.

— Que voulez-vous? demanda le vieillard.

— Un instrument pour trancher [67] le chagrin, afin de voir si les lettres y sont empreintes ou incrustées.

Le vieillard présenta son stylet [68] à l'inconnu, qui le prit et tenta d'entamer [69] la peau à l'endroit où les paroles se trouvaient écrites; mais, quand il eut enlevé une légère couche [70] de cuir, les lettres y reparurent si nettes et tellement conformes à celles qui étaient imprimées sur la surface, que, pendant un moment, il crut n'en avoir rien ôté.

— L'industrie du Levant [71] a des secrets qui lui sont réellement particuliers, dit-il en regardant la sentence orientale avec une sorte d'inquiétude.

— Oui, répondit le vieillard, il vaut 35 mieux s'en prendre aux [72] hommes qu'à Dieu!

[58] *sceau, cachet:* seal
[59] *Salomon:* Né vers 974 et mort vers 932 vant J.-C., il fut le roi des Israélites qui fit lever le temple de Jérusalem; il passa son ègne à administrer et à embellir ses États.
[60] *piqué:* offensé
[61] *taxé de niaiserie:* accusé de simplicité, e naïveté
[62] *Sphinx:* animal à corps de lion et à tête umaine qui figure dans la mythologie grec-ue et qui, chez les Égyptiens, représentait le oleil
[63] *Griffons:* animaux fabuleux mythologi-ues, représentés avec la tête et les ailes de aigle et le corps du lion

[64] *eussent été:* avaient été
[65] *se sera servi:* Noter l'emploi du futur pour exprimer la conjecture.
[66] *onagre:* âne sauvage
[67] *trancher:* slice
[68] *stylet:* stiletto
[69] *entamer:* couper (le premier morceau)
[70] *couche:* layer
[71] *le Levant:* l'Orient et le Proche-Orient; les pays de la côte orientale de la Méditerranée
[72] *s'en prendre aux:* blâmer les

Les paroles mystérieuses étaient disposées de la manière suivante:

لو ملكتني ملكت الكل

ولكن عمرك لي

واراد الله هكذا

المطلب وستنال طلبك

ولكن قس طلبك على عمرك

وهي هاهنا

نكل مراتك استنزلك ايلك

اتريد في

الله محبك

آمين

Ce qui voulait dire en français:

SI TU ME POSSÈDES, TU POSSÉDERAS TOUT.
MAIS TA VIE M'APPARTIENDRA. DIEU L'A
VOULU AINSI. DÉSIRE, ET TES DÉSIRS
SERONT ACCOMPLIS. MAIS RÈGLE
TES SOUHAITS SUR [73] TA VIE.
ELLE EST LÀ. A CHAQUE
VOULOIR JE DÉCROÎTRAI [74]
COMME TES JOURS.
ME VEUX-TU?
PRENDS. DIEU
T'EXAUCERA. [75]
SOIT!

— Ah! vous lisez couramment le sanscrit, dit le vieillard. Peut-être avez-vous voyagé en Perse [76] ou dans le Bengale? [77]
— Non, monsieur, répondit le jeune

homme en tâtant avec curiosité cette peau symbolique, assez semblable à une feuille de métal par son peu de flexibilité.

5 Le vieux marchand remit la lampe sur la colonne où il l'avait prise, en lançant au jeune homme un regard empreint [78] d'une froide ironie qui semblait dire: Il ne pense déjà plus à 10 mourir.

— Est-ce une plaisanterie, est-ce un mystère? demanda le jeune inconnu.

Le vieillard hocha de [79] la tête et dit gravement: — Je ne saurais vous 15 répondre. J'ai offert le terrible pouvoir que donne ce talisman à des hommes doués de plus d'énergie que vous ne paraissiez en avoir; mais, tout en se moquant de la problématique influ-20 ence qu'il devait exercer sur leurs destinées futures, aucun n'a voulu se risquer à conclure ce contrat si fatalement proposé par je ne sais quelle puissance. Je pense comme eux, j'ai 25 douté, je me suis abstenu, et . . .

— Et vous n'avez pas même essayé? dit le jeune homme en l'interrompant.

— Essayer! dit le vieillard. Si vous étiez sur la colonne de la place Ven-30 dôme, [80] essaieriez-vous de vous jeter dans les airs? Peut-on arrêter le cours de la vie? L'homme a-t-il jamais pu scinder [81] la mort? Avant d'entrer dans ce cabinet, vous aviez résolu de 35 vous suicider; mais tout à coup un secret vous occupe et vous distrait de mourir. Enfant! Chacun de vos jours ne vous offrira-t-il pas une énigme plus intéressante que ne l'est celle-ci? 40 Écoutez-moi. J'ai vu la cour licen-

[73] *règle tes souhaits sur:* adjust your wishes according to
[74] *A chaque vouloir je décroîtrai:* avec chaque souhait je diminuerai
[75] *t'exaucera:* will grant your wishes
[76] *Perse:* pays du sud-ouest de l'Asie
[77] *Bengale:* région de la péninsule indienne

[78] *empreint:* marqué
[79] *hocha de:* shook
[80] *la colonne de la Place Vendôme:* Au milieu de la monumentale Place Vendôme s'élève la fameuse colonne de la Grande Armée, haute de 44 mètres et revêtue de bronze.
[81] *scinder:* diviser

ieuse du régent.[82] Comme vous, 'étais alors dans la misère, j'ai mendié non pain; néanmoins j'ai atteint l'âge le cent deux ans, et je suis devenu millionnaire; le malheur m'a donné la fortune, l'ignorance m'a instruit. Je 'ais vous révéler en peu de mots un grand mystère de la vie humaine. L'homme s'épuise par deux actes instinctivement accomplis qui tarissent[83] les sources de son existence. Deux verbes expriment toutes les formes que prennent ces deux causes de mort: VOULOIR et POUVOIR. Entre ces deux termes de l'action humaine il est[84] une autre formule dont s'emparent les sages, et je lui dois le bonheur et ma longévité. *Vouloir* nous brûle et *Pouvoir* nous détruit; mais SAVOIR laisse notre faible organisation dans un perpétuel état de calme. Ainsi le désir ou le vouloir est mort en moi, tué par la pensée; le mouvement ou le pouvoir s'est résolu par le jeu naturel de mes organes. En deux mots, j'ai placé ma vie, non dans le cœur qui se brise, non dans les sens qui s'émoussent;[85] mais dans le cerveau qui ne s'use pas et qui survit à tout. Rien d'excessif n'a froissé[86] ni mon âme ni mon corps . . . Enfin, j'ai tout obtenu parce que j'ai tout su dédaigner. Ma seule ambition a été de voir. Voir n'est-ce pas savoir? Oh! savoir, jeune homme, n'est-ce pas jouir intuitivement? n'est-ce pas découvrir la substance même du fait et s'en emparer essentiellement? Que reste-t-il d'une possession matérielle? une idée. Jugez

alors combien doit être belle la vie d'un homme qui, pouvant empreindre[87] toutes les réalités dans sa pensée, transporte en son âme les sources du bonheur, en extrait mille voluptés idéales dépouillées des souillures terrestres.[88] La pensée est la clef de tous les trésors, elle procure les joies de l'avare sans donner ses soucis. Aussi ai-je plané[89] sur le monde, où mes plaisirs ont toujours été des jouissances intellectuelles. Mes débauches étaient la contemplation des mers, des peuples, des forêts, des montagnes! J'ai tout vu, mais tranquillement, sans fatigue; je n'ai jamais rien désiré, j'ai tout attendu; je me suis promené dans l'univers comme dans le jardin d'une habitation qui m'appartenait. Ce que les hommes appellent chagrins, amours, ambitions, revers, tristesse, sont pour moi des idées que je change en rêveries; au lieu de les sentir, je les exprime, je les traduis; au lieu de leur laisser dévorer ma vie, je les dramatise, je les développe, je m'en amuse comme de romans que je lirais par une vision intérieure. N'ayant jamais lassé mes organes, je jouis encore d'une santé robuste; mon âme ayant hérité de toute la force dont je n'abusais pas, cette tête est encore mieux meublée que ne le sont mes magasins. Là, dit-il en se frappant le front, là sont les vrais millions . . . Ceci, dit-il d'une voix éclatante en montrant la Peau de chagrin, est le *pouvoir* et le *vouloir* réunis. Là sont vos idées sociales, vos désirs excessifs, vos intempérances, vos joies qui tuent, vos douleurs qui font trop vivre; car le mal n'est peut-être

---

[82] *le régent:* Balzac pensa ici à Philippe d'Orléans, régent pendant l'enfance de Louis XV, sans se rendre compte que Philippe d'Orléans mourut avant la naissance de l'antiquaire.

[83] *tarissent:* dry up

[84] *il est:* il y a

[85] *s'émoussent:* s'affaiblissent

[86] *froissé:* blessé, choqué

[87] *empreindre:* imprimer

[88] *dépouillées des souillures terrestres:* stripped of (all) worldly blemishes

[89] *Aussi ai-je plané:* Noter l'inversion du verbe et du sujet quand *aussi* se place au commencement de la phrase et qu'il veut dire *donc.*

qu'un violent plaisir. Qui pourrait déterminer le point où la volupté devient
un mal et celui où le mal est encore la
volupté? Les plus vives lumières du
monde idéal ne caressent-elles pas la
vue, tandis que les plus douces ténèbres du monde physique la blessent
toujours; le mot de Sagesse ne vient-il
pas de savoir? et qu'est-ce que la folie,
sinon l'excès d'un vouloir ou d'un
pouvoir?
— Eh! bien, oui, je veux vivre avec
excès, dit l'inconnu en saisissant la
Peau de chagrin.
                    [. . .]

— [. . .] Vous avez signé le pacte:
tout est dit. Maintenant vos volontés
seront scrupuleusement satisfaites,
mais aux dépens de votre vie. Le cercle
de vos jours, figuré par cette peau, se
resserrera [90] suivant la force et le
nombre de vos souhaits, depuis le plus
léger jusqu'au plus exhorbitant. Le
brahmane [91] auquel je dois ce talisman
m'a jadis expliqué qu'il s'opérerait un
mystérieux accord entre les destinées
et les souhaits du possesseur [. . .]
Après tout, vous vouliez mourir? hé!
bien, votre suicide n'est que retardé.
L'inconnu, surpris et presque irrité
de se voir toujours plaisanté par ce
singulier vieillard dont l'intention
demi-philanthropique lui parut clairement démontrée dans cette dernière
raillerie, s'écria: — Je verrai bien, monsieur, si ma fortune changera pendant
le temps que je vais mettre à franchir
la largeur du quai. Mais, si vous ne
vous moquez pas d'un malheureux, je
désire, pour me venger d'un si fatàl
service, que vous tombiez amoureux
d'une danseuse! Vous comprendrez
alors le bonheur d'une débauche, et

peut-être deviendrez-vous prodigue c
tous les biens que vous avez si phil•
sophiquement ménagés.
     Il sortit sans entendre un gran
5 soupir que poussa le vieillard, tra
versa les salles et descendit les esc•
liers de cette maison [. . .]: il coura
avec la prestesse d'un voleur pris e
flagrant délit.[92] Aveuglé par une sor•
10 de délire, il ne s'aperçut même pas c
l'incroyable ductilité[93] de la Peau d
chagrin, qui, devenue souple comm
un gant, se roula sous ses doig
frénétiques et put entrer dans la poch
15 de son habit où il la mit presqu
machinalement.

     [Ayant hérité l'énorme fortune d'u
de ses oncles, Raphaël se trouve so•
dain très riche; il est pourtant bien ma
20 heureux quand il s'aperçoit que so
moindre désir fait décroître la Pea
— et la durée de sa vie. Il vit donc e
automate, végète, abdique la vie •
25 évite presque tous les plaisirs afin c
pouvoir continuer à vivre. Un soir
va au Théâtre des Italiens.[94]]

     Encore en proie à [95] la terreur qu
30 l'avait saisi le matin, quand, pour u
simple vœu de politesse,[96] le talisma
s'était si promptement resserré, R•
phaël résolut fermement de ne pas s
retourner vers sa voisine. Assis comm
35 une duchesse, il présentait le dos a
coin de sa loge, et dérobait[97] av•
impertinence la moitié de la scène

[92] pris en flagrant délit: caught in the ac
redhanded
[93] ductilité: souplesse
[94] Théâtre des Italiens: théâtre d'u•
troupe d'acteurs et de chanteurs italiens q
jouaient à Paris
[95] en proie à: tourmenté par
[96] vœu de politesse: Raphaël avait to
simplement dit: «Je souhaite bien viveme:
que vous réussissiez» à un ancien professe
qui était venu lui demander une faveur.
[97] dérobait: cachait

[90] se resserrera: diminuera
[91] brahmane: membre de la caste sacerdo-
tale dans l'Hindoustan

inconnue, ayant l'air de la mépriser, d'ignorer même qu'une jolie femme se trouvât derrière lui. La voisine copiait avec exactitude la posture de Valentin. Elle avait appuyé son coude sur le [5] bord de la loge, et se mettait la tête de trois quarts,[98] en regardant les chanteurs, comme si elle se fût posée devant un peintre. Ces deux personnes ressemblaient à deux amants brouillés [10] qui se boudent, se tournent le dos et vont s'embrasser au premier mot d'amour. Par moments, les légers marabouts [99] ou les cheveux de l'inconnue effleuraient [100] la tête de [15] Raphaël et lui causaient une sensation voluptueuse contre laquelle il luttait courageusement. [. . .] Il se retourna brusquement. Choquée sans doute de se trouver en contact avec un étranger, [20] l'inconnue fit un mouvement semblable; leurs visages, animés par la même pensée, restèrent en présence.[1]

— Pauline! [2]

— Monsieur Raphaël!

Pétrifiés [3] l'un et l'autre, ils se re- [25] gardèrent un instant en silence. Raphaël voyait Pauline dans une toilette simple et de bon goût. A travers la gaze qui couvrait chaste- [30] ment son corsage, des yeux habiles pouvaient apercevoir une blancheur de lis et deviner des formes qu'une

[98] *la tête de trois quarts:* with her head [35] three-quarters turned away
[99] *marabouts:* plumes de marabout
[100] *effleuraient:* touchaient légèrement

[1] *en présence:* en face l'un de l'autre
[2] *Pauline Gaudin:* C'est une jeune fille [40] charmante, douce et intelligente, qui était tombée amoureuse de Raphaël quand il vivait dans l'hôtel Saint-Quentin. Il avait beaucoup d'amitié pour elle et lui donnait des leçons de piano, d'histoire, etc., mais il se contraignait à ne pas l'aimer puisqu'il ne pouvait pas concevoir de l'amour dans la misère.
[3] *Pétrifiés:* immobiles de stupéfaction

femme eût admirées.[4] Puis c'était toujours sa modestie virginale, sa céleste candeur, sa gracieuse attitude. L'étoffe de sa manche accusait le tremblement [5] qui faisait palpiter le corps comme palpitait le cœur.

— Oh! venez demain, dit-elle, venez à l'hôtel Saint-Quentin.[5] [. . .] J'y serai à midi. Soyez exact.

Elle se leva précipitamment et disparut. Raphaël voulut suivre Pauline, il craignit de la compromettre, resta [. . .] mais ne pouvant comprendre une seule phrase de musique, étouffant dans cette salle, le cœur plein, il sortit [15] et revint chez lui.

— Jonathas, dit-il à son vieux domestique au moment où il fut dans son lit, donne-moi une demi-goutte de laudanum sur un morceau de sucre, et [20] demain ne me réveille qu'à midi moins vingt minutes.

— Je veux être aimé de Pauline, s'écria-t-il le lendemain en regardant [25] le talisman avec une indéfinissable angoisse. La peau ne fit aucun mouvement, elle semblait avoir perdu sa force contractile, elle ne pouvait sans doute pas réaliser un désir accompli [30] déjà.

— Ah! s'écria Raphaël en se sentant délivré comme d'un manteau de plomb [6] qu'il aurait porté [7] depuis le jour où le talisman lui avait été donné, [35] tu mens, tu ne m'obéis pas, le pacte est rompu! Je suis libre, je vivrai. C'était donc une mauvaise plaisanterie. En disant ces paroles, il n'osait pas croire à sa propre pensée. Il se mit [8] [40] aussi simplement qu'il l'était jadis, et

[4] *eût admirées:* aurait admirées
[5] *l'hôtel Saint-Quentin:* la propriétaire en était Mme Gaudin, mère de Pauline. Raphaël y avait passé trois ans d'étude et de travail.
[6] *plomb:* lead
[7] *aurait porté:* Voir note 4, p. 175.
[8] *se mit:* s'habilla

voulut aller à pied à son ancienne demeure, en essayant de se reporter en idée à ces jours heureux où il se livrait [9] sans danger à la furie de ses désirs, où il n'avait point encore jugé toutes les jouissances humaines. Il marchait, voyant, non plus la Pauline de l'hôtel Saint-Quentin, mais la Pauline de la veille, cette maîtresse [10] accomplie, si souvent rêvée, jeune fille spirituelle, aimante, artiste, comprenant les poètes, comprenant la poésie et vivant au sein du luxe [. . .]. Quand il se trouva sur le seuil usé, sur la dalle [11] cassée de cette porte où, tant de fois, il avait eu des pensées de désespoir, une vieille femme sortit de la salle et lui dit: — N'êtes-vous pas monsieur Raphaël de Valentin?

— Oui, ma bonne mère,[12] répondit-il.

— Vous connaissez votre ancien logement, reprit-elle, vous y êtes attendu.

— Cet hôtel est-il toujours tenu par madame Gaudin? [13] demanda-t-il.

— Oh! non, monsieur. Maintenant madame Gaudin est baronne. Elle est dans une belle maison à elle, de l'autre côté de l'eau. Son mari est revenu. Dame! il a rapporté des mille et des cents.[14] L'on [15] dit qu'elle pourrait acheter tout le quartier Saint-Jacques,[16] si elle le voulait. Elle m'a

donné gratis son fonds et son restan de bail.[17] Ah! c'est une bonne femm tout de même! Elle n'est pas plus fièr aujourd'hui qu'elle ne l'était hier.

Raphaël monta lestement à sa man sarde, et quand il atteignit les dernière marches de l'escalier, il entendit le sons du piano. Pauline était là mo destement vêtue d'une robe de perca line; [18] mais la façon de la robe, le gants, le chapeau, le châle, négligem ment jetés sur le lit, révélaient tout une fortune.

— Ah! vous voilà donc! s'écri Pauline en tournant la tête et se levar par un naïf mouvement de joie.

Raphaël vint s'asseoir près d'ell rougissant, honteux, heureux; il la re garda sans rien dire.

— Pourquoi nous avez-vous don quittées? reprit-elle en baissant le yeux au moment où son visage s'em pourpra.[19] Qu'êtes-vous devenu?

— Ah! Pauline, j'ai été, je suis bie malheureux encore!

— Là! s'écria-t-elle tout attendri J'ai deviné votre sort hier en vou voyant bien mis, riche en apparenc mais en réalité, hein! monsieu Raphaël, est-ce toujours comme autre fois? [20]

Valentin ne put retenir quelque larmes, elles roulèrent dans ses yeu: il s'écria: — Pauline! . . . je . . . n'acheva pas, ses yeux étincelèren d'amour, et son cœur déborda dar son regard.

— Oh! il m'aime, il m'aime, s'écri Pauline.

Raphaël fit un signe de tête, car

[9] se livrait: s'abandonnait

[10] maîtresse: femme supérieure

[11] dalle: flooring-tile

[12] mère: femme

[13] madame Gaudin: Devenue baronne sous l'empire, elle tenait l'hôtel Saint-Quentin quand Raphaël y demeurait. Pendant la campagne napoléonienne en Russie, monsieur Gaudin était devenu prisonnier des Cosaques. Sa femme attendait toujours son retour.

[14] des mille et des cents: une grande fortune

[15] L'on: on

[16] le quartier Saint-Jacques: se trouve sur la rive gauche, au 14ème arrondissement

[17] son fonds et son restant de bail: he business and the remainder of her lease

[18] percaline: calico

[19] s'empourpra: rougit

[20] est-ce toujours comme autrefois?: c'es à-dire, l'amitié — et peut-être même l'amou — existe-t-il toujours entre eux?

se sentit hors d'état²¹ de prononcer une seule parole. A ce geste, la jeune fille lui prit la main, la serra, et lui dit tantôt riant, tantôt sanglotant: — Riches, riches, heureux, riches, ta²² Pauline est riche. Mais moi, je devrais être bien pauvre aujourd'hui. J'ai mille fois dit que je paierais ce mot: *il m'aime*, de tous les trésors de la terre. Ô mon Raphaël! j'ai des millions. Tu aimes le luxe, tu seras content; mais tu dois aimer mon cœur aussi, il y a tant d'amour pour toi dans ce cœur! Tu ne sais pas? mon père est revenu. Je suis une riche héritière. Ma mère et lui me laissent entièrement maîtresse de mon sort; je suis libre, comprends-tu?

En proie à une sorte de délire, Raphaël tenait les mains de Pauline, et les baisait si ardemment, si avidement, que son baiser semblait être une sorte de convulsion. Pauline se dégagea les mains, les jeta sur les épaules de Raphaël et le saisit; ils se comprirent, se serrèrent et s'embrassèrent avec cette sainte et délicieuse ferveur, dégagée de toute²³ arrière-pensée, dont se trouve empreint un seul baiser, le premier baiser par lequel deux âmes prennent possession d'elles-mêmes.

— Ah! s'écria Pauline en retombant sur la chaise, je ne veux plus te quitter. Je ne sais d'où me vient tant de hardiesse!²⁴ reprit-elle en rougissant.

— De la hardiesse, ma Pauline? Oh! ne crains rien, c'est de l'amour, de l'amour vrai, profond, éternel comme le mien, n'est-ce pas?

— Oh! parle, parle, parle, dit-elle. Ta bouche a été si longtemps muette pour moi!

— Tu m'aimais donc?

— Oh! Dieu, si je t'aimais! combien de fois j'ai pleuré, là, tiens, en faisant ta chambre, déplorant ta misère et la mienne. Je me serais vendue au démon pour t'éviter un chagrin! Aujourd'hui, *mon* Raphaël, car tu es bien à moi: à moi cette belle tête, à moi ton cœur! Oh! oui, ton cœur, surtout, éternelle richesse! Eh! bien, où en suis-je? reprit-elle après une pause. Ah! m'y voici: ²⁵ nous avons trois, quatre, cinq millions, je crois. Si j'étais pauvre, je tiendrais peut-être à porter ton nom, à être nommée ta femme, mais, en ce moment, je voudrais te sacrifier le monde entier, je voudrais être encore et toujours ta servante. Va, Raphaël, en t'offrant mon cœur, ma personne, ma fortune, je ne te donnerai rien de plus aujourd'hui que le jour où j'ai mis là, dit-elle en montrant le tiroir de la table, certaine pièce de cent sous.²⁶ Oh! comme alors ta joie m'a fait mal.

— Pourquoi es-tu riche, s'écria Raphaël, pourquoi n'as-tu pas de vanité? je ne puis rien pour toi. Il se tordit les mains de bonheur, de désespoir, d'amour. Quand tu seras madame la marquise de Valentin, je te connais, âme céleste, ce titre et ma fortune ne vaudront pas . . .

— Un seul de tes cheveux, s'écria-t-elle.

— Moi aussi, j'ai des millions; mais que sont maintenant les richesses pour nous? Ah! j'ai ma vie, je puis te l'offrir, prends-la.

— Oh! ton amour, Raphaël, ton amour vaut le monde. Comment, ta pensée est à moi? mais je suis la plus heureuse des heureuses.

²¹ *hors d'état:* incapable
²² *ta:* Noter le tutoiement.
²³ *dégagée de toute:* sans aucune
²⁴ *hardiesse:* boldness

²⁵ *m'y voici:* to resume
²⁶ *certaine pièce de cent sous:* En cachette, Pauline y avait mis une pièce de cent sous quand Raphaël avait besoin d'argent.

— L'on [27] va nous entendre, dit Raphaël.

— Hé! il n'y a personne, répondit-elle en laissant échapper un geste mutin.[28]

— Hé! bien, viens, s'écria Valentin en lui tendant les bras.

Elle sauta sur ses genoux et joignit ses mains autour du cou de Raphaël:

— Embrassez-moi,[29] dit-elle, pour tous les chagrins que vous m'avez donnés, pour effacer la peine que vos joies m'ont faite, pour toutes les nuits que j'ai passées à peindre mes écrans.[30]

— Tes écrans!

— Puisque nous sommes riches, mon trésor, je puis te dire tout. Pauvre enfant! combien il est facile de tromper les hommes d'esprit! Est-ce que tu pouvais [31] avoir des gilets blancs et des chemises propres deux fois par semaine, pour trois francs de blanchissage par mois? Mais tu buvais deux fois plus de lait qu'il ne t'en revenait pour ton argent. Je t'attrapais [32] sur tout: le feu, l'huile, et l'argent donc? Oh! mon Raphaël, ne me prends pas pour femme, dit-elle en riant, je suis une personne trop astucieuse.

— Mais comment faisais-tu donc?

— Je travaillais jusqu'à deux heures du matin, répondit-elle, et je donnais à ma mère une moitié du prix de mes écrans, à toi l'autre.

Ils se regardèrent pendant un moment, tous deux hébétés [33] de joie et d'amour.

— Oh! s'écria Raphaël, nous paierons sans doute, un jour, ce bonheur par quelque effroyable chagrin.

— Serais-tu marié? cria Pauline. Ah! je ne veux te céder à aucune femme.

— Je suis libre, ma chérie.

— Libre, répéta-t-elle. Libre, et à moi!

Elle se laissa glisser sur ses genoux, joignit les mains, et regarda Raphaël avec une dévotieuse ardeur.

— J'ai peur de devenir folle. Combien tu es gentil! reprit-elle en passant une main dans la blonde chevelure de son amant.[34] [. . .] Quel plaisir j'ai ressenti hier en me voyant saluée par tous ces hommes. [. . .] Dis, cher, quand mon dos a touché ton bras, j'ai entendu en moi je ne sais quelle voix qui m'a crié: Il est là. Je me suis retournée, et je t'ai vu. Oh! je me suis sauvée, je me sentais l'envie de te sauter au cou devant tout le monde.

— Tu es bien heureuse de pouvoir parler, s'écria Raphaël. Moi, j'ai le cœur serré. Je voudrais pleurer, je ne puis. Ne me retire pas ta main. Il me semble que je resterais, pendant toute ma vie, à te regarder ainsi, heureux, content.

— Oh! répète-moi cela, mon amour!

— Et que sont les paroles, reprit Valentin en laissant tomber une larme chaude sur les mains de Pauline. Plus tard, j'essaierai de te dire mon amour en ce moment je ne puis que le sentir . . .

— Oh! s'écria-t-elle, cette belle âme, ce beau génie,[35] ce cœur que je connais si bien, tout est à moi, comme je suis à toi.

— Pour toujours, ma douce créature, dit Raphaël d'une voix émue. Tu seras ma femme, mon bon génie. Ta présence a toujours dissipé mes chagrins et

---

[27] L'on: on
[28] mutin: pert, saucy
[29] Embrassez-moi: Noter l'emploi de la deuxième personne du pluriel dans ce paragraphe où Pauline fait semblant de gronder Raphaël.
[30] écrans: peintures
[31] tu pouvais: tu aurais pu
[32] Je t'attrapais: je te trompais
[33] hébétés: dazed
[34] amant: amoureux
[35] génie: genius, (guardian) spirit

rafraîchi mon âme; en ce moment, ton sourire angélique m'a pour ainsi dire purifié. Je crois commencer une nouvelle vie. Le passé cruel et mes tristes folies me semblent n'être plus que de mauvais songes. Je suis pur, près de toi. Je sens l'air du bonheur. Oh! sois là toujours, ajouta-t-il en la pressant saintement sur son cœur palpitant.

— Vienne la mort quand elle voudra, s'écria Pauline en extase, j'ai vécu. Heureux qui devinera leurs joies, il les aura connues! . . .

[. . .]

— Ma Pauline. . . .

— Oh! oui, je suis ta Pauline. Eh bien?

— Où demeures-tu donc?

— Rue Saint-Lazare.[36] Et toi?

— Rue de Varennes.[37]

— Comme nous serons loin l'un de l'autre, jusqu'à ce que . . . Elle s'arrêta en regardant son ami d'un air coquet et malicieux.

— Mais, répondit Raphaël, nous avons tout au plus une quinzaine de jours à rester séparés.

— Vrai! dans quinze jours nous serons mariés! Elle sauta comme un enfant. Oh! je suis une fille dénaturée,[38] reprit-elle, je ne pense plus ni à père, ni à mère, ni à rien dans le monde! Tu ne sais pas, pauvre chéri? mon père est bien malade. Il est revenu des Indes bien souffrant. Il a manqué[39] mourir au Havre,[40] où nous l'avons été cher-cher.[41] Ah! Dieu, s'écria-t-elle en regardant l'heure à sa montre, déjà trois heures. Je dois me trouver à son réveil, à quatre heures. Je suis la maîtresse au logis: ma mère fait toutes mes volontés, mon père m'adore, mais je ne veux pas abuser de leur bonté, ce serait mal! Le pauvre père, c'est lui qui m'a envoyée aux Italiens[42] hier. Tu viendras le voir demain, n'est-ce pas?

— Madame la marquise de Valentin veut-elle me faire l'honneur d'accepter mon bras?

— Ah! je vais emporter la clef de cette chambre, reprit-elle. N'est-ce pas un palais, notre trésor?

— Pauline, encore un baiser?

— Mille! Mon Dieu, dit-elle en regardant Raphaël, ce sera toujours ainsi, je crois rêver.

Ils descendirent lentement l'escalier; puis, bien unis, marchant du même pas, tressaillant ensemble sous le poids du même bonheur, se serrant comme deux colombes, ils arrivèrent sur la place de la Sorbonne,[43] où la voiture de Pauline attendait.

— Je veux aller chez toi, s'écria-t-elle. Je veux voir ta chambre, ton cabinet, et m'asseoir à la table sur laquelle tu travailles. Ce sera comme autrefois, ajouta-t-elle en rougissant.

— Joseph, dit-elle à un valet, je vais rue de Varennes avant de retourner à la maison. Il est trois heures un quart, et je dois être revenue à quatre. Georges pressera les chevaux.

Et les deux amants furent en peu d'instants menés à l'hôtel de Valentin.

— Oh! que je suis contente d'avoir examiné tout cela, s'écria Pauline en chiffonnant[44] la soie des rideaux qui drapaient le lit de Raphaël. Quand je

---

[36] *Rue Saint-Lazare:* se trouve sur la rive droite, dans le 9ème arrondissement
[37] *Rue de Varennes:* se trouve sur la rive gauche, dans le 7ème arrondissement
[38] *dénaturée:* unnatural, hard-hearted
[39] *manqué:* failli
[40] *le Havre:* port très important sur la côte nord de la France
[41] *nous l'avons été chercher:* nous sommes allées le chercher

[42] *aux Italiens:* au Théâtre des Italiens (Voir note 94, p. 182.)
[43] *place de la Sorbonne:* place qui se trouve devant la chapelle de la Sorbonne
[44] *chiffonnant:* crumpling

m'endormirai, je serai là, en pensée. Je me figurerai ta chère tête sur cet oreiller. Dis-moi, Raphaël, tu n'as pris conseil de personne pour meubler ton hôtel?

— De personne.

— Bien vrai? Ce n'est pas une femme qui . . .

— Pauline!

— Oh! je me sens une affreuse jalousie. Tu as bon goût. Je veux avoir demain un lit pareil au tien.

Raphaël, ivre de bonheur, saisit Pauline.

— Oh! mon père, mon père! dit-elle.

— Je vais donc te reconduire, car je veux te quitter le moins possible, s'écria Valentin.

— Combien tu es aimant! je n'osais pas te le proposer . . .

— N'es-tu donc pas ma vie?

Il serait fastidieux de consigner[45] fidèlement ces adorables bavardages de l'amour auxquels l'accent, le regard, un geste intraduisible donnent seuls du prix.[46] Valentin reconduisit Pauline jusque chez elle, et revint ayant au cœur autant de plaisir que l'homme peut en ressentir et en porter ici-bas. Quand il fut assis dans son fauteuil, près de son feu, pensant à la soudaine et complète réalisation de toutes ses espérances, une idée froide lui traversa l'âme comme l'acier d'un poignard perce une poitrine; il regarda la Peau de chagrin, elle s'était légèrement rétrécie [. . .] Grand Dieu![47] s'écriat-il. Quoi! tous mes désirs, tous! Pauvre Pauline! Il prit un compas, mesura ce que la matinée lui avait coûté d'existence. Je n'en ai pas pour

deux mois, dit-il. Une sueur glacée sortit de ses pores, tout à coup il obéit à un inexprimable mouvement de rage, et saisit la Peau de chagrin en s'écriant: Je suis bien bête! il sortit, courut, traversa les jardins, et jeta le talisman au fond d'un puits: Vogue la galère,[48] dit-il. Au diable toutes ces sottises!

Raphaël se laissa donc aller au bonheur d'aimer, et vécut cœur à cœur avec Pauline, qui ne conçut pas le refus en amour. Leur mariage, retardé par des difficultés peu intéressantes à raconter, devait se célébrer dans les premiers jours de mars. Ils s'étaient éprouvés, ne doutaient point d'eux-mêmes, et le bonheur leur ayant révélé toute la puissance de leur affection, jamais deux âmes, deux caractères ne s'étaient aussi parfaitement unis qu'ils le furent par la passion; en s'étudiant ils s'aimèrent davantage: de part et d'autre[49] même délicatesse, même pudeur, même volupté, la plus douce de toutes les voluptés, celle des anges; point de nuages dans leur ciel; tour à tour les désirs de l'un faisaient la loi de l'autre. Riches tous deux, ils ne connaissaient point de caprices qu'ils ne pussent satisfaire, et partant[50] n'avaient point de caprices. Un goût exquis, le sentiment du beau, une vraie poésie animait l'âme de l'épouse; dédaignant les colifichets[51] de la finance, un sourire de son ami lui semblait plus beau que toutes les perles d'Ormus,[52] la mousseline ou les fleurs formaient ses plus riches parures. Pauline et Raphaël fuyaient d'ailleurs

[45] *fastidieux de consigner:* ennuyeux de citer

[46] *du prix:* de la valeur

[47] *Grand Dieu!:* un juron qui, en français, n'est ni si choquant ni si vulgaire qu'en anglais

[48] *Vogue la galère!:* l'affaire est engagée, arrive que pourra

[49] *de part et d'autre:* tous deux (avaient)

[50] *partant:* donc, par conséquent

[51] *colifichets:* bagatelles

[52] *Ormus:* ville fabuleusement riche de l'ancienne Perse

le monde, la solitude leur était si belle, si féconde.[53] [. . .]

Vers la fin du mois de février, époque à laquelle d'assez beaux jours firent croire aux joies du printemps, un matin, Pauline et Raphaël déjeunaient ensemble dans une petite serre,[54] espèce de salon rempli de fleurs, et de plain-pied[55] avec le jardin. Le doux et pâle soleil de l'hiver, dont les rayons se brisaient à travers des arbustes rares, tiédissait alors la température. Les yeux étaient égayés[56] par les vigoureux contrastes des divers feuillages, par les couleurs des touffes[57] fleuries et par toutes les fantaisies de la lumière et de l'ombre. Quand tout Paris se chauffait encore devant les tristes foyers,[58] les deux jeunes époux riaient sous un berceau[59] de camélias, de lilas, de bruyères. [. . .] Un jeune chat accroupi sur la table où l'avait attiré l'odeur du lait se laissait barbouiller[60] de café par Pauline; elle folâtrait[61] avec lui, défendait la crème qu'elle lui permettait à peine de flairer[62] afin d'exercer[63] sa patience et d'entretenir le combat; elle éclatait de rire à chacune de ses grimaces, et débitait[64] mille plaisanteries pour empêcher Raphaël de lire le journal, qui, dix fois déjà, lui était tombé des mains. Il abondait dans cette scène matinale un bonheur inexprimable comme tout ce qui est naturel et vrai. Raphaël feignait tou-

jours de lire sa feuille, et contemplait à la dérobée Pauline aux prises avec[65] le chat, sa Pauline enveloppée d'un long peignoir qui la lui voilait imparfaitement, sa Pauline les cheveux en désordre et montrant un petit pied blanc veiné de bleu dans une pantoufle de velours noir. Charmante à voir en déshabillé, [. . .] elle semblait être tout à la fois jeune fille et femme; peut-être plus jeune fille que femme, elle jouissait d'une félicité sans mélange, et ne connaissait de l'amour que ses premières joies. Au moment où, tout à fait absorbé par sa douce rêverie, Raphaël avait oublié son journal, Pauline le saisit, le chiffonna,[66] en fit une boule, le lança dans le jardin, et le chat courut après la politique qui tournait comme toujours sur elle-même. Quand Raphaël, distrait par cette scène enfantine, voulut continuer à lire et fit le geste de lever la feuille qu'il n'avait plus, éclatèrent des rires[67] francs, joyeux, renaissant d'eux-mêmes comme les chants d'un oiseau.

— Je suis jalouse du journal, dit-elle en essuyant les larmes que son rire d'enfant avait fait couler. N'est-ce pas une félonie, reprit-elle redevenant femme tout à coup, que de lire des proclamations russes en ma présence, et de préférer la prose de l'empereur Nicolas[68] à des paroles, à des regards d'amour?

— Je ne lisais pas, mon ange aimé, je te regardais.

En ce moment, le pas lourd du jardinier dont les souliers ferrés[69]

---

[53] *féconde:* abondante, riche
[54] *serre:* conservatory
[55] *de plain-pied:* on a level
[56] *égayés:* réjouis
[57] *touffes:* clusters
[58] *foyers:* cheminées
[59] *berceau:* arbor
[60] *barbouiller:* smear
[61] *folâtrait:* jouait
[62] *flairer:* sniff
[63] *exercer:* mettre à l'épreuve
[64] *débitait:* disait

[65] *aux prises avec:* at grips with
[66] *chiffonna:* crumpled
[67] *éclatèrent des rires:* Noter l'inversion du sujet et du verbe.
[68] *l'empereur Nicolas Ier:* tsar de Russie de 1825 à 1855
[69] *ferrés:* hobnailed

faisaient crier[70] le sable des allées retentit près de la serre.

— Excusez, monsieur le marquis, si je vous interromps ainsi que madame, mais je vous apporte une curiosité comme je n'en ai jamais vu. En tirant tout à l'heure, sauf votre respect,[71] un seau d'eau, j'ai amené cette singulière plante marine! La voilà! Faut,[72] tout de même, que ce soit bien

accoutumé à l'eau, car ce n'était point mouillé, ni humide. C'était sec comme du bois, et point gras du tout. Comme monsieur le marquis est plus savant 5 que moi certainement, j'ai pensé qu'il fallait la lui apporter, et que ça l'intéresserait.

Et le jardinier montrait à Raphaël l'inexorable Peau de chagrin qui 10 n'avait pas six pouces carrés de superficie.[73]

[70] *crier:* creak, crunch
[71] *sauf votre respect:* with all due respect
[72] *Faut:* il faut

[73] *six pouces carrés de superficie:* six square inches of surface

VICTOR HUGO [1802–85]

Victor Hugo domina les lettres françaises pendant presque tout le dix-neuvième siècle. Ce fut le géant littéraire de son époque, surtout à cause de ses succès dans trois genres — poésie, roman, et théâtre. On trouve dans ses œuvres des innovations dans l'expression et la technique qui influencèrent ses contemporains autant que ses successeurs.

Fils d'un général de l'armée napoléonienne, Victor Hugo débuta très jeune dans la poésie et ses vers remportèrent de nombreux prix. Il devint le chef incontesté du romantisme français et, en 1841, il fut élu à l'Académie française. Hugo s'intéressa aussi pendant de longues années à la politique et exprima souvent sa foi dans le progrès démocratique et dans la justice sociale. Devenu membre du gouvernement provisoire en 1848, Hugo brisa pourtant avec Louis Napoléon (Napoléon III), qu'il dénonça en plusieurs ouvrages postérieurs. Il s'exila pendant vingt ans et ne rentra en France qu'après la chute du Second Empire.

Il y a toute une série de pièces de théâtre parmi les premières œuvres de Victor Hugo. Il abandonna ce genre plus tard, mais deux de ses pièces, *Cromwell* et *Hernani,* exercèrent une influence énorme sur le théâtre de son temps. La première, injouable, doit son importance à sa *Préface.* C'est un véritable manifeste — rupture totale avec le théâtre classique — qui réclame une entière liberté artistique et qui vise une plus grande vraisemblance. *Hernani,* drame romantique joué avec un éclatant succès en 1830, provoqua, aux premières représentations, une véritable bataille entre classiques et romantiques. Ce fut par la victoire des derniers que la nouvelle école s'établit et s'imposa.

On trouvera plus loin quelques exemples de la poésie de Victor Hugo. Qu'il suffise de dire qu'il fit preuve d'un prodigieux don poétique dans ses premiers vers et qu'il acquit une réputation mondiale grâce aux œuvres de sa maturité.[1]

Comme romancier, Hugo dut sa renommée surtout à deux œuvres magistrales, *Notre-Dame de Paris* (1831) et *Les Misérables* (1862). Le premier de ces ouvrages évoque, quelque peu dans la tradition de Walter Scott, le Paris du quinzième siècle, peuplé de brigands, de voyous, de militaires bruyants, et dominé par la silhouette de sa cathédrale. *Les Misérables,* vaste roman social, présente la vie et les souffrances de Jean Valjean, frappé pendant toute son existence par la réprobation dont souffre un ancien forçat.

Dans l'extrait qui suit, Jean Valjean vit incognito à Paris. Il vient d'adopter la petite Cosette, afin de lui épargner les souffrances qu'elle subit chez les gens répugnants, auxquels sa mère l'avait confiée. Mais Jean Valjean est toujours hanté par la crainte d'être reconnu par Javert, l'inspecteur de police qui, depuis son évasion du bagne, le poursuit inlassablement.

[1] N'en citons ici que *Les Rayons et les ombres* (1840), dont nous donnons plus loin quatre extraits, *Les Contemplations* (1856), et *La Légende des siècles* (1859–83), où Victor Hugo traita de façon grandiose plusieurs thèmes politiques de l'époque.

Les Misérables

Le lendemain au point du jour, Jean Valjean était encore près du lit de Cosette. Il attendit là, immobile, et il la regarda se réveiller.

Quelque chose de nouveau lui entrait dans l'âme. [5]

Jean Valjean n'avait jamais rien aimé. Depuis vingt-cinq ans il était seul au monde. Il n'avait jamais été père, amant, mari, ami. Au bagne [1] il [10] était mauvais, sombre, chaste, ignorant et farouche.[2] Le cœur de ce vieux forçat était plein de virginités.[3] Sa sœur et les enfants de sa sœur ne lui avaient laissé qu'un souvenir vague et [15] lointain qui avait fini par s'évanouir [4] presque entièrement. Il avait fait tous ses efforts pour les retrouver, et, n'ayant pu les retrouver, il les avait oubliés. La nature humaine est ainsi faite. Les autres émotions tendres de sa jeunesse, s'il en avait eu, étaient tombées dans un abîme.

Quand il vit Cosette, quand il l'eut prise, emportée et délivrée, il sentit se remuer ses entrailles.[5] Tout ce qu'il y avait de passionné et d'affectueux en lui [6] s'éveilla et se précipita vers cet enfant. Il allait près du lit où elle dormait, et il y tremblait de joie; il éprouvait des épreintes [7] comme une mère et il ne savait ce que c'était; car c'est une chose bien obscure et bien douce que ce grand et étrange mouvement d'un cœur qui se met à aimer.[8]

[1] *bagne:* prison
[2] *farouche:* shy
[3] *virginités:* innocence
[4] *s'évanouir:* disparaître

[5] *il sentit . . . entrailles:* he was moved with compassion
[6] *tout ce qu'il . . . en lui:* all his inherent fondness and affection
[7] *épreintes:* douleurs de l'enfantement
[8] *ce grand et . . . à aimer:* this great, strange impulse of a heart beginning to feel love

Pauvre vieux cœur tout neuf!

Seulement, comme il avait cinquante-cinq ans et que Cosette en avait huit, tout ce qu'il aurait pu avoir d'amour dans toute sa vie[9] se fondit en une sorte de lueur ineffable.

Les premiers jours s'écoulèrent dans cet éblouissement.[10]

De son côté, Cosette, elle aussi, devenait autre, à son insu,[11] pauvre petit être! Elle était si petite quand sa mère l'avait quittée qu'elle ne s'en souvenait plus. Comme tous les enfants, pareils aux jeunes pousses de la vigne qui s'accrochent[12] à tout, elle avait essayé d'aimer. Elle n'y avait pu réussir. [. . .] Ce n'était pas sa faute, ce n'était point la faculté d'aimer qui lui manquait; hélas! c'était la possibilité. Aussi,[13] dès le premier jour, tout ce qui sentait et songeait en elle se mit à aimer ce bonhomme.[14] Elle éprouvait ce qu'elle n'avait jamais ressenti, une sensation d'épanouissement.

Le bonhomme ne lui faisait même plus l'effet d'être vieux,[15] ni d'être pauvre. Elle trouvait Jean Valjean beau, de même qu'elle trouvait le taudis[16] joli.

Ce sont là des effets d'aurore,[17] d'enfance, de jeunesse, de joie. La nouveauté de la terre et de la vie y est pour quelque chose.[18] Rien n'est charmant comme le reflet colorant du bonheur sur le grenier.[19] Nous avons tous ainsi dans notre passé un galetas[20] bleu.

La nature, cinquante ans d'intervalle, avaient mis une séparation profonde entre Jean Valjean et Cosette; cette séparation, la destinée la combla.

La destinée unit brusquement et fiança[21] avec son irrésistible puissance ces deux existences déracinées,[22] différentes par l'âge, semblables par le deuil.[23] L'une en effet complétait l'autre. L'instinct de Cosette cherchait un père comme l'instinct de Jean Valjean cherchait un enfant. Se rencontrer, ce fut se trouver. Au moment mystérieux où leurs deux mains se touchèrent, elles se soudèrent.[24] Quand ces deux âmes s'aperçurent, elles se reconnurent comme étant le besoin l'une de l'autre et s'embrassèrent étroitement. [. . .] L'entrée de cet homme dans la destinée de cet enfant avait été l'arrivée de Dieu.

Du reste, Jean Valjean avait bien choisi son asile.[25] Il était là dans une sécurité qui pouvait sembler entière.

La chambre à cabinet qu'il occupait avec Cosette était celle dont la fenêtre donnait sur le boulevard. Cette fenêtre étant unique dans la maison, aucun regard de voisin n'était à craindre, pas plus de côté qu'en face.[26]

Le rez-de-chaussée[27] du numéro 50–52, espèce d'appentis délabré,[28]

---

[9] *tout ce . . . toute sa vie:* all the love that there could have been in his whole life
[10] *éblouissement:* dazzlement
[11] *à son insu:* unknown to her
[12] *s'accrochent:* cling
[13] *aussi:* donc
[14] *bonhomme:* old fellow
[15] *ne lui faisait . . . d'être vieux:* no longer even seemed old to her
[16] *taudis:* hovel
[17] *aurore:* dawn
[18] *y est pour quelque chose:* has something to do with it

[19] *grenier:* loft, attic
[20] *galetas:* garret
[21] *fiança:* pledged (to each other)
[22] *déracinées:* uprooted
[23] *deuil:* mourning
[24] *se soudèrent:* s'unirent
[25] *asile:* refuge
[26] *aucun regard . . . de côté qu'en face:* no neighbor's glance was to be feared, no more from the side than from directly opposite
[27] *rez-de-chaussée:* ground floor; *premier* (étage): second, or main floor
[28] *appentis délabré:* dilapidated lean-to

servait de remise à des maraîchers,[29] et n'avait aucune communication avec le premier.[27] Il en était séparé par le plancher qui n'avait ni trappe ni escalier et qui était comme le diaphragme de la masure.[30] Le premier étage contenait [. . .] plusieurs chambres et quelques greniers, dont un seulement était occupé par une vieille femme qui faisait le ménage[31] de Jean Valjean. Tout le reste était inhabité.

C'était cette vieille femme, ornée du nom de *principale locataire*[32] et en réalité chargée des fonctions de portière, qui lui avait loué[33] ce logis dans la journée de Noël. Il s'était donné à elle[34] pour un rentier ruiné par les bons d'Espagne,[35] qui allait venir demeurer là avec sa petite-fille. Il avait payé six mois d'avance et chargé la vieille de meubler la chambre et le cabinet. [. . .] C'était cette bonne femme qui avait allumé le poêle[36] et tout préparé le soir de leur arrivée.

Les semaines se succédèrent. Ces deux êtres menaient dans ce taudis misérable une existence heureuse.

Dès l'aube Cosette riait, jasait,[37] chantait. Les enfants ont leur chant du matin comme les oiseaux.

Il arrivait quelquefois que Jean Valjean lui prenait sa petite main rouge et crevassée d'engelures[38] et la baisait. La pauvre enfant, accoutumée à être battue, ne savait ce que cela voulait dire, et s'en allait toute honteuse.[39]

Par moments elle devenait sérieuse et elle considérait sa petite robe noire. Cosette n'était plus en guenilles, elle était en deuil. Elle sortait de la misère et elle entrait dans la vie.

Jean Valjean s'était mis à lui enseigner à lire. Parfois, tout en faisant épeler[40] l'enfant, il songeait que c'était avec l'idée de faire le mal qu'il avait appris à lire au bagne. Cette idée avait tourné à montrer à lire à un enfant. Alors le vieux galérien[41] souriait du sourire pensif des anges.

Il sentait là une préméditation d'en haut,[42] une volonté de quelqu'un qui n'est pas l'homme, et il se perdait dans la rêverie. Les bonnes pensées ont leurs abîmes comme les mauvaises.

Apprendre à lire à Cosette, et la laisser jouer, c'était à peu près là toute la vie de Jean Valjean. Et puis il lui parlait de sa mère et il la faisait prier. Elle l'appelait: *père*, et ne lui savait pas d'autre nom.[43]

Il passait des heures à la contempler habillant et déshabillant sa poupée,[44] et à l'écouter gazouiller.[45] La vie lui paraissait désormais pleine d'intérêt, les hommes lui semblaient bons et justes, il ne reprochait dans sa pensée plus rien à personne, il n'apercevait aucune raison de ne pas vieillir très vieux[46] maintenant que cette enfant l'aimait. Il se voyait tout un avenir[47]

---

[29] *remise à des maraîchers:* market gardeners' shed
[30] *diaphragme de la masure:* horizontal partition of the hovel
[31] *ménage:* housework
[32] *locataire:* tenant
[33] *loué:* rented
[34] *il s'était donné à elle:* he had told her that he was
[35] *bons d'Espagne:* Spanish government bonds
[36] *poêle:* stove
[37] *jasait:* chattered
[38] *engelures:* chilblains

[39] *toute honteuse:* pleine de confusion
[40] *épeler:* spell
[41] *galérien:* galley-slave
[42] *préméditation d'en haut:* divine premeditation
[43] *ne lui savait pas d'autre nom:* knew no other name for him
[44] *poupée:* doll
[45] *gazouiller:* prattle
[46] *vieillir très vieux:* vivre à un âge très avancé
[47] *avenir:* future (existence)

éclairé par Cosette comme par une charmante lumière. Les meilleurs ne sont pas exempts d'une pensée égoïste.[48] Par moments il songeait avec une sorte de joie qu'elle serait laide.[49]

Ceci n'est qu'une opinion personnelle; mais pour dire notre pensée tout entière, au point où en était[50] Jean Valjean quand il se mit à aimer Cosette, il ne nous est pas prouvé qu'il n'ait pas eu besoin de ce ravitaillement[51] pour persévérer dans le bien. [. . .] Qui sait si Jean Valjean n'était pas à la veille de[52] se décourager et de retomber? Il aima, et il redevint fort. Hélas! il n'était guère moins chancelant[53] que Cosette. Il la protégea et elle l'affermit. Grâce à lui, elle put marcher dans la vie;[54] grâce à elle, il put continuer dans la vertu. Il fut le soutien de cet enfant et cet enfant fut son point d'appui. Ô mystère insondable[55] et divin des équilibres de la destinée!

Jean Valjean avait la prudence de ne sortir jamais le jour. Tous les soirs, au crépuscule,[56] il se promenait une heure ou deux, quelquefois seul, souvent avec Cosette, cherchant les contre-allées[57] du boulevard les plus solitaires, ou entrant dans les églises à la tombée de la nuit. Il allait volontiers à Saint-Médard[58] qui est l'église la plus proche. Quand il n'emmenait

pas Cosette, elle restait avec la vieille femme; mais c'était la joie de l'enfant de sortir avec le bonhomme. [. . .] Il marchait en la tenant par la main et en lui disant des choses douces.

Il se trouva que[59] Cosette était très gaie.

La vieille faisait le ménage et la cuisine et allait aux provisions.

Ils vivaient sobrement, ayant toujours un peu de feu, mais comme des gens très gênés.[60] Jean Valjean n'avait rien changé au mobilier du premier jour; seulement il avait fait remplacer par une porte pleine[61] la porte vitrée[61] du cabinet de Cosette.

Il avait toujours sa redingote[62] jaune, sa culotte[63] noire et son vieux chapeau. Dans la rue on le prenait pour un pauvre. Il arrivait[64] quelquefois que des bonnes femmes se retournaient et lui donnaient un sou. Jean Valjean recevait le sou et saluait profondément. Il arrivait aussi parfois qu'il rencontrait quelque misérable demandant la charité, alors il regardait derrière lui si personne ne le voyait, s'approchait furtivement du malheureux, lui mettait dans la main une pièce de monnaie, souvent une pièce d'argent,[65] et s'éloignait rapidement. Cela avait ses inconvénients. On commençait à le connaître dans le quartier sous le nom du mendiant qui fait l'aumône.[66]

La vieille principale locataire, créature rechignée,[67] toute pétrie vis-à-vis du prochain de l'attention des en-

48 égoïste: selfish
49 laide: ugly
50 où en était: où était arrivé
51 ravitaillement: being supplied (with encouragement)
52 à la veille de: sur le point de
53 chancelant: tottering
54 marcher dans la vie: vivre honnêtement
55 insondable: unfathomable
56 crépuscule: twilight
57 contre-allées: side alleys
58 Saint-Médard: petite église dans la rue Mouffetard

59 il se trouva que: it so happened
60 gênés: pauvres
61 pleine: solid; vitrée: glass
62 redingote: frock coat
63 culotte: breeches
64 il arrivait: it happened
65 une pièce . . . d'argent: a coin, often a silver coin
66 fait l'aumône: gives alms
67 rechignée: surly

vieux,[68] examinait beaucoup Jean Valjean, sans qu'il s'en doutât.[69] Elle
était un peu sourde, ce qui la rendait
bavarde.[70] Il lui restait de son passé
deux dents, l'une en haut, l'autre en
bas, qu'elle cognait[71] toujours l'une
contre l'autre. Elle avait fait des questions à Cosette qui, ne sachant rien,
n'avait pu rien dire, sinon qu'elle
venait de Montfermeil.[72] Un matin,
cette guetteuse[73] aperçut Jean Valjean
qui entrait, d'un air qui sembla à la
commère[74] particulier, dans un des
compartiments inhabités de la masure.
Elle le suivit du pas d'une vieille
chatte, et put l'observer, sans en être
vue, par la fente[75] de la porte qui était
tout contre.[76] Jean Valjean, pour plus
de précaution sans doute, tournait le
dos à cette porte. La vieille le vit
fouiller[77] dans sa poche et y prendre
un étui,[78] des ciseaux et du fil, puis il
se mit à découdre la doublure d'un
pan[79] de sa redingote et il tira de
l'ouverture un morceau de papier
jaunâtre qu'il déplia.[80] La vieille reconnut avec épouvante que c'était un
billet de mille francs. C'était le second
ou le troisième qu'elle voyait depuis
qu'elle était au monde. Elle s'enfuit
très effrayée.

Un moment après, Jean Valjean
l'aborda[81] et la pria d'aller lui changer
ce billet de mille francs, ajoutant que
c'était le semestre de sa rente[82] qu'il
avait touché la veille.[83] — Où? pensa
la vieille. Il n'est sorti qu'à six heures
du soir, et la caisse du gouvernement
n'est certainement pas ouverte à cette
heure-là. — La vieille alla changer le
billet et fit ses conjectures. Ce billet de
mille francs, commenté et multiplié,
produisit une foule de conversations
effarées[84] parmi les commères de la
rue des Vignes-Saint-Marcel.

Les jours suivants, il arriva que
Jean Valjean, en manches de veste,[85]
scia[86] du bois dans le corridor. La
vieille était dans la chambre et faisait
le ménage. Elle était seule, Cosette
étant occupée à admirer le bois qu'on
sciait, la vieille vit la redingote ac-
crochée à un clou,[87] et la scruta; la
doublure avait été recousue. La bonne
femme la palpa attentivement, et crut
sentir dans les pans et dans les entournures[88] des épaisseurs de papier.
D'autres billets de mille francs sans
doute!

Elle remarqua en outre qu'il y avait
toutes sortes de choses dans les
poches, non seulement les aiguilles,[89]
les ciseaux et le fil qu'elle avait vus,
mais un gros portefeuille, un très
grand couteau, et, détail suspect,
plusieurs perruques[90] de couleurs

[68] *toute pétrie . . . des envieux:* completely devoured by envious curiosity about
her neighbors' doings
[69] *sans qu'il s'en doutât:* without his sus-
pecting it
[70] *bavarde:* talkative
[71] *cognait:* struck
[72] *Montfermeil:* village qui se trouve au
nord de Paris
[73] *guetteuse:* spying female
[74] *commère:* gossip
[75] *fente:* slit, crack
[76] *tout contre:* exactement en face
[77] *fouiller:* search
[78] *étui:* needle-case
[79] *découdre la doublure d'un pan:* rip the
lining of a section
[80] *déplia:* unfolded

[81] *aborda:* accosted
[82] *semestre de sa rente:* half-year's pay-
ment of his income
[83] *touché la veille:* received the day before
[84] *effarées:* bewildered
[85] *manches de veste:* shirt sleeves
[86] *scia:* sawed
[87] *clou:* nail
[88] *dans les pans . . . entournures:* in the
side and underarm lining
[89] *aiguilles:* needles
[90] *perruques:* wigs

variées. Chaque poche de cette redingote avait l'air d'être une façon d'en-cas[91] pour des événements imprévus. Les habitants de la masure atteignirent ainsi les derniers jours de l'hiver.

Il y avait près de Saint-Médard un pauvre qui s'accroupissait[1] sur la margelle d'un puits banal condamné,[2] et auquel Jean Valjean faisait volontiers la charité. Il ne passait guère devant cet homme sans lui donner quelques sous. Parfois il lui parlait. Les envieux de ce mendiant disaient qu'il était *de la police*.[3] C'était un vieux bedeau[4] de soixante-quinze ans qui marmottait[5] continuellement des oraisons.[6]

Un soir que Jean Valjean passait par là, il n'avait pas Cosette avec lui, il aperçut le mendiant à sa place ordinaire sous le réverbère[7] qu'on venait d'allumer. Cet homme, selon son habitude, semblait prier et était tout courbé. Jean Valjean alla à lui et lui mit dans la main son aumône accoutumée. Le mendiant leva brusquement les yeux, regarda fixement Jean Valjean, puis baissa rapidement la tête. Ce mouvement fut comme un éclair, Jean Valjean eut un tressaillement.[8] Il lui sembla qu'il venait d'entrevoir, à la lueur du réverbère, non le visage placide et béat du vieux bedeau, mais une figure effrayante et connue. Il eut l'impression qu'on aurait

en se trouvant tout à coup dans l'ombre face à face avec un tigre. I recula[9] terrifié et pétrifié, n'osant n respirer, ni parler, ni rester, ni fuir 5 considérant le mendiant qui avai baissé sa tête couverte d'une loque[1] et paraissait ne plus savoir qu'il étai là. Dans ce moment étrange, un in stinct, peut-être l'instinct mystérieu: 10 de la conservation, fit que Jean Valjea ne prononça pas[11] une parole. Le mendiant avait la même taille,[12] le: mêmes guenilles, la même apparence que tous les jours. — Bah! . . . di 15 Jean Valjean, je suis fou! je rêve! im possible! — Et il rentra profondémen troublé.

C'est à peine s'il osait[13] s'avouer à lui-même que cette figure qu'il avai 20 cru voir était la figure de Javert.

La nuit, en y réfléchissant, il regretta de n'avoir pas questionné l'homme pour le forcer à lever la tête une seconde fois.

25 Le lendemain à la nuit tombante il y retourna. Le mendiant était à sa place. — Bonjour, bonhomme, dit résolûment Jean Valjean en lui donnant un sou. Le mendiant leva la tête, 30 et répondit d'une voix dolente: — Merci, mon bon monsieur. — C'était bien le vieux bedeau.

Jean Valjean se sentit pleinement rassuré. Il se mit à rire. — Où diable 35 ai-je été voir là Javert?[14] pensa-t-il. Ah çà, est-ce que je vais avoir la berlue à présent?[15] — Il n'y songea plus.

Quelques jours après, il pouvait

---

[91] *façon d'en-cas:* kind of catch-all

[1] *s'accroupissait:* used to squat
[2] *puits banal condamné:* ordinary abandoned well
[3] *de la police:* connected (in some way) with the police
[4] *bedeau:* beadle
[5] *marmottait:* muttered
[6] *oraisons:* prayers
[7] *réverbère:* street light
[8] *eut un tresaillement:* started

[9] *recula:* drew back
[10] *loque:* ragged kerchief
[11] *fit que . . . prononça pas:* kept Jean Valjean from saying
[12] *taille:* height
[13] *c'est à peine s'il osait:* he scarcely dared
[14] *où diable . . . Javert?:* how in the deuce could I have taken him to be Javert?
[15] *est-ce que . . . à présent?:* am I getting to see things which do not exist?

être [16] huit heures du soir, il était dans sa chambre et il faisait épeler Cosette à haute voix, il entendit ouvrir, puis refermer la porte de la masure. Cela lui parut singulier. La vieille, qui seule habitait avec lui la maison, se couchait toujours à la nuit [17] pour ne point user de chandelle. Jean Valjean fit signe à Cosette de se taire. Il entendit qu'on montait l'escalier. A la rigueur ce pouvait être la vieille qui avait pu se trouver malade et aller chez l'apothicaire. Jean Valjean écouta. Le pas était lourd et sonnait comme le pas d'un homme; mais la vieille portait de gros souliers et rien ne ressemble au pas d'un homme comme le pas d'une vieille femme. Cependant Jean Valjean souffla [18] sa chandelle.

Il avait envoyé Cosette au lit en lui disant tout bas: — Couche-toi bien doucement; et, pendant qu'il la baisait au front, les pas s'étaient arrêtés. Jean Valjean demeura en silence, immobile, le dos tourné à la porte, assis sur sa chaise dont il n'avait pas bougé, retenant son souffle dans l'obscurité. Au bout d'un temps assez long, n'entendant plus rien, il se retourna sans faire de bruit, et, comme il levait les yeux vers la porte de sa chambre, il vit une lumière par le trou de la serrure.[19] Cette lumière faisait une sorte d'étoile sinistre dans le noir de la porte et du mur. Il y avait évidemment là quelqu'un qui tenait une chandelle à la main, et qui écoutait.

Quelques minutes s'écoulèrent, et la lumière s'en alla. Seulement il n'entendit plus aucun bruit de pas, ce qui semblait indiquer que celui qui était venu écouter à la porte avait ôté ses souliers.

Jean Valjean se jeta tout habillé sur son lit et ne put fermer l'œil de la nuit.

Au point du jour, comme il s'assoupissait [20] de fatigue, il fut réveillé par le grincement [21] d'une porte qui s'ouvrait à quelque mansarde du fond du corridor, puis il entendit le même pas d'homme qui avait monté l'escalier la veille. Le pas s'approchait. Il se jeta à bas du lit [22] et appliqua son œil au trou de sa serrure, lequel était assez grand, espérant voir au passage l'être quelconque qui s'était introduit la nuit dans la masure et qui avait écouté à sa porte. C'était un homme en effet qui passa, cette fois sans s'arrêter, devant la chambre de Jean Valjean. Le corridor était encore trop obscur pour qu'on pût distinguer son visage; mais quand l'homme arriva à l'escalier, un rayon de la lumière du dehors le fit saillir [23] comme une silhouette, et Jean Valjean le vit de dos complètement. L'homme était de haute taille, vêtu d'une redingote longue, avec un gourdin [24] sous son bras. C'était l'encolure [25] formidable de Javert.

Jean Valjean aurait pu essayer de le revoir par sa fenêtre sur le boulevard. Mais il eût fallu [26] ouvrir cette fenêtre, il n'osa pas.

Il était évident que cet homme était entré avec une clef, et comme chez lui. Qui lui avait donné cette clef? qu'est-ce que cela voulait dire?

A sept heures du matin, quand la vieille vint faire le ménage, Jean Valjean lui jeta un coup d'œil pénétrant, mais il ne l'interrogea pas. La bonne femme était comme à l'ordinaire.

[16] *il pouvait être:* it might have been
[17] *à la nuit:* à la tombée de la nuit
[18] *souffla:* blew out
[19] *trou de la serrure:* key hole

[20] *s'assoupissait:* was getting drowsy
[21] *grincement:* creaking
[22] *à bas du lit:* off the bed
[23] *le fit saillir:* le projeta
[24] *gourdin:* cudgel
[25] *encolure:* neck (usually that of a horse)
[26] *il eût fallu:* il aurait fallu

Tout en balayant,[27] elle lui dit:

— Monsieur a peut-être entendu quelqu'un qui entrait cette nuit?

A cet âge [28] et sur ce boulevard, huit heures du soir, c'est la nuit la plus noire.

— A propos, c'est vrai, répondit-il de l'accent le plus naturel. Qui était-ce donc?

— C'est un nouveau locataire, dit la vieille, qu'il y a dans la maison.

— Et qui s'appelle?

— Je ne sais plus trop.[29] Monsieur Dumont ou Daumont. Un nom comme cela.

— Et qu'est-ce qu'il est,[30] ce monsieur Dumont?

La vieille le considéra avec ses petits yeux de fouine,[31] et répondit:

— Un rentier, comme vous.

Elle n'avait peut-être aucune intention.[32] Jean Valjean crut lui en démêler une.[33]

Quand la vieille fut partie, il fit un rouleau [34] d'une centaine de francs qu'il avait dans une armoire et le mit dans sa poche. Quelque précaution qu'il prît [35] dans cette opération pour qu'on ne l'entendît pas remuer de l'argent, une pièce de cent sous lui échappa des mains et roula bruyamment sur le carreau.[36]

A la brune, il descendit et regarda avec attention de tous les côtés sur le boulevard. Il n'y vit personne. Le boulevard semblait absolument désert.

Il est vrai qu'on peut s'y cacher derrière les arbres.

Il remonta.

— Viens, dit-il à Cosette.

Il la prit par la main, et ils sortirent tous deux . . .

Jean Valjean avait tout de suite quitté le boulevard et s'était engagé dans les rues, faisant le plus de lignes brisées qu'il pouvait,[37] revenant quelquefois brusquement sur ses pas pour s'assurer qu'il n'était point suivi.

Cette manœuvre est propre au cerf traqué.[38] Sur les terrains où la trace peut s'imprimer,[39] cette manœuvre a entre autres avantages, celui de tromper les chasseurs et les chiens par le contrepied.[40] C'est ce qu'en vénerie on appelle *faux rembuchement*.[41]

C'était une nuit de pleine lune. Jean Valjean n'en fut pas fâché. La lune, encore très près de l'horizon, coupait dans les rues de grands pans [42] d'ombre et de lumière. Jean Valjean pouvait se glisser le long des maisons et des murs dans le côté sombre et observer le côté clair. Il ne réfléchissait peut-être pas assez que le côté obscur lui échappait.[43] Pourtant, dans toutes les ruelles désertes qui avoisinent la rue de Poliveau, il crut être certain que personne ne venait derrière lui.

Cosette marchait sans faire de questions. Les souffrances des six premières années de sa vie avaient introduit quelque chose de passif dans sa nature. D'ailleurs, et c'est là une re-

---

[27] *balayant:* sweeping
[28] *à cet âge:* en ce temps-là
[29] *je ne sais plus trop:* je ne suis pas trop sûre
[30] *qu'est-ce qu'il est?:* what is he?
[31] *yeux de fouine:* ferrety eyes
[32] *intention:* i.e. intention de le tromper
[33] *crut lui en démêler une:* believed that he had detected that she did have one
[34] *rouleau:* roll
[35] *quelque précaution qu'il prît:* despite the precautions that he took
[36] *carreau:* brick or tile floor

[37] *le plus de . . . pouvait:* as many intersecting lines as he could
[38] *cerf traqué:* hunted stag
[39] *s'imprimer:* be impressed or marked
[40] *par le contrepied:* en allant dans le sens inverse
[41] *faux rembuchement:* false reimbushment (return to cover)
[42] *pans:* segments
[43] *que le côté . . . échappait:* that he could not see along the dark side

marque sur laquelle nous aurons plus d'une occasion de revenir, elle était habituée, sans trop s'en rendre compte,[44] aux singularités du bonhomme et aux bizarreries de la destinée. Et puis elle se sentait en sûreté, étant avec lui.

Jean Valjean, pas plus que Cosette, ne savait où il allait. Il se confiait à Dieu comme elle se confiait à lui. Il lui semblait qu'il tenait, lui aussi, quelqu'un de plus grand que lui par la main; il croyait sentir un être qui le menait, invisible. Du reste il n'avait aucune idée arrêtée,[45] aucun plan, aucun projet. Il n'était même pas absolument sûr que ce fût Javert, et puis ce pouvait être Javert sans que Javert sût que c'était lui Jean Valjean. N'était-il pas déguisé? ne le croyait-on pas mort? Cependant depuis quelques jours il se passait [46] des choses qui devenaient singulières. Il ne lui en fallait pas davantage.[47] Il était déterminé à ne plus rentrer dans la maison Gorbeau. Comme l'animal chassé du gîte, il cherchait un trou où se cacher, en attendant qu'il en trouvât un où se loger.

Comme onze heures sonnaient à Saint-Étienne du Mont,[48] il traversait la rue de Pontoise devant le bureau du commissaire de police qui est au n° 14. Quelques instants après, l'instinct dont nous parlions plus haut fit qu'il se retourna.[49] En ce moment, il vit distinctement, grâce à la lanterne du commissaire qui les trahissait,[50] trois hommes qui le suivaient d'assez près passer successivement sous cette lanterne dans le côté ténébreux [51] de la rue. L'un de ces trois hommes entra dans l'allée de la maison du commissaire. Celui qui marchait en tête lui parut décidément suspect.

— Viens, enfant, dit-il à Cosette, et il se hâta de quitter la rue de Pontoise.

Il fit un circuit, tourna [52] le passage des Patriarches qui était fermé à cause de l'heure, arpenta [53] la rue de l'Épée-de-Bois et la rue de l'Arbalète et s'enfonça dans la rue des Postes.

Il y a là un carrefour, où est aujourd'hui le collège Rollin [54] et où vient s'embrancher la rue Neuve-Sainte-Geneviève.

La lune jetait une vive lumière dans ce carrefour. Jean Valjean s'embusqua [55] sous une porte, calculant que si ces hommes le suivaient encore, il ne pourrait manquer de les très bien voir lorsqu'ils traverseraient cette clarté.

En effet, il ne s'était pas écoulé trois minutes [56] que les hommes parurent. Ils étaient maintenant quatre; tous de haute taille, vêtus de longues redingotes brunes, avec des chapeaux ronds, et de gros bâtons à la main. Ils n'étaient pas moins inquiétants par leur grande stature et leurs vastes poings que par leur marche sinistre dans les ténèbres. On eût dit quatre spectres déguisés en bourgeois.[57]

Ils s'arrêtèrent au milieu du carrefour et firent groupe, comme des gens qui se consultent. Ils avaient l'air

---

[44] *sans trop s'en rendre compte:* without realizing it too well
[45] *arrêtée:* definite
[46] *il se passait:* il arrivait
[47] *pas davantage:* rien de plus
[48] *Saint-Étienne du Mont:* église située dans la place Sainte-Geneviève
[49] *fit qu'il se retourna:* made him turn around
[50] *les trahissait:* revealed their presence
[51] *ténébreux:* dark
[52] *tourna:* bi-passed
[53] *arpenta:* strode rapidly along
[54] *collège Rollin:* collège qui porta le nom du célèbre humaniste
[55] *s'embusqua:* laid in wait
[56] *il ne s'était . . . minutes:* three minutes had not passed
[57] *déguisés en bourgeois:* dressed to look like ordinary people

indécis. Celui qui paraissait les conduire se tourna et désigna [58] vivement
de la main droite la direction où
s'était engagé Jean Valjean; un autre

semblait indiquer avec une certaine
obstination la direction contraire. A
l'instant où le premier se retourna, la
lune éclaira en plein son visage. Jean
5 Valjean reconnut parfaitement Javert.

[58] *désigna:* indiqua

A Mademoiselle Fanny de P.[1]

Ô vous que votre âge défend,[2]
Riez! tout vous caresse encore.
Jouez! chantez! soyez l'enfant!
Soyez la fleur! soyez l'aurore!

Quant au destin, n'y songez pas.   5
Le ciel est noir, la vie est sombre.
Hélas! que fait l'homme ici-bas?
Un peu de bruit dans beaucoup d'ombre.

Le sort est dur, nous le voyons.
Enfant! souvent l'œil plein de charmes   10
Qui jette le plus de rayons
Répand [3] aussi le plus de larmes.

Vous que rien ne vient éprouver,[4]
Vous avez tout! joie et délire,
L'innocence qui fait rêver,   15
L'ignorance qui fait sourire.

Vous avez, lys sauvé des vents,[5]
Cœur occupé d'humbles chimères,[6]
Ce calme bonheur des enfants,
Pur reflet du bonheur des mères.   20

Votre candeur [7] vous embellit.
Je préfère à toute autre flamme
Votre prunelle [8] que remplit
La clarté qui sort de votre âme.

Pour vous ni soucis ni douleurs.   25
La famille vous idolâtre.

[1] Hugo exprime dans ces vers son amour
extraordinaire pour les enfants et sa conception de leur innocence.
[2] *défend:* protège
[3] *répand:* sheds

[4] *éprouver:* ennuyer
[5] *sauvé des vents:* protégé du vent
[6] *chimères:* fancies
[7] *candeur:* innocence
[8] *prunelle:* pupil of the eye

L'été, vous courez dans les fleurs;
L'hiver, vous jouez près de l'âtre.[9]

La poésie, esprit des cieux,
Près de vous, enfant, s'est posée; [10]   30
Votre mère l'a dans ses yeux,
Votre père dans sa pensée.

Profitez de ce temps si doux!
Vivez! — La joie est vite absente; [11]
Et les plus sombres d'entre nous   35
Ont eu leur aube éblouissante.[12]

Comme on prie avant de partir.
Laissez-moi vous bénir,[13] jeune âme, —
Ange qui serez un martyr.[14]
Enfant qui serez une femme!   40

(Les Rayons et les ombres)

[9] *âtre:* hearth
[10] *s'est posée:* has alighted
[11] *absente:* partie

[12] *aube éblouissante:* dazzling youth
[13] *bénir:* bless
[14] *martyr:* personne qui souffre beaucoup

Oceano Nox

Oh! combien de marins, combien de capitaines
Qui sont partis joyeux pour des courses lointaines,[1]
Dans ce morne [2] horizon se sont évanouis! [3]
Combien ont disparu, dure et triste fortune!
Dans une mer sans fond,[4] par une nuit sans lune,   5
Sous l'aveugle océan à jamais enfouis! [5]

Combien de patrons [6] morts avec leurs équipages! [7]
L'ouragan [8] de leur vie a pris toutes les pages,
Et d'un souffle [9] il a tout dispersé sur les flots!
Nul ne saura leur fin dans l'abîme [10] plongée.   10
Chaque vague en passant d'un butin [11] s'est chargée;
L'une a saisi l'esquif,[12] l'autre les matelots!

[1] *courses lointaines:* distant journeys
[2] *morne:* gloomy
[3] *évanouis:* vanished
[4] *sans fond:* bottomless
[5] *enfouis:* sunk
[6] *patrons:* skippers

[7] *équipages:* crews
[8] *ouragan:* hurricane
[9] *d'un souffle:* with one blast
[10] *l'abîme:* the deep
[11] *butin:* booty
[12] *esquif:* petit bateau à voiles

Nul ne sait votre sort, pauvres têtes perdues!
Vous roulez à travers les sombres étendues,[13]
Heurtant[14] de vos fronts morts des écueils[15] inconnus.   15
Oh! que de[16] vieux parents, qui n'avaient plus qu'un rêve,
Sont morts en attendant tous les jours sur la grève[17]
    Ceux qui ne sont pas revenus!

On s'entretient de[18] vous parfois dans les veillées.[19]
Maint[20] joyeux cercle, assis sur des ancres rouillées,[21]   20
Mêle encore quelque temps vos noms d'ombre couverts
Aux rires, aux refrains, aux récits d'aventures,
Aux baisers qu'on dérobe[22] à vos belles futures,
Tandis que vous dormez dans les goémons[23] verts!

On demande: — où sont-ils? sont-ils rois dans quelque île?   25
Nous ont-ils délaissés pour un bord[24] plus fertile? —
Puis votre souvenir même est enseveli.[25]
Le corps se perd dans l'eau, le nom dans la mémoire.
Le temps, qui sur toute ombre en verse[26] une plus noire,
Sur le sombre océan jette le sombre oubli.   30

Bientôt des yeux de tous votre ombre est disparue.
L'un n'a-t-il pas sa barque et l'autre sa charrue?[27]
Seules, durant ces nuits, où l'orage est vainqueur,[28]
Vos veuves aux fronts blancs,[29] lasses de vous attendre,
Parlent encore de vous en remuant la cendre   35
    De leur foyer et de leur cœur!

Et quand la tombe enfin a fermé leur paupière,
Rien ne sait plus vos noms, pas même une humble pierre
Dans l'étroit cimetière où l'écho nous répond,
Pas même un saule[30] vert qui s'effeuille[31] à l'automne,   40
Pas même la chanson naïve et monotone
Que chante un mendiant à l'angle d'un vieux pont!

Où sont-ils, les marins sombrés[32] dans les nuits noires?
Ô flots, que vous savez de lugubres histoires!

[13] *étendues:* expanses
[14] *heurtant:* frappant
[15] *écueils:* reefs
[16] *que de:* combien de
[17] *grève:* beach
[18] *s'entretient de:* se parle de
[19] *veillées:* evening gatherings
[20] *maint:* many a
[21] *rouillées:* rusted
[22] *dérobe:* prend furtivement

[23] *goémons:* sea-weed
[24] *bord:* shore
[25] *enseveli:* buried
[26] *verse:* casts
[27] *charrue:* plow
[28] *vainqueur:* victorieux
[29] *aux fronts blancs:* with whitened brows
[30] *saule:* willow
[31] *s'effeuille:* perd ses feuilles
[32] *sombrés:* noyés

Flots profonds redoutés des mères à genoux! [33]   45
Vous vous les racontez en montant les marées,[34]
Et c'est ce qui vous fait [35] ces voix désespérées
Que vous avez le soir quand vous venez vers nous!

(*Les Rayons et les ombres*)

[33] *à genoux:* on their knees   [35] *fait:* donne
[34] *en montant les marées:* with the rising
tides

Dieu qui sourit

Dieu qui sourit et qui donne
Et qui vient vers qui l'attend,
Pourvu que vous soyez bonne,
   Sera content.

Le monde où tout étincelle,[1]   5
Mais où rien n'est enflammé
Pourvu que vous soyez belle,
   Sera charmé.

Mon cœur, dans l'ombre amoureuse [2]
Où l'enivrent [3] deux beaux yeux,   10
Pourvu que tu sois heureuse,
   Sera joyeux.

(*Les Rayons et les ombres*)

Mes vers fuiraient

Mes vers fuiraient, doux et frêles,[4]
Vers votre jardin si beau,
Si mes vers avaient des ailes,
Des ailes comme l'oiseau.

Ils voleraient, étincelles,[5]   5
Vers votre foyer [6] qui rit,
Si mes vers avaient des ailes,
Des ailes comme l'esprit.

[1] *étincelle:* sparkles   [4] *frêles:* delicate, fragile
[2] *amoureuse:* créée par l'amour   [5] *étincelles:* like sparks
[3] *l'enivrent:* charm   [6] *foyer:* hearth

Près de vous, purs et fidèles,
Ils accourraient [7] nuit et jour,   10
Si mes vers avaient des ailes,
Des ailes comme l'amour.

(*Les Contemplations*)

[7] *accourraient:* would hasten

Oh! Je fus comme fou

Oh! je fus comme fou dans le premier moment,[8]
Hélas! et je pleurais trois jours amèrement.[9]
Vous tous, à qui Dieu prit votre chère espérance,
Pères, mères, dont l'âme a souffert ma souffrance,
Tout ce que j'éprouvais, l'avez-vous éprouvé?   5
Je voulais me briser le front sur le pavé;
Puis je me révoltais, et, par moments, terrible,[10]
Je fixais mes regards sur cette chose horrible,[11]
Et je n'y croyais pas, et je m'écriais: Non!
Est-ce que Dieu permet de ces malheurs sans nom   10
Qui font que dans le cœur le désespoir se lève? —
Il me semblait que tout n'était qu'un affreux rêve,
Qu'elle ne pouvait pas m'avoir ainsi quitté,
Que je l'entendais rire en la chambre à côté,
Que c'était impossible enfin qu'elle fût morte,   15
Et que j'allais la voir entrer par cette porte!
Oh! que de fois j'ai dit: Silence! elle a parlé!
Tenez! [12] voici le bruit de sa main sur la clé!
Attendez! elle vient! Laissez-moi, que j'écoute!
Car elle est quelque part [13] dans la maison sans doute!   20

(*Les Contemplations*)

[8] *moment:* Le moment où le poète reçut la nouvelle de la mort de sa fille.
[9] *amèrement:* bitterly
[10] *terrible:* appalled
[11] *chose horrible:* le cadavre de sa fille
[12] *tenez!:* Listen!
[13] *quelque part:* somewhere

Entrée dans l'exil

J'ai fait en arrivant dans l'île [14] connaissance
Avec un frais vallon plein d'ombre et d'innocence,

[14] *l'île:* Hugo exprime dans ces vers son amour de la nature. Il rappelle ses souvenirs au moment de son arrivée dans l'île de Jersey où il passa la plupart de l'exil qu'il s'était imposé.

Qui, comme moi, se plaît au bord des flots profonds.
Au même rayon d'or tous deux nous nous chauffons;
J'ai tout de suite avec cette humble solitude   5
Pris une familière et charmante habitude.
Là, deux arbres, un frêne,[15] un orme [16] à l'air vivant,[17]
Se querellent [18] et font des gestes dans le vent
Comme deux avocats qui parlent pour et contre;
J'y vais causer un peu tous les jours, j'y rencontre   10
Mon ami le lézard, mon ami le moineau; [19]
Le roc m'offre sa chaise et la source [20] son eau;
J'entends, quand je suis seul avec cette nature,
Mon âme qui lui dit tout bas son aventure; [21]
Ces champs sont bonnes gens,[22] et j'aime, en vérité   15
Leur douceur, et je crois qu'ils aiment ma fierté.[23]

(Les Quatre vents de l'esprit)

[15] *frêne:* ash tree
[16] *orme:* elm
[17] *à l'air vivant:* which looked alive
[18] *se querellent:* se disputent
[19] *moineau:* sparrow

[20] *source:* spring
[21] *aventure:* histoire
[22] *bonnes gens:* honest folk
[23] *fierté:* haughtiness

Promenades dans les rochers [1]

DEUXIÈME PROMENADE

La mer donne l'écume [2] et la terre le sable.
L'or se mêle à l'argent dans les plis du flot vert.[3]
J'entends le bruit que fait [4] l'éther infranchissable,[5]
Bruit immense et lointain, de silence couvert.

Un enfant chante auprès de la mer qui murmure.   5
Rien n'est grand, ni petit. Vous avez mis, mon Dieu,
Sur la création et sur la créature
Les mêmes astres [6] d'or et le même ciel bleu.

Notre sort est chétif; [7] nos visions sont belles,
L'esprit saisit le corps et l'enlève au grand jour.   10
L'homme est un point [8] qui vole avec des grandes ailes,
Dont l'une est la pensee et dont l'autre est l'amour.

[1] Le poète évoque la majesté de la nature
et son influence bienfaisante.
[2] *écume:* foam
[3] *plis du flot vert:* billows of the green
flood

[4] *que fait:* made by
[5] *infranchissable:* impassable
[6] *astres:* étoiles
[7] *chétif:* misérable
[8] *point:* speck

Sérénité de tout! majesté! force et grâce!
La voile [9] rentre au port et les oiseaux aux nids.
Tout va se reposer, et j'entends dans l'espace.[10]   15
Palpiter vaguement des baisers infinis.

Le vent courbe les joncs [11] sur le rocher superbe,
Et de l'enfant qui chante il emporte la voix.
Ô vent! que vous courbez à la fois de [12] brins d'herbe!
Et que vous emportez de [12] chansons à la fois!   20

Qu'importe! Ici tout berce,[13] et rassure, et caresse.
Plus d' [14] ombre dans le cœur! plus de [14] soucis amers!
Une ineffable [15] paix monte et descend sans cesse
Du bleu profond de l'âme au bleu profond des mers.

                                        (*Les Quatre vents de l'esprit*)

[9] *voile:* bateau à voiles   [13] *berce:* lulls
[10] *l'espace:* l'immensité   [14] *plus de:* no more
[11] *joncs:* rushes   [15] *ineffable:* exquisite
[12] *que . . . de:* combien . . . de

STENDHAL (HENRI BEYLE) [1783–1842]

Fils d'un avocat de Grenoble, Stendhal, après avoir terminé ses études secondaires, devint officier dans l'armée napoléonienne et fit les campagnes d'Italie et de Russie. Après la défaite de l'Empereur, Stendhal s'établit à Milan et passa presque tout le reste de sa vie en Italie.

Sensible à l'excès, extrêmement égoïste, Stendhal ne vécut que pour lui-même. Dans ses romans il réussit à combiner le rêve romantique avec une peinture réelle et exacte de la vie. Son admiration pour l'homme d'action et d'énergie, son culte de Napoléon, s'expriment avec force et netteté dans *Le Rouge et le Noir* (1831). Ce titre suggère les deux vocations: le Rouge — la carrière militaire, le Noir — la carrière ecclésiastique. Julien Sorel, protagoniste de ce chef-d'œuvre, ne recule devant aucun obstacle, pas même le crime, pour atteindre ses buts.

Ce qu'il y a d'unique chez Stendhal, c'est son manque absolu de prétention littéraire; sa langue est dénuée de tout artifice et de toute affectation. Dans Julien, âgé de dix-neuf ans, nous reconnaissons Stendhal lui-même, apôtre de la liberté de conduite personnelle et de la suppression des conventions sociales.

Dans l'extrait qui suit, Julien, fils d'un menuisier, a été nommé précepteur des enfants de M. de Rènal, maire d'une petite ville dans l'est de la France. Le jeune homme vient de refuser une offre de mariage avec Élisa, femme de chambre de Mme de Rènal.

Le Rouge et le Noir

PETITS ÉVÉNEMENTS

L'angélique douceur que Mme de Rènal devait à son caractère et à son bonheur actuel n'était un peu altérée que quand elle venait à[1] songer à sa femme de chambre Élisa. Cette fille fit un héritage,[2] alla se confesser au curé Chélan et lui avoua le projet d'épouser Julien. Le curé eut une véritable joie du bonheur de son ami; mais sa surprise fut extrême, quand Julien lui dit d'un air résolu que l'offre de Mlle Élisa ne pouvait lui convenir.

— Prenez garde, mon enfant, à ce qui se passe dans votre cœur, dit le curé en fronçant le sourcil;[3] je vous félicite de votre vocation, si c'est à elle seule que vous devez le mépris d'une fortune plus que suffisante. Il y a cinquante-six ans sonnés[4] que je suis curé de Verrières, et cependant, suivant toute apparence, je vais être destitué.[5] Ceci m'afflige, et toutefois j'ai huit cents livres de rente.[6] Je vous fais part de[7] ce détail afin que vous ne vous fassiez pas d'illusions sur ce qui vous attend dans l'état de prêtre. Si vous songez à faire la cour aux hommes qui ont la puissance, votre perte éternelle est assurée. Vous pourrez faire fortune, mais il faudra nuire aux misérables, flatter le sous-préfet, le

maire, l'homme considéré, et servir ses passions: cette conduite, qui dans le monde s'appelle savoir-vivre,[8] peut, pour un laïque, n'être pas absolument incompatible avec le salut; mais, dans notre état, il faut opter;[9] il s'agit de faire fortune dans ce monde ou dans l'autre, il n'y a pas de milieu. Allez, mon cher ami, réfléchissez, et revenez dans trois jours me rendre une réponse définitive. J'entrevois avec peine,[10] au fond de votre caractère, une ardeur sombre qui ne m'annonce pas la modération et la parfaite abnégation des avantages terrestres nécessaires à un prêtre; j'augure bien de votre esprit; mais, permettez-moi de vous le dire, ajouta le bon curé, les larmes aux yeux, dans l'état de prêtre, je tremble pour votre salut.

Julien avait honte de son émotion; pour la première fois de sa vie, il se voyait aimé; il pleurait avec délices et alla cacher ses larmes dans les grands bois au-dessus de Verrières.

— Pourquoi l'état[11] où je me trouve? se dit-il enfin; je sens que je donnerais cent fois ma vie pour ce bon curé Chélan, et cependant il vient de me prouver que je ne suis qu'un sot. C'est lui surtout qu'il m'importe de tromper, et il me devine.[12] Cette ardeur secrète dont il me parle, c'est mon projet de

---

[1] venait à: happened to
[2] fit un héritage: received an inheritance
[3] fronçant le sourcil: frowning
[4] sonnés: accomplis
[5] destitué: dismissed
[6] rente: annual income
[7] fais part de: annonce

[8] savoir-vivre: connaissance des usages du monde
[9] opter: choisir
[10] entrevois avec peine: aperçois avec douleur
[11] état: situation
[12] me devine: pénètre mes projets secrets

faire fortune. Il me croit indigne d'être prêtre, et cela précisément quand je me figurais que le sacrifice de cinquante louis de rente allait lui donner la plus haute idée de ma piété et de ma vocation.

— A l'avenir, continua Julien, je ne compterai que sur les parties de mon caractère que j'aurai éprouvées. Qui m'eût dit [13] que je trouverais du plaisir à répandre des larmes? que j'aimerais celui qui me prouve que je ne suis qu'un sot!

Trois jours après, Julien avait trouvé le prétexte dont il eût dû se munir [14] dès le premier jour; ce prétexte était une calomnie,[15] mais qu'importe? Il avoua au curé, avec beaucoup d'hésitation, qu'une raison qu'il ne pouvait lui expliquer, parce qu'elle nuirait à un tiers,[16] l'avait détourné tout d'abord de l'union projetée. C'était accuser la conduite d'Élisa. M. Chélan trouva dans ses manières un certain feu tout mondain,[17] bien différent de celui qui eût dû animer un jeune lévite.[18]

— Mon ami, lui dit-il encore, soyez un bon bourgeois de campagne, estimable et instruit, plutôt qu'un prêtre sans vocation.

Julien répondit à ces nouvelles remontrances fort bien, quant aux paroles: [19] il trouvait les mots qu'eût employés un jeune séminariste fervent; mais le ton dont il les prononçait, mais le feu mal caché qui éclatait dans ses yeux alarmaient M. Chélan.

Il [20] ne faut pas trop mal augurer de Julien; il inventait correctement les paroles d'une hypocrisie cauteleuse [21] et prudente. Ce n'est pas mal à son âge. Quant au ton et aux gestes, il vivait avec des campagnards; il avait été privé de la vue des grands modèles. Par la suite, à peine lui eût-il été donné [22] d'approcher de ces messieurs, qu'il fut admirable pour les gestes comme pour les paroles.

Mme de Rênal fut étonnée que la nouvelle fortune de sa femme de chambre ne rendît pas cette fille plus heureuse; elle la voyait aller sans cesse chez le curé, et en revenir les larmes aux yeux: enfin Élisa lui parla de son mariage.

Mme de Rênal se crut malade; une sorte de fièvre l'empêchait de trouver le sommeil; elle ne vivait que lorsqu'elle avait sous les yeux [23] sa femme de chambre ou Julien. Elle ne pouvait penser qu'à eux et au bonheur qu'ils trouveraient dans leur ménage. La pauvreté de cette petite maison, où l'on devrait vivre avec cinquante louis de rente, se peignait à elle sous des couleurs ravissantes. Julien pourrait très bien se faire avocat à Bray, la sous-préfecture [24] à deux lieues de Verrières; dans ce cas elle le verrait quelquefois.

Mme de Rênal crut sincèrement qu'elle allait devenir folle; elle le dit à son mari, et enfin tomba malade. Le soir même, comme sa femme de chambre la servait, elle remarqua que cette fille pleurait. Elle abhorrait Élisa dans

[13] m'eût dit: m'aurait dit
[14] dont il eût dû se munir: with which he should have provided himself
[15] calomnie: false charge, slander
[16] nuirait à un tiers: would harm a third party
[17] un certain feu tout mondain: a quite worldly ardor
[18] lévite: par extension, clerc, ecclésiastique
[19] quant aux paroles: as far as words were concerned

[20] Ce paragraphe, comme tant d'autres dans cet extrait, est un commentaire que l'auteur adresse directement au lecteur.
[21] cauteleuse: crafty
[22] à peine lui eût-il été donné: scarcely had he had the opportunity
[23] sous les yeux: in sight
[24] sous-préfecture: roughly the equivalent of a county seat

ce moment, et venait de la brusquer; [25] elle lui en demanda pardon. Les larmes d'Élisa redoublèrent; elle dit que si sa maîtresse le lui permettait, elle lui conterait tout son malheur.

— Dites, répondit Mme de Rênal.

— Eh bien, madame, il me refuse; des méchants lui auront dit du mal de moi, il les croit.

— Qui vous refuse? dit Mme de Rênal respirant à peine.

— Eh qui, madame, si ce n'est M. Julien, répliqua la femme de chambre en sanglotant. M. le Curé n'a pu vaincre sa résistance; car M. le Curé trouve qu'il ne doit pas refuser une honnête fille, sous prétexte qu'elle a été femme de chambre. Après tout, le père de M. Julien n'est autre chose qu'un charpentier; lui-même comment gagnait-il sa vie avant d'être chez madame?

Mme de Rênal n'écoutait plus; l'excès du bonheur lui avait presque ôté l'usage de la raison. [26] Elle se fit répéter plusieurs fois l'assurance que Julien avait refusé d'une façon positive, et qui ne permettait plus de revenir à une résolution plus sage.

— Je veux tenter un dernier effort, dit-elle à sa femme de chambre, je parlerai à M. Julien.

Le lendemain après le déjeuner, Mme de Rênal se donna la délicieuse volupté de plaider la cause de sa rivale, et de voir la main et la fortune d'Élisa refusées constamment pendant une heure.

Peu à peu Julien sortit de ses réponses compassées, [27] et finit par répondre avec esprit aux sages représentations de Mme de Rênal. Elle ne put résister au torrent de bonheur qui inondait son âme après tant de jours de désespoir. Elle se trouva mal tout à fait. [28] Quand elle fut remise et bien établie dans sa chambre, elle renvoya tout le monde. Elle était profondément étonnée.

— Aurais-je de l'amour pour Julien? [29] se dit-elle enfin.

Cette découverte, qui, dans tout autre moment, l'aurait plongée dans les remords et dans une agitation profonde, ne fut pour elle qu'un spectacle singulier, mais comme indifférent. Son âme épuisée par tout ce qu'elle venait d'éprouver [30] n'avait plus de sensibilité au service des passions.

Mme de Rênal voulut travailler, et tomba dans un profond sommeil; quand elle se réveilla, elle ne s'effraya pas autant qu'elle l'aurait dû. [31] Elle était trop heureuse pour pouvoir prendre en mal [32] quelque chose. Naïve et innocente, jamais cette bonne provinciale n'avait torturé son âme, pour tâcher d'en arracher un peu de sensibilité à quelque nouvelle nuance [33] de sentiment ou de malheur. Entièrement absorbée, avant l'arrivée de Julien, par cette masse de travail qui, loin de Paris, est le lot d'une bonne mère de famille, Mme de Rênal pensait aux passions, comme nous pensons à la loterie: duperie certaine et bonheur cherché par des fous.

La cloche du dîner sonna; Mme de Rênal rougit beaucoup quand elle entendit la voix de Julien, qui amenait les enfants. Un peu adroite depuis

---

[25] *venait de la brusquer:* had just been rude to her
[26] *lui avait . . . la raison:* had almost deprived her of her common sense
[27] *compassées:* formal, stiff

[28] *se trouva mal tout à fait:* se sentit vraiment malade
[29] *aurais-je . . . pour Julien?:* could I be in love with Julian?
[30] *par tout . . . venait d'éprouver:* by all that she had just gone through
[31] *autant qu'elle l'aurait dû:* as much as she should have
[32] *prendre en mal:* s'offenser de
[33] *nuance:* légère différence

qu'elle aimait, pour expliquer sa rougeur, elle se plaignit d'un affreux mal de tête.

— Voilà comme sont toutes les femmes, lui répondit M. de Rênal, avec un gros rire. Il y a toujours quelque chose à raccommoder à ces machines-là![34]

Quoique accoutumée à ce genre d'esprit, ce ton de voix choqua Mme de Rênal. Pour se distraire, elle regarda la physionomie de Julien; il eût été l'homme le plus laid, que dans cet instant il lui eût plu.[35] [. . .]

La vue de la campagne sembla nouvelle à Mme de Rênal; son admiration allait jusqu'aux transports. Le sentiment dont elle était animée lui donnait de l'esprit et de la résolution. Dès le surlendemain de l'arrivée à Vergy, M. de Rênal étant retourné à la ville, pour les affaires de la mairie, Mme de Rênal prit des ouvriers à ses frais.[36] Julien lui avait donné l'idée d'un petit chemin sablé, qui circulerait dans le verger[37] et sous les grands noyers,[38] et permettrait aux enfants de se promener dès le matin, sans que leurs souliers fussent mouillés par la rosée.[39] Cette idée fut mise à exécution moins de vingt-quatre heures après avoir été conçue. Mme de Rênal passa toute la journée gaiement avec Julien à diriger les ouvriers.

Lorsque le maire de Verrières revint de la ville, il fut bien surpris de trouver l'allée faite. Son arrivée surprit aussi Mme de Rênal; elle avait oublié son existence. Pendant deux mois, il parla avec humeur de la hardiesse qu'on avait eue de faire, sans le consulter, une *réparation* aussi importante, mais Mme de Rênal l'avait exécutée à ses frais, ce qui le consolait un peu. [. . .]

Il y eut enfin entre Mme de Rênal et Julien un sujet de conversation; il ne fut plus exposé à l'affreux supplice[40] que lui donnaient les moments de silence.

Ils se parlaient sans cesse, et avec un intérêt extrême, quoique toujours de choses fort innocentes. Cette vie active, occupée et gaie, était du goût de tout le monde, excepté de Mlle Élisa, qui se trouvait excédée de travail.[41] Jamais dans le carnaval, disait-elle, quand il y a bal à Verrières, madame ne s'est donné tant de soins[42] pour sa toilette; elle change de robes deux ou trois fois par jour.

Comme notre intention est de ne flatter personne, nous ne nierons point que Mme de Rênal, qui avait une peau superbe, ne se fît arranger[43] des robes qui laissaient les bras et la poitrine fort découverts. Elle était très bien faite, et cette manière de se mettre lui allait à ravir.[44]

— Jamais vous *n'avez été si jeune*, madame, lui disaient ses amis de Verrières qui venaient dîner à Vergy (C'est une façon de parler du pays).

Une chose singulière, qui trouvera peu de croyance parmi nous, c'était sans intention directe que Mme de Rênal se livrait à[45] tant de soins. Elle

---

[34] *Il y a toujours . . . à ses machines-là!:* Those machines always have to have some repair work done on them!

[35] *il eût été . . . il lui eût plu:* had he been the homeliest of men she would have liked him at that moment

[36] *à ses frais:* at her expense

[37] *verger:* orchard

[38] *noyers:* walnut trees

[39] *rosée:* dew

[40] *supplice:* torture

[41] *excédée de travail:* swamped with work

[42] *s'est donné tant de soins:* took so many pains

[43] *ne se fît arranger:* had fitted

[44] *cette manière . . . à ravir:* this way of dressing was wonderfully becoming to her

[45] *se livrait à:* took

trouvait du plaisir; et, sans y songer autrement, tout le temps qu'elle ne passait pas à la chasse aux papillons [46] avec les enfants et Julien, elle travaillait avec Élisa à bâtir des robes. Sa 5 seule course à Verrières fut causée par l'envie d'acheter de nouvelles robes d'été qu'on venait d'apporter de Mulhouse.[47]

Elle ramena à Vergy une jeune 10 femme de ses parentes. Depuis son mariage, Mme de Rênal s'était liée insensiblement avec Mme Derville qui autrefois avait été sa compagne au Sacré-Cœur.[48]

Mme Derville riait beaucoup de ce qu'elle appelait les idées folles de sa cousine: Seule, jamais je n'y penserais, disait-elle. Ces idées imprévues qu'on eût appelées saillies [49] à Paris, Mme de 20 Rênal en avait honte comme d'une sottise, quand elle était avec son mari; mais la présence de Mme Derville lui donnait du courage. [. . .]

Julien, de son côté, avait vécu en 25 véritable enfant depuis son séjour à la campagne, aussi heureux de courir à la suite des papillons que les élèves. Après tant de contrainte et de politique habile, seul, loin des regards des 30 hommes, et, par instinct, ne craignant point Mme de Rênal, il se livrait au plaisir d'exister, si vif à cet âge,[50] et au milieu des plus belles montagnes du monde.

Dès l'arrivée de Mme Derville, il sembla à Julien qu'elle était son amie; il se hâta de lui montrer le point de vue que l'on a de l'extrémité de la nouvelle allée sous les grands 40

noyers; dans le fait,[51] il est égal, si ce n'est supérieur, à ce que la Suisse et les lacs d'Italie peuvent offrir de plus admirable. Si l'on monte la côte rapide [52] qui commence à quelques pas de là, on arrive bientôt à de grands précipices bordés par des bois de chênes, qui s'avancent presque jusque sur la rivière. C'est sur les sommets de ces rochers coupés à pic,[53] que Julien, heureux, libre, et même quelque chose de plus, roi de la maison, conduisait les deux amies, et jouissait de leur admiration pour ces aspects sublimes.

Les grandes chaleurs arrivèrent. On prit l'habitude de passer les soirées sous un immense tilleul [54] à quelques pas de la maison. L'obscurité y était profonde. Un soir, Julien parlait avec action, il jouissait avec délices du plaisir de bien parler et à des femmes jeunes; en gesticulant, il toucha la main de Mme de Rênal qui était appuyée sur le dos d'une de ces chaises de bois peint que l'on place dans les jardins.

Cette main se retira bien vite; mais Julien pensa qu'il était de son *devoir* d'obtenir que l'on ne retirât pas cette main quand il la touchait. L'idée d'un devoir à accomplir, et d'un ridicule ou plutôt d'un sentiment d'infériorité à encourir si l'on n'y parvenait pas,[55] éloigna sur-le-champ tout plaisir de 35 son cœur.

UNE SOIRÉE A LA CAMPAGNE

Ses regards le lendemain, quand il revit Mme de Rênal, étaient singuliers;

[46] *papillons:* butterflies
[47] *Mulhouse:* ville industrielle dans l'est de la France
[48] *Sacré-Cœur:* couvent à Besançon où Mme de Rênal fut élevée
[49] *saillies:* outbursts of high spirits
[50] *à cet âge:* at his age

[51] *dans le fait:* en réalité
[52] *rapide:* très inclinée
[53] *à pic:* perpendiculairement
[54] *tilleul:* linden tree
[55] *si l'on n'y parvenait pas:* if he didn't succeed in doing so

il l'observait comme un ennemi avec lequel il va falloir se battre. Ces regards, si différents de ceux de la veille, firent perdre la tête à Mme de Rênal; elle avait été bonne pour lui, [5] et il paraissait fâché. Elle ne pouvait détacher ses regards des siens.

La présence de Mme Derville permettait à Julien de moins parler et de s'occuper davantage de ce qu'il [10] avait dans la tête. Son unique affaire, toute cette journée, fut de se fortifier par la lecture du livre inspiré [56] qui retrempait [57] son âme.

Il abrégea beaucoup les leçons des [15] enfants, et ensuite, quand la présence de Mme de Rênal vint le rappeler tout à fait aux soins de sa gloire,[58] il décida qu'il fallait absolument qu'elle permît ce soir-là que sa main restât dans la [20] sienne.

Le soleil en baissant, et rapprochant le moment décisif, fit battre le cœur de Julien d'une façon singulière. La nuit vint. Il observa, avec une joie qui lui [25] ôta un poids immense de dessus la poitrine, qu'elle serait fort obscure. Le ciel chargé de gros nuages, promenés [59] par un vent très chaud, semblait annoncer une tempête. Les deux amies se [30] promenèrent fort tard. Tout ce qu'elles faisaient ce soir-là semblait singulier à Julien. Elles jouissaient de ce temps, qui, pour certaines âmes délicates, semble augmenter le plaisir d'aimer. [35]

On s'assit enfin, Mme de Rênal à côté de Julien, et Mme Derville près de son amie. Préoccupé de ce qu'il allait tenter, Julien ne trouvait rien à dire. La conversation languissait. [40]

Serai-je aussi tremblant et mal-

heureux au premier duel qui me viendra? se dit Julien; car il avait trop de méfiance et de lui et des autres, pour ne pas voir l'état de son âme.[60]

Dans sa mortelle angoisse, tous les dangers lui eussent semblé préférables. Que de fois ne désira-t-il pas voir survenir [61] à Mme de Rênal quelque affaire qui l'obligeât de rentrer à la maison et de quitter le jardin! La violence que Julien était obligé de se faire était trop forte pour que sa voix ne fût pas [62] profondément altérée; bientôt la voix de Mme de Rênal devint tremblante aussi, mais Julien ne s'en aperçut point. L'affreux combat que le devoir livrait à la timidité était trop pénible, pour qu'il fût en état de [63] rien observer hors lui-même. Neuf heures trois quarts venaient de sonner à l'horloge du château, sans qu'il eût encore rien osé. Julien, indigné de sa lâcheté,[64] se dit: Au moment précis où dix heures sonneront, j'exécuterai ce que, pendant toute la journée, je me suis promis de faire ce soir, ou je monterai chez moi me brûler la cervelle.[65]

Après un dernier moment d'attente et d'anxiété, pendant lequel l'excès de l'émotion mettait Julien comme hors de lui, dix heures sonnèrent à l'horloge qui était au-dessus de sa tête. Chaque coup de cette cloche fatale retentissait dans sa poitrine, et y causait comme [66] un mouvement physique.

Enfin, comme le dernier coup de dix heures retentissait encore, il étendit la main et prit celle de Mme de Rênal,

---

[56] *livre inspiré: Le Mémorial de Sainte-Hélène*, par Napoléon Ier

[57] *retrempait:* strengthened

[58] *soins de sa gloire:* concern for his self-esteem

[59] *promenés:* portés

[60] *état de son âme:* his mental state

[61] *survenir:* arriver

[62] *pour que sa voix ne fût pas:* for his voice not to be

[63] *pour qu'il fût en état de:* pour qu'il pût

[64] *lâcheté:* cowardice

[65] *me brûler la cervelle:* blow out my brains

[66] *comme:* something like

qui la retira aussitôt. Julien, sans trop savoir ce qu'il faisait,[67] la saisit de nouveau. Quoique bien ému lui-même, il fut frappé de la froideur glaciale de la main qu'il prenait; il la serrait avec une force convulsive; on fit un dernier effort pour la lui ôter, mais enfin cette main lui resta.[68]

Son âme fut inondée de bonheur, non qu'il aimât Mme de Rênal, mais un affreux supplice venait de cesser. Pour que Mme Derville ne s'aperçût de rien,[69] il se crut obligé de parler; sa voix était alors éclatante et forte. Celle de Mme de Rênal, au contraire, trahissait tant d'émotion, que son amie la crut malade et lui proposa de rentrer. Julien sentit le danger. Si Mme de Rênal rentre au salon, je vais retomber dans la position affreuse [70] où j'ai passé la journée. J'ai tenu cette main trop peu de temps pour que cela compte comme un avantage qui m'est acquis.

Au moment où Mme Derville renouvelait la proposition de rentrer au salon, Julien serra [71] fortement la main qu'on lui abandonnait.

Mme de Rênal, qui se levait déjà, se rassit, en disant, d'une voix mourante:[72]

— Je me sens, à la vérité, un peu malade, mais le grand air me fait du bien.

Ces mots confirmèrent le bonheur de Julien, qui, dans ce moment, était extrême: il parla, il oublia de feindre, parut l'homme le plus aimable aux deux amies qui l'écoutaient. Cependant il y avait encore un peu de manque de courage dans cette éloquence qui lui arrivait tout à coup.[73] Il craignait mortellement que Mme Derville, 5 fatiguée du vent qui commençait à s'élever, et qui précédait la tempête, ne voulût rentrer au salon. Alors il serait resté en tête à tête avec Mme de Rênal. Il avait eu presque par hasard 10 le courage aveugle qui suffit pour agir; mais il sentait qu'il était hors de sa puissance de dire le mot le plus simple à Mme de Rênal. Quelque légers que fussent ses reproches, il allait être 15 battu, et l'avantage qu'il venait d'obtenir anéanti.

Heureusement pour lui, ce soir-là, ses discours touchants et emphatiques trouvèrent grâce devant Mme Derville, 20 qui très souvent le trouvait gauche comme un enfant, et peu amusant. Pour Mme de Rênal,[74] la main dans celle de Julien, elle ne pensait à rien; elle se laissait vivre. Les heures qu'on 25 passa sous ce grand tilleul, que la tradition du pays dit planté par Charles le Téméraire,[75] furent pour elle une époque de bonheur. Elle écoutait avec délices les gémissements du vent dans 30 l'épais feuillage du tilleul, et le bruit de quelques gouttes rares qui commençaient à tomber sur ses feuilles les plus basses. Julien ne remarqua pas une circonstance qui l'eût bien rassuré; 35 Mme de Rênal, qui avait été obligée de lui ôter sa main, parce qu'elle se leva pour aider sa cousine à relever un vase de fleurs que le vent venait de renverser à leurs pieds, fut à peine 40 assise de nouveau, qu'elle lui rendit sa main presque sans difficulté, et comme

[67] *sans trop . . . faisait:* without being too sure of what he was doing
[68] *lui resta:* remained in his
[69] *ne s'aperçût de rien:* should not become aware of anything
[70] *position affreuse:* frightful situation
[71] *serra:* squeezed
[72] *mourante:* faltering

[73] *lui arrivait tout à coup:* suddenly came to him
[74] *Pour Mme de Rênal:* as far as Mme de Rênal was concerned
[75] *Charles le Téméraire:* dernier duc de Bourgogne (1433–77)

si déjà c'eût été entre eux une chose convenue.

Minuit était sonné depuis long-temps; il fallut enfin quitter le jardin: on se sépara. Mme de Rênal, trans-portée du bonheur d'aimer, était telle-ment ignorante, qu'elle ne se faisait presque aucun reproche. Le bonheur lui ôtait le sommeil. Un sommeil de plomb s'empara de [76] Julien, mortelle-ment fatigué des combats que toute la journée la timidité et l'orgueil s'étaient livrés dans son cœur.

Le lendemain on le réveilla à cinq heures; et, ce qui eût été cruel pour Mme de Rênal si elle l'eût su,[77] à peine lui donna-t-il une pensée. Il avait fait *son devoir, et un devoir héroïque.* Rem-pli de bonheur par ce sentiment, il s'en-ferma à clef dans sa chambre, et se livra avec un plaisir tout nouveau à la lecture des exploits de son héros.[78]

Quand la cloche du déjeuner se fit entendre, il avait oublié, en lisant les bulletins de la grande armée, tous ses avantages de la veille. Il se dit, d'un ton léger, en descendant au salon: Il faut dire à cette femme que je l'aime.

Au lieu de ces regards chargés de volupté,[79] qu'il s'attendait à rencontrer, il trouva la figure sévère de M. de Rênal, qui, arrivé depuis deux heures de Verrières, ne cachait point son mécontentement de ce que Julien pas-sait toute la matinée sans s'occuper des enfants. Rien n'était laid [80] comme cet homme important, ayant de l'humeur et croyant pouvoir la montrer.

— Ce jeune sot, se dit-il bientôt, s'est fait une sorte de réputation dans

ma maison; le Valenod [81] peut le pren-dre chez lui, ou bien il épousera Élisa et dans les deux cas, au fond du cœur il pourra se moquer de moi.

Malgré la sagesse de ses réflexions, le mécontentement de M. de Rênal n'en éclata pas moins [82] par une suite de mots grossiers [83] qui peu à peu irritè-rent Julien. Mme de Rênal était sur le point de fondre en larmes. A peine le déjeuner fut-il fini, qu'elle demanda à Julien de lui donner le bras pour la promenade; elle s'appuyait sur lui avec amitié. A tout ce que Mme de Rênal lui disait, Julien ne pouvait que ré-pondre à demi-voix:

— *Voilà bien les gens riches!* [84]

M. de Rênal marchait tout près d'eux; sa présence augmentait la colère de Julien. [. . .]

Pour la première fois de sa vie, Mme de Rênal sentit une sorte de désir de vengeance contre son mari. La haine extrême qui animait Julien contre les riches allait éclater. Heureusement M. de Rênal appela son jardinier, et resta occupé avec lui à barrer, avec des fagots d'épines,[85] le sentier abusif [86] à travers le verger. Julien ne répondit pas un seul mot aux prévenances [87] dont pendant tout le reste de la prome-nade il fut l'objet. A peine M. de Rênal s'était-il éloigné, que les deux amies, se prétendant fatiguées, lui avaient de-mandé chacun un bras.

A force de [88] parler pour parler, et de chercher à maintenir la conversa-

---

[76] *s'empara de:* seized
[77] *ce qui eût été . . . si elle l'eût su:* which would have been cruel for Mme de Rênal, if she had known it
[78] *son héros:* Napoléon Ier
[79] *volupté:* sensuality
[80] *laid:* ugly

[81] *Valenod:* ami de M. de Rênal, directeur du dépôt de mendicité à Verrières
[82] *n'en éclata pas moins:* was nonetheless apparent
[83] *grossiers:* coarse
[84] *Voilà bien les gens riches!:* That's rich people for you!
[85] *fagots d'épines:* thorn-bush faggots
[86] *abusif:* inautorisé, contraire aux règles
[87] *prévenances:* considerate attention
[88] *à force de:* as a result of

ion vivante, il arriva à Mme de Rênal le dire que son mari était venu de Verrières parce qu'il avait fait marché, pour de la paille de maïs,[89] avec un de ses fermiers. (Dans ce pays, c'est avec de la paille de maïs que l'on remplit les paillasses[90] des lits.)

— Mon mari ne nous rejoindra pas, ajouta Mme de Rênal; avec le jardinier et son valet de chambre, il va s'occuper d'achever le renouvellement des paillasses de la maison. Ce matin il a mis de la paille de maïs dans tous les lits du premier étage,[91] maintenant il est au second.

Julien changea de couleur; il regarda Mme de Rênal d'un air singulier, et bientôt la prit à part[92] en quelque sorte en doublant le pas.[93] Mme Derville les laissa s'éloigner.

— Sauvez-moi la vie, dit Julien à Mme de Rênal, vous seule le pouvez; car vous savez que le valet de chambre me hait à la mort.[94] Je dois vous avouer, madame, que j'ai un portrait; je l'ai caché dans la paillasse de mon lit.

A ce mot, Mme de Rênal devint pâle à son tour.

— Vous seule, madame, pouvez dans ce moment entrer dans ma chambre; fouillez, sans qu'il y paraisse,[95] dans l'angle de la paillasse qui est le plus rapproché de la fenêtre, vous y trouverez une petite boîte de carton noir et lisse.[96]

— Elle renferme un portrait? dit Mme de Rênal pouvant à peine se tenir debout.

Son air de découragement fut aperçu de Julien, qui aussitôt en profita.

— J'ai une seconde grâce[97] à vous demander, madame: je vous supplie de ne pas regarder ce portrait, c'est mon secret.

— C'est un secret! répéta Mme de Rênal, d'une voix éteinte.[98]

Mais, quoique élevée parmi des gens fiers de leur fortune, et sensibles au seul intérêt d'argent, l'amour avait déjà mis de la générosité dans cette âme. Cruellement blessée, ce fut avec l'air du dévouement le plus simple que Mme de Rênal fit à Julien les questions nécessaires pour pouvoir bien s'acquitter de sa commission.

— Ainsi, lui dit-elle en s'éloignant, une petite boîte ronde, de carton noir, bien lisse.

— Oui, madame, répondit Julien, de cet air dur que le danger donne aux hommes.

Elle monta au second étage du château, pâle comme si elle fût allée à la mort. Pour comble de misère[99] elle sentit qu'elle était sur le point de se trouver mal; mais la nécessité de rendre service à Julien lui rendit des forces.

— Il faut que j'aie cette boîte, se dit-elle en doublant le pas.

Elle entendit son mari parler au valet de chambre, dans la chambre même de Julien. Heureusement ils passèrent dans celle des enfants. Elle souleva le matelas et plongea la main dans la paillasse avec une telle violence qu'elle s'écorcha[100] les doigts. Mais quoique fort sensible aux petites douleurs de ce genre, elle n'eut pas la

---

[89] *paille de maïs:* corn stalks and leaves
[90] *paillasses:* straw mattresses
[91] *premier étage:* second floor
[92] *la prit à part:* took her aside
[93] *doublant le pas:* marchant plus vite
[94] *à la mort:* excessivement
[95] *fouillez, sans qu'il y paraisse:* search, without appearing to do so

[96] *lisse:* smooth
[97] *grâce:* faveur
[98] *éteinte:* subdued, faint
[99] *pour comble de misère:* to top her misfortune
[100] *s'écorcha:* skinned

conscience de [101] celle-ci, car presque en même temps elle sentit le poli de la boîte de carton. Elle la saisit et disparut.

A peine fut-elle délivrée de la crainte d'être surprise [102] par son mari, que l'horreur que lui causait cette boîte fut sur le point de la faire décidément se trouver mal.

— Julien est donc amoureux, et je tiens là le portrait de la femme qu'il aime!

Assise sur une chaise dans l'antichambre de cet appartement, Mme de Rênal était en proie à toutes les horreurs de la jalousie. Son extrême ignorance lui fut encore utile en ce moment; l'étonnement tempérait la douleur. Julien parut, saisit la boîte, sans remercier, sans rien dire, et courut dans sa chambre où il fit du feu, et la brûla à l'instant. Il était pâle, anéanti; [103] il s'exagérait l'étendue du danger qu'il venait de courir.

— Le portrait de Napoléon, se disait-il en hochant [104] la tête, trouvé caché chez un homme qui fait profession d'une telle haine pour l'usurpateur! trouvé par M. de Rênal, tellement ultra [105] et tellement irrité! et pour comble d'imprudence, sur le carton blanc derrière le portrait, des lignes écrites de ma main! et qui ne peuvent laisser aucun doute sur l'excès de mon admiration! et chacun de ces transports d'amour est daté! il y en a d'avant-hier.

Toute ma réputation tombée, anéantie [106] en un moment! se disait Julien, en voyant brûler la boîte, et ma réputation est tout mon bien, je ne vis

que par elle . . . et encore, quelle vie grand Dieu!

Une heure après, la fatigue et la pitié qu'il sentait pour lui-même le disposaient à l'attendrissement. Il rencontra Mme de Rênal et prit sa main qu'il baisa avec plus de sincérité qu'il n'avait jamais fait. Elle rougit de bonheur, et presque au même instant, repoussa Julien avec la colère de la jalousie. La fierté [107] de Julien, si récemment blessée, en fit un sot [108] dans ce moment. Il ne vit en Mme de Rênal qu'une femme riche; il laissa tomber sa main avec dédain, et s'éloigna. Il alla se promener, pensif, dans le jardin; bientôt un sourire amer [109] parut sur ses lèvres.

Je me promène là, tranquille, comme un homme maître de son temps! Je ne m'occupe pas des enfants; je m'expose aux mots humiliants de M. de Rênal, et il aura raison. Il courut à la chambre des enfants.

Les caresses du plus jeune, qu'il aimait beaucoup, calmèrent un peu sa cuisante douleur.[110]

Celui-là ne me méprise pas encore, pensa Julien. Mais bientôt, il se reprocha cette diminution de douleur comme une nouvelle faiblesse. Ces enfants me caressent comme ils caresseraient le jeune chien de chasse que l'on a acheté hier.

UN GRAND CŒUR ET UNE PETITE FORTUNE

M. de Rênal, qui suivait [1] toutes les chambres du château, revint dans celle des enfants avec les domestiques qui

[101] *n'eut pas la conscience de:* ne s'aperçut pas de
[102] *surprise:* taken by surprise
[103] *anéanti:* overcome
[104] *hochant:* shaking
[105] *tellement ultra:* so biased (politically)
[106] *anéantie:* détruite

[107] *fierté:* haughtiness, pride
[108] *en fit un sot:* made a fool of him
[109] *amer:* bitter
[110] *cuisante douleur:* sharp anguish

[1] *suivait:* was going through

rapportaient les paillasses. L'entrée soudaine de cet homme fut pour Julien la goutte d'eau qui fait déborder le vase.[2]

Plus pâle, plus sombre qu'à l'ordinaire, il s'élança vers lui. M. de Rênal s'arrêta et regarda ses domestiques.

— Monsieur, lui dit Julien, croyez-vous qu'avec tout autre précepteur,[3] vos enfants eussent fait les mêmes progrès qu'avec moi? Si vous répondez que non, continua Julien sans laisser à M. de Rênal le temps de parler, comment osez-vous m'adresser le reproche que je les néglige?

M. de Rênal, à peine remis de sa peur, conclut du ton étrange qu'il voyait prendre à ce petit paysan, qu'il avait en poche quelque proposition avantageuse[4] et qu'il allait le quitter. La colère de Julien s'augmentait à mesure qu'il parlait:

— Je puis vivre sans vous, monsieur, ajouta-t-il.

— Je suis vraiment fâché de vous voir si agité, répondit M. de Rênal en balbutiant[5] un peu.

Les domestiques étaient à dix pas,[6] occupés à ranger les lits.

— Ce n'est pas ce qu'il me faut, monsieur, reprit Julien hors de lui; songez à l'infamie des paroles que vous m'avez adressées, et devant des femmes encore![7]

M. de Rênal ne comprenait que trop ce que demandait Julien, et un pénible combat déchirait son âme. Il arriva que Julien, effectivement[8] fou de colère, s'écria:

— Je sais où aller, monsieur, en sortant de chez vous.

A ce mot, M. de Rênal vit Julien installé chez M. Valenod.

— Eh bien, monsieur, lui dit-il enfin avec un soupir[9] et de l'air dont il eût appelé le chirurgien pour l'opération la plus douloureuse, j'accède à votre demande. A compter d'[10] après-demain, qui est le premier du mois, je vous donne cinquante francs par mois.

Julien eut envie de rire et resta stupéfait: toute sa colère avait disparu. Je ne méprisais pas assez l'animal,[11] se dit-il. Voilà sans doute la plus grande excuse que puisse faire une âme aussi basse.[12]

Les enfants qui écoutaient cette scène, bouche béante,[13] coururent au jardin dire à leur mère que M. Julien était bien en colère, mais qu'il allait avoir cinquante francs par mois. [. . .]

Un instant après, Julien se retrouva vis-à-vis de M. de Rênal:

— J'ai à parler de ma conscience à M. Chélan; j'ai l'honneur de vous prévenir que je serai absent quelques heures.

— Eh, mon cher Julien, dit M. de Rênal en riant de l'air le plus faux,[14] toute la journée, si vous voulez, toute celle de demain, mon bon ami. Prenez le cheval du jardinier pour aller à Verrières.

Le voilà, se dit M. de Rênal, qui va rendre réponse à Valenod; il ne m'a rien promis, mais il faut laisser se refroidir cette tête de jeune homme.

Julien s'échappa[15] rapidement et

---

[2] *la goutte . . . le vase:* i.e. the straw that broke the camel's back
[3] *tout autre précepteur:* any other tutor
[4] *avantageuse:* favorable to himself
[5] *balbutiant:* stammering
[6] *à dix pas:* à dix pas de là
[7] *et devant . . . encore:* and, to top it all, in the presence of women
[8] *effectivement:* réellement

[9] *soupir:* sigh
[10] *A compter d':* à partir d'
[11] *animal:* stupid fool, beast
[12] *que puisse . . . basse:* that so base a person can possibly offer
[13] *bouche béante:* open mouthed
[14] *de l'air le plus faux:* in the most insincere way
[15] *s'échappa:* partit

monta dans les grands bois par lesquels on peut aller de Vergy à Verrières. Il ne voulait point arriver sitôt chez M. Chélan. Loin de désirer s'astreindre à [16] une nouvelle scène d'hypocrisie, il avait besoin d'y voir clair dans son âme, et de donner audience à la foule [17] de sentiments qui l'agitaient.

J'ai gagné une bataille, se dit-il aussitôt qu'il se vit dans les bois et loin du regard des hommes, j'ai donc gagné une bataille!

Ce mot lui peignait en beau [18] toute sa position, et rendit à son âme quelque tranquillité.

Me voilà avec cinquante francs d'appointements [19] par mois, il faut que M. de Rênal ait une belle peur. Mais de quoi?

Cette méditation sur ce qui avait pu faire peur à l'homme heureux et puissant contre lequel une heure auparavant il était bouillant de colère acheva de rasséréner [20] l'âme de Julien. Il fut presque sensible un moment à la beauté ravissante des bois au milieu desquels il marchait. D'énormes quartiers [21] de roches nues étaient tombées jadis au milieu de la forêt du côté de la montagne. De grands hêtres [22] s'élevaient presque aussi haut que ces rochers dont l'ombre donnait une fraîcheur [23] délicieuse à trois pas des endroits [24] où la chaleur des rayons du soleil eût rendu impossible de s'arrêter.

Julien prenait haleine un instant à l'ombre de ces grandes roches, et puis se remettait à monter. Bientôt, par un étroit sentier à peine marqué et qui sert seulement aux gardiens des chèvres, il se trouva debout sur un roc immense et bien sûr d'être séparé de tous les hommes. Cette position physique le fit sourire, elle lui peignait la position qu'il brûlait d'atteindre au moral.[25] L'air pur de ces montagnes élevées communiqua la sérénité et même la joie à son âme. Le maire de Verrières était bien toujours, à ses yeux, le représentant de tous les riches et de tous les insolents de la terre, mais Julien sentait que la haine qui venait de l'agiter, malgré la violence de ses mouvements, n'avait rien de personnel.[26] [. . .]

Julien, debout sur son grand rocher, regardait le ciel, embrasé par un soleil d'août. Les cigales [27] chantaient dans le champ au-dessous du rocher; quand elles se taisaient tout était silence autour de lui. Il voyait à ses pieds vingt lieues de pays. Quelque épervier [28] parti des grandes roches au-dessus de sa tête était aperçu par lui, de temps à autre, décrivant en silence ses cercles immenses. L'œil de Julien suivait machinalement l'oiseau de proie. Ses mouvements tranquilles et puissants le frappaient; il enviait cette force, il enviait cet isolement.

C'était la destinée de Napoléon; serait-ce un jour la sienne?

---

[16] s'astreindre à: s'assujetir à
[17] foule: grand nombre
[18] lui peignait en beau: described most favorably to him
[19] d'appointements: in salary
[20] acheva de rasséréner: rendit complètement serein
[21] quartiers: blocks
[22] hêtres: beeches

[23] fraîcheur: coolness
[24] à trois pas des endroits: three steps from the spots
[25] au moral: morally
[26] n'avait rien de personnel: n'était d'aucune façon personnelle
[27] cigales: cicadas, large grasshoppers
[28] épervier: hawk

PAUL VERLAINE [1844–96]

Paul Verlaine est particulièrement intéressant du fait qu'il écrivit au moment où existaient deux grandes «écoles» poétiques. D'une part, il y avait les Parnassiens [1] qui s'inspiraient des philosophes, des critiques et des romanciers réalistes dans le sens qu'un esprit quasi scientifique leur semblait la vertu la plus importante; ils recherchaient avidement les rapports exacts entre les mots et les idées. Les Symbolistes, par contre, cherchaient à exprimer avant tout les secrètes affinités entre les choses et l'âme; à la science, à la netteté et à la précision des Parnassiens, les Symbolistes substituèrent l'inconscient et l'inconnaissable.

Où donc faut-il placer Verlaine? Dans sa première œuvre [2] il fit profession de foi parnassienne, proclamant un art conscient et difficile — mais même ce premier recueil donne au lecteur l'impression d'une souplesse, d'une tristesse vague et contenue, et d'une liberté poétique inconnues chez les Parnassiens. Dans ses poèmes suivants,[3] il ne reste plus de doute de l'apparentage de Verlaine avec les Symbolistes; ses tableaux représentent un monde situé entre le rêve et la réalité, un monde où l'interprétation habituelle des choses est transformée. N'appartenant complètement ni à l'une ni à l'autre école, Paul Verlaine se distingua par l'exceptionnelle spontanéité poétique de son œuvre qui est intimement liée à sa vie privée, par la résonance d'une sensibilité extrême sans aucun élément intellectuel, et par l'enchantement musical que son œuvre exerce sur le lecteur.

Les poèmes qui suivent ont pour thème l'amour, vivant ou mort, la religion et même la conversion, le respect pour un autre poète, et la comparaison d'une femme avec une chatte. Ce n'est donc pas par son contenu que la poésie de Paul Verlaine sort de l'ordinaire, mais plutôt par sa musicalité sensible et spontanée.

[1] *Parnassiens:* Pour les plus grands représentants de l'école parnassienne et de l'école symboliste, voir *Le Dix-neuvième Siècle.*
[2] *première œuvre:* Les *Poèmes saturniens* (1886), recueil auquel appartiennent *Nevermore, Mon rêve familier* et *Femme et chatte.*
[3] *poèmes suivants:* Des *Fêtes galantes* (1869) nous citons *Colloque sentimental;* des *Romances sans paroles* (1874), *Green;* de *Sagesse* (1881), *Ô mon Dieu, vous m'avez blessé d'amour;* et d'*Amour* (1888), *A Victor Hugo.* Il y a d'autres recueils qui ne sont pas représentés dans cet ouvrage.

Nevermore [1]

Souvenir, souvenir, que me veux-tu? L'automne
Faisait voler la grive [2] à travers l'air atone, [3]
Et le soleil dardait [4] un rayon monotone
Sur le bois jaunissant où la bise détone. [5]

Nous étions seul à seule et marchions en rêvant,   5
Elle et moi, les cheveux et la pensée au vent.
Soudain, tournant vers moi son regard émouvant:
«Quel fut ton plus beau jour?» fit sa voix d'or vivant, [6]

Sa voix douce et sonore, au [7] frais timbre angélique.
Un sourire discret lui donna la réplique,   10
Et je baisai sa main blanche, dévotement.

— Ah! les premières fleurs, qu'elles sont parfumées!
Et qu'il bruit [8] avec un murmure charmant
Le premier «oui» [9] qui sort de lèvres bien-aimées.

[1] *Nevermore:* Verlaine, plus d'une fois, donna des titres anglais à ses poèmes. Voir *Green* plus loin.
[2] *grive:* thrush
[3] *atone:* immobile
[4] *dardait:* lançait
[5] *détone:* fait explosion

[6] *vivant:* vibrant comme un métal au son chaud
[7] *au:* avec un
[8] *qu'il bruit:* qu'il sonne
[9] *Le premier «oui»:* le *oui* que l'on n'entend qu'une seule fois — la première — et qui ne peut plus jamais se répéter (Ceci explique le titre.)

Mon rêve familier

Je fais souvent ce rêve étrange et pénétrant
D'une femme inconnue, et que j'aime, et qui m'aime,
Et qui n'est, chaque fois, ni tout à fait la même
Ni tout à fait une autre, et m'aime et me comprend.

Car elle me comprend, et mon cœur, transparent   5
Pour elle seule, hélas! cesse d'être un problème
Pour elle seule, et les moiteurs [1] de mon front blême, [2]
Elle seule les sait rafraîchir, en pleurant.

Est-elle brune, blonde ou rousse? — Je l'ignore.
Son nom? Je me souviens qu'il est doux et sonore   10
Comme ceux des aimés que la Vie exila. [3]

[1] *moiteurs:* moistness
[2] *blême:* très pâle

[3] *que la Vie exila:* qui sont morts

Son regard est pareil au regard des statues,[4]
Et pour sa voix, lointaine, et calme, et grave, elle a
L'inflexion des voix chères qui se sont tues.[5]

[4] *pareil au regard des statues:* i.e. inanimé de personnes mortes (qui continuent à vibrer
[5] *les voix chères qui se sont tues:* les voix dans la pensée des vivants)

Femme et chatte

Elle jouait avec sa chatte,
Et c'était merveille de voir
La main blanche et la blanche patte
S'ébattre [1] dans l'ombre du soir.

Elle [2] cachait — la scélérate! —   5
Sous ses mitaines [3] de fil noir
Ses meurtriers [4] ongles d'agate,
Coupants et clairs comme un rasoir.

L'autre [5] aussi faisait la sucrée,[6]
Et rentrait sa griffe acérée,[7]   10
Mais le diable n'y perdait rien . . .

Et dans le boudoir où, sonore,
Tintait son [8] rire aérien [9]
Brillaient quatre points de phosphore.

[1] *s'ébattre:* frolic, play
[2] *Elle:* la femme
[3] *mitaines:* mittens
[4] *meurtriers:* dangereux
[5] *L'autre:* la chatte

[6] *faisait la sucrée:* was all sweetness
[7] *acérée:* tranchante, aiguë
[8] *son:* celui de la femme
[9] *aérien:* insaisissable

Colloque sentimental [1]

Dans le vieux parc solitaire et glacé,
Deux formes ont tout à l'heure passé.

Leurs yeux sont morts et leurs lèvres sont molles,
Et l'on entend à peine leurs paroles.

[1] *Colloque sentimental:* Ce poème fait partie des *Fêtes galantes,* inspirées en grande partie par une exposition des œuvres de Watteau (1684–1721), peintre poétique qui traita de préférence des sujets champêtres et des fêtes galantes. *Colloque sentimental* évoque Watteau seulement par le parc, les spectres étant de tous ceux qui ont cessé de s'aimer.

Dans le vieux parc solitaire et glacé,   5
Deux spectres ont évoqué le passé.

— Te souvient-il [2] de notre extase ancienne?
— Pourquoi voulez-vous donc qu'il m'en souvienne? [3]

— Ton cœur bat-il toujours à mon seul nom? [4]
Toujours vois-tu mon âme en rêve? — Non.   10

— Ah! les beaux jours de bonheur indicible
Où nous joignions nos bouches! — C'est possible.

— Qu'il était bleu, le ciel, et grand, l'espoir!
— L'espoir a fui, vers le ciel noir.

Tels [5] ils marchaient dans les avoines folles,[6]   15
Et la nuit seule entendit leurs paroles.

[2] *Te souvient-il:* te souviens-tu
[3] *qu'il m'en souvienne:* que je m'en souvienne

[4] *à mon seul nom:* à la simple mention de mon nom
[5] *Tels:* ainsi
[6] *avoines folles:* oat-grass, wild oats

Green

Voici des fruits, des fleurs, des feuilles et des branches,
Et puis voici mon cœur, qui ne bat que pour vous.
Ne le déchirez pas avec vos deux mains blanches,
Et qu'à vos yeux si beaux l'humble présent soit doux.

J'arrive tout couvert encore de rosée [1]   5
Que le vent du matin vient glacer à mon front.
Souffrez que ma fatigue, à vos pieds reposée,
Rêve des chers instants qui la délasseront.[2]

Sur votre jeune sein laissez rouler [3] ma tête
Toute sonore encor de vos derniers baisers;   10
Laissez-la s'apaiser [4] de la bonne tempête,[5]
Et que je dorme un peu puisque vous reposez.

[1] *rosée:* dew
[2] *délasseront:* reposeront
[3] *rouler:* le terme indique l'ivresse et la fatigue

[4] *s'apaiser:* se calmer
[5] *la bonne tempête:* celle éprouvée dans les champs (voir vers 6)

Ô mon Dieu, vous m'avez blessé d'amour [1]
Et la blessure est encore vibrante,
Ô mon Dieu, vous m'avez blessé d'amour.

Ô mon Dieu, votre crainte [2] m'a frappé
Et la brûlure [3] est encore là qui tonne,[4]   5
Ô mon Dieu, votre crainte m'a frappé.

Ô mon Dieu, j'ai connu [5] que tout est vil
Et votre gloire en moi s'est installée,
Ô mon Dieu, j'ai connu que tout est vil.

Noyez mon âme aux flots de votre Vin,[6]   10
Fondez ma vie au Pain [6] de votre table,[7]
Noyez mon âme aux flots de votre Vin.

Voici mon sang que je n'ai pas versé,
Voici ma chair indigne de souffrance,
Voici mon sang que je n'ai pas versé.   15

Voici mon front qui n'a pu que rougir,
Pour [8] l'escabeau [9] de vos pieds adorables,
Voici mon front qui n'a pu que rougir.

Voici mes mains qui n'ont pas travaillé,
Pour [10] les charbons ardents et l'encens rare,   20
Voici mes mains qui n'ont pas travaillé.

Voici mon cœur qui n'a battu qu'en vain,
Pour palpiter aux ronces [11] du Calvaire,[12]
Voici mon cœur qui n'a battu qu'en vain.

Voici mes pieds, frivoles voyageurs,   25
Pour accourir au cri de votre grâce,
Voici mes pieds, frivoles voyageurs.

[1] *Ô mon Dieu, vous m'avez blessé d'a-mour:* poème sans titre, appartient à *Sagesse* qui marque une nouvelle tendance dans l'œuvre de Verlaine. Ayant mené une vie bien répréhensible, ayant été condamné à deux ans de prison, Verlaine s'assagit — pour quelque temps — se repentit et arriva au christianisme. Ce poème est celui d'un enfant prodigue.
[2] *votre crainte:* la crainte de vous
[3] *brûlure:* burn, blight
[4] *tonne:* inveighs (against me), thunders

[5] *j'ai connu:* Noter l'emploi du verbe *connaître* au lieu du verbe *savoir.*
[6] *Vin, Pain:* Le *Vin* et le *Pain* forment les espèces de la communion catholique.
[7] *votre table:* l'autel
[8] *pour:* Ici *pour* veut dire *que je vous offre comme.*
[9] *escabeau:* stool
[10] *pour:* Ici *pour* veut dire *pour que vous y mettiez.*
[11] *ronces:* thorns, brambles
[12] *Calvaire:* montagne où fut crucifié Jésus-Christ

Voici ma voix, bruit maussade [13] et menteur,
Pour les reproches de la Pénitence,
Voici ma voix, bruit maussade et menteur.   30

Voici mes yeux, luminaires [14] d'erreur,
Pour être éteints aux pleurs de la prière,
Voici mes yeux, luminaires d'erreur.

Hélas, Vous, Dieu d'offrande et de pardon,
Quel est le puits [15] de mon ingratitude,   35
Hélas, Vous, Dieu d'offrande et de pardon,

Dieu de terreur et Dieu de sainteté,
Hélas! ce noir abîme de mon crime,
Dieu de terreur et Dieu de sainteté,

Vous, Dieu de paix, de joie et de bonheur,   40
Toutes mes peurs, toutes mes ignorances,
Vous, Dieu de paix, de joie et de bonheur,

Vous connaissez tout cela, tout cela,
Et que [16] je suis plus pauvre que personne,
Vous connaissez tout cela, tout cela.   45

Mais ce que j'ai, mon Dieu, je vous le donne.

[13] *maussade:* peevish   [15] *puits:* well, pit
[14] *luminaires:* lumières, cierges   [16] *Et que:* et vous savez que

A Victor Hugo

en lui envoyant «Sagesse» [1]

Nul parmi vos flatteurs d'aujourd'hui n'a connu
Mieux que moi la fierté d'admirer votre gloire:
Votre nom m'enivrait comme un nom de victoire,
Votre œuvre, je l'aimais d'un amour ingénu.[2]

Depuis, la Vérité m'a mis le monde à nu.[3]   5
J'aime Dieu, son Église, et ma vie est de croire

[1] *Sagesse:* Verlaine admirait beaucoup Victor Hugo et le connaissait personnellement.
[2] *ingénu:* artless; through extension, young. Verlaine avait témoigné de son admiration pour Hugo en lui envoyant, en 1858, ses tout premiers vers.
[3] *m'a mis le monde à nu:* i.e. m'a révélé le monde tel qu'il est

Tout ce que vous tenez, hélas! pour dérisoire,[4]
Et j'abhorre en vos vers le Serpent [5] reconnu.

J'ai changé. Comme vous. Mais d'une autre manière.
Tout petit que je suis j'avais aussi le droit   10
D'une évolution, la bonne, la dernière.

Or, je sais la louange, ô maître, que vous doit
L'enthousiasme ancien; la voici franche, pleine,
Car vous me fûtes doux en des heures de peine.[6]

[4] *dérisoire:* insignifiant; allusion aux œuvres de Hugo où celui-ci prêche une religion en dehors de tout dogme
[5] *le Serpent:* le péché originel

[6] *vous me fûtes doux en des heures de peine:* allusion à l'attitude de Hugo au moment de l'emprisonnement de Verlaine et de sa séparation d'avec sa femme

GUSTAVE FLAUBERT [1821–80]

D'origine normande, Flaubert renonça de bonne heure à l'étude du droit à Paris pour se consacrer entièrement aux lettres. Grâce à une immense fortune personnelle, il put voyager en Italie, en Orient, et dans l'Afrique du nord.

Chef incontesté du réalisme français à partir de 1856, Flaubert avait cependant été romantique à ses débuts. Conseillé par les amis, il s'efforça de libérer son œuvre d'un lyrisme excessif et il finit par créer quelques œuvres remarquables pour leur finesse d'observation scrupuleuse et impersonnelle. Flaubert soignait son style plus que n'importe quel autre écrivain de son temps pour arriver aux tons nuancés avec lesquels il peignait les hommes tels qu'il les trouvait.

Six ans d'un travail acharné précédèrent la publication de *Madame Bovary* (1857), roman basé sur la vie d'une femme qui avait vraiment existé et dont les aventures furent bien semblables à celles d'Emma Bovary. L'intrigue se déroule dans une petite ville de la Normandie que Flaubert connaissait si bien. Croyant à l'amour à la manière de toute héroïne romantique, Emma vit se créer un abîme infranchissable entre ses aspirations sentimentales et son existence monotone et ennuyeuse. Elle s'était donc laissé entraîner dans des aventures amoureuses, espérant pouvoir réaliser ses rêves romantiques.

Deux autres ouvrages de Flaubert sont à signaler: *Salammbô* (1862), puissant roman historique basé sur les péripéties des guerres puniques, et l'*Éducation sentimentale,* histoire déprimante d'une vie manquée, située dans le cadre monotone d'une petite ville de province.

Dans l'extrait que nous donnons, Emma Bovary se trouve à Yonville en compagnie de Rodolphe Boulanger, riche propriétaire qu'elle ne connaît que depuis peu. Au milieu de la foule paysanne, bigarrée et tumultueuse, ils assistent aux Comices agricoles, réunion de propriétaires et de fermiers organisée pour encourager la production agricole et pour décerner des prix aux cultivateurs méritants.

Madame Bovary

CHAPITRE VIII

Ils arrivèrent, en effet, ces fameux Comices! Dès le matin [1] de la solennité, tous les habitants, sur leurs portes, s'entretenaient des préparatifs; on avait enguirlandé de lierres [2] le fronton [3] de la mairie; une tente, dans un pré, était dressée pour le festin, et, au milieu de la place, devant l'église, une espèce de bombarde [4] devait signaler l'arrivée de monsieur le préfet et le nom des cultivateurs lauréats.[5] La garde nationale de Buchy [6] (il n'y en avait point à Yonville [6]) était venue s'adjoindre au corps des pompiers, dont Binet était le capitaine.[7] Il portait, ce jour-là, un col encore plus haut que de coutume; et, sanglé [8] dans sa tunique, il avait le buste si roide et immobile, que toute la partie vitale de sa personne semblait être descendue dans ses deux jambes, qui se levaient en cadence, à pas marqués,[9] d'un seul mouvement. Comme une rivalité subsistait entre le percepteur et le colonel,[10] l'un et l'autre, pour montrer leurs talents, faisaient à part manœuvrer leurs hommes. On voyait alternativement passer et repasser les épaulettes rouges et les plastrons [11] noirs. Cela ne finissait pas et toujours recommençait! Jamais il n'y avait eu pareil déploiement [12] de pompe! Plusieurs bourgeois, dès la veille, avaient lavé leurs maisons; des drapeaux tricolores pendaient aux fenêtres entr'ouvertes; tous les cabarets étaient pleins. Les fermières des environs retiraient, en descendant de cheval, la grosse épingle qui leur serrait autour du corps [13] leur robe retroussée de peur des taches; [14] et les maris, au contraire, afin de ménager [15] leurs chapeaux, gardaient par-dessus des mouchoirs de poche, dont ils tenaient un angle entre les dents.

La foule arrivait dans la grande rue par les deux bouts du village. Il s'en dégorgeait [16] des ruelles, des allées, des maisons, et l'on entendait de temps à autre retomber le marteau [17] des

[1] *Dès le matin:* à partir du matin
[2] *enguirlandé de lierres:* adorned with ivy garlands
[3] *fronton:* pediment
[4] *bombarde:* mortar, fieldpiece
[5] *cultivateurs lauréats:* prize-winning farmers
[6] *Buchy:* village voisin de Yonville (C'est à Yonville que se déroulent la plupart des événements de *Madame Bovary.*)
[7] *capitaine:* (fire)chief
[8] *sanglé:* tightly laced or buttoned up
[9] *à pas marqués:* marking the beat
[10] *colonel:* chef de la garde nationale de Buchy
[11] *plastrons:* breastplates
[12] *déploiement:* exhibition, display
[13] *la grosse . . . du corps:* the blanket pin which fastened about their waist
[14] *retroussée de peur des taches:* tucked up to protect it from splashing
[15] *ménager:* protéger
[16] *il s'en dégorgeait:* they poured out of
[17] *marteau:* knocker

portes, derrière les bourgeoises en gants de fil,[18] qui sortaient pour aller voir la fête. Ce que l'on admirait surtout, c'étaient deux longs ifs[19] couverts de lampions[20] qui flanquaient une estrade où s'allaient tenir les autorités;[21] et il y avait de plus, contre les quatre colonnes de la mairie, quatre manières de gaules,[22] portant chacune un petit étendard de toile verdâtre, enrichi d'inscriptions en lettres d'or. On lisait sur l'un: «Au Commerce»; sur l'autre: «A l'Agriculture»; sur le troisième: «A l'Industrie»; et sur le quatrième: «Aux Beaux-Arts.»

Mais la jubilation qui épanouissait[23] tous les visages paraissait assombrir madame Lefrançois, l'aubergiste.[24] Debout sur les marches de sa cuisine, elle murmurait dans son menton:[25]

— Quelle bêtise! quelle bêtise avec leur baraque de toile![26] Croient-ils que le préfet sera bien aise de dîner là-bas, sous une tente, comme un saltimbanque?[27] Ils appellent ces embarras[28]-là, faire le bien du pays! Ce n'était pas la peine,[29] alors, d'aller chercher un gargotier[30] à Neufchâtel![30] Et pour qui? pour des vachers![31] des va-nu-pieds![32] . . .

L'apothicaire passa. Il portait un habit noir, un pantalon de nankin,[33] des souliers de castor,[33] et par extraordinaire un chapeau, un chapeau bas de forme.[34]

— Serviteur! dit-il; excusez-moi, je suis pressé.

Et comme la grosse veuve lui demanda où il allait:

— Cela vous semble drôle, n'est-ce pas? moi qui reste toujours plus confiné dans mon laboratoire que le rat du bonhomme[35] dans son fromage.

— Quel fromage? fit l'aubergiste.

— Non, rien! ce n'est rien! reprit Homais. Je voulais vous exprimer seulement, madame Lefrançois, que je demeure d'habitude tout reclus[36] chez moi. Aujourd'hui cependant, vu la circonstance, il faut bien que. . . .

— Ah! vous allez là-bas? dit-elle avec un air de dédain.

— Oui, j'y vais, répliqua l'apothicaire étonné; ne fais-je point partie de la commission[37] consultative?

La mère Lefrançois le considéra[38] quelques minutes, et finit par répondre en souriant:

— C'est autre chose! Mais qu'est-ce que la culture vous regarde?[39] vous vous y entendez donc?[40]

— Certainement, je m'y entends, puisque je suis pharmacien, c'est-à-dire chimiste! et la chimie, madame Lefrançois, ayant pour objet la connaissance de l'action réciproque et moléculaire de tous les corps de la nature, il s'ensuit que l'agriculture se

[18] fil: fabric
[19] ifs: illumination frames
[20] lampions: Chinese lanterns
[21] estrade où . . . les autorités: platform where the notables were going to be
[22] gaules: poles
[23] épanouissait: brightened
[24] aubergiste: innkeeper
[25] dans son menton: à elle-même
[26] baraque de toile: cloth-covered stand
[27] saltimbanque: tumbler, juggler
[28] embarras: nuisances, encumbrances
[29] Ce n'était pas la peine: it wasn't worthwhile
[30] gargotier: lunch-stand keeper: Neufchâtel: petite ville près d'Yonville
[31] vachers: cowherds
[32] va-nu-pieds: vagabonds

[33] nankin: buff-colored cotton cloth; castor: beaver (skin)
[34] bas de forme: Derby style
[35] rat du bonhomme: the old man's rat
[36] reclus: renfermé
[37] commission: comité
[38] considéra: regarda attentivement
[39] qu'est-ce que . . . regarde?: how does farming concern you?
[40] vous vous y entendez donc?: do you know anything about it?

trouve comprise dans son domaine! Et en effet, composition des engrais,[41] fermentation des liquides, analyse des gaz et influence des miasmes,[42] qu'est-ce que tout cela, je vous le demande, si ce n'est de la chimie pure et simple? [. . .]

L'aubergiste ne quittait point des yeux[43] la porte du *Café Français*, et le pharmacien poursuivit:

— Plût à Dieu que[44] nos agriculteurs fussent des chimistes, ou que du moins ils écoutassent davantage les conseils de la science! Ainsi, moi, j'ai dernièrement écrit un fort opuscule,[45] un mémoire de plus de soixante et douze pages, intitulé: *Du cidre, de sa fabrication et de ses effets; suivi de quelques réflexions nouvelles à ce sujet*, que j'ai envoyé à la Société agronomique de Rouen; ce qui m'a même valu l'honneur[46] d'être reçu parmi ses membres, section d'agriculture, classe de pomologie;[47] eh bien, si mon ouvrage avait été livré à la publicité. . . .

Mais l'apothicaire s'arrêta, tant madame Lefrançois paraissait préoccupée.

— Voyez-les donc! disait-elle, on n'y comprend rien! une gargote semblable![48]

Et, avec des haussements d'épaules[49] qui tiraient sur sa poitrine les mailles de son tricot,[50] elle montrait des deux mains le cabaret de son rival, d'où sortaient alors des chansons.

— Du reste, il n'en a pas pour longtemps,[51] ajouta-t-elle; avant huit jours, tout est fini.

Homais se recula[52] de stupéfaction. Elle descendit ses trois marches, et, lui parlant à l'oreille:

— Comment! vous ne savez pas cela? On va le saisir[53] cette semaine. C'est Lheureux[54] qui le fait vendre. Il l'a assassiné de billets.[55]

— Quelle épouvantable catastrophe! s'écria l'apothicaire, qui avait toujours des expressions congruantes[56] à toutes les circonstances imaginables.

L'hôtesse donc se mit à lui raconter cette histoire, [. . .] et, bien qu'elle exécrât Tellier,[57] elle blâmait Lheureux. C'était un enjôleur, un rampant.[58]

— Ah! tenez, dit-elle, le voilà sous les halles;[59] il salue madame Bovary, qui a un chapeau vert. Elle est même au bras de monsieur Boulanger.

— Madame Bovary! fit Homais. Je m'empresse d'aller lui offrir mes hommages. Peut-être qu'elle sera bien aise d'avoir une place dans l'enceinte,[60] sous le péristyle.

Et sans écouter la mère Lefrançois,

[41] *engrais:* fertilizers, manures
[42] *miasmes:* noxious effluvia
[43] *ne quittait point des yeux:* didn't take her eyes off
[44] *plût à Dieu que:* would to God that
[45] *opuscule:* treatise, monograph
[46] *ce qui . . . l'honneur:* which even brought me the honor
[47] *classe de pomologie:* pomology section
[48] *on n'y comprend rien! une gargote semblable!:* I just don't get it, a "greasy spoon" like that!
[49] *haussements d'épaules:* shrugs
[50] *qui tiraient . . . tricot:* pulled the meshes of her sweater tightly across her breast
[51] *il n'en a pas pour longtemps:* he won't last long
[52] *Homais se recula:* Homais (l'apothicaire d'Yonville) fit un pas en arrière
[53] *saisir:* attach (his business)
[54] *Lheureux:* marchand d'étoffes et usurier d'Yonville
[55] *l'a assassiné de billets:* killed him with promissory notes
[56] *congruantes:* suitable
[57] *Tellier:* propriétaire du Café Français à Yonville
[58] *un enjôleur, un rampant:* a cajoler, a sycophant
[59] *halles:* market building
[60] *une place dans l'enceinte:* a seat in the enclosure

qui le rappelait pour lui en conter plus long,[61] le pharmacien s'éloigna d'un pas rapide, sourire aux lèvres et jarret tendu,[62] distribuant de droite et de gauche quantité de salutations et emplissant beaucoup d'espace avec les grandes basques [63] de son habit noir, qui flottaient au vent derrière lui.

Rodolphe, l'ayant aperçu de loin, avait pris un train ràpide; mais madame Bovary s'essouffla; [64] il se ralentit donc et lui dit en souriant, d'un ton brutal:

— C'est pour éviter ce gros bonhomme: vous savez, l'apothicaire.

Elle lui donna un coup de coude.[65]

— Qu'est-ce cela signifie? se demanda-t-il.

Et il la considéra du coin de l'œil, tout en continuant à marcher.

Son profil était si calme, que l'on n'y devinait rien. Il se détachait [66] en pleine lumière, dans l'ovale de sa capote [67] qui avait des rubans pâles ressemblant à des feuilles de roseau. Ses yeux aux longs cils courbes [68] regardaient devant elle, et, quoique bien ouverts, ils semblaient un peu bridés [69] par les pommettes,[70] à cause du sang, qui battait doucement sous sa peau fine. Une couleur rose traversait la cloison [71] de son nez. Elle inclinait la tête sur l'épaule, et l'on voyait entre ses lèvres le bout nacré [72] de ses dents blanches.

— Se moque-t-elle de moi? [73] songeait Rodolphe.

Ce geste d'Emma pourtant n'avait été qu'un avertissement; [74] car monsieur Lheureux les accompagnait, et il leur parlait de temps à autre, comme pour entrer en conversation:

— Voici une journée superbe! tout le monde est dehors! les vents sont à l'Est.

Et madame Bovary, non plus que Rodolphe, ne lui répondait guère, tandis qu'au moindre mouvement qu'ils faisaient, il se rapprochait en disant: «Plaît-il?» [75] et portait la main à son chapeau.

Quand ils furent devant la maison du maréchal, au lieu de suivre la route jusqu'à la barrière, Rodolphe, brusquement, prit un sentier,[76] entraînant madame Bovary; il cria:

— Bonsoir, monsieur Lheureux! au plaisir! [77]

— Comme vous l'avez congédié! [78] dit-elle en riant.

— Pourquoi, reprit-il, se laisser envahir par les autres? et puisque, aujourd'hui, j'ai le bonheur d'être avec vous . . .

Emma rougit. Il n'acheva point sa phrase. Alors il parla du beau temps et du plaisir de marcher sur l'herbe. Quelques marguerites étaient repoussées.[79]

— Voici de gentilles pâquerettes,[80]

[61] *en conter plus long:* raconter l'affaire plus en détail
[62] *jarret tendu:* legs stiff, i.e. walking with a springy gait
[63] *basques:* (coat)tails
[64] *s'essouffla:* got out of breath
[65] *coup de coude;* nudge
[66] *il se détachait:* it stood out
[67] *ovale de sa capote:* oval opening of her bonnet
[68] *aux longs cils courbes:* with long curved lashes
[69] *un peu bridés:* somewhat closed
[70] *pommettes:* cheek bones
[71] *cloison:* septum, separation

[72] *nacré:* pearly
[73] *se moque-t-elle de moi?:* is she making fun of me?
[74] *avertissement:* warning
[75] *Plaît-il?:* I beg your pardon?
[76] *sentier:* path
[77] *au plaisir!:* jusqu'au plaisir de vous revoir!
[78] *congédié:* renvoyé
[79] *repoussées:* sprung up again
[80] *pâquerettes:* daisies

dit-il, et de quoi fournir [81] bien des oracles à toutes les amoureuses du pays.

Il ajouta:

— Si j'en cueillais.[82] Qu'en pensez-vous?

— Est-ce que vous êtes amoureux? fit-elle en toussant [83] un peu.

— Eh! eh! qui sait? répondit Rodolphe.

Le pré commençait à se remplir, et les ménagères vous heurtaient [84] avec leurs grands parapluies, leurs paniers et leurs bambins.[85] Souvent, il fallait se déranger devant une longue file de campagnardes, servantes en bas bleus, à souliers plats, à bagues [86] d'argent, et qui sentaient le lait,[87] quand on passait près d'elles. Elles marchaient en se tenant par la main, et se répandaient ainsi sur toute la longueur de la prairie, depuis la ligne des trembles [88] jusqu'à la tente du banquet. Mais c'était le moment de l'examen, et les cultivateurs, les uns après les autres, entraient dans une manière d'hippodrome que formait [89] une longue corde portée sur des bâtons.

Les bêtes étaient là, le nez tourné vers la ficelle, et alignant confusément leurs croupes inégales.[90] Des porcs assoupis enfonçaient en terre leur groin; [91] des veaux beuglaient,[92] des brebis bêlaient; [92] les vaches, un jarret replié,[93] étalaient leur ventre sur le gazon, et, ruminant [94] lentement, clignaient leurs paupières lourdes,[95] sous les moucherons qui bourdonnaient [96] autour d'elles [. . .] A l'écart,[97] en dehors des lices, cent pas plus loin, il y avait un grand taureau noir muselé,[98] portant un cercle de fer à la narine,[99] et qui ne bougeait pas plus qu'une bête de bronze. Un enfant en haillons [100] le tenait par une corde.

Cependant, entre les deux rangées, des messieurs s'avançaient d'un pas lourd, examinant chaque animal, puis se consultaient à voix basse. L'un d'eux, qui semblait plus considérable, prenait, tout en marchant, quelques notes sur un album. C'était le président du jury; monsieur Derozerays de la Panville. Sitôt qu'il reconnut Rodolphe, il s'avança vivement, et lui dit en souriant d'un air aimable:

— Comment, monsieur Boulanger, vous nous abandonnez?

Rodolphe protesta qu'il allait venir. Mais quand le président eut disparu:

— Ma foi, non, reprit-il, je n'irai pas; votre compagnie vaut bien la sienne.[1]

Et, tout en se moquant des comices, Rodolphe, pour circuler plus à l'aise, montrait au gendarme sa pancarte [2] bleue, et même il s'arrêtait parfois devant quelque beau *sujet*, que madame Bovary n'admirait guère. Il s'en aperçut, et alors se mit à faire des plai-

---

[81] *de quoi fournir:* enough to supply
[82] *Si j'en cueillais:* Shall I pick some?
[83] *toussant:* coughing
[84] *heurtaient:* bumped into
[85] *bambins:* babies
[86] *bagues:* rings
[87] *sentaient:* smelled of
[88] *trembles:* aspens
[89] *une manière d'hippodrome que formait:* a kind of race-course formed by
[90] *inégales:* of different sizes
[91] *groin:* snout
[92] *beuglaient:* were lowing; *bêlaient:* were bleating

[93] *un jarret replié:* with one leg folded under their body
[94] *ruminant:* chewing their cud
[95] *clignaient leurs paupières lourdes:* were blinking their heavy eyelids
[96] *moucherons qui bourdonnaient:* gnats which were buzzing
[97] *à l'écart:* to one side
[98] *muselé:* muzzled
[99] *narine:* nostrils
[100] *haillons:* rags

---

[1] *votre compagnie . . . sienne:* j'aime autant être avec vous qu'avec lui
[2] *pancarte:* pass

santeries sur les dames d'Yonville, à propos de leur toilette; puis il s'excusa lui-même du négligé[3] de la sienne. Elle avait cette incohérence de choses communes et recherchées, où le vulgaire,[4] d'habitude, croit entrevoir la révélation d'une existence excentrique, les désordres du sentiment,[5] les tyrannies de l'art, et toujours un certain mépris des conventions sociales, ce qui le séduit ou l'exaspère. Ainsi, sa chemise de batiste à manchettes plissées[6] bouffait au hasard du vent, dans l'ouverture de son gilet, qui était de coutil[7] gris, et son pantalon à larges raies[8] découvrait aux chevilles ses bottines de nankin,[9] claquées de cuir verni.[10] Elles étaient si vernies, que l'herbe s'y reflétait.

— D'ailleurs, ajouta-t-il, quand on habite la campagne . . .

— Tout est peine perdue,[11] dit Emma.

— C'est vrai! répliqua Rodolphe. Songer que pas un seul de ces braves gens n'est capable de comprendre même la tournure[12] d'un habit!

Alors ils parlèrent de la médiocrité provinciale, des existences qu'elle étouffait,[13] des illusions qui s'y perdaient.

— Aussi, disait Rodolphe, je m'enfonce[14] dans une tristesse. . . .

— Vous! fit-elle avec étonnement. Mais je vous croyais très gai?

— Ah! oui, d'apparence, parce qu'au milieu du monde je sais mettre sur mon visage un masque railleur;[15] et cependant que de[16] fois, à la vue d'un cimetière, au clair de lune, je me suis demandé si je ne ferais pas mieux d'aller rejoindre ceux qui sont à dormir . . .

— Oh! Et vos amis? dit-elle. Vous n'y pensez pas!

— Mes amis? lesquels donc? en ai-je? Qui s'inquiète de moi?

Et il accompagna ces derniers mots d'une sorte de sifflement[17] entre ses lèvres.

Mais ils furent obligés de s'écarter l'un de l'autre à cause d'un grand échafaudage[18] de chaises qu'un homme portait derrière eux. Il en était si surchargé, que l'on apercevait seulement la pointe de ses sabots, avec le bout de ses deux bras, écartés droit.[19] C'était Lestiboudois, le fossoyeur,[20] qui charriait[20] dans la multitude les chaises de l'église. [. . .]

Madame Bovary reprit le bras de Rodolphe; il continua comme se parlant à lui-même:

— Oui! tant de choses m'ont manqué! toujours seul! Ah! si j'avais eu un but dans la vie, si j'eusse rencontré une affection, si j'avais trouvé quelqu'un. . . . Oh! comme j'aurais dépensé toute l'énergie dont je suis capable, j'aurais surmonté tout, brisé tout!

— Il me semble pourtant, dit Emma, que vous n'êtes guère à plaindre.[21]

[3] *négligé:* (studied) carelessness
[4] *le vulgaire:* les gens ordinaires
[5] *les désordres du sentiment:* indulgence in wild passions
[6] *de batiste à manchettes plissées:* of cambric with pleated cuffs
[7] *coutil:* drill, twill
[8] *à larges raies:* with wide stripes
[9] *nankin:* nankeen cloth
[10] *claquées de cuir verni:* trimmed with patent leather
[11] *tout est peine perdue:* everything is a waste of effort
[12] *tournure:* cut

[13] *qu'elle étouffait:* that it stifled
[14] *je m'enfonce:* sink into
[15] *railleur:* moqueur
[16] *que de:* combien de
[17] *sifflement:* whistle
[18] *échafaudage:* pile
[19] *écartés droit:* held straight out
[20] *fossoyeur:* grave-digger; *charriait:* was carting along
[21] *à plaindre:* to be pitied

— Ah! vous trouvez? fit Rodolphe.

— Car enfin . . . , reprit-elle, vous êtes libre.

Elle hésita:

— Riche.

— Ne vous moquez pas de moi, répondit-il.

Et elle jurait qu'elle ne se moquait pas, quand un coup de canon retentit; aussitôt, on se poussa pêle-mêle vers le village.

C'était une fausse alerte; monsieur le Préfet n'arrivait pas, et les membres du jury se trouvaient fort embarrassés, ne sachant s'il fallait commencer la séance ou bien attendre encore.

Enfin, au fond de la place, parut un grand landau de louage,[22] traîné par deux chevaux maigres, que fouettait[23] à tour de bras un cocher en chapeau blanc. Binet n'eut que le temps de crier: «Aux armes!» et le colonel de l'imiter. On courut vers les faisceaux.[24] On se précipita. Quelques-uns même oublièrent leur col. Mais l'équipage préfectoral sembla deviner cet embarras,[25] et les deux rosses accouplées[26] [. . .] arrivèrent au petit trot devant le péristyle de la mairie, juste au moment où la garde nationale et les pompiers s'y déployaient,[27] tambour battant, et marquant le pas.

— Balancez![28] cria Binet.

— Halte! cria le colonel. Par file à gauche![29]

Et après un port d'armes où le cli-

quetis des capucines,[30] se déroulant,[31] sonna comme un chaudron de cuivre qui dégringole[32] les escaliers, tous les fusils retombèrent.

Alors on vit descendre du carrosse un monsieur vêtu d'un habit court à broderie d'argent, chauve sur le front,[33] portant toupet à l'occiput,[34] ayant le teint blafard[35] et l'apparence des plus bénignes.[36] Ses deux yeux, fort gros et couverts de paupières épaisses, se fermaient à demi pour considérer la multitude, en même temps qu'il levait son nez pointu et faisait sourire sa bouche rentrée.[37] Il reconnut le maire à son écharpe,[38] et lui exposa que monsieur le Préfet n'avait pu venir. Il était, lui, un conseiller de préfecture;[39] puis il ajouta quelques excuses. Tuvache[40] y répondit par des civilités, l'autre s'avoua confus; et ils restaient ainsi, face à face, et leurs fronts se touchant presque, avec les membres du jury tout alentour, le conseil municipal, les notables, la garde nationale et la foule. [. . .] Le tambour battit, l'obusier tonna,[41] et les messieurs à la file[42] montèrent s'asseoir sur l'estrade, dans les fauteuils en utrecht[43] rouge qu'avait prêtés madame Tuvache.

Tous ces gens-là se ressemblaient. Leurs molles figures blondes, un peu

[22] *de louage:* hired
[23] *fouettait:* whipped
[24] *faisceaux:* stacks of arms
[25] *deviner cet embarras:* sense this confusion
[26] *rosses accouplées:* nags hitched together
[27] *s'y déployaient:* were deploying there
[28] *Balancez!:* Halt!
[29] *Par file à gauche!:* Left about, march!
[30] *cliquetis des capucines:* rattle of the metal bands
[31] *se déroulant:* increasing
[32] *chaudron de cuivre qui dégringole:* copper kettle rolling down
[33] *chauve sur le front:* with high forehead
[34] *portant toupet à l'occiput:* wearing toupee on the back of his head
[35] *teint blafard:* sallow complexion
[36] *des plus bénignes:* most benign
[37] *bouche rentrée:* sunken mouth
[38] *à son écharpe:* by his sash (traditional insignia of office)
[39] *conseiller de préfecture:* prefect's councillor
[40] *Tuvache:* maire d'Yonville
[41] *l'obusier tonna:* the howitzer thundered
[42] *à la file:* in Indian file
[43] *utrecht:* velvet upholstering material

hâlées [44] par le soleil, avaient la couleur du cidre doux, et leurs favoris bouffants [45] s'échappaient de [46] grands cols roides, que maintenaient des cravates blanches à rosette bien étalée. [47]

[. . .]

Les dames de la société se tenaient derrière, sous le vestibule, entre les colonnes, tandis que le commun de la foule était en face, debout ou bien assis sur des chaises. [. . .]

Cependant Rodolphe, avec madame Bovary, était monté au premier étage de la mairie, dans la *salle des délibérations*, et comme elle était vide, il avait déclaré que l'on y serait bien pour jouir du spectacle plus à son aise. Il prit trois tabourets autour de la table ovale, sous le buste du monarque, [48] et, les ayant approchés de l'une des fenêtres, ils s'assirent l'un près de l'autre.

Il y eut une agitation sur l'estrade, de longs chuchotements, [49] des pourparlers. Enfin, monsieur le Conseiller se leva. On savait maintenant qu'il s'appelait Lieuvain, et l'on se répétait son nom de l'un à l'autre, dans la foule. Quand il eut donc collationné quelques feuilles [50] et appliqué dessus son œil pour y mieux voir, il commença:

«Messieurs,

«Qu'il me soit permis d'abord (avant de vous entretenir de l'objet de cette réunion d'aujourd'hui, et ce sentiment, j'en suis sûr sera partagé par vous tous), qu'il me soit permis, dis-je, de rendre justice à l'administration supérieure, au gouvernement, au monarque, messieurs, à notre souverain, à ce roi bien-aimé à qui aucune branche de la prospérité publique ou particulière n'est indifférente, et qui dirige à la fois d'une main si ferme et si sage le char de l'État [51] parmi les périls incessants d'une mer orageuse, sachant d'ailleurs faire respecter la paix comme la guerre, l'industrie, le commerce, l'agriculture et les beaux-arts.»

— Je devrais, dit Rodolphe, me reculer [52] un peu.

— Pourquoi? dit Emma.

Mais, à ce moment, la voix du Conseiller s'éleva d'un ton extraordinaire. Il déclamait:

«Le temps n'est plus, messieurs, où la discorde civile ensanglantait [53] nos places publiques, où le propriétaire, le négociant, l'ouvrier lui-même, en s'endormant le soir d'un sommeil paisible, tremblaient de se voir réveillés tout à coup au bruit des tocsins incendiaires, [54] où les maximes les plus subversives sapaient audacieusement les bases . . .»

— C'est qu' [55] on pourrait, reprit Rodolphe, m'apercevoir d'en bas; puis j'en aurais pour quinze jours à donner des excuses, et, avec ma mauvaise réputation. . . .

— Oh! vous vous calomniez, [56] dit Emma.

[44] *hâlées:* tanned
[45] *favoris bouffants:* bushy side whiskers
[46] *s'échappaient de:* emerged from
[47] *à rosette bien étalée:* with very wide bows
[48] *monarque:* Louis-Philippe, roi des Français, 1830–48
[49] *chuchotements:* whisperings
[50] *collationné quelques feuilles:* put a few sheets of paper in order

[51] *le char de l'État:* the chariot of state (which, in the next breath, the orator calls upon to move on a *mer orageuse!*)
[52] *me reculer:* move back
[53] *ensanglantait:* stained with blood
[54] *tocsins incendiaires:* bells of alarm
[55] *c'est qu':* le fait est qu'
[56] *vous vous calomniez:* you're too hard on yourself

— Non, non, elle est exécrable,[57] je vous jure.

«Mais, messieurs, poursuivait le Conseiller, que si, écartant de mon souvenir [58] ces sombres tableaux, je reporte mes yeux sur la situation actuelle [59] de notre belle patrie, qu'y vois-je? Partout fleurissent le commerce et les arts; partout des voies nouvelles de communication, comme autant d'artères nouvelles dans le corps de l'État, y établissent des rapports nouveaux; nos grands centres manufacturiers ont repris leur activité; la religion, plus affermie, sourit à tous les cœurs; nos ports sont pleins, la confiance renaît, et enfin la France respire! [60] . . .»

— Du reste, ajouta Rodolphe, peut-être, au point de vue du monde, a-t-on raison!

— Comment cela? fit-elle.

— Eh quoi! dit-il, ne savez-vous pas qu'il y a des âmes sans cesse tourmentées? Il leur faut tour à tour le rêve et l'action, les passions les plus pures, les jouissances les plus furieuses, et l'on se jette ainsi dans [61] toutes sortes de fantaisies, de folies.

Alors elle le regarda comme on contemple un voyageur qui a passé par des pays extraordinaires, et elle reprit:

— Nous n'avons pas même cette distraction, nous autres [62] pauvres femmes!

— Triste distraction, car on n'y trouve pas le bonheur.

— Mais le trouve-t-on jamais? demanda-t-elle.

— Oui, il se rencontre un jour,[63] répondit-il.

«Et c'est là ce que vous avez compris, disait le Conseiller. Vous, agriculteurs et ouvriers des campagnes! vous, pionniers pacifiques d'une œuvre toute de civilisation! [64] vous, hommes de progrès et de moralité! vous avez compris, dis-je, que les orages politiques sont encore plus redoutables vraiment que les désordres de l'atmosphère. . . .»

— Il se rencontre un jour, répéta Rodolphe, un jour, tout à coup, et quand on en désespérait.[65] Alors des horizons s'entr'ouvrent, c'est comme une voix qui crie: «Le voilà!» Vous sentez le besoin de faire à cette personne la confidence de votre vie, de lui donner tout, de lui sacrifier tout! On ne s'explique pas, on se devine.[66] On s'est entrevu dans ses rêves. (Et il la regardait.) Enfin, il est là, ce trésor que l'on a tant cherché, là, devant vous; il brille, il étincelle. Cependant on en doute encore, on n'ose y croire; on en reste ébloui, comme si l'on sortait des ténèbres à la lumière.

Et, en achevant ces mots, Rodolphe ajouta la pantomime à sa phrase. Il se passa la main sur le visage, tel qu'un homme pris d'étourdissement; [67] puis il la laissa retomber sur celle d'Emma. Elle retira la sienne. Mais le Conseiller lisait toujours:

---

[57] *exécrable:* abominable
[58] *écartant de mon souvenir:* dismissing from my memory
[59] *actuelle:* present-day
[60] *respire:* breathes (freely) again
[61] *l'on se jette ainsi dans:* thus they indulge in
[62] *autres:* ne se traduit pas

[63] *il se rencontre un jour:* the day comes when you find it
[64] *toute de civilisation:* completely civilizing
[65] *quand on en désespérait:* when you despaired (of finding it)
[66] *on ne s'explique pas, on se devine:* there is no need for explanations, you understand each other
[67] *pris d'étourdissement:* seized with a dizzy spell

«Et qui s'en étonnerait, messieurs! Celui-là seul [68] qui serait assez aveugle, assez plongé (je ne crains pas de le dire), assez plongé dans les préjugés d'un autre âge pour méconnaître encore [69] l'esprit des populations agricoles. Où trouver, en effet, plus de patriotisme que dans les campagnes, plus de dévouement à la cause publique, plus d'intelligence en un mot? Et je n'entends pas, [70] messieurs, cette intelligence superficielle, vain ornement des esprits oisifs, [71] mais plus de [72] cette intelligence profonde et modérée, qui s'applique par-dessus toute chose à poursuivre des buts utiles, contribuant ainsi au bien de chacun, à l'amélioration commune et au soutien des États, fruit du respect des lois et de la pratique des devoirs . . .» ́

— Ah! encore, dit Rodolphe. Toujours les devoirs, je suis assommé de ces mots-là. Ils sont un tas de vieilles ganaches [73] en gilet de flanelle, et de bigotes à chaufferette et à chapelet, [74] qui continuellement nous cantent aux oreilles: «Le devoir! le devoir!» Eh! parbleu! le devoir, c'est de sentir ce qui est grand, de chérir ce qui est beau, et non pas d'accepter toutes les conventions de la société, avec les ignominies [75] qu'elle nous impose.
— Cependant . . . , cependant . . . , objectait madame Bovary.
— Eh non! pourquoi déclamer contre les passions? Ne sont-elles pas la seule belle chose qu'il y ait sur la terre, la source de l'héroïsme, de l'enthousiasme, de la poésie, de la musique, des arts, de tout enfin!
— Mais il faut bien, dit Emma, suivre un peu l'opinion du monde et obéir à sa morale.
— Ah c'est qu'il y en a deux, répliqua-t-il. La petite, la convenue, [76] celle des hommes, celle qui varie sans cesse et qui braille [77] si fort, s'agite en bas, terre à terre, [78] comme ce rassemblement d'imbéciles que vous voyez. Mais l'autre, l'éternelle, elle est tout autour [79] et au-dessus, comme le paysage qui nous environne et le ciel bleu qui nous éclaire.
Monsieur Lieuvain venait de s'essuyer la bouche avec son mouchoir de poche. Il reprit:

«Et qu'aurais-je à faire, [80] messieurs, de vous démontrer ici l'utilité de l'agriculture? Qui donc pourvoit à nos besoins? qui donc fournit à notre subsistance? N'est-ce pas l'agriculteur? L'agriculteur, messieurs, qui, ensemençant d'une main laborieuse les sillons féconds [81] des campagnes, fait naître le blé, lequel broyé [82] est mis en poudre au moyen d'ingénieux appareils, en sort sous le nom de farine, et, de là, transporté dans les cités, est bientôt rendu chez le boulanger, qui en confectionne un aliment pour le pauvre comme pour le riche. [. . .] Mais je n'en finirais pas, s'il fallait énumérer les uns après les autres les différents produits que la terre bien cultivée, telle qu'une mère généreuse,

[68] *Celui-là seul:* only he
[69] *pour méconnaître encore:* still to misjudge
[70] *je n'entends pas:* je ne veux pas dire
[71] *oisifs:* idle
[72] *mais plus de:* mais plutôt
[73] *vieilles ganaches:* old fogies
[74] *bigotes . . . à chapelet:* sanctimonious ladies with their footwarmers and their rosaries

[75] *ignominies:* humiliations
[76] *la convenue:* the conventional
[77] *braille:* bawls
[78] *terre à terre:* dull, commonplace
[79] *tout autour:* all encompassing
[80] *et qu'aurais-je à faire:* and why should it be necessary for me
[81] *sillons féconds:* fertile furrows
[82] *broyé:* ground

prodigue à [83] ses enfants. Ici, c'est la vigne; ailleurs, ce sont les pommiers à cidre; là, le colza; plus loin, les fromages; et le lin; [84] messieurs, n'oublions pas le lin! qui a pris dans ces dernières années un accroissement considérable et sur lequel j'appellerai plus particulièrement votre attention.»

Il n'avait pas besoin de l'appeler: car toutes les bouches de la multitude se tenaient ouvertes, comme pour boire ses paroles. Tuvache, à côté de lui, l'écoutait en écarquillant les yeux; [85] monsieur Derozerays, de temps à autre, fermait doucement les paupières; et, plus loin, le pharmacien, avec son fils Napoléon entre les jambes, bombait [86] sa main contre son oreille pour ne pas en perdre une seule syllabe. [. . .]

La place jusqu'aux maisons était comble de monde. On voyait les gens accoudés à toutes les fenêtres, d'autres debout sur toutes les portes, et Justin, [87] devant la devanture de la pharmacie, paraissait tout fixé dans la contemplation de ce qu'il regardait. Malgré le silence, la voix de Monsieur Lieuvain se perdait dans l'air. Elle vous arrivait par lambeaux de phrases, [88] qu'interrompait çà et là le bruit des chaises dans la foule; puis on entendait, tout à coup, partir derrière soi un long mugissement [89] de bœuf, ou bien les bêlements des agneaux qui se répondaient au coin des rues. En effet, les vachers et les bergers avaient poussé leurs bêtes jusque-là, et elles beuglaient de temps à autre, tout en

arrachant avec leur langue quelque bribe de feuillage [90] qui leur pendait sur le museau.[91]

Rodolphe s'était rapproché d'Emma, et il disait d'une voix basse, en parlant vite:

— Est-ce que cette conjuration du monde [92] ne vous révolte pas? Est-il un seul sentiment qu'il ne condamne? Les instincts les plus nobles, les sympathies les plus pures sont persécutés, calomniés, et, s'il se rencontre [93] enfin deux pauvres âmes, tout est organisé pour qu'elles ne puissent se joindre. Elles essayeront cependant, elles battront des ailes, elles s'appelleront. Oh! n'importe, tôt ou tard, dans six mois, dix ans, elles se réuniront, s'aimeront, parce que la fatalité l'exige et qu'elles sont nées l'une pour l'autre.

Il se tenait les bras croisés sur ses genoux, et, ainsi levant la figure vers Emma, il la regardait de près, fixement. Elle distinguait dans ses yeux des petits rayons d'or s'irradiant [94] tout autour de ses pupilles noires, et même elle sentait le parfum de la pommade qui lustrait sa chevelure. Alors une mollesse la saisit,[95] elle se rappela ce vicomte qui l'avait fait valser à la Vaubyessard,[96] et dont la barbe exhalait, comme ces cheveux-là, cette odeur de vanille et de citron; et, machinalement, elle entreferma les paupières pour la mieux respirer. [. . .] Elle retira ses gants, elle s'es-

[90] *bribe de feuillage:* odd bit of foliage
[91] *leur pendait sur le museau:* hanging over their muzzles
[92] *conjuration du monde:* conspiracy of society
[93] *se rencontre:* happen to meet
[94] *s'irradiant:* darting forth
[95] *une mollesse la saisit:* a languor came over her
[96] *la Vaubyessard:* château où Emma avait assisté à une grande fête au cours de laquelle elle avait dansé longtemps avec un vicomte

[83] *prodigue à:* lavishes on
[84] *lin:* flax
[85] *écarquillant les yeux:* staring, wide-eyed
[86] *bombait:* cupped
[87] *Justin:* élève du pharmacien Homais
[88] *lambeaux de phrases:* scraps of sentences
[89] *mugissement:* lowing

suya les mains; puis, avec son mouchoir, elle s'éventait la figure,[97] tandis qu'à travers[98] le battement de ses tempes elle entendait la rumeur de la foule et la voix du Conseiller qui 5 psalmodiait[99] ses phrases.
Il disait:

«Continuez! persévérez! n'écoutez ni les suggestions de la routine, ni les 10 conseils trop hâtifs d'un empirisme téméraire![100] Appliquez-vous surtout à l'amélioration du sol, aux bons engrais, au développement des races chevalines, bovines, ovines et porcines! 15 Que ces comices soient pour vous comme des arènes pacifiques où le vainqueur, en en sortant, tendra la main au vaincu et fraternisera avec lui, dans l'espoir d'un succès meilleur! 20 Et vous, vénérables serviteurs, humbles domestiques, dont aucun gouvernement jusqu'à ce jour n'avait pris en considération les pénibles labeurs, venez recevoir la récompense de vos 25 vertus silencieuses, et soyez convaincus que l'État, désormais,[1] a les yeux fixés sur vous, qu'il vous encourage, qu'il vous protège, qu'il fera droit à vos justes réclamations et allégera, 30 autant qu'il est en lui, le fardeau[2] de vos pénibles sacrifices!»

Monsieur Lieuvain se rassit alors; monsieur Derozerays se leva, com-35 mençant un autre discours. Le sien, peut-être, ne fut point aussi fleuri que celui du Conseiller; mais il se recommandait par un caractère de style plus positif, c'est-à-dire par des connais-40 sances plus spéciales et des considéra-

tions plus relevées.[3] Ainsi, l'éloge du gouvernement y tenait moins de place; la religion et l'agriculture en occupaient davantage. On y voyait le rapport de l'une et de l'autre, et comment elles avaient concouru toujours à la civilisation. Rodolphe, avec madame Bovary, causait rêves, pressentiments, magnétisme.[4] [. . .]
Du magnétisme, peu à peu, Rodolphe en était venu aux affinités,[5] et, tandis que monsieur le président citait Cincinnatus à sa charrue,[6] Dioclétien plantant ses choux,[6] et les empereurs de la Chine inaugurant l'année par des semailles,[6] le jeune homme expliquait à la jeune femme que ces attractions irrésistibles tiraient leur cause de quelque existence antérieure.[7]
— Ainsi, nous, disait-il, pourquoi nous sommes-nous connus?[8] quel hasard l'a voulu? C'est qu'à travers l'éloignement, sans doute, comme deux fleuves qui coulent pour se rejoindre, nos pentes particulières[9] nous avaient poussés l'un vers l'autre.
Et il saisit sa main; elle ne la retira pas.

«Ensemble de bonnes cultures!»[10] cria le président.

[3] *relevées:* well taken (lofty)
[4] *magnétisme:* «Magnétisme animal — influence, vraie ou supposée, qu'un homme peut exercer sur un autre homme, au moyen des mouvements appelés *passes*» (*Petit Larousse*)
[5] *affinités:* mutual attraction
[6] *Cincinnatus . . . Dioclétien . . . empereurs de la Chine . . . semailles:* references to such semi-legendary agricultural pursuits were quite common in speeches of this kind
[7] *antérieure:* previous, earlier
[8] *pourquoi nous sommes-nous connus?:* why did we meet?
[9] *pentes particulières:* our personal inclinations
[10] *Ensemble de bonnes cultures!:* First prize for general farming!

[97] *s'éventait la figure:* fanned her face
[98] *à travers:* above
[99] *psalmodiait:* droned out, intoned
[100] *empirisime téméraire:* rash empiricism

[1] *désormais:* à partir de maintenant
[2] *fardeau:* burden

— Tantôt, par exemple, quand je suis venu chez vous . . .

«A monsieur Bizet, de Quincampoix.»

— Savais-je que je vous accompagnerais?

«Soixante et dix[11] francs!»

— Cent fois même j'ai voulu partir, et je vous ai suivie, je suis resté.

«Fumiers.[12]»

— Comme je resterais ce soir, demain, les autres jours, toute ma vie!

«A monsieur Caron, d'Argueil, une médaille d'or!»

— Car jamais je n'ai trouvé dans la société de personne un charme aussi complet.

«A monsieur Bain, de Givry-Saint-Martin!»

—Aussi, moi, j'emporterai votre souvenir.

«Pour un bélier mérinos[13]. . .»

— Mais vous m'oublierez, j'aurai passé comme une ombre.

«A monsieur Belot, de Notre-Dame . . .»

— Oh! non, n'est-ce pas, je serai quel-que chose dans votre pensée, dans votre vie?

«Race porcine, prix *ex æquo:*[14] à messieurs Lehérissé et Cullembourg soixante francs!»

Rodolphe lui serrait la main, et il la sentait toute chaude et frémissante[15] comme une tourterelle[16] captive qui veut reprendre sa volée; mais, soit qu'elle essayât de la dégager,[17] ou bien qu'elle répondît à cette pression, elle fit un mouvement des doigts; il s'écria:

— Oh! merci! Vous ne me repoussez pas! Vous êtes bonne! Vous comprenez que je suis à vous! Laissez que je vous voie, que je vous contemple! [. . .]

Rodolphe ne parlait plus. Ils se regardaient. Un désir suprême faisait frissonner[18] leurs lèvres sèches; et mollement, sans efforts, leurs doigts se confondirent.[19]

«Catherine-Nicaise-Elisabeth Leroux, de Sassetot-la-Guerrière, pour cinquante-quatre ans de service dans la même ferme, une médaille d'argent —du prix de vingt-cinq francs!

«Où est-elle, Catherine Leroux?» répéta le Conseiller.

Elle ne se présentait pas, et l'on entendait des voix qui chuchotaient:

— Vas-y!
— Non.
— A gauche!
— N'aie pas peur!
— Ah! qu'elle est bête!
— Enfin y est-elle? s'écria Tuvache
— Oui! . . . la voilà!

---

[11] *soixante et dix:* expression régionale pour *soixante-dix;* voir plus haut *soixante et douze* pour *soixante-douze*
[12] *Fumiers:* for the best manures
[13] *bélier mérinos:* mouton de race espagnole

[14] *ex æquo:* a tie, equal
[15] *frémissante:* tremblante
[16] *tourterelle:* turtle-dove
[17] *la dégager:* get it free
[18] *frissonner:* quiver
[19] *se confondirent:* intertwined

Alors on vit s'avancer sur l'estrade une petite vieille femme de maintien craintif,[20] et qui paraissait se ratatiner [21] dans ses pauvres vêtements. Elle avait aux pieds de grosses galoches de bois,[22] et le long des hanches, un grand tablier bleu. Son visage maigre, entouré d'un béguin sans bordure,[23] était plus plissé de rides [24] qu'une pomme de reinette flétrie,[25] et des manches de sa camisole rouge dépassaient deux longues mains, à articulations noueuses.[26] [. . .] Quelque chose d'une rigidité monacale [27] relevait l'expression de sa figure. Rien de triste ou d'attendri n'amollissait ce regard pâle. Dans la fréquentation des animaux, elle avait pris leur mutisme et leur placidité. C'était la première fois qu'elle se voyait au milieu d'une compagnie si nombreuse; et, intérieurement effarouchée par les drapeaux, par les tambours, par les messieurs en habit noir et par la croix d'honneur du Conseiller, elle demeurait tout immobile, ne sachant s'il fallait s'avancer ou s'enfuir, ni pourquoi la foule la poussait et pourquoi les examinateurs lui souriaient. Ainsi se tenait, devant ces bourgeois épanouis, ce demi-siècle de servitude.

— Approchez, vénérable Catherine-Nicaise-Elisabeth Leroux! dit monsieur le Conseiller, qui avait pris des mains du président la liste des lauréats.

Et tour à tour examinant la feuille de papier, puis la vieille femme, il répétait d'un ton paternel:

— Approchez, approchez!

— Êtes-vous sourde? [28] dit Tuvache, en bondissant sur son fauteuil.

Et il se mit à lui crier dans l'oreille:

— Cinquante-quatre ans de service! Une médaille d'argent! Vingt-cinq francs! C'est pour vous.

Puis, quand elle eut sa médaille, elle la considéra. Alors un sourire de béatitude se répandit sur sa figure, et on l'entendit qui marmottait [29] en s'en allant:

— Je la donnerai au curé de chez nous, pour qu'il me dise des messes.

— Quel fanatisme! exclama le pharmacien, en se penchant vers le notaire.

La séance était finie; la foule se dispersa; et, maintenant que les discours étaient lus, chacun reprenait son rang et tout rentrait dans la coutume; [30] les maîtres rudoyaient les domestiques et ceux-ci frappaient les animaux, triomphateurs indolents qui s'en retournaient à l'étable, une couronne verte entre les cornes.

Cependant les gardes nationaux étaient montés au premier étage de la mairie, avec des brioches embrochées à [31] leurs baïonnettes, et le tambour du bataillon qui portait un panier de bouteilles. Madame Bovary prit le bras de Rodolphe; il la reconduisit chez elle; ils se séparèrent devant sa porte; puis il se promena seul dans la prairie, tout en attendant l'heure du banquet. [. . .]

Rodolphe, le dos appuyé contre le calicot de la tente, pensait si fort à Emma, qu'il n'entendait rien. Derrière lui, sur le gazon, des domestiques

[20] *de maintien craintif:* of timid bearing
[21] *se ratatiner:* shrivel up
[22] *galoches de bois:* wooden clogs
[23] *béguin sans bordure:* tight-fitting cap without edging
[24] *plissé de rides:* wrinkled
[25] *pomme de reinette flétrie:* dried up rennet-apple
[26] *à articulations noueuses:* with gnarled joints
[27] *monacale:* monastic
[28] *sourde:* deaf
[29] *marmottait:* mumbled
[30] *rentrait dans la coutume:* resumed its usual course
[31] *brioches embrochées à:* buns stuck on

empilaient des assiettes sales; ses voisins parlaient, il ne leur répondait pas; on lui emplissait son verre, et un silence s'établissait dans sa pensée, malgré les accroissements de la rumeur.[32] Il rêvait à ce qu'elle avait dit et à la forme de ses lèvres; sa figure, comme en un miroir magique, brillait sur la plaque des shakos;[33] les plis de sa robe descendaient le long des murs, et des journées d'amour se déroulaient à l'infini[34] dans les perspectives de l'avenir.

[32] *les accroissements de la rumeur:* the increasing uproar

[33] *plaque des shakos:* polished metal plates attached to the caps

[34] *se déroulaient à l'infini:* unfolded endlessly

GUY DE MAUPASSANT [1850–93]

Né en Normandie, Guy de Maupassant arriva à Paris vers 1871 pour devenir employé de ministère. Il s'intéressa bientôt aux lettres et, après avoir débuté comme poète, il comprit, avec le succès de *Boule de suif* (1880), que le conte convenait mieux à son génie. Maupassant ne connut le succès qu'après avoir énormément travaillé. Il écrivit plus de trois cents contes, six romans, et plusieurs pièces de théâtre. En pleine activité littéraire, il fut frappé d'une maladie mentale. Sa santé s'altéra rapidement, et il passa les dernières années de sa vie dans une maison de santé.

Disciple littéraire de Flaubert, Maupassant s'efforça autant et plus que son maître de «s'effacer complètement derrière ses personnages». Ses dons d'observation, la perfection et la lucidité de son style, firent de lui l'égal de son maître. Dans ses romans les plus réussis, *Une Vie, Bel Ami, Fort comme la mort,* Maupassant demeurait plutôt dans la tradition réaliste; il s'intéressait surtout aux souffrances des infortunés, victimes d'une société cruelle et corrompue.

Comme on le verra après une lecture attentive du conte suivant, Maupassant possédait, à un très haut degré, le don de créer un tableau complet, peuplé de personnages nettement développés, et dont l'atmosphère psychologique est extrêmement nuancée.

Par un soir de printemps

Jeanne allait épouser son cousin Jacques. Ils se connaissaient depuis l'enfance et l'amour ne prenait point entre eux les formes cérémonieuses qu'il garde généralement dans le monde. Ils avaient été élevés ensemble sans se douter[1] qu'ils s'aimaient. La jeune fille,

[1] *se douter:* realizing

un peu coquette, faisait bien quelques agaceries innocentes [2] au jeune homme; elle le trouvait gentil, en outre, et bon garçon, et chaque fois qu'elle le revoyait, elle l'embrassait de tout son cœur, mais sans frisson,[3] sans ce frisson qui semble plisser la chair,[4] du bout des mains au bout des pieds.

Lui, il pensait tout simplement: «Elle est mignonne,[5] ma petite cousine»; et il songeait à elle avec cette espèce d'attendrissement instinctif qu'un homme éprouve toujours pour une jolie fille. Ses réflexions n'allaient pas plus loin.

Puis voilà qu'un jour [6] Jeanne entendit par hasard sa mère dire à sa tante (à sa tante Alberte, car la tante Lison était restée vieille fille): «Je t'assure qu'ils s'aimeront tout de suite, ces enfants-là; ça se voit.[7] Quant à moi, Jacques est absolument le gendre que je rêve.[8]»

Et immédiatement Jeanne s'était mise à adorer son cousin Jacques. Alors elle avait rougi en le voyant, sa main avait tremblé dans la main du jeune homme; ses yeux se baissaient quand elle rencontrait son regard, et elle faisait des manières [9] pour se laisser embrasser par lui; si bien qu'il s'était aperçu de tout cela. Il avait compris, et dans un élan [10] où se trouvait autant de vanité satisfaite que d'affection véritable, il avait saisi à pleins bras sa cousine en lui soufflant

dans l'oreille: «Je t'aime, je t'aime!»

A partir de ce jour, ça n'avait été que roucoulements,[11] galanteries, etc., un déploiement [12] de toutes les façons amoureuses que leur intimité passée rendait sans gêne et sans embarras. Au salon, Jacques embrassait sa fiancée devant les trois vieilles femmes, les trois sœurs, sa mère, la mère de Jeanne, et sa tante Lison. Il se promenait avec elle, seuls tous deux, des jours entiers dans les bois, le long de la petite rivière, à travers les prairies humides où l'herbe était criblée de fleurs des champs.[13] Et ils attendaient le moment fixé pour leur union, sans impatience trop vive, mais enveloppés, roulés dans une tendresse délicieuse, savourant le charme exquis des insignifiantes caresses, des doigts pressés,[14] des regards passionnés, si longs que les âmes semblent se mêler; et vaguement tourmentés par le désir encore indécis des grandes étreintes,[15] sentant comme des inquiétudes [16] à leurs lèvres qui s'appelaient, semblaient se guetter,[17] s'attendre, se promettre.[18]

Quelquefois quand ils avaient passé tout le jour dans cette sorte de tiédeur [19] passionnée, dans ces platoniques tendresses, ils avaient, au soir, comme une courbature singulière,[20] et ils poussaient tous les deux de pro-

[2] *faisait . . . innocentes:* did, true, indulge in some artless (innocent) teasing

[3] *frisson:* quiver, thrill (of pleasure)

[4] *plisser la chair:* send a ripple through one's flesh

[5] *mignonne:* cute

[6] *puis voilà qu'un jour:* then one day

[7] *ça se voit:* you can see that

[8] *rêve:* dream (of having)

[9] *manières:* cérémonies un peu affectées

[10] *élan:* outburst

[11] *roucoulements:* cooings

[12] *déploiement:* display

[13] *criblée de fleurs des champs:* studded with wild flowers in rich abundance

[14] *doigts pressés:* squeezed fingers

[15] *étreintes:* embraces

[16] *sentant comme des inquiétudes:* feeling a kind of anxious yearning

[17] *se guetter:* waiting in sharp (or mutual) awareness

[18] *se promettre:* make promises to each other

[19] *tiédeur:* warmth

[20] *une courbature singulière:* an odd backache

fonds soupirs, sans savoir pourquoi, sans comprendre, des soupirs gonflés d'attente.[21]

Les deux mères et leur sœur, tante Lison, regardaient ce jeune amour avec un attendrissement souriant. Tante Lison surtout semblait tout émue à les voir.

C'était une petite femme qui parlait peu, s'effaçait[22] toujours, ne faisait point de bruit, apparaissait seulement aux heures des repas, remontait ensuite dans sa chambre où elle restait enfermée sans cesse. Elle avait un air bon et vieillot,[23] un œil doux et triste, et ne comptait presque pas dans la famille.

Les deux sœurs, qui étaient veuves, ayant tenu une place dans le monde,[24] la considéraient un peu comme un être insignifiant. On la traitait avec une familiarité sans gêne qui cachait une sorte de bonté un peu méprisante[25] pour la vieille fille. Elle s'appelait Lise, étant née aux jours où Béranger[26] régnait sur la France. Quand on avait vu qu'elle ne se mariait pas,[27] qu'elle ne se marierait sans doute point, de Lise on avait fait Lison. Aujourd'hui elle était «tante Lison», une humble vieille proprette,[28] affreusement timide même avec les siens,[29] qui l'aimaient d'une affection participant de[30] l'habitude, de la com-

passion et d'une indifférence bienveillante.

Les enfants ne montaient jamais l'embrasser[31] dans sa chambre. La bonne seule pénétrait chez elle. On l'envoyait chercher pour lui parler. C'est à peine si on savait où était située cette chambre, cette chambre où s'écoulait[32] solitairement toute cette pauvre vie. Elle ne tenait point de place. Quand elle n'était pas là, on ne parlait jamais d'elle, on ne songeait jamais à elle. C'était un de ces êtres effacés qui demeurent inconnus même à leurs proches, comme inexplorés, et dont la mort ne fait ni trou ni vide dans une maison, un de ces êtres qui ne savent entrer ni dans l'existence ni dans les habitudes, ni dans l'amour de ceux qui vivent à côté d'eux.

Elle marchait toujours à petits pas pressés et muets,[33] ne faisait jamais de bruit, ne heurtait[34] jamais rien, semblait communiquer aux objets la propriété de ne rendre[35] aucun son; ses mains paraissaient faites d'une espèce d'ouate,[36] tant elles maniaient légèrement et délicatement ce qu'elles touchaient.

Quand on prononçait: «tante Lison», ces deux mots n'éveillaient pour ainsi dire aucune pensée dans l'esprit de personne. C'est comme si on avait dit: «la cafetière»[37] ou «le sucrier».[37]

La chienne Loute possédait certainement une personnalité beaucoup plus marquée; on la câlinait[38] sans cesse, on l'appelait: «Ma chère Loute, ma belle Loute, ma petite Loute.»

[21] gonflés d'attente: bursting with expectation
[22] s'effaçait: kept in the background
[23] vieillot: old-fashioned
[24] monde: société
[25] une sorte . . . méprisante: a somewhat disdainful kindness
[26] Béranger: poète et chansonnier de la première moitié du dix-neuvième siècle dont la renommée à cette époque égala celle de Victor Hugo
[27] ne se mariait pas: n'allait pas se marier
[28] proprette: tidy
[29] les siens: les membres de sa famille
[30] participant de: tenant de la nature de

[31] l'embrasser: la saluer affectueusement
[32] s'écoulait: was slipping away
[33] muets: silencieux
[34] heurtait: knocked against
[35] rendre: convey, give off
[36] espèce d'ouate: kind of cotton-wool
[37] cafetière: coffee pot; sucrier: sugar bowl
[38] câlinait: petted

On la pleurerait[39] infiniment plus. Le mariage des deux cousins devait avoir lieu à la fin du mois de mai. Les jeunes gens vivaient les yeux dans les yeux, les mains dans les mains, la pensée dans la pensée, le cœur dans le cœur. Le printemps tardif cette année, hésitant, grelottant[40] jusque-là sous les gelées claires[41] des nuits et la fraîcheur brumeuse[42] des matinées, venait de jaillir[43] tout à coup.

Quelques jours chauds, un peu voilés,[44] avaient remué toute la sève[45] de la terre, ouvrant les feuilles comme par miracle, et répandant partout cette bonne odeur amollissante des bourgeons[46] et des premières fleurs.

Puis, un après-midi, le soleil victorieux, séchant enfin les buées[47] flottantes, s'était étalé,[48] rayonnant sur toute la plaine. Sa gaîté claire avait empli la campagne, avait pénétré partout, dans les plantes, les bêtes et les hommes. Les oiseaux amoureux volaient, battaient des ailes, s'appelaient. Jeanne et Jacques, oppressés d'un bonheur délicieux, mais plus timides que de coutume, inquiets de ces tressaillements nouveaux[49] qui entraient en eux avec la fermentation des bois, étaient restés tout le jour côte à côte sur un banc devant la porte du château, n'osant plus s'éloigner seuls,[50] et regardant d'un œil vague, là-bas, sur la

pièce d'eau,[51] les grands cygnes[52] qui se poursuivaient.

Puis, le soir venu, ils s'étaient sentis apaisés, plus tranquilles, et, après le dîner, s'étaient accoudés,[53] en causant doucement, à la fenêtre ouverte du salon, tandis que leurs mères jouaient au piquet[54] dans la clarté ronde que formait l'abat-jour de la lampe,[55] et que tante Lison tricotait des bas pour les pauvres du pays.

Une haute futaie[56] s'étendait au loin, derrière l'étang,[57] et, dans le feuillage encore menu[58] des grands arbres, la lune tout à coup s'était montrée. Elle avait peu à peu monté à travers les branches qui se dessinaient sur son orbe,[59] et, gravissant[60] le ciel, au milieu des étoiles qu'elle effaçait, elle s'était mise à verser sur le monde cette lueur mélancolique où flottent des blancheurs et des rêves, si chère aux attendris,[61] aux poètes, aux amoureux.

Les jeunes gens l'avaient regardée d'abord, puis, tout imprégnés par la douceur tendre de la nuit, par cet éclairement vaporeux des gazons[62] et des massifs, ils étaient sortis à pas lents et ils se promenaient sur la grande pelouse[63] blanche jusqu'à la pièce d'eau qui brillait.

Lorsqu'elles eurent terminé les

[39] *on la pleurerait:* they would mourn her
[40] *grelottant:* shivering
[41] *gelées claires:* white frosts
[42] *fraîcheur brumeuse:* foggy chill
[43] *jaillir:* burst forth
[44] *voilés:* hazy
[45] *remué toute la sève:* stirred up all the sap
[46] *bourgeons:* buds
[47] *buées:* mists
[48] *s'était étalé:* s'était montré complètement
[49] *tressaillements nouveaux:* new and different stirrings
[50] *s'éloigner seuls:* go off alone together

[51] *pièce d'eau:* pond
[52] *cygnes:* swans
[53] *accoudés:* leaned on their elbows
[54] *piquet:* a game for two persons, played with 32 cards
[55] *que formait l'abat-jour de la lampe:* made by the lamp shade
[56] *haute futaie:* full-grown forest
[57] *l'étang:* the pond
[58] *menu:* de peu de volume
[59] *qui se dessinaient sur son orbe:* which were outlined against its round face
[60] *gravissant:* ascending (in)
[61] *attendris:* tenderhearted
[62] *gazons:* lawns
[63] *pelouse:* grassplot

quatre parties de piquet de tous les soirs, les deux mères s'endormant peu à peu eurent envie de se coucher.

— Il faut appeler les enfants, dit l'une.

L'autre, d'un coup d'œil, [64] parcourut l'horizon pâle où deux ombres erraient doucement:

— Laisse-les donc, reprit-elle, il fait si bon dehors! Lison va les attendre; n'est-ce pas, Lison? . . .

La vieille fille releva ses yeux inquiets, et répondit de sa voix timide:

— Certainement, je les attendrai.

Et les deux sœurs gagnèrent leur lit.

Alors tante Lison à son tour se leva, et, laissant sur le bras du fauteuil l'ouvrage commencé, sa laine et la grande aiguille,[65] elle vint s'accouder à la fenêtre et contempla [66] la nuit charmante.

Les deux amoureux allaient sans fin, à travers le gazon, de l'étang jusqu'au perron,[67] du perron jusqu'à l'étang. Ils se serraient les doigts et ne parlaient plus, comme sortis d'eux-mêmes,[68] mêlés à la poésie visible qui s'exhalait de la terre. Jeanne tout à coup aperçut dans le cadre de la fenêtre[69] la silhouette de la vieille fille que dessinait [70] la clarté de la lampe.

— Tiens, [71] dit-elle, tante Lison qui nous regarde.

Jacques leva la tête.

— Oui, reprit-il, tante Lison nous regarde.

Et ils continuèrent à rêver, à marcher lentement, à s'aimer.[72]

Mais la rosée [73] couvrait l'herbe. Ils eurent un petit frisson de fraîcheur.

— Rentrons maintenant, dit-elle.

Et ils revinrent.

Lorsqu'ils pénétrèrent dans le salon, tante Lison s'était remise à tricoter; [74] elle avait le front penché sur son travail, et ses petits doigts maigres tremblaient un peu comme s'ils eussent été [75] très fatigués.

Jeanne s'approcha:

— Tante, nous allons dormir, maintenant.

La vieille fille tourna les yeux. Ils étaient rouges comme si elle eût pleuré. Jacques et sa fiancée n'y prirent point garde.[76] Mais le jeune homme aperçut les fins souliers de la jeune fille tout couverts d'eau. Il fut saisi d'inquiétude et demanda tendrement:

— N'as-tu point froid à tes chers petits pieds?

Et tout à coup les doigts de la tante furent secoués d'un tremblement si fort que son ouvrage s'en échappa; [77] la pelote de laine [78] roula au loin sur le parquet, et cachant brusquement sa figure dans ses mains, la vieille fille se mit à pleurer par grands sanglots convulsifs.[79]

Les deux enfants s'élancèrent vers elle; Jeanne, à genoux, écarta ses bras,[80] bouleversée, répétant:

— Qu'as-tu,[81] tante Lison? Qu'as-tu, tante Lison? . . .

[72] *à s'aimer:* to be very much in love
[73] *rosée:* dew
[74] *tricoter:* knit
[75] *eussent été:* avaient été
[76] *n'y prirent point garde:* n'y firent point attention
[77] *s'en échappa:* fell out of them
[78] *pelote de laine:* ball of wool
[79] *par grands sanglots convulsifs:* in deep convulsive sobs
[80] *écarta ses bras:* pushed her arms apart
[81] *Qu'as-tu?:* what's the matter?

[64] *d'un coup d'œil:* at a glance
[65] *aiguille:* needle
[66] *contempla:* considéra
[67] *perron:* flight of stone steps
[68] *comme sortis d'eux-mêmes:* as though transported
[69] *cadre de la fenêtre:* the open window
[70] *que dessinait:* outlined by
[71] *tiens:* look

Alors la pauvre vieille, balbutiant,[82] avec la voix toute mouillée[83] de larmes et le corps crispé de chagrin,[84] répondit:

— C'est . . . c'est . . . quand il t'a demandé: «N'as-tu point froid . . . à . . . tes chers petits pieds? . . .» On ne m'a jamais . . . jamais dit de ces choses-là,[85] à moi! . . . jamais! . . . jamais! . . . jamais!

[82] *balbutiant:* stammering
[83] *mouillée:* dampened
[84] *crispé de chagrin:* contracted with suffering

[85] *de ces choses-là:* things like that

Le Vingtième Siècle

‎a littérature française du vingtième siècle se réduit difficilement en catégories. ‎es «écoles» littéraires — si utiles pour le classement des lignes maîtresses — ne ‎donnent pas une idée complète de cette époque si riche. On trouve, pourtant, ‎les mouvements importants: l'*unanimisme,* le *dadaïsme,* le *surréalisme,* et l'*exis-* ‎*entialisme,* par exemple.

L'*unanimisme,* mouvement optimiste représenté par Georges Duhamel et ‎Jules Romains, puisa son inspiration non pas dans l'individu, mais dans les ‎rapports de l'individu au groupe, et des groupes entre eux. De son côté, le ‎*dadaïsme* chercha à libérer l'expression de tout contenu intellectuel. Cette ‎réaction contre la littérature conventionelle trouva une formule typique dans ‎cette devise: «Connais pas». Quant aux *surréalistes,* ils désirèrent aussi se libérer ‎de toute contrainte. Convaincus de l'incohérence de la vie mentale, ils cher-‎chèrent dans les sources vives de l'inconscient une réalité plus profonde, ou ‎«sur-réelle», de l'homme. De l'*existentialisme* [1] disons seulement qu'il se préoc-‎cupe surtout de l'absurdité tragique de la condition humaine.

Au vingtième siècle, l'influence des événements historiques semble plus ‎marquée que pendant les époques précédentes. Nous pouvons diviser les œuvres ‎littéraires en quatre grandes périodes qui, évidemment, se chevauchent. Cette ‎classification, un peu arbitraire, sera utile pour donner un aperçu général sur ‎les grands courants littéraires de la première moitié du siècle.

La première période, qui s'étend jusqu'à la fin de la Première Guerre mon-‎diale, continue, en général, les tendances littéraires du siècle passé. [2] Mais ‎pendant la période dite «d'entre-deux-guerres», c'est-à-dire de 1919 à 1939, les ‎écrivains [3] subirent maintes secousses morales et politiques: la victoire de 1918, ‎les développements techniques, [4] l'influence des théories de Freud [5] et d'Ein-

---

[1] Expliqué dans notre introduction à l'extrait des *Jeux sont faits,* de Jean-Paul Sartre.

[2] *du siècle passé:* Une liste complète des auteurs de cette époque serait beaucoup trop longue; mentionnons simplement André Gide et Francis Jammes, analysés plus loin, et Edmond Rostand, Paul Valéry et Charles Péguy.

[3] *écrivains:* Nous donnons des extraits de Paul Claudel, de Jean Giraudoux et d'Antoine de Saint-Exupéry. D'autres grands écrivains de cette époque sont Marcel Proust, Roger Martin du Gard, François Mauriac, Georges Bernanos, Jean Cocteau et André Malraux.

[4] *développements techniques:* L'aviation, la science et le cinéma influencèrent profondé-ment la prose et le théâtre.

[5] *Freud, Sigmund* (1856–1939): psychiatre autrichien dont les systèmes de psychanalyse eurent un énorme retentissement dans la littérature du monde entier

stein,[6] la lecture plus répandue des littératures étrangères,[7] la crise financière.
Il faudrait mentionner aussi les conflits militaires en Extrême-Orient, en Espagne, en Éthiopie, les remous politiques en Italie, en Allemagne, et en Russie
et la course aux armements qui devaient aboutir à la Deuxième Guerre
mondiale. Si bien que la génération de l'entre-deux-guerres comprit vite que
la paix totale était illusoire, se posa encore une fois de graves questions sur
la nature de l'homme, et rechercha de nouvelles valeurs sociales et idéologi-
ques.

Remarquons deux traits contradictoires pendant cette deuxième période:
d'une part, la naissance d'une littérature «engagée»; et d'autre part, le développement rapide d'une littérature d'«évasion». La littérature engagée est
une arme utilisée par ses auteurs au service d'une cause,[8] ou d'un dogme même
s'ils le jugent digne de leur appui moral. Quant à la littérature d'évasion, elle
recherche dans l'inconscient ou dans la fantaisie un antidote à l'inquiétude
grandissante. Ces deux attitudes, si dissemblables à première vue, indiquent
cependant que les écrivains sont parfaitement conscients de leur rôle: d'exposer
et de réaffirmer la réalité de l'homme. Le plus souvent ces auteurs emploient
comme point de départ leurs expériences personnelles, qu'ils incorporent et
qu'ils assimilent à leur œuvre. En s'opposant à l'acceptation passive des conventions — attitude typique du début du siècle — ils montrent un non-conformisme
social prononcé; par là même ils créent une nouvelle image de l'homme.[9] La
nécessité de réaliser une existence consciente tend à devenir un impératif intellectuel et moral. Le modèle extérieur, offert autrefois par la réalité, n'existe
plus. L'écrivain, en se rapprochant de plus en plus du philosophe, du psychologue et du prosélyte, et en s'éloignant de l'actualité, essaie d'atteindre une
vérité universelle.

Vinrent les années de la Deuxième Guerre mondiale — la défaite et l'Occupation. La France fut jetée dans un désarroi moral indicible; l'accablement de la
défaite sembla tout engloutir. Mais le premier choc passé, la création littéraire
devint tout naturellement écho de l'actualité. Avec la Résistance s'établit une
importante littérature clandestine — c'est la troisième période littéraire du vingtième siècle — car la presse résistante ne se limita pas à l'information politique.

---

[6] *Einstein, Albert* (1879–1957): physicien d'origine allemande, créateur de la théorie de
la relativité qui influença profondément les progrès de la science moderne
[7] *littérature étrangère:* La lecture d'écrivains anglais, américains, russes et nordiques, et
de philosophes allemands et danois laissa sa marque sur maints auteurs français.
[8] *cause:* Les plus grandes causes plaidées furent l'approfondissement de la vie intérieure,
l'action, le mysticisme catholique et le communisme.
[9] *nouvelle image de l'homme:* André Gide, mentionné dans la note 2, appartient aussi à
ce groupe-ci. Plus jeunes que les autres écrivains du groupe, Jean-Paul Sartre, Jean Anouilh
et Albert Camus doivent également figurer sur cette liste.

Dans ces écrits, par un nombre impressionnant d'auteurs de grande renommée,[10] figurent des essais, des nouvelles, de la critique et — plus important encore — de la poésie. Il est tout naturel que les œuvres de cette triste époque reflètent les circonstances historiques, qu'elles tendent à glorifier l'amour de la patrie, qu'elles exaltent la solidarité des hommes qui refusent d'accepter la tyrannie, et qu'elles essayent de donner un sens à la lutte et du courage aux combattants. Bref, la production clandestine des années 1940–45, d'une expression simple et directe, eut un but essentiellement moral.

La quatrième période, celle de l'après-guerre, ne se laisse pas définir à l'heure où nous sommes. Pourtant deux tendances se distinguent déjà. D'abord, une littérature abondante de romans, de pièces faciles ou de chroniques personnelles qui ne fait que continuer l'œuvre des premières années du siècle. Mais à côté de celle-ci, il existe une littérature dissemblable qui, encore toute bouleversée par la guerre, a beaucoup plus de chances de survivre. Ces écrivains, libérés de la tradition et même des méthodes traditionnelles, cherchent à connaître une vie qu'ils trouvent, trop souvent, absurde, cruelle et inhumaine. Ils tâchent de construire une éthique nouvelle, recherche anxieuse de leur salut personnel, de leur place dans le monde, d'un sens à leur vie. Souvent expérimentale dans sa forme et son style, cette littérature s'abstient d'expliquer la réalité.[11] Quelle sera son évolution L'avenir seul nous le dira.

[10] *auteurs d'une grande renommée:* Nous citons plus loin des poèmes clandestins de Louis Aragon et de Paul Éluard. N'oublions pourtant pas que des écrivains comme Sartre, Saint-Exupéry, Camus, Mauriac, Supervielle et Vercors écrivirent aussi pour la Résistance.
[11] *cette littérature . . . d'expliquer la réalité:* Des auteurs cités dans ce volume, Anouilh et Sartre n'ont pas encore tout dit et peuvent bien évoluer dans des directions inattendues et diverses. L'œuvre de Camus, si prématurément interrompue par sa mort dans un accident d'automobile, aurait pu évoluer dans maintes directions opposées.

PAUL CLAUDEL [1868–1955]

Paul Claudel [1] fit ses études de lycée à Paris, où il se prépara aussi pour sa longue et brillante carrière diplomatique.[2] Il ne prit sa retraite d'ambassadeur qu'en 1947. Ce diplomate créa une œuvre remarquable par son étendue [3] comme par son inspiration. Qu'il écrive des pièces, des critiques ou des nou-

[1] Il naquit à Villeneuve-sur-Fère, village près de Reims.
[2] Claudel fut consul aux États-Unis, en Allemagne et en Chine; ministre plénipotentiaire au Danemark et au Brésil; ambassadeur au Japon, aux États-Unis et en Belgique.
[3] Il est presque impossible de choisir, parmi la centaine de volumes, ceux qui dominent cet édifice poétique. Mentionnons simplement quelques drames: *L'Arbre* (1901), *Partage de Midi* (1906), *L'Annonce faite à Marie* (1912), et *Le Soulier de satin* (1925); un recueil lyrique, *Cinq Grandes Odes* (1910); *Le Livre de Christophe Colomb* (1930), pièce avec musique de Darius Milhaud, et *Jeanne d'Arc au bûcher* (1939), oratoire avec musique d'Arthur Honegger.

velles, Claudel est toujours poète. Il a voulu que son œuvre soit un immense chant vers le Seigneur, un don de l'homme à Dieu.

Il fut poussé à épouser la cause catholique par son propre tempérament, par un lien étroit avec l'école symboliste (qui avait le sens de la réalité du surnaturel), et par une expérience religieuse subie pendant une messe à Notre-Dame de Paris en 1886. Dès lors il adopta sans réserve la conception catholique du monde. Son œuvre tout entière est l'hymne de la confiance de l'homme en Dieu, et du conflit tragique entre la volonté et l'orgueil humains d'une part, et les exigences de «la foi de l'autre». Chez lui on ne peut séparer religion et poésie: l'homme est placé entre le monde et Dieu, entre le naturel et le surnaturel, pour devenir le témoin de l'un devant l'autre.

La foi catholique et la Bible reparaissent constamment dans l'œuvre poétique [4] de Claudel; la profondeur de la pensée, l'audace des images, rendent souvent sa poésie difficile et obscure.[5] Il montre son génie surtout dans ses pièces: [6] dans chacune la foi catholique et le sacrifice de soi sont exaltés avec lyrisme. C'est un poète mystique pour qui le catholicisme vit, souffre et triomphe. Les croyants trouvent dans cette vaste œuvre une célébration de la foi; les autres y admirent l'imagination et l'idéologie personnelles d'un don prodigieux des métaphores et d'une beauté puissante.

Dans Le Livre de Christophe Colomb, Claudel fit d'une aventure historique, dont il sut garder les faits essentiels, une expérience mystique vouée à la plus grande gloire de Dieu. La traversée de l'Atlantique symbolise la diffusion du catholicisme dans le monde entier, le don complet de soi, la mort et la réunion avec Dieu. L'extrait qui suit se compose de deux parties: le commencement de la pièce et la scène de la révolte des marins.

[4] La poésie de Claudel est presque entièrement écrite en ce que l'on appelle «le verset claudélien», vers de longueur variée, souvent sans rime.

[5] On dirait que la pensée est parfois présentée avant d'avoir suffisamment mûri. Ceci expliquerait aussi les multiples versions de certaines pièces où la dernière version est de beaucoup la plus claire et la plus allégée.

[6] La forme de ses pièces est infiniment variée, Claudel ayant complètement rompu avec les traditions du théâtre français. Ses œuvres ne furent présentées que très rarement avant 1943 à cause des problèmes immenses de la mise en scène.

Le Livre de Christophe Colomb

PREMIÈRE PARTIE

1. — PROCESSIONNAL

Entre une procession précédée par des hallebardiers.[1] Des mousquetaires et deux 5

[1] *hallebardiers:* halberdiers

officiers portant les étendards d'Aragon [2] et de Castille.[3] Puis le Livre *de Chris-*

[2] *Aragon:* royaume du nord-est de l'Espagne, réuni à la Castille par le mariage de son roi Ferdinand II avec Isabelle Ière

[3] *Castille:* royaume d'Espagne dont Isabelle Ière fut la reine (voir ci-dessus)

tophe Colomb *qu'un jeune assistant porte sur sa poitrine. Puis l'Explicateur marchant tout seul avec pompe. Ensuite le Chœur,[4] d'abord marchant en rangs, puis avec pas mal de [5] turbulence et de désordre, portant des livres, des pupitres, des bouquets de fleurs, des bouteilles de vin, des paniers remplis de partitions,[6] croquant des pommes et se donnant des bourrades.[7] Il s'installe à la place qui lui est réservée et où se trouvent déjà quelques musiciens.[8] On voit les deux longues mains fines d'une femme qui débarrasse la harpe de sa housse noire et un contrebassiste qui panse [9] sa contrebasse. On installe solennellement le Livre sur le pupitre. Les deux porte-étendards s'installent de chaque côté de la scène. L'Officier qui commande le détachement crie: Silence! et l'Explicateur ouvre le Livre.*

Sonnerie de trompettes.

L'EXPLICATEUR

Le Livre de la Vie et des voyages de Christophe Colomb qui a découvert l'Amérique!

Au nom du Père et du Fils et du Saint-Esprit.

LE CHŒUR, *d'une voix tonnante*

Ainsi soit-il! [10]

2. — PRIÈRE

L'EXPLICATEUR

Je prie le Dieu Tout-Puissant afin qu'il me donne lumière et compétence

[4] *Chœur:* L'importance donnée au *Chœur* dans cette pièce fait penser aux chœurs dans les tragédies grecques.
[5] *pas mal de:* assez de
[6] *partitions:* musical scores
[7] *bourrades:* coups brusques
[8] *musiciens:* Dans toute la pièce la musique, composée par Darius Milhaud, souligne l'action et la pensée. Bien souvent le Chœur chante au lieu de parler.
[9] *panse:* rubs down, i.e. polishes
[10] *Ainsi soit-il!:* Amen!

pour vous ouvrir et expliquer le Livre de la Vie et des voyages de Christophe Colomb qui a découvert l'Amérique, et ce qui est *ultra*.[11] Car c'est lui qui a réuni la Terre Catholique et en a fait un seul globe au-dessous de la Croix. Je dis la vie de cet homme prédestiné dont le nom signifie Colombe et Porte-Christ, telle que cela s'est passé non pas seulement dans le temps, mais dans l'Éternité. Car ce n'est pas lui seulement, ce sont tous les hommes, qui ont la vocation de l'Autre Monde [12] et de cette rive ultérieure que plaise à la Grâce Divine de nous faire atteindre.

LE CHŒUR, *de même*

Ainsi soit-il!

3. — ET LA TERRE ÉTAIT INFORME ET NUE

Sur l'écran [13] au fond de la scène, au milieu des ténèbres et de la confusion, on voit tourner un énorme globe au-dessus duquel se précise peu à peu et rayonne une Colombe lumineuse.

LE CHŒUR

Et la terre était informe et nue et les ténèbres couvraient la face de l'Abîme et l'Esprit de Dieu était porté sur les eaux.

UNE VOIX SEULE, *aiguë*

L'Esprit de Dieu descendit sur les Eaux sous la forme d'une colombe.

[11] *ultra:* mot latin qui signifie au-delà, plus loin
[12] *l'Autre Monde:* a le double sens du Nouveau Monde (l'Amérique) et de «cette rive ultérieure», i.e. la demeure céleste de l'âme, réunie à Dieu
[13] *l'écran:* Dans la mise en scène de Jean-Louis Barrault, la pièce se déroule sur trois plans différents: l'avant-scène avec le chœur et les musiciens, la scène même, et l'écran avec des projections cinématographiques.

LE CHŒUR, *encore plus sombre et plus bas*

Et la terre était informe et nue.
L'Esprit de Dieu. L'Esprit de Dieu. 5
Et la terre était informe et nue.

4. — CHRISTOPHE COLOMB
A L'AUBERGE

L'EXPLICATEUR

Une pauvre auberge à Valladolid.[14]
Et en effet on voit sur la scène une pauvre auberge à Valladolid.
Christophe Colomb! 15

Entre CHRISTOPHE COLOMB

Il est vieux. Il est pauvre. Il est malade. Il va mourir bientôt. L'homme qui est avec lui et qui discute est 20 l'aubergiste. Le vieillard a le licou[15] de sa mule autour du bras. C'est son seul bien, il a peur qu'on la lui vole. La mule de Christophe Colomb!

Entre LA MULE DE CHRISTOPHE COLOMB 25

Il déballe son pauvre bagage et pendant ce temps on met la Mule dans la chambre à côté. Qu'est-ce qu'il y a dans le coffre? Des livres, des papiers, 30 un portrait de femme. Il y a encore quelque chose qu'il cherche tout au fond.
Des chaînes![16]
CHRISTOPHE COLOMB *suspend les chaî-* 35 *nes au mur et se met en prières.*

5. — CHRISTOPHE COLOMB
ET LA POSTÉRITÉ

L'EXPLICATEUR 40

Christophe Colomb! Christophe Colomb!

[14] *Valladolid:* ville du nord de l'Espagne où mourut Christophe Colomb en 1506 45
[15] *licou:* halter
[16] *des chaînes:* symboles de l'ingratitude dont a souffert Christophe Colomb

Viens avec nous! Viens avec nous, Christophe Colomb!

CHRISTOPHE COLOMB

Qui êtes-vous qui m'appelez?

LE CHŒUR

Christophe Colomb! Christophe Colomb! Viens avec nous! Viens avec 10 nous, Christophe Colomb!

CHRISTOPHE COLOMB

Qui êtes-vous qui m'appelez?

LE CHŒUR

Nous sommes la postérité! Nous sommes le jugement des hommes! Viens voir ce que tu as fait sans le savoir! Viens voir ce que tu as découvert sans le savoir! Quitte ce lieu sordide! Prends ta place! Prends ton trône! ici nous te comprenons! ici l'on ne te fera plus de mal! il n'y a qu'un seul pas à faire pour être avec nous! simplement cette étroite limite qui s'appelle la mort!

CHRISTOPHE COLOMB

Que dites-vous, ce que j'ai découvert sans le savoir? Ah! ce que je savais était infiniment plus que ce que j'ai découvert! Et ce qui était réel dans l'Éternité est infiniment plus réel que ce qui est réel sur la carte.

LE CHŒUR

Passe la limite! Passe la limite avec nous!

CHRISTOPHE COLOMB, *passant la limite et occupant la place qui lui a été préparée*

J'ai passé la limite.
[. . .]

LE CHŒUR, *sourd et à voix basse*

Prends ton siège avec nous, porteur de Christ! Laisse là ta paille, laisse tes chaînes, laisse ta mule! Viens avec nous et regarde! Regarde ta propre vie, regarde ta propre histoire!

A partir de ce moment, le Christophe Colomb sur le proscenium [17] sera désigné sous le nom de Christophe Colomb II, le Christophe Colomb sur la scène étant désigné sous le nom de Christophe Colomb I.

[*Dans les scènes qui suivent, on voit la cour d'Espagne où règnent l'Envie, l'Ignorance, la Vanité et l'Avarice. Grâce au soutien d'Isabelle Ière, dite la Catholique, Christophe Colomb est nommé amiral, les marins sont recrutés et l'expédition vers l'ouest appareillée.*]

18. — CHRISTOPHE COLOMB
ET LES MARINS

L'EXPLICATEUR

Ici commence la grande scène, la fameuse scène de la révolte des marins.

Pendant toute la scène, sous-jacent [18] ou tumultueux, on entend au Chœur un murmure et une mêlée continuelle de voix, de paroles et surtout de sentiments, répondant aux idées suivantes, qu'elles soient proférées ou non:

La mer! la mer! la mer! Toujours, toujours vers l'Ouest! toujours ce souffle vers l'Ouest! Nous mourrons tous! nous ne reviendrons jamais! Christophe Colomb! Christophe Colomb! que nous veux-tu? pourquoi nous as-tu emmenés avec toi? pour-

quoi veux-tu nous faire mourir? Nous en avons assez! Nous voulons revenir! Il faut l'obliger à revenir! Il est fou! [19] Au fou! au fou! il faut l'obliger à revenir! C'est un traître! c'est un fou! c'est un assassin! Toujours la mer! Toujours rien! il n'y a plus rien! il n'y a plus rien! nous sommes perdus au milieu de Rien!

CHRISTOPHE COLOMB *en grand costume d'amiral au milieu de ses officiers reçoit les délégués de l'équipage*

CHRISTOPHE COLOMB I

Que voulez-vous, messieurs?

LE DÉLÉGUÉ

La farine est presque épuisée.

CHRISTOPHE COLOMB I

Vous mangerez du bœuf salé.

LE DÉLÉGUÉ

Le bœuf salé est pourri.

CHRISTOPHE COLOMB I

Eh bien, pour vous consoler, buvez un bon coup de vin [20] à la santé du Roi d'Espagne.

LE DÉLÉGUÉ

Il n'y a plus de vin.

CHRISTOPHE COLOMB I

En ce cas, buvez de l'eau.

LE DÉLÉGUÉ

Il n'y a plus d'eau.

CHRISTOPHE COLOMB I

Bravo! Comme il n'y a plus d'eau tant mieux qu'il n'y ait pas non plus de bœuf salé. Je ne sais pas si vous

---

[17] *proscenium:* avant-scène
[18] *sous-jacent:* underlying

[19] *fou:* Christophe Colomb passe pour fou parce qu'il est visionnaire et donc incompris.
[20] *un bon coup de vin:* a good swig of wine

l'avez remarqué, mais il n'y a rien qui fait peler la langue [21] comme cette carne [22] du Guadalquivir.[23]

LE DÉLÉGUÉ

Les équipages disent qu'ils ne veulent plus marcher.[24]

(*Le Chœur*)

CHRISTOPHE COLOMB I

Ce n'est pas les équipages qui marchent, c'est le vent qui les fait marcher.

LE DÉLÉGUÉ

C'est précisément le vent qui leur fait peur.

CHRISTOPHE COLOMB I

Pourquoi? depuis que nous sommes partis le vent souffle dans la bonne direction, une jolie brise sans interruption vers l'Ouest.

(*Le Chœur*)

LE DÉLÉGUÉ

C'est précisément ce vent-là qui leur fait peur.

CHRISTOPHE COLOMB I

Christophe, mon saint patron! voilà des gens difficiles à contenter!

LE DÉLÉGUÉ

Ils veulent revenir chez eux.

CHRISTOPHE COLOMB I

C'est grave! c'est grave! et dites-moi, mon ami, que feriez-vous à ma place?

LE DÉLÉGUÉ

Je réunirais le conseil des Anciens.

CHRISTOPHE COLOMB I

C'est cela, quand on ne sait plus quoi faire, il faut toujours tenir conseil. Et tu dis qu'il n'y a plus d'eau?

LE DÉLÉGUÉ

Il n'y a presque plus d'eau.

CHRISTOPHE COLOMB I

Il n'y a plus de vin ni de biscuit ni de bœuf salé?

LE DÉLÉGUÉ

Presque plus de tout cela.

CHRISTOPHE COLOMB I

Et il n'y a plus de sang non plus dans les veines des marins de Palos? [25]

LE DÉLÉGUÉ

Non, il n'y a plus de sang, ils ont peur, il n'y a pas de courage contre Dieu.

CHRISTOPHE COLOMB I

Quand ils disent qu'il n'y a plus de sang, ils se trompent.

LE DÉLÉGUÉ

Il n'y a plus que la mer partout!

CHRISTOPHE COLOMB I

Il y a du sang! Il y a le sang de vos signatures sur le papier que vous avez signé! [26] quand je pourrai vous remettre ce sang dans les veines, alors je pourrai vous rendre votre parole.[27]

LE DÉLÉGUÉ

Nous prions humblement Votre

---

[21] *fait peler la langue:* peels the tongue, i.e. donne soif
[22] *carne:* mauvaise viande
[23] *Guadalquivir:* fleuve principal de l'Espagne méridionale qui se jette dans l'Atlantique

[24] *marcher:* ici, *continuer*
[25] *Palos:* port au sud-ouest de l'Espagne d'où Christophe Colomb s'était embarqué
[26] *signé:* Au recrutement, les marins ont signé d'une croix faite de leur sang.
[27] *parole:* promesse

Seigneurie [28] de nous rendre notre parole.

CHRISTOPHE COLOMB I

Expliquez-moi ce qui vous fait peur.

LE DÉLÉGUÉ

Rien.

CHRISTOPHE COLOMB I

C'est Rien qui vous fait peur?

LE DÉLÉGUÉ

Nous avons passé la limite après laquelle il n'y a plus de limite. Il n'y a plus de terre, il n'y a plus de mer, il n'y a plus rien.

CHRISTOPHE COLOMB I

Il n'y a plus rien! C'est justement cela qui est bon! Et voilà ce qu'on appelle des matelots! Est-ce que la vie du matelot n'est pas éternellement non pas d'arriver, mais de partir? Ah, j'en demande pardon à Dieu, mais si ce n'était Sa Volonté, si ce n'était la mission qu'il m'a donnée, oui, ce serait presque avec regret que je verrai tout à l'heure paraître la terre à la proue! Je vous déclare que si cela dépendait de moi je voudrais être tellement parti que le retour serait impossible! [29] Ah, je n'en aurai jamais assez de ces étendues immenses et désertes! Ah, quand m'embarquerai-je enfin pour de bon? [29] Oui, je vous déclare que si cela ne dépendait que de moi vous ne verriez jamais paraître la terre à la proue.

LE DÉLÉGUÉ

Il faut réunir les commandants et les anciens.

CHRISTOPHE COLOMB I

Et que disent les commandants et les anciens?

LE DÉLÉGUÉ

Ils disent qu'il ne faut pas tenter Dieu. Ils disent qu'il faut revenir.

CHRISTOPHE COLOMB I

Que dit Martin Alonso? [30]

LE DÉLÉGUÉ

Il dit qu'il faut revenir.

CHRISTOPHE COLOMB I

Et Martin Alonso, n'est-ce pas, est un matelot fini? [31]

LE DÉLÉGUÉ

Martin Alonso est un vrai Espagnol.

CHRISTOPHE COLOMB I

Non seulement c'est un vrai Espagnol, c'est un matelot fini qui a passé toute sa vie à naviguer. Pas un amateur, pas un aventurier, non pas un de ces navigateurs de papier qui ne savent même pas lire une carte et relever [32] l'ascension d'une étoile.

LE DÉLÉGUÉ

Nous avons confiance en lui.

CHRISTOPHE COLOMB I

Et qu'est-ce que Christophe Colomb après tout? Un fou, un rêveur, un sans-patrie, un illuminé, un tailleur, un ignorant, un cardeur [33] de matelas! Voilà dans quelles mains vous vous trouvez.

[28] *Seigneurie:* Lordship
[29] *impossible . . . bon:* allusions à sa mort et à sa réunion à Dieu
[30] *Martin Alonso Pinzon:* le capitaine d'un des navires
[31] *un matelot fini:* un excellent matelot, plein d'expérience
[32] *relever:* déterminer
[33] *cardeur:* carder, teaseler

LE DÉLÉGUÉ

Nous avons confiance dans Martin Alonso Pinzon.

CHRISTOPHE COLOMB I

Vous avez peur, mais si vous saviez ce que je sais, vous auriez plus peur encore.

LE DÉLÉGUÉ

Madone! Qu'y a-t-il de plus?

CHRISTOPHE COLOMB I

Depuis hier, la boussole s'est affolée,[34] elle tourne comme un toton,[35] il n'y a plus de Nord pour elle.

LE DÉLÉGUÉ

C'est ce que je disais, il n'y a plus rien! Notre-Dame de Palos, ayez pitié de nous!

CHRISTOPHE COLOMB I

Alors, j'ai jeté à la mer cette petite boîte ridicule.

LE DÉLÉGUÉ

Vous avez jeté la boussole à la mer?

CHRISTOPHE COLOMB I

Il me reste le soleil.

LE DÉLÉGUÉ

Amiral, nous vous prions tous de retourner les bateaux et de revenir.

CHRISTOPHE COLOMB I

Nous vous prions! Mais n'as-tu pas dit que vous tous, les commandants, les anciens et les équipages, vous étiez d'un seul et même avis et qu'il faut revenir?

[34] *la boussole s'est affolée:* the compass (needle) has been spinning
[35] *toton:* teetotum, spinning top

LE DÉLÉGUÉ

Il faut revenir! Il faut revenir! Il faut revenir!

(*Le Chœur*)

CHRISTOPHE COLOMB I

Mais qui vous empêche de revenir? Il n'y a que moi. Il n'y a que ce seul homme ici qui veut passer outre. Qui vous empêche de le jeter à la mer?

LE DÉLÉGUÉ, *se jetant à genoux*

Amiral, nous nous jetons à genoux! nous vous supplions de revenir!

CHRISTOPHE COLOMB I

Je n'aime pas voir les gens à genoux.

LE DÉLÉGUÉ

Camarades, jetez-vous tous à genoux et suppliez notre amiral de revenir.
Tous se jettent à genoux.
Il faut revenir! Il faut revenir! Il faut revenir!
(*Le Chœur*)

UN DES OFFICIERS

L'homme humain n'est pas fait pour naviguer ainsi affreusement au travers du Néant.

CHRISTOPHE COLOMB I

Camarades, relevez-vous.
Tous se relèvent.
Je vous regarde, et j'ose dire que vous m'inspirez une profonde pitié.

LE DÉLÉGUÉ, *sombre, à voix basse*

Il faut revenir!

CHRISTOPHE COLOMB I

Connaissez-vous l'homme à qui vous avez confié votre destinée?

LE DÉLÉGUÉ

Nous ne le connaissons que trop.

CHRISTOPHE COLOMB I

Chiens! votre vie, celle de vos fe-
melles et celle de vos petits, je l'estime
comme une pelure d'orange.

LE DÉLÉGUÉ

Nous rendons grâces à Votre Seigneurie.

CHRISTOPHE COLOMB I

Vous pouvez tous périr! Je veux
n'en ramener aucun [36] avec moi!

LE DÉLÉGUÉ

Nous le savons.

CHRISTOPHE COLOMB I

Et je dirai davantage! que je meure
moi-même, que toutes les malédic-
tions s'accumulent sur moi, pourvu
que je touche cette rive ultérieure vers
laquelle je tends la main, et je remercie
Dieu!

LE DÉLÉGUÉ

Nous le remercions avec vous.

CHRISTOPHE COLOMB I

Oui, il faut le remercier avec moi
d'être tellement partis que nous ne
reviendrons plus jamais.

LE DÉLÉGUÉ

Mais nous voulons revenir.

CHRISTOPHE COLOMB I

Cela fait pitié d'entendre ces
pauvres enfants qui se plaignent!
Dites-moi, est-ce que l'Espagne n'était
pas une chose bien douce?

LE DÉLÉGUÉ

Seigneur, ne nous parlez pas de
l'Espagne!

[36] *Je veux n'en ramener aucun:* Je ne veux
ramener aucun de vous

CHRISTOPHE COLOMB I

L'eau glacée que l'on boit à Cordoue! [37] un dieu seul est digne d'y
5 rafraîchir son palais! [38] Que dites-vous
des fontaines de l'Alcazar? [39] Il y a
soixante-dix fontaines à Grenade [40] et
pas une n'a le même goût.

10   LE DÉLÉGUÉ, *d'une voix tremblante*

Seigneur, vous êtes le représentant
du Roi, mais la patience a des limites
et je vais être obligé de vous passer
15 cette épée au travers du corps.

CHRISTOPHE COLOMB I

Ô les melons de la Vega de Mur-
cie! [41] ô les grenades de Jaen! [41] ô les
20 raisins jaspés [42] de Triana! [41]

LE DÉLÉGUÉ, *tirant son épée*

Je vais te les faire goûter, chien
Maure, tailleur de Gênes! [43]
25

CHRISTOPHE COLOMB I

Pour moi, je n'ai pas besoin de
raisin et je me réjouis dans ce paradis
30 de la soif et du bœuf salé! Remets ton
épée au fourreau, [44] mon fils.

LE DÉLÉGUÉ

Es-tu de fer? N'as-tu pas comme
35 nous faim et soif?

[37] *Cordoue:* ville d'Espagne sur le Guadalquivir
[38] *palais:* palate
[39] *l'Alcazar:* palais des rois maures
[40] *Grenade:* ville d'Espagne où se trouve
le palais maure de l'Alhambra
[41] *la Vega de Murcie:* the Plain of Murcia
(province of Spain); *Jaen, Triana:* villes
d'Espagne
[42] *jaspés:* mottled
[43] *Gênes:* ville d'Italie où naquit Christophe Colomb
[44] *fourreau:* sheath, scabbard

CHRISTOPHE COLOMB I

Je n'ai soif que de la mer et je n'ai faim que de la Volonté de Dieu.

LE DÉLÉGUÉ

Nous sommes tombés entre des mains cruelles et terribles!

CHRISTOPHE COLOMB I

Que serait-ce si tu connaissais l'homme qui est mon propre maître! Je ne fais qu'obéir.

LE DÉLÉGUÉ

Qui est-ce?

CHRISTOPHE COLOMB I

Plût au Ciel que je n'eusse jamais connu ce tyran injuste et impitoyable!

LE DÉLÉGUÉ

Comment l'appelles-tu?

CHRISTOPHE COLOMB I

Ah! il est trop dur et je porterai un jour accusation contre lui devant Dieu! Quand j'étais à Gênes, crois-tu que je n'aurais pas mieux aimé de rester dans ma patrie avec les miens? et quand j'étais à Lisbonne,[45] crois-tu que je n'aurais pas mieux aimé jouir du visage et des caresses de ma femme très chérie? C'est lui qui ne m'a pas laissé de repos et qui m'a traîné jusqu'ici!

LE DÉLÉGUÉ

Quel est cet homme impitoyable?

CHRISTOPHE COLOMB I, *désignant du doigt le* CHRISTOPHE COLOMB *du proscenium*

Il s'appelle Christophe Colomb! Je

[45] *Lisbonne:* port et ville industrielle, capitale du Portugal où Christophe Colomb se maria

porte accusation contre lui devant Dieu!

UN DES OFFICIERS

Seigneur, au lieu de vous moquer . . .

CHRISTOPHE COLOMB I

Je ne me moque pas.

L'OFFICIER

Au lieu de vous moquer, il faut répondre à cet homme qui vous parle au nom de nous tous.

CHRISTOPHE COLOMB I

Je refuse.

L'OFFICIER

Nous vous supplions de ne pas nous pousser au désespoir!

CHRISTOPHE COLOMB I

Je refuse.

L'OFFICIER

En ce cas, il ne nous reste plus qu'à vous faire connaître nos conditions.

CHRISTOPHE COLOMB I

J'écoute vos conditions.

L'OFFICIER

Nous vous accordons trois jours.

CHRISTOPHE COLOMB I

Et pendant trois jours je resterai le seul maître des bateaux?

L'OFFICIER

Pendant trois jours, vous resterez le seul maître des bateaux.

CHRISTOPHE COLOMB I

Il [46] suffit, et puisque je suis le seul maître, je vais vous faire connaître mes

[46] *Il:* cela

ordres. Combien dites-vous qu'il reste
l'eau?

L'OFFICIER

Il en reste pour un mois à la ration 5
d'un verre par jour et par personne.

CHRISTOPHE COLOMB I

Buvez-en tant que vous voudrez et
jetez le reste aux poissons. Combien 10
reste-t-il de tonneaux de bœuf et de
biscuit?

L'OFFICIER

Assez pour le même temps. 15

CHRISTOPHE COLOMB I

Défoncez [47] tout! Donnez tout à
l'équipage!

20

L'OFFICIER

Nous le ferons quand tu nous auras
donné un signe.

CHRISTOPHE COLOMB I 25

Regardez!
À *ce moment un oiseau apparaît, sur
l'écran d'abord, ensuite sur la scène.*
[47] *Défoncez:* stave in, smash in

LES HOMMES DE L'ÉQUIPAGE

Un oiseau! un oiseau!

LE CHŒUR

Un oiseau! un oiseau! Une colombe!
une colombe!

CHRISTOPHE COLOMB I

«Et la terre était couverte d'eau. Et
la colombe revint vers Noé,[48] portant
un rameau vert dans son bec.»

UNE VOIX EN HAUT DANS LA HUNE [49]

Terre!
Tous se précipitent à l'avant [50] du bateau.
Terre à l'avant! terre, terre à l'avant!
Terre! terre! terre! terre!
(*Le Chœur*)

[48] *Noé:* patriarche biblique qui survécut
au déluge grâce à l'arche qu'il construisit par
ordre de Dieu
[49] *hune:* top, crow's-nest
[50] *l'avant:* the bow (of the ship)

FRANCIS JAMMES [1868–1938]

Un nombre considérable d'adjectifs se présentent à l'esprit quand on pense
à Francis Jammes, ce poète qui passa sa vie loin des cercles littéraires, hors de
la capitale, pour la plus grande partie dans les Pyrénées: provincial, campagnard, rustique, doux, bon, familier, intime, ardent, simple [1] jusqu'à la naïveté,
vivant, naturel, réaliste [2] bien que fantaisiste, joyeux quoique parfois mélancolique, sain, fervent et, avant tout, poète.

[1] *simple:* En lisant ses dernières œuvres, on se demande parfois si cette simplicité n'est
peut-être pas un peu artificielle, un peu trop voulue.
[2] *réaliste:* surtout dans le sens qu'il décrivit la nature d'une façon minutieuse, renseignée,
instruite

Bien que Francis Jammes eût écrit un bon nombre d'œuvres en prose,[3] on l
connaît surtout comme le poète qui exprima son amour profond de la terre
de la nature, des bêtes et des petites gens. Sa poésie est fraîche et d'un charme
irrésistible puisqu'elle est l'expression ingénue d'images vues et d'émotion
éprouvées. Il déborda d'amour pour la vie et pour la nature qu'il célébra ave
une tendresse familière; il n'est donc pas étonnant que ce poète soit devenu un
doux[4] catholique qui se voulut le témoin lyrique de la Création.

Les poèmes qui suivent font tous partie du recueil intitulé *De l'Angélus d
l'aube à l'Angélus du soir, 1888–1897* qui fut publié en 1898. Typiques d
l'œuvre poétique de Francis Jammes, ces vers, d'une forme détendue et d'un
versification simple, célèbrent la vie quotidienne et ont une saveur poétiqu
toute particulière.

[3] *en prose:* Citons-en simplement *Clara d'Ellébeuse* (1899) et *Le Roman du lièvre* (1903
tous deux d'une prose fluide et naturelle qui montre des dons descriptifs et narratifs.
[4] *doux:* i.e. non combattant. *Les Géorgiques chrétiennes* (1911–12) datent de cette périod
d'après la conversion.

La Salle à manger

A M. Adrien Planté

Il y a une armoire à peine luisante
qui a entendu les voix de mes grand'tantes,
qui a entendu la voix de mon grand-père,
qui a entendu la voix de mon père.
À ces souvenirs l'armoire est fidèle.
On a tort de croire qu'elle ne sait que se taire,
car je cause avec elle.

Il y a aussi un coucou[1] en bois.
Je ne sais pourquoi il n'a plus de voix.
Je ne veux pas le lui demander.
Peut-être qu'elle est cassée,
la voix qui était dans son ressort,[2]
tout bonnement[3] comme celle des morts.

Il y a aussi un vieux buffet
qui sent la cire, la confiture,
la viande, le pain et les poires mûres.
C'est un serviteur fidèle qui sait
qu'il ne doit rien nous voler.

[1] *coucou:* cuckoo-clock   [3] *bonnement:* simplement
[2] *ressort:* spring

Il est venu chez moi bien des hommes et des femmes [4]
qui n'ont pas cru à ces petites âmes.   20
Et je souris que l'on me pense seul vivant [5]
quand un visiteur me dit en entrant:
— Comment allez-vous, monsieur Jammes?

[4] *Il est venu . . . des femmes:* bien des   [5] *seul vivant:* ou *le seul être vivant* ou
¹ommes et des femmes sont venus chez moi   *vivant dans la solitude*

Un jeune homme . . .

A Gustave Kahn [6]

Un jeune homme qui a beaucoup souffert
traverse la place du hameau [7] vert.
La chaleur est immense. Il passe devant
l'auberge et une modeste grille
où s'entortillent des roses et de la vigne.   5

La douce hirondelle poursuit les guêpes [8]
dans le silence. C'est l'heure des vêpres.

Il entre doucement, sans être aperçu,
dans l'église pauvre où les voix aiguës
des Filles de Marie [9] font un chant frais.   10

Au dehors, silence. La vieille forêt
où dorment les écureuils et les piverts [10]
rappelle ces beaux dessins qui ornent
quelque botanique [11] d'une autre époque
donnée en prix [12] à des personnes mortes.   15

Le jeune homme voit dans le banc,[13]
qui luit d'ombre douce, de vieux paysans.
Il voit l'autel pâle aux belles fleurs peintes,
le curé chantant et les belles teintes
que la lumière jette sur les dalles.   20

[6] *Gustave Kahn* (1859–1936): poète fran-   [10] *les écureuils et les piverts:* the squirrels
¹ais symboliste qui fut théoricien du vers   and the green woodpeckers
ibre   [11] *botanique:* livre de botanique
   [7] *hameau:* hamlet   [12] *donnée en prix:* A la fin de l'année
   [8] *guêpes:* wasps   scolaire en France, il y a une «distribution
   [9] *Filles de Marie:* élèves d'une école re-   des prix» où les meilleurs élèves reçoivent
igieuse, vouées à la Vierge Marie   leurs prix sous forme de livres.
                                                             [13] *dans le banc:* in the pew

Une jeune fille qui est très belle,
sous le jour [14] d'un vitrail est violette.

Ce jeune homme sort des vêpres ému
par la piété de la jeune fille.
C'est une jeune fille de bonne famille   25
qui habite une vieille maison perdue
sous des arbres, avec son père et sa mère.

Le jeune homme dont la vie a été amère
revient plusieurs fois à ces mêmes vêpres.
Il devient pieux. Il est présenté   30
aux parents de la jolie jeune fille
par le vénérable et bon curé.

Bientôt les deux jeunes gens sont fiancés
et, le soir, quand le jeune homme y a dîné,
ils vont tous les deux se promener   35
le long des fleurs en nuit [15] dans les allées.

Il dit: je vous aime. Alors elle est heureuse.

Un rossignol enchante la nuit amoureuse,
musicale chose pluvieuse,[16]
et son chant délicieux se mêle au   40
parfum des iris et à la chanson de l'eau.

Ainsi va la vie. Ils furent mariés
par le bon curé quelques jours après.

Et le jeune homme au cœur malheureux
fut guéri pour toujours, et pieux.   45

(mars 1897)

[14] *sous le jour:* dans la lumière
[15] *en nuit:* dans l'obscurité

[16] *pluvieuse:* Noter l'image qui compare
l'harmonie du rossignol à celle de la pluie et
de l'eau.

Il va neiger . . .

A Léopold Bauby

Il va neiger dans quelques jours. Je me souviens
de l'an dernier. Je me souviens de mes tristesses [17]
au coin du feu. Si l'on m'avait demandé: qu'est-ce?
J'aurais répondu: laissez-moi tranquille. Ce n'est rien.

[17] *tristesses:* Jammes fait allusion ici aux
tristesses du solitaire, nostalgique mais préférant tout de même la solitude.

J'ai bien réfléchi, l'année avant, dans ma chambre,   5
pendant que la neige lourde tombait dehors.
J'ai réfléchi pour rien. A présent comme alors
je fume une pipe en bois avec un bout d'ambre.

Ma vieille commode en chêne sent toujours bon.
Mais moi j'étais bête parce que ces choses   10
ne pouvaient pas changer et que c'est une pose
de vouloir chasser [18] les choses que nous savons.

Pourquoi donc pensons-nous et parlons-nous? C'est drôle;
nos larmes et nos baisers, eux, ne parlent pas
et cependant nous les comprenons, et les pas   15
d'un ami sont plus doux que de douces paroles.

On a baptisé les étoiles sans penser
qu'elles n'avaient pas besoin de nom, et les nombres
qui prouvent que les belles comètes dans l'ombre
passeront, ne les forceront pas à passer.   20

Et maintenant même, où sont mes vieilles tristesses
de l'an dernier? A peine si je m'en souviens.[19]
Je dirais: laissez-moi tranquille, ce n'est rien,
si dans ma chambre on venait me demander: qu'est-ce?

(*1888*)

[18] *chasser:* here, "to dismiss from one's mind"

[19] *A peine si je m'en souviens:* Je m'en souviens à peine.

Il y a un petit cordonnier . . .

A Stéphane Mallarmé [20]

Il y a un petit cordonnier naïf et bossu
qui travaille devant de douces vitres vertes.
Le Dimanche il se lève et se lave et met sur
lui du linge propre et laisse la fenêtre ouverte.

Il est si peu instruit que, bien que marié,   5
il ne parle jamais, paraît-il, sur semaine.[21]
Je me demande si le Dimanche, quand ils promènent,[22]
il parle à sa femme vieille et toute courbée.

[20] *Stéphane Mallarmé* (1842–98): poète symboliste français, célèbre poète hermétique. Noter l'accent que Jammes met sur la simplicité du cordonnier.

[21] *sur semaine:* pendant la semaine
[22] *ils promènent:* ils se promènent

Pourquoi fabrique-t-il des souliers, marchant peu?
Ah! . . . Il fait son devoir et fait marcher les autres.
Aussi [23] il y a une pureté dans le petit feu
qui s'allume chez lui et luit comme de l'or.

Aussi,[23] lorsqu'il mourra, les gens au cimetière
le porteront, lui qui les aura fait marcher.
Car Dieu aime bien les pauvres et les pierres
et lui donnera la gloire d'être porté.

Ne riez pas! Qu'est-ce que tu as fait de bon?
Tu n'as pas la douceur de cette lueur verte
qui passe doucement par la vitre entr'ouverte
où il taille le cuir et croise les cordons.

Crois-tu donc, toi qui mets des ornements,
et parce que tu plais à des femmes en parfum,[24]
que tu as sur le front ce vert rayonnement
d'une douleur triste et douce comme une chanson?

Ô petit cordonnier! cloue tes clous encore longtemps.
Les oiseaux qui passeront au doux printemps
ne regarderont pas plus les couronnes des rois
que ton vieux couteau qui coupe le pauvre pain noir.

[23] *Aussi:* au commencement d'une phrase,   [24] *en parfum:* parfumées
signifie *par conséquent*

ANDRÉ GIDE [1869–1951]

L'œuvre d'André Gide eut une influence immense sur la littérature de la
première partie du vingtième siècle; elle devint, en quelque sorte, l'Évangile
des jeunes intellectuels.[1] Sans trop s'en rendre compte, Gide contribua à donner
une nouvelle orientation au roman en étudiant des problèmes qui sont surtout
ceux du philosophe et du penseur: [2] la connaissance qu'a l'homme de lui-même

[1] *l'Évangile pour les jeunes intellectuels:* L'œuvre d'André Gide influença les écrivains du
monde entier et fut couronnée par le prix Nobel en 1947.
[2] *problèmes . . . du philosophe et du penseur:* Parmi ses œuvres les plus importantes il
faut mentionner *Les Nourritures terrestres* (1897) qui proclama l'individualisme et la nécessité
de la liberté individuelle; *L'Immoraliste* (1902), longue confession qui défia la morale tradi-
tionnelle et hypocrite; *Les Caves du Vatican* (1914), roman grotesque et ironique qui traite
de l'individu libre; et *Les Faux-Monnayeurs* (1926).

et du monde qu'il habite; sa conscience d'un désaccord entre lui et ce monde; en un mot la découverte de la véritable nature des rapports de l'homme avec la société, avec l'univers et avec lui-même.

Qu'est-ce qui orienta Gide vers ces thèmes? C'est dans le lien étroit entre sa vie et son œuvre que l'on peut trouver la réponse à cette question. Né dans une famille protestante et puritaine où les valeurs morales et spirituelles le contraignirent excessivement, élevé par des femmes étroites d'esprit, traditionnalistes à l'excès et intransigeantes, André Gide se révolta. Il tomba très tôt dans un état d'inquiétude morale et religieuse, charnelle et cérébrale qui le poursuivit toute sa vie.[3] Selon lui, l'aventure humaine la plus significative est le développement perpétuel de l'individu et sa propre compréhension de ce qui lui arrive: il y a une divergence, et même souvent un grand désaccord, entre ce qui existe vraiment et ce que les hommes prennent pour la vérité.

André Gide sut que sa propre vie était énigmatique, qu'il était en continuel combat avec lui-même, et que sa recherche constante de la sincérité dépendait de sa connaissance de ses mobiles les plus secrets. Il éprouvait le besoin d'une liberté complète — personnelle aussi bien que littéraire — d'un rejet total de toutes les valeurs établies, de toutes les traditions, des conventions sociales et de ses hypocrisies. Ses propres scrupules, ses propres contradictions, ses spéculations sur la nature humaine, ses personnages les ressentent, puisqu'ils sont tous des êtres dont Gide portait en lui-même les possibilités, des êtres qu'il aurait pu devenir lui-même.

On considère André Gide comme un des plus grands maîtres de la prose française à cause de la lucidité de sa pensée et de la clarté de son style; son langage est modéré et pur, et il ne manque jamais d'harmonie de structure.

La Symphonie pastorale (1919), nouvelle psychologique dont nous citons un extrait, est typique de l'œuvre d'André Gide: sans proposer de solutions, l'auteur y présente un drame qui se forme avec une puissante lenteur. En recueillant et instruisant Gertrude, une jeune aveugle, un pasteur protestant croit remplir une obligation purement charitable. Mais, une fois que l'esprit et la sensibilité de la jeune fille sont éveillés, le pasteur commence peu à peu l'aimer d'amour: le pouvoir créateur de sa charité perd de sa force, devient autre et néfaste. L'amour, d'abord si pur, devient un amour qu'il vole à son fils, un amour qui torture sa femme et qui finit par amener le suicide de Gertrude.

---

[3] *inquiétude morale . . . toute sa vie:* Plus ouvertement autobiographiques que le reste de ses œuvres sont *Si le grain ne meurt* (1926), où Gide révéla son enfance, et son *Journal* qui s'étend sur une cinquantaine d'années.

La Symphonie pastorale

J'ai souvent éprouvé[1] que la parabole de la brebis égarée[2] reste une des plus difficiles à admettre pour certaines âmes, qui pourtant se croient profondément chrétiennes. Que chaque brebis du troupeau, prise à part,[3] puisse aux yeux du berger être plus précieuse à son tour que tout le reste du troupeau pris en bloc,[4] voici ce qu'elles ne peuvent s'élever à comprendre. Et ces mots: «Si un homme a cent brebis et que l'une d'elles s'égare, ne laisse-t-il pas les quatre-vingt-dix-neuf autres sur les montagnes, pour aller chercher celle qui s'est égarée?»[5] — ces mots tout rayonnants de charité, si elles osaient parler franc,[6] elles les déclareraient de la plus révoltante injustice.

Les premiers sourires de Gertrude me consolaient de tout et payaient mes soins au centuple.[7] Car «cette brebis, si le pasteur la trouve, je vous le dis en vérité, elle lui cause plus de joie que les quatre-vingt-dix-neuf autres qui ne se sont jamais égarées.»[8] Oui, je le dis en vérité, jamais sourire d'aucun de mes enfants ne m'a inondé le cœur d'une aussi séraphique joie que fit celui que je vis poindre[9] sur ce visage de statue[10] certain matin où brusquement elle sembla commencer à comprendre et à s'intéresser à ce que je m'efforçais de lui enseigner depuis tant de jours.

Le 5 mars. J'ai noté cette date comme celle d'une naissance. C'était moins un sourire qu'une transfiguration. Tout à coup ses traits s'animèrent;[11] ce fut comme un éclairement subit, pareil à cette lueur purpurine[12] dans les hautes Alpes[13] qui, précédant l'aurore, fait vibrer le sommet neigeux qu'elle désigne et sort de la nuit;[14] on eût dit[15] une coloration mystique; et je songeai également à la piscine de Bethesda[16] au moment que[17] l'ange descend et vient réveiller l'eau dormante. J'eus une sorte de ravissement devant l'expression angélique que Gertrude put prendre soudain, car il m'apparut que ce qui la visitait en cet instant, n'était point tant l'intelligence que l'amour. Alors un tel élan de re-

---

[1] *J'ai souvent éprouvé:* it has often been my (the pastor's) experience
[2] *brebis égarée:* lost sheep
[3] *à part:* séparément
[4] *en bloc:* ensemble
[5] *Si . . . égarée?:* citation de la Bible; Matthew XVIII, 12
[6] *si elles osaient parler franc:* si elles, i.e. certaines âmes qui se croient chrétiennes, osaient parler franchement
[7] *Gertrude:* Avant d'être recueillie par le pasteur, elle vivait dans la misère la plus épouvantable avec sa vieille tante. La tante, étant sourde, ne lui parlait jamais; Gertrude ne savait donc pas parler et vivait la vie d'un petit animal mal soigné. C'est le pasteur qui entreprit de l'instruire et de faire d'elle un être humain.
[8] Citation de la Bible; Matthew XVIII, 13.

[9] *poindre:* commencer à paraître
[10] *visage de statue:* visage inexpressif et fermé
[11] *s'animèrent:* prirent vie, devinrent vivants
[12] *lueur purpurine:* lumière presque pourpre
[13] *les hautes Alpes:* ce récit se passe dans les Alpes, dans un village dans les montagnes suisses.
[14] *sort de la nuit:* éclaire
[15] *on eût dit:* on aurait pu dire
[16] *la piscine de Bethesda:* Allusion à la Bible, John V, 2–4: "For an angel went down at a certain season into the pool, and troubled the water: whosoever then first after the troubling of the water stepped in was made whole of whatsoever disease he had."
[17] *que:* où

connaissance me souleva, qu'il me sembla que j'offrais à Dieu le baiser que je déposai sur ce beau front.

Autant ce premier résultat avait été difficile à obtenir, autant les progrès sitôt après furent rapides.[18] Je fais effort aujourd'hui pour me remémorer[19] par quels chemins nous procédâmes; il me semblait parfois que Gertrude avançât par bonds comme pour se moquer des méthodes. Je me souviens que j'insistai d'abord sur les qualités des objets plutôt que sur la variété de ceux-ci: le chaud, le froid, le tiède, le doux, l'amer, le rude,[20] le souple, le léger . . . puis les mouvements: écarter, rapprocher, lever, croiser, coucher, nouer, disperser, rassembler, etc. . . . Et bientôt, abandonnant toute méthode, j'en vins à causer[21] avec elle sans trop m'inquiéter si son esprit toujours me suivait;[22] mais lentement, l'invitant et la provoquant à me questionner à loisir. Certainement un travail se faisait en son esprit durant le temps que je l'abandonnais à elle-même; car chaque fois que je la retrouvais, c'était avec une nouvelle surprise et je me sentais séparé d'elle par une moindre épaisseur de nuit.[23] C'est tout de même ainsi, me disais-je, que la tiédeur de l'air et l'instance du printemps triomphent peu à peu de l'hiver. [. . .]
Craignant que Gertrude ne s'étio-

lât[24] à demeurer auprès du feu sans cesse, comme une vieille, j'avais commencé de la faire sortir. Mais elle ne consentait à se promener qu'à mon bras. Sa surprise et sa crainte d'abord, dès qu'elle avait quitté la maison, me laissèrent comprendre, avant qu'elle n'eût su me le dire, qu'elle ne s'était encore jamais hasardée au dehors. Dans la chaumière où je l'avais trouvée, personne ne s'était occupé d'elle autrement que pour lui donner à manger et l'aider à ne point mourir, car je n'ose point dire: à vivre. Son univers obscur était borné par les murs mêmes de cette unique pièce qu'elle n'avait jamais quittée; à peine se hasardait-elle, les jours d'été, au bord du seuil, quand la porte restait ouverte sur le grand univers lumineux. Elle me raconta plus tard, qu'entendant le chant des oiseaux, elle l'imaginait alors un pur effet de la lumière, ainsi que cette chaleur même qu'elle sentait caresser ses joues et ses mains, et que, sans du reste y réfléchir précisément, il lui paraissait tout naturel que l'air chaud se mît à chanter, de même que[25] l'eau se met à bouillir près du feu. Le vrai[26] c'est qu'elle ne s'en était point inquiétée, qu'elle ne faisait attention à rien et vivait dans un engourdissement[27] profond, jusqu'au jour où je commençai de m'occuper d'elle. Je me souviens de son inépuisable ravissement lorsque je lui appris que ces petites voix émanaient de créatures vivantes, dont il semble que l'unique fonction soit de sentir et d'exprimer l'éparse[28] joie de la nature. (C'est de ce jour qu'elle prit l'habitude de dire: Je suis joyeuse comme un oiseau.) Et

[18] *Autant ce premier résultat . . . furent rapides:* Difficult as this first result had been to obtain, the progress immediately following was rapid.
[19] *me remémorer:* me rappeler
[20] *rude:* rough, stiff
[21] *j'en vins à causer:* I came to the point of chatting
[22] *toujours me suivait:* always followed me; *me suivait toujours* might have been translated "was still following me."
[23] *une moindre épaisseur de nuit:* i.e. a smaller lack of comprehension

[24] *ne s'étiolât:* would become feeble, sickly
[25] *de même que:* comme
[26] *Le vrai:* la vérité
[27] *engourdissement:* torpeur
[28] *éparse:* scattered, i.e. widespread

pourtant l'idée que ces chants racontaient la splendeur d'un spectacle qu'elle ne pouvait point contempler avait commencé par la rendre mélancolique.

— Est-ce que vraiment, disait-elle, la terre est aussi belle que le racontent les oiseaux? Pourquoi ne le dit-on pas davantage? Pourquoi, vous, ne me le dites-vous pas? Est-ce par crainte de [10] me peiner en songeant que je ne puis la voir? Vous auriez tort. J'écoute si bien les oiseaux; je crois que je comprends tout ce qu'ils disent.

— Ceux qui peuvent y voir ne les [15] entendent [29] pas si bien que toi,[30] ma Gertrude, lui dis-je en espérant la consoler.

— Pourquoi les autres animaux ne chantent-ils pas? reprit-elle. Parfois [20] ses questions me surprenaient et je demeurais un instant perplexe, car elle me forçait de réfléchir à ce que jusqu'alors j'avais accepté sans m'en étonner. C'est ainsi que je considérai, [25] pour la première fois, que, plus l'animal est attaché de près à la terre et plus il est pesant, plus il est triste. C'est ce que je tâchai de lui faire comprendre; et je lui parlai de l'écureuil et de [30] ses jeux.

Elle me demanda alors si les oiseaux étaient les seuls animaux qui volaient.

— Il y a aussi les papillons, lui dis-je.

— Est-ce qu'ils chantent?

— Ils ont une autre façon de raconter leur joie, repris-je. Elle est inscrite en couleurs sur leurs ailes . . . Et je lui décrivis la bigarrure [31] des papillons. [40]

[29] *entendent:* comprennent
[30] *toi:* Noter que le pasteur tutoie Gertrude comme il tutoie ses propres enfants.
[31] *bigarrure:* variété de couleurs ou de dessins
[32] *28 février:* Tout ce récit est écrit sous forme d'un journal que tient le pasteur.

28 février.[32]

Je reviens en arrière; car hier je m'étais laissé entraîner.[33]

Pour l'enseigner à Gertrude j'avais [5] dû apprendre moi-même l'alphabet des aveugles; mais bientôt elle devint beaucoup plus habile que moi à lire cette écriture où j'avais assez de peine à me reconnaître,[34] et qu'au surplus,[35] [10] je suivais plus volontiers avec les yeux qu'avec les mains. Du reste, je ne fus point le seul à l'instruire. Et d'abord je fus heureux d'être secondé dans ce soin, car j'ai fort [36] à faire sur la commune,[37] dont les maisons sont dispersées à l'excès de sorte que mes visites de pauvres et de malades m'obligent à des courses parfois assez lointaines. Jacques [38] avait trouvé le [20] moyen de [39] se casser le bras en patinant pendant les vacances de Noël qu'il était venu passer près de nous — car entre temps il était retourné à Lausanne [40] où il avait fait déjà ses [25] premières études, et entré à la faculté de théologie. La fracture ne présentait aucune gravité et Martins [41] que j'avais aussitôt appelé put aisément la réduire [42] sans l'aide d'un chirurgien; [30] mais les précautions qu'il fallut prendre obligèrent Jacques à garder la maison [43] quelque temps. Il commença brusquement de s'intéresser à

[33] *je m'étais laissé entraîner:* I had allowed [35] myself to get carried away
[34] *me reconnaître:* to find my way, get my bearings
[35] *au surplus:* au reste
[36] *fort:* beaucoup
[37] *sur la commune:* in the parish
[38] *Jacques:* le fils aîné du pasteur
[39] *avait trouvé le moyen de:* had managed to. This expression is surprising unless one thinks of it as a betrayal of the pastor's subconscious feelings.
[40] *Lausanne:* importante ville suisse près du lac de Genève
[41] *Martins:* médecin et ami du pasteur
[42] *réduire:* to set (a fracture)
[43] *garder la maison:* rester dans la maison

Gertrude, que jusqu'alors il n'avait point considérée, et s'occupa de m'aider à lui apprendre à lire. Sa collaboration ne dura que le temps de sa convalescence, trois semaines environ, mais durant lesquelles Gertrude fit de sensibles [44] progrès. Un zèle extraordinaire la stimulait à présent. Cette intelligence hier encore engourdie, il semblait que, dès les premiers pas et presque avant de savoir marcher, elle [45] se mettait à courir. J'admire [46] le peu de difficulté qu'elle trouvait à formuler ses pensées, et combien promptement elle parvint à s'exprimer d'une manière, non point enfantine, mais correcte déjà, s'aidant pour imager [47] l'idée, et de la manière la plus inattendue pour nous et la plus plaisante, des objets, [48] qu'on venait de lui apprendre à connaître, ou de ce dont nous lui parlions et que nous lui décrivions, lorsque nous ne le pouvions mettre directement à sa portée; car nous nous servions toujours de ce qu'elle pouvait toucher ou sentir pour expliquer ce qu'elle ne pouvait atteindre, procédant à la manière des télémétreurs.[49]

Mais je crois inutile de noter ici tous les échelons premiers [50] de cette instruction qui, sans doute, se retrouvent dans l'instruction de tous les aveugles. C'est ainsi que, pour chacun d'eux, je pense, la question des couleurs a plongé chaque maître dans un même embarras. (Et à ce sujet je fus appelé [51] à remarquer qu'il n'est nulle part question de couleurs dans l'Évangile.) Je ne sais comment s'y sont pris les autres; pour ma part je commençai par lui nommer les couleurs du prisme dans l'ordre où l'arc-en-ciel nous les présente; mais aussitôt s'établit une confusion dans son esprit entre couleur et clarté; et je me rendais compte que son imagination ne parvenait à faire aucune distinction entre la qualité de la nuance [52] et ce que les peintres appellent, je crois, «la valeur».[53] Elle avait le plus grand mal à comprendre que chaque couleur à son tour pût être plus ou moins foncée, et qu'elles pussent à l'infini se mélanger entre elles. Rien ne l'intriguait davantage et elle revenait sans cesse là-dessus.

Cependant il me fut donné [54] de l'emmener à Neuchâtel [55] où je pus lui faire entendre un concert. Le rôle de chaque instrument dans la symphonie me permit de revenir sur cette question des couleurs. Je fis remarquer à Gertrude les sonorités différentes des cuivres,[56] des instruments à cordes et des bois, et que chacun d'eux à sa manière est susceptible [57] d'offrir, avec plus ou moins d'intensité, toute l'échelle des sons, des plus graves [58] aux plus aigus. Je l'invitai à se représenter de même, dans la nature, les colorations rouges et orangées analogues aux sonorités des cors et des trombones, les jaunes et les verts à celles des violons, des violoncelles et des basses; les violets et les bleus rappelés ici par les

---

[44] *sensibles:* appreciable
[45] *elle:* i.e. cette intelligence
[46] *J'admire:* je m'étonne de
[47] *imager:* to picture
[48] *des objets* is the object of *s'aidant*
[49] *télémétreurs:* range finders, surveyors, who calculate distances of inaccessible objects by means of known verticals
[50] *les échelons premiers:* i.e. le commencement
[51] *je fus appelé:* je fus poussé

[52] *la qualité de la nuance:* the nature of the hue, its color
[53] *la valeur:* value, i.e. lightness and darkness
[54] *il me fut donné:* j'eus l'occasion
[55] *Neuchâtel:* ville suisse assez près du village qu'habite le pasteur
[56] *cuivres:* brass instruments
[57] *susceptible:* capable
[58] *graves:* low-pitched

flûtes, les clarinettes et les hautbois.[59]
Une sorte de ravissement intérieur vint
dès lors remplacer ses doutes:

— Que cela doit être beau! répétait-
elle.

Puis, tout à coup:

— Mais alors: le blanc? Je ne comprends plus à quoi ressemble le
blanc . . .

Et il m'apparut aussitôt [60] combien
ma comparaison était précaire.

— Le blanc, essayai-je pourtant de
lui dire, est la limite aiguë[61] où tous
les tons se confondent, comme le noir
en est la limite sombre. — Mais ceci
ne me satisfit pas plus qu'elle, qui me
fit aussitôt remarquer que les bois, les
cuivres et les violons restent distincts
les uns des autres dans le plus grave
aussi bien que dans le plus aigu. Que
de fois, comme alors, je dus demeurer
d'abord silencieux, perplexe et cherchant à quelle comparaison je pourrais
faire appel.[62]

— Eh bien! lui dis-je enfin, repré-
sente-toi le blanc comme quelque
chose de tout pur, quelque chose où il
n'y a plus aucune couleur, mais seulement de la lumière; le noir, au contraire, comme chargé de couleur, jusqu'à en être tout obscurci . . .

Je ne rappelle ici ce débris[63] de
dialogue que comme un exemple des
difficultés où[64] je me heurtais trop souvent. Gertrude avait ceci de bien[65]
qu'elle ne faisait jamais semblant de
comprendre, comme font si souvent les
gens, qui meublent ainsi leur esprit de
données imprécises ou fausses, par
quoi tous leurs raisonnements ensuite

se trouvent viciés.[66] Tant qu'elle ne
s'en était point fait une idée nette,
chaque notion demeurait pour elle une
cause d'inquiétude et de gêne.

Pour ce que j'ai dit plus haut, la
difficulté s'augmentait de ce que,[67]
dans son esprit, la notion de lumière et
celle de chaleur s'étaient d'abord
étroitement liées, de sorte que j'eus le
plus grand mal à les dissocier par la
suite.

Ainsi j'expérimentais[68] sans cesse à
travers elle combien le monde visuel
diffère du monde des sons et à quel
point toute comparaison que l'on
cherche à tirer de l'un pour l'autre est
boiteuse.[69]

29 février.

Tout occupé par mes comparaisons,
je n'ai point dit encore l'immense
plaisir que Gertrude avait pris à ce
concert de Neuchâtel. On y jouait
précisément la *Symphonie Pastorale*.[70]
Je dis «précisément» car il n'est, on le
comprend aisément, pas une œuvre
que j'eusse pu davantage souhaiter de
lui faire entendre. Longtemps après
que nous eûmes quitté[71] la salle de
concert, Gertrude restait encore silencieuse et comme noyée dans l'extase.

— Est-ce que vraiment ce que vous
voyez est aussi beau que cela? dit-elle
enfin.

— Aussi beau que quoi, ma chérie?

— Que cette «*scène au bord du
ruisseau*».[72]

[59] *hautbois:* oboes
[60] *il m'apparut aussitôt:* je compris tout
d'un coup
[61] *aiguë:* i.e. claire
[62] *faire appel (à):* to call to my help
[63] *débris:* fragment
[64] *où:* auxquelles
[65] *avait ceci de bien:* avait la qualité

[66] *viciés:* faux
[67] *de ce que:* du fait que
[68] *j'expérimentais:* je découvrais
[69] *boiteuse:* lame, i.e. inexact
[70] *Symphonie Pastorale:* la sixième symphonie de Beethoven
[71] *nous eûmes quitté:* nous avions quitté
[72] *scène au bord du ruisseau:* le titre du
deuxième mouvement de la *Symphonie Pastorale*

Je ne lui répondis pas aussitôt, car je réfléchissais que ces harmonies ineffables peignaient, non point le monde tel qu'il était, mais bien [73] tel qu'il aurait pu être, qu'il pourrait être sans le mal et sans le péché. Et jamais encore je n'avais osé parler à Gertrude du mal, du péché, de la mort.

— Ceux qui ont des yeux, dis-je enfin, ne connaissent pas leur bonheur.

— Mais moi qui n'en ai point, s'écria-t-elle aussitôt, je connais le bonheur d'entendre.

Elle se serrait contre moi tout en marchant et elle pesait à mon bras comme font les petits enfants:

— Pasteur, est-ce que vous sentez combien je suis heureuse? Non, non, je ne dis pas cela pour vous faire plaisir. Regardez-moi: est-ce que cela ne se voit pas sur le visage, quand ce que l'on dit n'est pas vrai? Moi, je le reconnais si bien à la voix. Vous souvenez-vous du jour où vous m'avez répondu que vous ne pleuriez pas, après que ma tante (c'est ainsi qu'elle appelait ma femme) vous avait reproché de ne rien savoir faire pour elle; je me suis écriée: Pasteur, vous mentez! Oh! je l'ai senti tout de suite à votre voix, que vous ne me disiez pas la vérité; je n'ai pas eu besoin de toucher vos joues, pour savoir que vous aviez pleuré. Et elle répéta très haut: Non, je n'avais pas besoin de toucher vos joues — ce qui me fit rougir, parce que nous étions encore dans la ville et que des passants se retournèrent. Cependant elle continuait:

— Il ne faut pas chercher à m'en faire aqcroire,[74] voyez-vous. D'abord parce que ça serait très lâche de cher-cher à tromper une aveugle . . . Et puis parce que ça ne prendrait pas,[75] ajouta-t-elle en riant. Dites-moi, pasteur, vous n'êtes pas malheureux, n'est-ce pas?

Je portai sa main à mes lèvres, comme pour lui faire sentir sans le lui avouer que partie [76] de mon bonheur venait d'elle, tout en répondant:

— Non, Gertrude, non, je ne suis pas malheureux. Comment serais-je malheureux?

— Vous pleurez quelquefois, pourtant?

— J'ai pleuré quelquefois.

— Pas depuis la fois que j'ai dit?

— Non, je n'ai plus repleuré, depuis.

— Et vous n'avez plus eu envie de pleurer?

— Non, Gertrude.

— Et dites . . . est-ce qu'il vous est arrivé depuis, d'avoir envie de mentir?

— Non, chère enfant.

— Pouvez-vous me promettre de ne jamais chercher à me tromper?

— Je le promets.

— Eh bien! dites-moi tout de suite: Est-ce que je suis jolie?

Cette brusque question m'interloqua,[77] d'autant plus que je n'avais point voulu jusqu'à ce jour accorder attention à l'indéniable beauté de Gertrude; et je tenais pour parfaitement inutile, au surplus, qu'elle en fût elle-même avertie.

— Que t'importe de le savoir? lui dis-je aussitôt.

— Cela, c'est mon souci, reprit-elle. Je voudrais savoir si je ne . . . comment dites-vous cela? . . . si je ne détonne pas trop [78] dans la symphonie. A qui d'autre demanderais-je cela, pasteur?

---

[73] *bien:* plutôt
[74] *m'en faire accroire:* me tromper
[75] *ça ne prendrait pas:* cela ne réussirait pas

[76] *partie:* une partie
[77] *interloqua:* embarrassa
[78] *si je ne détonne pas trop:* if I am not too out of tune

— Un pasteur n'a pas à s'inquiéter de la beauté des visages, dis-je, me défendant comme je pouvais.

— Pourquoi?

— Parce que la beauté des âmes lui suffit.

— Vous préférez me laisser croire que je suis laide, dit-elle alors avec une moue charmante; de sorte que, n'y tenant plus, je m'écriai:

— Gertrude, vous [79] savez bien que vous êtes jolie.

Elle se tut et son visage prit une expression très grave dont elle ne se départit plus [80] jusqu'au retour.

Aussitôt rentrés, Amélie [81] trouva le moyen de me faire sentir qu'elle désapprouvait l'emploi de ma journée. Elle aurait pu me le dire auparavant; [20] mais elle nous avait laissés partir, Gertrude et moi, sans mot dire, selon son habitude de laisser faire et de se réserver ensuite le droit de blâmer. Du reste elle ne me fit point précisé- [25] ment des reproches; mais son silence même était accusateur; car n'eût-il pas été [82] naturel qu'elle s'informât de ce que nous avions entendu, puisqu'elle savait que je menais Gertrude au con- [30] cert? la joie de cette enfant n'eût-elle pas été [83] augmentée par le moindre intérêt qu'elle eût senti que l'on prenait à son plaisir? Amélie du reste ne demeurait pas silencieuse, mais elle [35] semblait mettre une sorte d'affectation à ne parler que des choses les plus indifférentes; et ce ne fut que le soir, après que les petits furent allés se coucher, que l'ayant prise à part et lui [40] ayant demandé sévèrement:

— Tu es fâchée de ce que j'ai mené Gertrude au concert? j'obtins cette réponse:

— Tu fais pour elle ce que tu n'aurais [5] fait pour aucun des tiens.

C'était donc toujours le même grief, et le même refus de comprendre que l'on fête l'enfant qui revient, mais non point ceux qui sont demeurés, comme [10] le montre la parabole; [84] il me peinait aussi de ne la voir tenir aucun compte de l'infirmité de Gertrude, qui ne pouvait espérer d'autre fête que celle-là. Et si, providentiellement, je m'étais [15] trouvé libre de mon temps [85] ce jour-là, moi qui suis si requis [86] d'ordinaire, le reproche d'Amélie était d'autant plus injuste qu'elle savait bien que chacun de mes enfants avait soit un travail à [20] faire, soit quelque occupation qui le retenait, et qu'elle-même, Amélie, n'a point de goût pour la musique, de sorte que, lorsqu'elle disposerait [87] de tout son temps, jamais il ne lui vien- drait à l'idee [88] d'aller au concert, lors même que [89] celui-ci se donnerait à notre porte.

Ce qui me chagrinait davantage, c'est qu'Amélie eût osé dire cela de- [30] vant Gertrude; car bien que j'eusse pris ma femme à l'écart, elle avait élevé la voix assez pour que Gertrude l'entendît. Je me sentais moins triste qu'indigné, et quelques instants plus [35] tard, comme Amélie nous avait laissés, m'étant approché de Gertrude, je pris sa petite main frêle et la portant à mon visage:

[79] *vous:* Noter que le pasteur emploie la deuxième personne du pluriel pour dire à Gertrude qu'elle est belle.

[80] *dont elle ne se départit plus:* which she did not give up again

[81] *Amélie:* la femme du pasteur

[82] *n'eût-il pas été:* n'aurait-il pas été

[83] *n'eût-elle pas été:* n'aurait-elle pas été

[84] *la parabole:* de l'enfant prodigue (Luke XV, 11–32)

[85] *libre de mon temps:* inoccupé

[86] *requis:* in demand

[87] *lorsqu'elle disposerait:* même si elle disposait

[88] *jamais il ne lui viendrait à l'idée:* elle n'aurait jamais l'idée

[89] *lors même que:* même si

— Tu vois! cette fois je n'ai pas pleuré.

— Non: cette fois, c'est mon tour, lit-elle, en s'efforçant de me sourire; et son beau visage qu'elle levait vers moi, je vis soudain qu'il était inondé de larmes.

8 mars.

Le seul plaisir que je puisse faire à Amélie, c'est de m'abstenir de faire les choses qui lui déplaisent. Ces témoignages d'amour tout négatifs sont les seuls qu'elle me permette. A quel point elle a déjà rétréci [90] ma vie, c'est ce dont elle ne peut se rendre compte. Ah! plût à Dieu qu'elle réclamât de moi quelque action difficile! Avec quelle joie j'accomplirais pour elle le téméraire, le périlleux! Mais on dirait qu'elle [91] répugne à tout ce qui n'est pas coutumier; de sorte que le progrès dans la vie n'est pour elle que d'ajouter de semblables jours au passé. Elle ne souhaite pas, elle n'accepte même pas de moi, des vertus nouvelles, ni même un accroissement [92] des vertus reconnues. Elle regarde avec inquiétude, quand ce n'est pas avec réprobation, tout effort de l'âme qui veut voir dans le Christianisme autre chose qu'une domestication des instincts.

Je dois avouer que j'avais complètement oublié, une fois à Neuchâtel, d'aller régler le compte de notre mercière, ainsi qu' Amélie [93] m'en avait prié, et de lui rapporter une boîte de fil. Mais j'en étais ensuite beaucoup plus fâché contre moi qu'elle ne pouvait être elle-même; et d'autant plus que je m'étais bien promis de n'y pas manquer, sachant de reste [94] que «celui qui est fidèle dans les petites choses le sera aussi dans les grandes,» [95] — et craignant les conclusions qu'elle pouvait tirer de mon oubli. J'aurais même voulu qu'elle m'en fît quelque reproche, car sur ce point certainement j'en méritais. Mais comme il advient surtout, [96] le grief imaginaire l'emportait sur l'imputation précise: ah! que la vie serait belle et notre misère supportable, si nous nous contentions des maux réels sans prêter l'oreille aux fantômes et aux monstres de notre esprit . . . Mais je me laisse aller à noter ici ce qui ferait plutôt le sujet d'un sermon (Luc XII, 29. «N'ayez point l'esprit inquiet»). C'est l'histoire du développement intellectuel et moral de Gertrude que j'ai entrepris de tracer ici. J'y reviens. [. . .]

Mon récit m'entraînant, j'ai rapporté d'abord des réflexions de Gertrude, des conversations avec elle, beaucoup plus récentes, et celui qui par aventure [97] lirait ces pages s'étonnera sans doute de l'entendre s'exprimer aussitôt avec tant de justesse et raisonner si judicieusement. C'est aussi que [98] ses progrès furent d'une rapidité déconcertante: j'admirais souvent avec quelle promptitude son esprit saisissait l'aliment intellectuel que j'approchais d'elle et tout ce dont il pouvait s'emparer, le faisant sien par un travail d'assimilation et de maturation continuel. Elle me surprenait, précédant sans cesse ma pensée, la dépassant, et souvent d'un entretien à l'autre je ne reconnaissais plus mon élève.

Au bout de peu de mois il ne paraissait plus que son intelligence avait

[90] *rétréci:* diminué
[91] *on dirait qu'elle:* it is as if she
[92] *un accroissement:* une augmentation
[93] *ainsi qu'Amélie:* comme Amélie
[94] *de reste:* parfaitement
[95] *celui . . . grandes:* citation de la Bible; Luke XVI, 10
[96] *surtout:* la plupart du temps
[97] *par aventure:* par hasard
[98] *C'est aussi que:* and furthermore, i.e. in addition to my having written without heeding chronology

sommeillé si longtemps. Même elle montrait plus de sagesse déjà que n'en ont la plupart des jeunes filles que le monde extérieur dissipe et dont maintes préoccupations futiles absorbent la meilleure[99] attention. Au surplus elle était, je crois, sensiblement plus âgée qu'il ne nous avait paru d'abord. Il semblait qu'elle prétendît[100] tourner à profit sa cécité, de sorte que j'en venais à douter si, sur beaucoup de points, cette infirmité ne lui devenait pas un avantage. Malgré moi je la comparais à Charlotte[101] et lorsque parfois il m'arrivait de faire répéter à celle-ci ses leçons, voyant son esprit tout distrait par la moindre mouche qui vole, je pensais: «Tout de même, comme elle m'écouterait mieux, si seulement elle n'y voyait pas!» [. . .]

Oui, ce concert avait eu lieu, je crois, trois semaines avant les vacances d'été qui ramenèrent Jacques près de nous. Entre temps il m'était arrivé plus d'une fois d'asseoir Gertrude devant le petit harmonium de notre chapelle, que tient d'ordinaire Mlle de La M . . . chez qui Gertrude habite à présent. Louise de La M . . . n'avait pas encore commencé l'instruction musicale de Gertrude. Malgré l'amour que j'ai pour la musique, je n'y connais pas grand'chose et ne me sentais guère capable de rien lui enseigner lorsque je m'asseyais devant le clavier auprès d'elle.

— Non, laissez-moi, m'a-t-elle dit, dès les premiers tâtonnements. Je préfère essayer seule.

Et je la quittais d'autant plus volontiers que la chapelle ne me paraissait guère un lieu décent pour m'y enfer-

mer seul avec elle, autant par respec pour le saint lieu, que par crainte de racontars — encore qu'[1]à l'ordinaire je m'efforce de n'en point tenir compte; mais il s'agit ici d'elle et non plu seulement de moi. Lorsqu'une tournée de visites m'appelait de ce côté, je l'em menais jusqu'à l'église et l'abandonnais donc, durant de longues heures souvent, puis allais la reprendre au retour. Elle s'occupait ainsi patiemment, à découvrir des harmonies, et je la retrouvais vers le soir, attentive devant quelque consonance qui la plongeait dans un ravissement prolongé.

Un des premiers jours d'août, il y a à peine un peu plus de six mois de cela, n'ayant point trouvé chez elle une pauvre veuve à qui j'allais porter quelque consolation, je revins pour prendre Gertrude à l'église où je l'avais laissée; elle ne m'attendait point si tôt et je fus extrêmement surpris de trouver Jacques auprès d'elle Ni l'un ni l'autre ne m'avaient entendu entrer, car le peu de bruit que je fis fut couvert par les sons de l'orgue. Il n'est point dans mon naturel[3] d'épier, mais tout ce qui touche à Gertrude me tient à cœur: amortissant[4] donc le bruit de mes pas, je gravis furtivement les quelques marches de l'escalier qui mène à la tribune;[5] excellent poste d'observation. Je dois dire que, tout le temps que je demeurai là, je n'entendis pas une parole que l'un et l'autre n'eussent[6] aussi bien dite devant moi. Mais il était contre elle et, à plusieurs reprises, je le vis qui prenait sa main pour guider ses doigts sur les

[99] *meilleure:* here means "most valuable" or "most concentrated"
[100] *prétendît:* essayât de
[101] *Charlotte:* la fille cadette du pasteur

[1] *encore que:* bien que
[2] *n'en point tenir compte:* ne pas y faire attention
[3] *naturel:* caractère
[4] *amortissant:* muffling
[5] *tribune:* pulpit
[6] *eussent:* auraient

touches.[7] N'était-il pas étrange déjà qu'elle acceptât de lui des observations et une direction[8] dont elle m'avait dit précédemment qu'elle préférait se passer? J'en étais plus étonné, plus peiné que je n'aurais voulu me l'avouer à moi-même et déjà je me proposais d'intervenir lorsque je vis Jacques tout à coup tirer sa montre.

— Il est temps que je te quitte, à présent, dit-il; mon père va bientôt revenir.

Je le vis alors porter à ses lèvres la main qu'elle lui abandonna; puis il partit. Quelques instants après, ayant redescendu sans bruit l'escalier, j'ouvris la porte de l'église de manière qu'elle pût l'entendre et croire que je ne faisais que d'entrer.[9]

— Eh bien, Gertrude! Es-tu prête à rentrer? L'orgue va bien?

— Oui, très bien, me dit-elle de sa voix la plus naturelle; aujourd'hui j'ai vraiment fait quelques progrès.

Une grande tristesse emplissait mon cœur, mais nous ne fîmes ni l'un ni l'autre aucune allusion à ce que je viens de raconter.

Il me tardait de me trouver seul avec Jacques. Ma femme, Gertrude et les enfants se retiraient d'ordinaire assez tôt après le souper, nous laissant tous deux prolonger studieusement[10] la veillée. J'attendais ce moment. Mais devant que de[11] lui parler je me sentis le cœur si gonflé, et par des sentiments si troublés, que je ne savais ou n'osais aborder le sujet qui me tourmentait. Et ce fut lui qui brusquement rompit le silence en m'annonçant sa résolution de passer toutes les vacances auprès

de nous. Or, peu de jours auparavant, il nous avait fait part d'un projet de voyage dans les Hautes-Alpes,[12] que ma femme et moi avions grandement approuvé; je savais que son ami T . . . , qu'il choisissait pour compagnon de route, l'attendait; aussi m'apparut-il nettement que ce revirement[13] subit n'était point sans rapport avec la scène que je venais de surprendre. Une grande indignation me souleva d'abord, mais craignant, si je m'y laissais aller, que mon fils ne se fermât à moi[14] définitivement, craignant aussi d'avoir à regretter des paroles trop vives, je fis un grand effort sur moi-même,[15] et du ton le plus naturel que je pus:

— Je croyais que T . . . comptait sur toi, lui dis-je.

— Oh! reprit-il, il n'y comptait pas absolument, et du reste, il ne sera pas en peine de[16] me remplacer. Je me repose aussi bien ici que dans l'Oberland[17] et je crois vraiment que je peux employer mon temps mieux qu'à courir les montagnes.

— Enfin, dis-je, tu as trouvé ici de quoi t'occuper?

Il me regarda, percevant dans le ton de ma voix quelque ironie, mais, comme il n'en distinguait pas encore le motif, il reprit d'un air dégagé:

— Vous savez que j'ai toujours préféré le livre à l'alpenstock.[18]

[12] *les Hautes-Alpes:* département alpestre dans le sud de la France; mot incorrectement employé puisqu'il s'agit des Alpes suisses. Voir note 17 ci-dessous.

[13] *revirement:* reversal

[14] *se fermât à moi:* shut me out

[15] *je fis un grand effort sur moi-même:* I used all my self-control

[16] *il ne sera pas en peine de:* il n'aura pas de difficultés à

[17] *Oberland:* région montagneuse de la Suisse

[18] *alpenstock:* mot allemand pour les cannes dont se servent les alpinistes

[7] *touches:* keys (of an instrument)

[8] *direction:* guidance

[9] *je ne faisais que d'entrer:* je venais d'entrer

[10] *studieusement:* en étudiant

[11] *devant que de:* avant de

— Oui, mon ami, fis-je en le regardant à mon tour fixement; mais ne crois-tu pas que les leçons d'accompagnement à l'harmonium présentent pour toi encore plus d'attrait que la lecture?

Sans doute il se sentit rougir, car il mit sa main devant son front, comme pour s'abriter de la clarté de la lampe. Mais il se ressaisit presque aussitôt, et d'une voix que j'aurais souhaitée moins assurée:

— Ne m'accusez pas trop, mon père. Mon intention n'était pas de vous rien cacher, et vous devancez de bien peu l'aveu que je m'apprêtais à vous faire.

Il parlait posément, comme on lit un livre, achevant ses phrases avec autant de calme, semblait-il, que s'il ne se fût pas agi de lui-même. L'extraordinaire possession de soi dont il faisait preuve achevait de m'exaspérer. Sentant que j'allais l'interrompre, il leva la main, comme pour me dire: non, vous pourrez parler ensuite, laissez-moi d'abord achever; mais je saisis son bras et le secouant:

— Plutôt que de te voir porter le trouble dans l'âme pure de Gertrude, m'écriai-je impétueusement, ah! je préférerais ne plus te revoir. Je n'ai pas besoin de tes aveux! Abuser de l'infirmité, de l'innocence, de la candeur, c'est une abominable lâcheté dont je ne t'aurais jamais cru capable! et de m'en parler avec ce détestable sang-froid! . . . Écoute-moi bien: J'ai charge de Gertrude et je ne supporterai pas un jour de plus que tu lui parles, que tu la touches, que tu la voies.

— Mais, mon père, reprit-il sur le même ton tranquille et qui me mettait hors de moi, croyez bien que je respecte Gertrude autant que vous pouvez faire vous-même. Vous vous méprenez étrangement[19] si vous pensez qu'il entre quoi que ce soit de répréhensible, je ne dis pas seulement dans ma conduite, mais dans mon dessein même et dans le secret de mon cœur. J'aime Gertrude, et je la respecte, vous dis-je, autant que je l'aime. L'idée de la troubler, d'abuser de son innocence et de sa cécité me paraît aussi abominable qu'à vous. Puis il protesta que ce qu'il voulait être pour elle, c'était un soutien, un ami, un mari; qu'il n'avait pas cru devoir m'en parler avant que sa résolution de l'épouser ne fût prise; que cette résolution Gertrude elle-même ne la connaissait pas encore et que c'était à moi qu'il en voulait parler d'abord. — Voici l'aveu que j'avais à vous faire, ajouta-t-il, et je n'ai rien d'autre à vous confesser, croyez-le.

Ces paroles m'emplissaient de stupeur. Tout en les écoutant j'entendais mes tempes battre. Je n'avais préparé que des reproches, et, à mesure qu'[20]il m'enlevait toute raison de m'indigner, je me sentais plus désemparé,[21] de sorte qu'à la fin de son discours je ne trouvais plus rien à lui dire.

— Allons nous coucher, fis-je enfin, après un assez long silence. Je m'étais levé et lui posai la main sur l'épaule. Demain je te dirai ce que je pense de tout cela.

— Dites-moi du moins que vous n'êtes plus irrité[22] contre moi.

— J'ai besoin de la nuit pour réfléchir.

Quand je retrouvai Jacques le lendemain, il me sembla vraiment que je le regardais pour la première fois. Il

---

[19] vous vous méprenez étrangement: vous trompez complètement
[20] à mesure qu': as, the longer (he)
[21] plus désemparé: all the more at a loss
[22] irrité: fâché

n'apparut tout à coup que mon fils
n'était plus un enfant, mais un jeune
homme; tant que je le considérais
comme un enfant, cet amour que
j'avais surpris pouvait me sembler 5
monstrueux. J'avais passé la nuit à me
persuader qu'il était tout naturel et
normal au contraire. D'où venait que
mon insatisfaction n'en était que plus
vive? C'est ce qui ne devait s'éclairer 10
pour moi qu'un peu plus tard.[23] En attendant, je devais parler à Jacques et
lui signifier ma décision. Or un instinct
aussi sûr que celui de la conscience
m'avertissait qu'il fallait empêcher ce 15
mariage à tout prix.

J'avais entraîné Jacques dans le fond
du jardin; c'est là que je lui demandai
d'abord:

— T'es-tu déclaré à Gertrude?
— Non, me dit-il. Peut-être sent-elle 20
déjà mon amour; mais je ne le lui ai
point avoué.

— Eh bien! tu vas me faire la promesse de ne pas lui en parler en- 25
core.

— Mon père, je me suis promis de
vous obéir; mais ne puis-je connaître
vos raisons?

J'hésitais à lui en donner, ne sachant 30
trop si celles qui me venaient d'abord
à l'esprit étaient celles mêmes qu'il
importait le plus de mettre en avant.[24]
A dire vrai, la conscience bien plutôt
que la raison dictait ici ma conduite. 35

— Gertrude est trop jeune, dis-je enfin. Songe qu'elle n'a pas encore communié.[25] Tu sais que ce n'est pas une
enfant comme les autres, hélas! et que
son développement a été beaucoup 40
retardé. Elle ne serait sans doute que
trop sensible, confiante comme elle

est, aux premières paroles d'amour
qu'elle entendrait; c'est précisément
pourquoi il importe de ne pas les lui
dire. S'emparer de ce qui ne peut se
défendre, c'est une lâcheté; je sais
que tu n'es pas un lâche. Tes sentiments, dis-tu, n'ont rien de répréhensible; moi je les dis coupables parce
qu'ils sont prématurés. La prudence
que Gertrude n'a pas encore, c'est à
nous de l'avoir pour elle. C'est une
affaire de conscience.

Jacques a ceci d'excellent, qu'il
suffit, pour le retenir, de ces simples
mots: «Je fais appel à ta conscience»
dont j'ai souvent usé lorsqu'il était enfant. Cependant je le regardais et pensais que, si elle pouvait y voir, Gertrude ne laisserait pas d'admirer ce
grand corps svelte, à la fois si droit et
si souple, ce beau front sans rides, ce
regard franc, ce visage enfantin encore, mais que semblait ombrer[26] une
soudaine gravité. Il était nu-tête et ses
cheveux cendrés,[27] qu'il portait alors
assez longs, bouclaient légèrement à
ses tempes et cachaient ses oreilles à
demi.

— Il y a ceci que je veux te demander encore, repris-je en me levant
du banc où nous étions assis: tu avais
l'intention, disais-tu, de partir après-
demain; je te prie de ne pas différer ce
départ. Tu devais rester absent tout
un mois; je te prie de ne pas raccourcir d'un jour ce voyage. C'est entendu?

— Bien, mon père, je vous obéirai.

Il me parut qu'il devenait extrêmement pâle, au point que ses lèvres
mêmes étaient décolorées. Mais je me
persuadai[28] que, pour une soumission
si prompte, son amour ne devait pas
être bien fort; et j'en éprouvai un

[23] *C'est . . . tard:* Le pasteur ne se rend
pas encore compte de son amour pour Gertrude.
[24] *mettre en avant:* to bring forth
[25] *communié:* received Holy Communion

[26] *ombrer:* to darken
[27] *cendrés:* ash-blond
[28] *je me persuadai:* I convinced myself

soulagement indicible. Au surplus, j'étais sensible à [29] sa docilité.
— Je retrouve l'enfant que j'aimais, lui dis-je doucement, et, le tirant à moi, je posai mes lèvres sur son front.

Il y eut de sa part un léger recul; mais je ne voulus pas m'en affecter.[30]

[29] *j'étais sensible à:* j'appréciais

[30] *m'en affecter:* m'en troubler

JEAN GIRAUDOUX [1882–1944]

Après de brillantes études et de nombreux voyages, Jean Giraudoux devint instituteur en Allemagne. Il ne commença sa carrière diplomatique [1] qu'après avoir été officier dans l'armée française pendant le Première Guerre mondiale.[2] Auteur de souvenirs de guerre, de nombreux romans,[3] de critiques littéraires et de théories politiques, il se distingua en littérature surtout par ses drames qui firent de lui le premier homme de théâtre de la période d'entre-deux-guerres. Le théâtre lui fit éviter certaines des imperfections de ses romans. La forme même du théâtre imposa à Giraudoux de penser à la composition de l'œuvre, d'éviter des digressions, de faire parler ses personnages au lieu de décrire leur caractère, et de resserrer l'action.

D'une imagination fertile, Giraudoux créa un théâtre d'évasion où dominent des situations exceptionnelles et invraisemblables. Ses pièces [4] sont peuplées de personnages souvent symboliques, rivés à la condition humaine malgré eux. Dans ses romans comme dans ses pièces, Giraudoux exprima sa philosophie,[5] mais toujours d'une façon voilée, presque de biais. Tout en accordant un rôle à l'inconnu et à l'inconscient, au féerique et à la fantaisie, il développa des

[1] *carrière diplomatique:* Envoyé en mission en Allemagne et aux États-Unis, Giraudoux finit par occuper des postes importants au Ministère des Affaires Étrangères à Paris.
[2] *Guerre mondiale:* Il fut décoré de la Légion d'Honneur à titre militaire.
[3] *romans:* La liste des romans de Giraudoux est imposante. Il faut mentionner au moins *Suzanne et le Pacifique* (1921), où une jeune naufragée recrée le monde selon son imagination; *Siegfried et le Limousin* (1922), dont Giraudoux tira la pièce citée plus loin; *Juliette au pays des hommes* (1924), récit plein d'humour qui porte une leçon morale; *Bella* (1926), la lutte de deux politiciens; et *Églantine* (1927), où est présenté le conflit entre l'Est et l'Ouest.
[4] *pièces:* Mentionnons simplement quelques-unes des pièces présentées avec succès aux États-Unis: *Amphitryon 38* (1929); *La Guerre de Troie n'aura pas lieu* (1935), présenté dans l'adaptation de Christopher Fry sous le titre *Tiger at the Gates;* et *La Folle de Chaillot* (1946), montée après la mort de l'auteur.
[5] *philosophie:* Giraudoux s'attaqua souvent aux problèmes les plus difficiles à résoudre. Dans *Intermezzo* (1933), par exemple, il présenta le conflit entre le réel et l'idéal, et en lisant *Électre* (1937), on se demande si la passion de la justice n'est pas nuisible quand elle est capable de bouleverser l'humanité.

ensées franches et humaines et une philosophie raisonnable: accepter son devoir et consentir à son destin. Giraudoux ne fut certes pas un croyant,[6] mais plutôt un idéaliste qui, en un style lyrique et pur, spontané malgré ses fréquentes métaphores et sa préciosité, exprima sa foi dans l'homme et dans son avenir.

Bref, Jean Giraudoux apporta au théâtre ce qui lui manquait: le mystère et la magie, l'enchantement et l'illusion poétiques, l'émoi pénétré d'une fine ironie, et la vérité dans la poésie.

Siegfried (1928) nous présente un soldat atteint d'amnésie pendant la première guerre mondiale. Retrouvé dans une gare de blessés et soigné par Éva six ans auparavant, cet homme pense être Allemand et s'appeler Siegfried. Il est devenu homme d'état de l'Allemagne et il ignore qu'il est en vérité Jacques Forestier, écrivain français autrefois fiancé de Geneviève Prat. Zelten, haut dignitaire, soupçonne la vérité et fait venir Geneviève, la faisant passer pour une Canadienne venue donner des leçons de français à Siegfried.

[6] *croyant:* Si Giraudoux accepta l'idée d'une force directrice, ce fut celle du sort, non pas celle de Dieu.

Siegfried

ACTE II

SCÈNE II — GENEVIÈVE, SIEGFRIED

SIEGFRIED

Bonjour, Madame.

GENEVIÈVE, *surprise, reculant*

Non, Mademoiselle.

SIEGFRIED

Puis-je vous demander votre nom?

GENEVIÈVE

Prat . . . Mon nom de famille est Prat.

SIEGFRIED

Votre prénom?

GENEVIÈVE

Geneviève.

SIEGFRIED

Geneviève . . . Je le prononce bien?

5 GENEVIÈVE

Un peu lentement. Mais pour une première fois . . .

SIEGFRIED

10 Je résume . . . Vous voulez bien que je résume de temps en temps notre conversation? C'est facile, cette fois. Le dialogue a été modèle. Je résume en le moins de mots possible: J'ai de- 15 vant moi Mademoiselle Geneviève Prat?

GENEVIÈVE

Elle-même.

20 (*Elle s'assied.*)

SIEGFRIED

Que faisiez-vous au Canada?

GENEVIÈVE

Au Canada? Nous avions . . . ce qu'on a là-bas . . . une ferme . . .

SIEGFRIED

Où cela?

GENEVIÈVE

A la campagne . . . (*Il rit.*) Près 10 d'une ville . . .

SIEGFRIED

Quelle ville?

GENEVIÈVE

Quelle ville? Vous savez, on se soucie peu des noms propres au Canada. Le pays est grand, mais tout le monde est voisin. On appelait notre 20 lac, le lac, la ville, la ville. Le fleuve (sûrement vous allez me questionner sur l'immense fleuve qui traverse le Canada), personne là-bas ne se rappelle son nom. C'est le fleuve!   25

SIEGFRIED

La tâche des postes ne doit pas être facile . . .

GENEVIÈVE

On s'écrit peu. On se porte soi-même les lettres, en traîneau.[1]

SIEGFRIED

Que faisiez-vous à la ferme?

GENEVIÈVE

Ce qu'on fait au Canada. On s'oc-cupe surtout de neige chez nous.   40

SIEGFRIED

Je comprends. C'était une ferme de neige, et ce sont là vos vêtements de fermière?   45

[1] *traîneau:* sleigh

GENEVIÈVE

Nous sommes riches. Nous faisions parfois de très bonnes années, par les 5 grands froids.

SIEGFRIED, *soudain très sérieux*

Pourquoi plaisantez-vous ainsi?

GENEVIÈVE, *riant*

Pourquoi me forcez-vous à me débattre dans un élément qui n'est pas le mien? Non, évidemment, je ne suis pas Canadienne. Qu'est-ce que cela fait pour notre leçon! Remplaçons seulement le positif par le négatif. Je ne suis pas Canadienne. Je n'ai pas tué de grizzly . . . etc. . . . Le profit pour mon élève sera le même.

SIEGFRIED

Qui êtes-vous?

GENEVIÈVE

Compliquons l'exercice. Devinez: je ne tue pas de grizzly, mais je passe pour [2] couper mes robes moi-même. Je ne fais pas de ski, mais ma cuisine est renommée.

SIEGFRIED

Vous êtes Française? Pourquoi le cachez-vous?

GENEVIÈVE

Voilà bien des questions!

SIEGFRIED

Vous avez raison . . . C'est que je ne suis guère autre chose qu'une ma-chine à questions. Tout ce qui passe d'étranger à ma portée, il n'est rien de moi qui ne s'y agrippe.[3] Je ne suis

[2] *je passe pour:* je suis réputée pour
[3] *Tout ce qui . . . ne s'y agrippe:* There is nothing within me that does not clutch at everything outside my understanding.

guère, âme et corps, qu'une main de naufragé . . . On vous a dit mon histoire?

GENEVIÈVE

Quelle histoire?

SIEGFRIED

Ils sont rares, les sujets sur lesquels je puisse parler sans poser de ques- [10] tions: les contributions directes [4] allemandes depuis 1848, et le statut personnel [5] dans l'Empire Germanique depuis l'an 1000, voilà à peu près les deux seuls domaines où je puisse ré- [15] pondre au lieu d'interroger, et je n'ai pas l'impression qu'il faille vous y inviter.

GENEVIÈVE

Nous verrons, un dimanche! [6] . . . [20] Alors, questionnez.

SIEGFRIED

Je n'aurais pas dû vous demander [25] qui vous êtes! Je vous ai ainsi tout demandé. Un prénom suivi de son nom, il me semble que c'est la réponse à tout. Si jamais je retrouve les miens, je ne répondrai jamais autre chose à [30] ceux qui me questionneront. Oui . . . et je suis un tel . . . Oui, c'est l'hiver, mais je suis un tel . . . Qu'il doit être bon de dire: Il neige, mais je suis Geneviève Prat . . . [35]

GENEVIÈVE

Je serais cruelle de vous contredire. Mais je suis si peu de votre avis! Tous les êtres, je les trouve condamnés à un [40] si terrible anonymat. [7] Leurs nom, prénom, surnom, aussi bien que leurs

grades et titres, ce sont des étiquettes si factices, si passagères, et qui les révèlent si peu, même à eux-mêmes! Je vais vous sembler bien peu gaie, [5] mais cette angoisse que l'on éprouve devant le soldat inconnu, je l'éprouve, et accrue encore, [8] devant chaque humain, quel qu'il soit.

SIEGFRIED

Moi seul peut-être je vous parais avoir un nom en ce bas monde!

GENEVIÈVE

N'exagérons rien.

SIEGFRIED

Pardonnez-moi ces plaintes. Dans [9] tout autre moment, j'aurais aimé vous [20] cacher pendant quelques jours les ténèbres où je vis. La plus grande caresse qui puisse me venir des hommes, c'est l'ignorance qu'ils auraient [10] de mon sort. Je vous aurais dit que je descendais vraiment de Siegfried, [11] que ma marraine venait de prendre une entorse, [12] que la tante de ma tante était de passage. Vous l'auriez cru, et nous aurions obtenu ce calme si nécessaire pour l'étude des verbes irréguliers.

GENEVIÈVE

Nous oublions en effet la leçon. [35] Questionnez-moi, Monsieur le Conseiller d'État, puisque vous aimez questionner. Faites-moi ces questions qu'on pose à la fois aux institutrices familières et aux passants inconnus: [40] Qu'est-ce que l'art? ou: Qu'est-ce que

[4] *contributions directes:* direct taxation
[5] *statut personnel:* personal status
[6] *un dimanche:* i.e. un jour où nous n'aurons rien d'autre à faire
[7] *anonymat:* anonymity

[8] *accrue encore:* même encore plus forte
[9] *Dans:* à
[10] *auraient:* might have
[11] *Siegfried:* héros d'un drame musical du même nom composé par Richard Wagner en 1876
[12] *venait de prendre une entorse:* had just sprained her ankle

la mort? Ce sont des exercices de vocabulaire pratique excellents.

SIEGFRIED

Et la vie, qu'est-ce que c'est?

GENEVIÈVE

C'est la question pour princesses russes,[13] celle-là. Mais je peux y répondre: une aventure douteuse pour les vivants, rien que d'agréable pour les morts.

SIEGFRIED

Et pour ceux qui sont à la fois morts et vivants?

GENEVIÈVE

Je me refuse à continuer ma leçon dans ce manuel de la désolation . . . Ouvrons le livre plutôt au chapitre du coiffeur ou des cris d'animaux. Cela ne vous dit donc rien[14] de savoir comment se dénomme en France le cri de la chouette?[15]

SIEGFRIED

Si cela doit vous égayer particulièrement vous aussi, je veux bien. Tout en vous certes est sourire, douceur, gaieté même. Mais au-dessous de tous ces exercices funèbres dont je vous donne la parade,[16] vous tendez poliment je ne sais quel filet de tristesse. Je m'y laisse rebondir.

GENEVIÈVE, *le regardant bien en face, très gravement*

J'ai eu un fiancé tué à la guerre.[17]

[13] *princesses russes:* puisqu'elles ont la réputation d'être raffinées, précieuses, décadentes et charmantes, mais de ne pas avoir les pieds sur terre
[14] *Cela ne vous dit donc rien:* cela ne vous intéresse donc pas
[15] *chouette:* hibou
[16] *dont je vous donne la parade:* which I parade (display) before you

Ma vie a cessé là où la vôtre commençait.

SIEGFRIED

Je vous plains . . . Mais je changerais encore.

GENEVIÈVE

Changeons.

SIEGFRIED

Ne parlez pas ainsi . . . Si vous saviez combien mes yeux et mon cœur sont ravis de sentir au-dessus de vous, en couches[18] profondes et distinctes, ce fardeau d'années d'enfance, d'adolescence, de jeunesse que vous m'avez apporté en entrant dans cette maison. Cette corbeille de mots maternels, ce faix[19] des premières sonates entendues, des premiers opéras, des premières entrevues avec la lune, les fleurs, l'océan, la forêt, dont je vous vois couronnée, comme vous auriez tort de la changer contre celle que l'avenir vous prépare, et d'avoir à dire comme moi devant la nuit et les étoiles cette phrase ridicule: nuit, étoiles, je ne vous ai jamais vues pour la première fois . . . (*Souriant.*) Vous devez les tutoyer d'ailleurs?

GENEVIÈVE

Mais cette impression vierge, ne pouvez-vous l'éprouver pour bien des sentiments, pour l'ambition, le pouvoir, l'amour?

SIEGFRIED

Non. Je ne puis m'empêcher de sentir tout mon cœur plein de places

[17] Geneviève croyait depuis sept ans que Jacques était mort. Ce n'était qu'en voyant Siegfried ce jour-là qu'elle fut désabusée.
[18] *couches:* layers
[19] *faix:* fardeau

gardées.[20] Je ne me méprise pas assez pour croire que j'aie pu arriver à mon âge sans avoir eu mon lot de désirs, d'admirations, d'affections. Je n'ai point encore osé libérer ces stalles réservées. J'attends encore.

GENEVIÈVE, *d'une voix émue*

Vous n'attendrez plus beaucoup.

SIEGFRIED

Je me le dis quelquefois. Le destin est plus acharné à résoudre les énigmes humaines que les hommes eux-mêmes. Il fait trouver dans des pommes des diamants célèbres égarés,[21] reparaître après cent ans l'épave[22] des bateaux dont l'univers a accepté la perte. C'est par inadvertance que Dieu permet des accrocs[23] dans son livre de comptes. Il est terriblement soigneux. Il fera un beau vacarme[24] quand il s'apercevra qu'il y a deux dossiers pour le même Siegfried. Oui, je compte encore sur la bavardise[25] incoercible des éléments . . . (*La regardant de loin, avec quelque tendresse.*) Vous, humaine, vous vous taisez?

GENEVIÈVE, *très grave*

Je prépare une phrase.

SIEGFRIED

Vous avez raison. Revenons à votre leçon . . . Revenons à nous.
(*Il s'approche d'elle, se penche sur elle.*)

GENEVIÈVE

Vous revenez de loin, mais très près.

[20] *gardées:* réservées
[21] *égarés:* perdus
[22] *épave:* wreck
[23] *accrocs:* difficultés
[24] *Il fera un beau vacarme:* he will kick up a big row
[25] *bavardise:* bavardage

SIEGFRIED

Pardon si je m'approche de vous qui m'êtes inconnue, comme je le fais chaque jour vers mon image dans la glace . . . Quelle douceur j'éprouve à me mettre en face d'un mystère tellement plus tendre et plus captivant que le mien. Quel repos d'avoir à me demander quelle est cette jeune femme, qui elle a aimé, à quoi elle ressemble![26]

GENEVIÈVE

A qui . . . Relatif féminin [26] . . .

SIEGFRIED

Comme on devient vite devin quand il s'agit des autres! Je vous vois enfant, jouant à la corde.[27] Je vous vois jeune fille, lisant auprès de votre lampe. Je vous vois au bord d'un étang, avec un reflet tranquille, d'une rivière, avec un reflet agité . . . Chère Geneviève, tout n'a pas été gai dans votre vie. Je vous vois jeune femme priant sur la tombe de votre fiancé . . .

GENEVIÈVE

Non . . . Il a disparu . . .

SIEGFRIED

Oh! pardon . . . C'était un officier . . .

GENEVIÈVE

Il l'était devenu pendant la guerre. C'est en officier qu'il disparut, vêtu de cet uniforme bleu clair que les ennemis ne devaient point voir et qui nous l'a rendu à nous aussi invisible . . .

[. . .]

[26] *à quoi elle ressemble:* could mean "what she is like" or else it could be incorrect French for *à qui elle ressemble* — whom she resembles
[27] *jouant à la corde:* jumping rope

ACTE III

[*Siegfried sait maintenant qu'il n'est pas Allemand, mais il ignore encore tout de son passé.*]

SCÈNE IV — GENEVIÈVE, SIEGFRIED

[. . .]

GENEVIÈVE

Vous ne devinez donc pas? Pourquoi Zelten m'a appelée ici, pourquoi depuis hier, depuis que je vous ai revu, mon cœur à chaque minute s'élance et se brise, vous ne le devinez donc pas?

SIEGFRIED

Que vous m'avez revu?

GENEVIÈVE

Ah! le destin a tort de confier ses secrets à une femme. Je ne puis plus me taire. Advienne que pourra.[28] Ah! ne m'en veuille pas si je sais si peu, moi, ménager mes effets,[29] si je vais te dire à la file[30] les trois phrases qui me brûlent les lèvres depuis que je t'ai vu, et que la peur de ta mort[31] seule a retenues . . . Il y a peut-être pour elles un ordre à trouver, une gradation, qui les rendrait naturelles, inoffensives, mais lequel? Les voilà, je les dis à la fois: tu es Français, tu es mon fiancé, Jacques, c'est toi.

(*Éva, qui est entrée sur les derniers mots de Geneviève, s'est approchée.*)

SCÈNE V — GENEVIÈVE, ÉVA, SIEGFRIED

ÉVA

Siegfried! (*Siegfried tourne la tête vers elle*). C'est moi, Siegfried. (*Geste de lassitude de Siegfried.*) Si c'est un crime d'avoir partagé avec toi ma patrie, pardon, Siegfried. (*Geste vague de Siegfried.*) Si c'est un crime d'avoir recueilli un enfant abandonné, qui frissonnait à la porte de l'Allemagne, de l'avoir vêtu de sa douceur, nourri de sa force, pardon.

SIEGFRIED

Cela va . . . Laisse-moi.

ÉVA

Tous les droits te donnaient à nous, Siegfried, l'adoption, l'amitié, la tendresse . . . Deux semaines, j'ai veillé sur toi nuit et jour, avant que tu reprennes connaissance.[32] . . . Tu ne venais pas d'un autre pays, tu venais du néant . . .

SIEGFRIED

Ce pays a des charmes.

ÉVA

Si j'avais su que le sort dût te rendre une patrie, je ne t'aurais pas donné la mienne . . . C'est hier seulement que j'ai appris la vérité, aujourd'hui seulement que je t'ai menti. J'ai eu tort. J'aurais dû tout te révéler moi-même, car cette révélation ne peut plus rien changer.

SIEGFRIED

Cela va bien, Éva. Adieu.

ÉVA

Pourquoi adieu? Tu restes avec nous, je pense?

SIEGFRIED

Avec vous?

---

[28] *Advienne que pourra:* Come what may.
[29] *ménager mes effets:* lead up to things (dramatically)
[30] *à la file:* l'une après l'autre
[31] *peur de ta mort:* On craint parfois qu'une personne atteinte d'amnésie ne meure si on lui révèle trop brusquement son identité.
[32] *tu reprennes connaissance:* you regained consciousness

ÉVA

Tu ne nous quittes pas? Tu ne nous abandonnes pas?

SIEGFRIED

Qui, vous?

ÉVA

Nous tous, Waldorf, Ledinger,[33] les milliers de jeunes gens qui t'ont escorté tout à l'heure jusqu'ici, tous ceux qui croient en toi: l'Allemagne.

SIEGFRIED

Laisse-moi, Éva.

ÉVA

Je n'ai pas l'habitude de te laisser lorsque te frappe une blessure.

SIEGFRIED

Où veux-tu en venir?[34]

ÉVA

A ton vrai cœur, à ta conscience. Écoute-moi. J'ai eu sur toi tout un jour d'avance pour me reconnaître[35] dans ce brouillard. Tu verras demain comme tout sera clair en toi. Ton devoir est ici. Depuis sept ans, pas un souvenir qui soit monté de ton passé, pas un signe fait par lui, pas une parcelle[36] de ton corps qui ne soit neuve, pas un penchant qui t'ait mené vers ce que tu avais quitté. Toutes les prescriptions sont mortes . . . Que dites-vous, Mademoiselle?

GENEVIÈVE

Moi, je me tais.

ÉVA

Vous n'en donnez pas l'impression. Votre silence domine nos voix.

GENEVIÈVE

Chacun se sert de son langage.

ÉVA

Je vous en supplie. Daignez me regarder. Nous luttons, toutes deux. Cessez de fixer ainsi vos yeux devant vous, sans rien voir.

GENEVIÈVE

Chacun ses gestes.

[. . .]

ÉVA

[. . .] De quel droit êtes-vous ici? Qui vous a appelée à ce pays où vous n'avez que faire?[37]

GENEVIÈVE

Un Allemand.

ÉVA

Zelten?

GENEVIÈVE

Zelten.

ÉVA

Zelten est un traître à l'Allemagne. Tu le vois, Siegfried. Ce complot n'avait pas pour but de réparer une erreur du passé mais de t'enlever au pays dont tu es l'espoir, et qui t'a donné ce qu'il n'a pas donné toujours à ses rois, le pouvoir et l'estime.

SIEGFRIED

Tout ce que je me refuse maintenant à moi-même . . . Je vous en prie, laissez-moi, toutes deux . . .

---

[33] *Waldorf, Ledinger:* généraux allemands
[34] *Où veux-tu en venir?:* What are you driving at?
[35] *me reconnaître:* m'orienter
[36] *parcelle:* fragment
[37] *que faire:* rien à faire

ÉVA

Non, Siegfried.[38]

GENEVIÈVE

Pourquoi, Jacques?[38]

SIEGFRIED

Vous n'auriez pas l'une et l'autre, pour m'appeler, un nom intermédiaire 10 entre Siegfried et Jacques?

ÉVA

Il n'est pas d'intermédiaire entre le devoir et les liens dont cette femme est 15 le symbole.

GENEVIÈVE

Symbole? Une Française suit trop la mode pour être jamais un symbole, 20 pour être plus qu'un corps vibrant, souffrant, vêtu de la dernière[39] robe. D'ailleurs vous vous trompez. Si Jacques avait à choisir entre le devoir et l'amour, il eût choisi[40] depuis long- 25 temps. Il est si facile, comme dans les tragédies, d'enlever au mot devoir les parcelles d'amour qu'il contient, au mot amour les parcelles de devoir dont il déborde, et de faire une pesée 30 décisive mais fausse.[41] Mais Jacques doit choisir entre une vie magnifique qui n'est pas à lui, et un néant qui est le sien. Chacun hésiterait . . .

ÉVA

Il a à choisir entre une patrie dont il est la raison, dont les drapeaux portent son chiffre, qu'il peut contribuer à sauver d'un désarroi[42] mortel, et un 40

[38] *Siegfried . . . Jacques:* Noter à quel point Giraudoux révèle le caractère des deux femmes dans ces répliques.
[39] *la dernière:* i.e. la plus moderne
[40] *eût choisi:* aurait choisi
[41] *faire une pesée décisive mais fausse:* to weigh conclusively but incorrectly
[42] *désarroi:* confusion

pays où son nom n'est plus gravé que sur un marbre, où il est inutile, où son retour ne servira, et pour un jour, qu'aux journaux du matin, où per- 5 sonne, du paysan au chef, ne l'attend . . . N'est-ce pas vrai?

GENEVIÈVE

C'est vrai.

ÉVA

Il n'a plus de famille, n'est-ce pas?

GENEVIÈVE

Non.

ÉVA

Il n'avait pas de fils, pas de neveux?

GENEVIÈVE

Non.

ÉVA

Il était pauvre? Il n'avait pas de maison à la campagne, pas un pouce[43] du sol français n'était le sien?

GENEVIÈVE

Non.

ÉVA

Où est ton devoir, Siegfried? Soixante millions d'hommes ici t'attendent. Là-bas, n'est-ce pas, per- 35 sonne?

GENEVIÈVE

Personne.

ÉVA

Viens, Siegfried . . .

GENEVIÈVE

Si. Quelqu'un l'attend cependant . . . Quelqu'un? c'est beaucoup dire . . . Mais un être vivant l'attend. Un

[43] *pouce:* petit fragment

minimum de conscience, un minimum de raisonnement.

ÉVA

Qui?

GENEVIÈVE

Un chien.

ÉVA

Un chien?

GENEVIÈVE

Son chien. [. . .] Ton chien t'attend, Jacques. [. . .]

ÉVA

C'est ridicule . . .

GENEVIÈVE

Il est plus ridicule que vous ne pouvez même le croire: c'est un caniche. Il est blanc, et comme tous les chiens blancs en France, il a nom Black. Mais, Jacques, Black t'attend. [. . .]

ÉVA

Cessez de plaisanter.

GENEVIÈVE

Oui, je sais. Vous voudriez que je parle de la France. [. . .] La grandeur de l'Allemagne, la grandeur de la France, c'est évidemment un beau sujet d'antithèses et de contrastes. [. . .] c'est évidemment un beau drame. Mais celui-là, Jacques, c'est le drame de demain.

ÉVA

Peut-on savoir quel est celui d'aujourd'hui?

GENEVIÈVE

Le drame, Jacques, est aujourd'hui entre cette foule qui t'acclame, et ce chien, si tu veux, et cette vie sourde qui espère. Je n'ai pas dit la vérité en disant que lui seul t'attendait . . . Ta lampe t'attend, les initiales de ton 5 papier à lettres t'attendent, et les arbres de ton boulevard, et ton breuvage, et les costumes démodés que je préservais, je ne sais pourquoi, des mites,[44] dans lesquels enfin tu seras à 10 l'aise. Ce vêtement invisible que tisse [45] sur un être la façon de manger, de marcher, de saluer, cet accord divin de saveurs, de couleurs, de parfums obtenu par nos sens d'enfant; c'est là 15 la vraie patrie, c'est là ce que tu réclames . . . Je l'ai vu depuis que je suis ici. Je comprends ton perpétuel malaise. Il y a entre les moineaux, les guêpes,[46] les fleurs de ce pays et ceux 20 du tien une différence de nature imperceptible, mais inacceptable pour toi. C'est seulement quand tu retrouveras tes animaux, tes insectes, tes plantes, ces odeurs qui diffèrent pour 25 la même fleur dans chaque pays, que tu pourras vivre heureux, même avec ta mémoire à vide, car c'est eux qui en sont la trame.[47] Tout t'attend en somme en France, excepté les hommes. 30 Ici, à part les hommes, rien ne te connaît, rien ne te devine.

ÉVA

Tu peux remettre tes complets démodés, Siegfried, tu ne te débarras- 35 seras pas plus qu'un arbre des sept cercles que tes sept années allemandes ont passés autour de toi. Celui que le vieil hiver allemand a gelé sept fois, celui qu'a tiédi [48] sept fois le plus 40 jeune et le plus vibrant printemps

[44] *mites:* moths
[45] *tisse:* weaves
[46] *les moineaux, les guêpes:* the sparrows, the wasps
[47] *la trame:* l'intrigue, le sujet
[48] *tiédi:* légèrement chauffé

d'Europe, crois-moi, il est pour toujours insensible aux sentiments et aux climats tempérés. Tes habitudes, tu ne les as plus avec les terrasses de café, mais avec nos hêtres [49] géants, nos cités combles, avec ce paroxysme des paysages et des passions qui seul donne à l'âme sa plénitude. Je t'en supplie, ne va pas changer ce cœur sans borne [50] que nous t'avons donné [. . .] contre un cœur de Français!
    (*Musique et acclamations.*)

ÉVA

Choisis, Siegfried. Ne laisse pas exercer sur toi ce chantage [51] d'un passé que tu ne connais plus et où l'on puisera [52] toutes les armes pour t'atteindre, toutes les flatteries et toutes les dénonciations. Ce n'est pas un chien que cette femme a placé en appât [53] dans la France. C'est toi-même, toi-même en inconnu, ignoré, perdu pour toujours. Ne te sacrifie pas à ton ombre.

GENEVIÈVE

Choisis, Jacques. Vous l'avez vu, j'étais disposée à tout cacher encore, à attendre une occasion moins brutale, à attendre des mois. Le sort ne l'a pas voulu. J'attends l'arrêt. [54]
    (*On acclame au dehors.
    On illumine . . .*)

ÉVA

Prends garde, Siegfried! Nos amis attendent mon retour. Ils vont venir. Ils vont essayer de te contraindre, cède à l'amitié. Vois. Écoute. On il-

lumine en ton honneur. On t'acclame. Entends la voix de ce peuple qui t'appelle . . . Entre cette lumière et cette obscurité, que choisis-tu?

SIEGFRIED

Que peut bien choisir un aveugle!

ACTE IV

[*Siegfried a décidé de renoncer à sa gloire en Allemagne et de retourner en France. Il attend le train dans une gare de la frontière franco-allemande.*]

SCÈNE V — SIEGFRIED, GENEVIÈVE

[. . .]

SIEGFRIED

Pourquoi m'avoir suivi? [55]

GENEVIÈVE

Pourquoi m'avoir fuie, [56] Jacques? Vous ne pensiez pas que je pourrais vous laisser rentrer en France sans vous rendre tout ce que j'ai de vous, toute cette consigne de souvenirs, d'habitudes que j'ai gardée fidèlement, et vous laisser aller en aveugle dans votre nouvelle vie. Siegfried est sauf. Occupons-nous un peu de Forestier. [57] C'est lui qu'il faut refaire maintenant. Confiez-vous à moi. Je sais tout de vous. Jacques était très bavard.

SIEGFRIED

Vous entreprenez une tâche bien longue.

---

[49] *hêtres:* beech trees
[50] *sans borne:* boundless
[51] *chantage:* blackmail
[52] *puisera:* tirera
[53] *en appât:* as a lure, as bait
[54] *J'attends l'arrêt:* I await your decision, verdict

[55] *Pourquoi m'avoir suivi?:* Pourquoi m'avez-vous suivi?
[56] *Pourquoi m'avoir fuie:* Pourquoi m'avez-vous fuie
[57] *Forestier:* allusion à la dualité du personnage

GENEVIÈVE

Bien longue? Nous avons dix minutes.[58] C'est plus qu'il n'en faut pour que je vous rende, au seuil de votre existence neuve, toutes vos vertus originelles.

SIEGFRIED

Et les défauts?

GENEVIÈVE

Ceux-là reviendront sans moi. Il suffira que vous viviez avec quelqu'un que vous aimiez . . . Non, je ne veux pas que si un douanier français vous arrête, un douanier curieux qui vous demande si vous êtes courageux, si vous êtes prodigue,[59] quels sont vos plats préférés, vous ne puissiez lui répondre. Cet air gauche que vous avez, celui d'un cavalier sur une monture dont il ne connaît pas les manies, il doit disparaître dès aujourd'hui. Approchez, Jacques. Je vais vous délier de tous ces secrets que vous ne compreniez pas. (*Elle s'assied sur le banc et l'attire.*) Approchez. Rien de Jacques n'a changé. Chacun de vos cils a miraculeusement tenu au bord de vos paupières. Vos lèvres avaient déjà de mon temps, avant de goûter à tous les maux, ce pli doux et amer, donné d'ailleurs par les plaisirs. Tout ce que tu[60] crois sur toi la trace du malheur, c'est peut-être à la joie que tu le dois. Cette cicatrice que tu portes au front, ce n'est pas la marque de la guerre, mais d'une chute de bicyclette dans une partie de campagne. Jusqu'à[61] tes gestes sont aussi plus anciens que tu

ne crois. Si tes mains s'élèvent parfois à ton cou, c'est que tu portais autrefois une régate[62] et tu tirais à chaque instant sur elle. Et ne crois pas que ton clignement de l'œil vienne de tes souffrances, de tes doutes: tu l'avais pris à porter un monocle, malgré mes avis. J'ai acheté une cravate hier, avant de quitter Gotha.[63] Tu vas la mettre.

SIEGFRIED

Le douanier nous regarde.

GENEVIÈVE

Tu étais hardi, courageux, mais tu as toujours eu peur des douaniers qui regardent, des voisins qui écoutent. Ce n'est pas l'Allemagne qui t'a rendu aussi prudent et méfiant. Quand tu me conduisais en canot sur la Marne[64] et que nous divaguions sans fin,[65] il suffisait du chapeau d'un pêcheur pour te faire ramer en silence.

SIEGFRIED

Ramer? Je sais ramer?

GENEVIÈVE

Tu sais ramer, tu sais nager, tu plonges. Je t'ai vu plonger une minute entière. Tu ne revenais pas. Quel siècle d'attente! Tu vois, je te rends déjà un élément. Toutes les rivières que nous allons rencontrer en chemin, tu auras déjà avec elles ton assurance d'autrefois. C'est avec toi que j'ai vu la mer pour la première fois. L'as-tu revue?

SIEGFRIED

Non.

[58] *dix minutes:* Le train que prendront Jacques et Geneviève pour retourner en France partira dans dix minutes.
[59] *prodigue:* extravagant, lavish
[60] *tu:* Noter que Geneviève reprend le tutoiement.
[61] *Jusqu'à:* même
[62] *régate:* sailor-knot tie
[63] *Gotha:* ville d'Allemagne où se passent les trois premiers actes
[64] *la Marne:* rivière de France qui se jette dans la Seine
[65] *fin:* but

GENEVIÈVE

Et les montagnes! Tu ne saurais t'imaginer comme tu gravis facilement les montagnes. A chaque rocher, tu me déchargeais d'un fardeau, d'un vêtement. Tu arrives à leur sommet avec des sacs à main, des ombrelles, et moi presque nue.

(*Un silence.*)

SIEGFRIED

Où vous ai-je rencontrée?

GENEVIÈVE

Au coin d'une rue, près d'un fleuve.

SIEGFRIED

Il pleuvait sans doute? Je vous ai offert un parapluie, Geneviève, comme on fait à Paris?

GENEVIÈVE

Il faisait beau. Il faisait un soleil incomparable. Tu as pensé peut-être que j'avais besoin d'être protégée contre ce ciel inhumain, ces rayons, cette beauté. Je t'ai accepté pour compagnon. Nous allions le long de la Seine.[66] A chaque minute de cette journée, je t'ai découvert comme tu te découvres toi-même aujourd'hui. Je savais, le soir, quels sont tes musiciens, tes vins, tes auteurs, qui tu avais aimé déjà. Je te dirai cela aussi, si tu le désires. Le lendemain, nous avons fait une autre promenade, presque la même, mais dans ton automobile. Je me préparais à faire cette promenade toute ma vie, à une vitesse chaque jour décuplée.[67]

SIEGFRIED

Mon automobile? Je sais conduire?

GENEVIÈVE

Tu sais conduire. Tu sais danser. Que ne sais-tu pas? Tu sais être heureux. [. . .]

[66] *la Seine:* fleuve qui traverse Paris
[67] *décuplée:* increased tenfold

SIDONIE-GABRIELLE COLETTE [1873–1954]

Colette fut, sans aucun doute, la femme de lettres la plus importante et la plus vigoureuse de la première moitié du vingtième siècle. Son œuvre, claire et sensuelle, révèle l'extrême sensibilité, l'instinct féminin, l'intelligence et les dons d'observation de son auteur. Colette n'a pas cherché à faire œuvre de philosophe. Elle a exprimé la vie des êtres et de la nature en une prose soignée,[1] dépourvue de fausse sentimentalité, fluide et délicieuse.

Une grande partie de son œuvre s'inspire directement de sa vaste expérience

[1] *prose soignée:* L'art d'écrire lui fut pénible, mais elle s'efforça tout de même d'être un des plus grands prosateurs modernes.

personnelle. Il importe donc de savoir quelque chose de sa vie. Née en Bourgogne,[2] elle eut une enfance rustique et enchantée. A l'âge de vingt ans, elle épousa Henri Gautier-Villars, écrivain et libertin qui l'emmena à Paris et lui fit écrire ses souvenirs.[3] Il y ajouta des passages licencieux et impudiques et cette série de romans parut sous le nom d'emprunt, Willy. Elle divorça d'avec Willy en 1906. Quelques années suivirent pendant lesquelles Colette gagna sa vie comme danseuse et mime d'un music-hall.[4] Remariée en 1912,[5] elle devint mère.[6] Ce ne fut qu'à partir de son deuxième mariage qu'elle signa ses livres «Colette». Divorcée une fois de plus et remariée de nouveau,[7] elle passa le reste de ses jours à observer, à ressentir, et à écrire; sa vie littéraire fut couronnée par son élection à l'Académie Goncourt [8] dont elle devint présidente.

Même dans les œuvres qui ne sont pas totalement autobiographiques [9] se révèle la personnalité de Colette: son amour avide de la vie; sa féminité consciente; sa profonde connaissance de la femme qui éprouve le besoin d'échapper à la tyrannie masculine tout en sachant que la grande aventure de la femme s'appelle l'homme; sa joie d'aimer les plantes et les bêtes qu'elle décrit avec finesse et sympathie.

Bref, dans un style riche en images, Colette réussit, par la subtilité de ses impressions sensorielles, à faire la peinture totale et profonde du cœur humain et de la nature.

Chéri (1920) et *La Fin de Chéri* (1926) présentent des personnages et des milieux méprisables et une intrigue amorale; ils sont émouvants, pourtant, par la justesse psychologique de leurs traits qui soulignent la fragilité de l'amour charnel, l'ironie de la passion, et la destruction de l'être par l'amour. Dans les deux romans il s'agit des amours d'une vieille courtisane maternelle, Léa, et d'un beau jeune homme — gâté, mélancolique et faible — Frédéric Peloux, surnommé Chéri. Dans l'extrait de *La Fin de Chéri* cité ici, Chéri a trente ans. Léa, qu'il n'a pas vue depuis cinq ans, en a à peu près soixante.

[2] *Bourgogne:* ancienne province dans l'est de la France
[3] *souvenirs:* Ces romans forment «la série des Claudine»: *Claudine à l'école* (1900); *Claudine à Paris* (1901); *Claudine en ménage* (1902); et *Claudine s'en va* (1903).
[4] *music-hall:* Ces expériences firent naître deux livres importants, *La Vagabonde* (1910) et un recueil de contes, *L'Envers du music-hall* (1913). Tous deux parurent sous le nom de Colette Willy.
[5] *Remariée en 1912:* Son deuxième mari fut Henry de Jouvenel, sénateur, ministre de l'instruction publique et rédacteur en chef d'un journal parisien important.
[6] *mère:* Sa fille lui inspira *La Maison de Claudine* (1923). Étant mère, elle écrivit aussi ses souvenirs de sa mère à elle dans un livre intitulé *Sido* (1929).
[7] *remariée de nouveau:* Le troisième mari de Colette fut Maurice Goudeket, romancier et homme de théâtre.
[8] *l'Académie Goncourt:* Instituée en 1896, c'est une société littéraire composée de dix membres qui décernent chaque année un prix au «meilleur volume d'imagination en prose».
[9] *œuvres . . . autobiographiques: La Chatte* (1933), *Paris de ma fenêtre* (1944), et *Gigi* (1945) sont parmi les meilleures œuvres de ce groupe.

La Fin de Chéri

Il monta sans hâte l'unique étage qui conduisait à l'appartement de Léa. La rue Raynouard[1] à six heures, après la pluie, résonnait de cris d'oiseaux et d'appels d'enfants comme un jardin de pensionnat. Le vestibule à glaces épaisses, l'escalier poncé,[2] le tapis bleu, la cage d'ascenseur fleurie d'autant de laque et d'or qu'une chaise à porteurs,[3] il vit tout d'un œil froid[4] qui n'admettait pas même la surprise.[5] Sur le palier il subit l'instant indolore,[6] détaché de tout, qui leurre[7] le patient à la porte du dentiste. Il faillit s'en retourner, mais la pensée que peut-être il se croirait obligé de revenir lui déplut, et il sonna d'un doigt assuré. Une jeune servante ouvrit sans hâte, brune, coiffée d'un papillon[8] de linge fin sur ses cheveux coupés, et Chéri, devant un visage inconnu, perdit sa dernière chance d'émotion.

— Madame est là?

La jeune servante l'admirait, indécise:

— Je ne sais pas, monsieur . . . Monsieur est attendu?

— Naturellement, dit-il avec sa dureté d'autrefois.

Elle le laissa debout et disparut. Dans l'ombre, il dépêchait autour de lui ses yeux éblouis[9] par l'obscurité et son flair irritable. Aucun blond parfum n'errait, et quelque résine banale grésillait dans un brûle-parfums[10] électrique. Chéri s'ennuya comme un homme qui s'est trompé d'étage. Mais un grand rire innocent, sur une gamme grave et descendante,[11] résonna étouffé derrière une tenture et précipita l'intrus[12] dans une tourmente de souvenirs.

— Si Monsieur veut passer dans le salon . . .

Il suivit le papillon blanc en se répétant: «Léa n'est pas seule . . . Elle rit . . . Elle n'est pas seule . . .» [. . .]

Un jour[13] teint de rose l'accueillit au delà[14] d'une porte, et il attendit, debout, que l'univers annoncé par cette aube se rouvrît enfin.

Une femme écrivait, le dos tourné, assise devant un bonheur-du-jour.[15] Chéri distingua un large dos, le bourrelet grenu[16] de la nuque au-dessous de gros cheveux gris vigoureux, taillés comme ceux de sa mère. «Allons, bon, elle n'est pas seule. Qu'est-ce que c'est que cette bonne femme-là?»

— Mets-moi aussi par écrit l'adresse, Léa, et le nom du masseur. Moi, tu sais, les noms . . . dit une voix inconnue.

[1] *La rue Raynouard:* se trouve dans le 16e arrondissement, à Paris

[2] *poncé:* rubbed down with pumice, i.e. polished

[3] *la cage d'ascenseur . . . qu'une chaise à porteurs:* the elevator (shaft) as decorated with lacquer and gold as a sedan-chair

[4] *d'un œil froid:* d'un regard dur

[5] *la surprise:* (due à la différence entre cette maison-ci et celle que Léa habitait quand ils s'aimaient)

[6] *indolore:* qui ne cause aucune douleur

[7] *leurre:* deludes

[8] *papillon:* butterfly, i.e. small flimsy cap (frequently worn by European servants)

[9] *il dépêchait . . . éblouis:* il regardait rapidement autour de lui, ébloui

[10] *grésillait dans un brûle-parfums:* was sputtering in a perfume-burner

[11] *sur une gamme grave et descendante:* on a low-pitched, descending scale

[12] *précipita l'intrus:* threw the intruder

[13] *jour:* lumière

[14] *au delà:* de l'autre côté

[15] *bonheur-du-jour:* highly ornate lady's writing desk

[16] *bourrelet grenu:* leathery roll of fat

Une femme en noir, assise, venait de parler, et Chéri sentit en lui-même un remous précurseur.[17] «Alors . . . où est Léa?»

La dame au poil[18] gris se retourna, et Chéri reçut en plein visage le choc de ses yeux bleus.

— Eh! mon Dieu, petit, c'est toi?

Il avança comme en songe, baisa une main.

— La princesse Cheniaguine, Monsieur Frédéric Peloux.

Chéri baisa une autre main, s'assit.

— C'est? . . . questionna la dame en noir, en le désignant avec autant de liberté que s'il eût été[19] sourd.

Le grand rire innocent résonna de nouveau, et Chéri chercha la source de ce rire, là, ici, ailleurs, partout ailleurs que dans la gorge de la femme au poil gris . . .

— Mais non, ce n'est pas! Ou ce n'est plus, pour mieux dire! Valérie, voyons, qu'est-ce que tu vas chercher?[20]

Elle n'était pas monstrueuse, mais vaste, et chargée d'un plantureux[21] développement de toutes les parties de son corps. Ses bras, comme de rondes cuisses, s'écartaient de ses hanches, soulevés près de l'aisselle par leur épaisseur charnue.[22] La jupe unie,[23] la longue veste impersonnelle entr'ouverte sur du linge à jabot,[24] annonçaient l'abdication, la rétraction nor-

males de la féminité, et une sorte de dignité sans sexe.

Léa se tenait debout entre Chéri et la fenêtre, et sa masse consistante, presque cubique, ne le consterna point d'abord. Lorsqu'elle bougea pour atteindre un siège, elle dévoila ses traits, et il se mit à l'implorer mentalement comme il eût imploré[25] un fou pourvu d'armes. Rouge, d'un rouge un peu blet,[26] elle dédaignait à présent la poudre, et riait d'une bouche pleine d'or. Une saine vieille femme, en somme, à bajoues[27] larges et à menton doublé, capable de porter son fardeau de chair, libre d'étais et d'entraves.[28]

— Et donc, petit, d'où sors-tu comme ça? Tu n'as pas bien bonne mine, on dirait?

Elle tendait à Chéri une boîte de cigarettes, en lui riant de ses yeux bleus qui avaient rapetissé,[29] et il s'épouvanta de la trouver si simple, et joviale comme un vieil homme. Elle l'appelait «petit», et il détournait son regard comme si elle eût dit[30] une inconvenance. Mais il s'exhorta à patienter,[31] avec l'informe espoir que cette première image allait céder la place à une rémission lumineuse.

Les deux femmes le contemplaient, paisibles, et ne lui ménageaient ni la bienveillance ni la curiosité.[32]

— Il y a un peu de Hernandez,[33] dit Valérie Cheniaguine . . .

— Oh! je ne trouve pas, protesta Léa. Peut-être, il y a une dizaine d'années . . . et encore![34] Hernandez avait la mâchoire plus forte.

— Qui est-ce? demanda Chéri avec effort.

— Un Péruvien qui s'est tué en auto, il y a quelque chose comme six mois, dit Léa. Il était avec Maximilienne.[35] Elle a eu bien du chagrin.

— N'empêche qu'elle s'en est consolée, dit Valérie.

— Comme tout le monde, dit Léa. Tu ne voudrais tout de même pas qu'elle en soit morte?

Elle rit de nouveau et ses gais yeux bleus disparurent, fermés par la large joue que soulevait le rire.[36] Chéri détourna la tête vers la dame en noir, une brune robuste, ordinaire et féline comme mille et mille méridionales,[37] et si minutieusement vêtue en femme de bon ton qu'elle en semblait déguisée. Valérie portait l'uniforme qui fut longtemps celui des princesses étrangères et de leurs gouvernantes, un costume tailleur noir médiocrement coupé, étroit aux emmanchures,[38] et la chemisette de batiste blanche, très fine, un peu bridée[39] à la hauteur des seins. Les boutons de perles, le collier célèbre, le col droit baleiné,[40] tout était, comme le nom légitime de Valérie, princier. Princièrement, elle montrait aussi des bas de qualité moyenne, des chaussures faites pour la marche et des gants coûteux, brodés de noir et de blanc.

Elle regardait Chéri comme un meuble, avec attention et sans courtoisie. Elle reprit à voix haute sa comparaison critique. [. . .] — Comme proportion,[41] continuait Léa, on ne fera jamais rien[42] qui atteigne Chéri . . . Tu vois, Chéri, que tu arrives bien.[43] Rougis, allons! Valérie, si tu peux te rappeler Chéri il y a seulement six, sept ans . . .

— Mais certainement, je m'en[42] souviens. Et Monsieur n'a pas tellement changé après tout . . . Tu en[42] étais bien fière!

— Non, dit Léa.

— Tu n'en[42] étais pas fière?

— Non, dit Léa tranquillement. Je l'aimais.

Elle tourna d'une pièce[44] son corps considérable et reposa sur Chéri son gai regard, pur de toute arrière-pensée.

— C'est vrai que je t'aimais. Et bien, encore.[45]

Il baissa les yeux, stupide de honte devant ces deux femmes dont la plus grosse affirmait, sereine, qu'ils avaient été amants. Mais en même temps le son de la voix de Léa, presque mâle, voluptueux, assiégeait sa mémoire d'un tourment à peine tolérable.

— Tu vois, Valérie, comme un homme a l'air bête, quand on lui rappelle quelque chose d'un amour qui n'existe plus? Petit imbécile, moi ça ne me gêne pas de rappeler ça. J'aime

[33] *Il y a un peu de Hernandez:* il ressemble un peu à Hernandez
[34] *et encore!:* and even then!
[35] *Maximilienne* est une des amies de Léa et de Valérie.
[36] *le rire:* Noter l'inversion du sujet et du verbe.
[37] *méridionales:* femmes du Midi, du sud de la France
[38] *emmanchures:* arm-holes
[39] *bridée:* serrée (tight)
[40] *baleiné:* whale-boned

[41] *Comme proportion:* as far as the proportions (of the body) are concerned
[42] *rien:* Noter l'emploi de mots impersonnels: *rien* au lieu de *personne*, *en* au lieu de *lui.*
[43] *bien:* i.e. just on time
[44] *d'une pièce:* in one movement
[45] *Et bien, encore:* And what's more, (I loved you) well.

bien mon passé. J'aime bien mon présent. Je n'ai pas honte de ce que j'ai eu, je n'ai pas de chagrin de ce que je n'ai plus. J'ai tort, petit?

Il se récria comme un homme dont on a écrasé l'orteil:

— Mais non, voyons! Au contraire!

— C'est gentil que vous soyez restés bons amis, dit Valérie.

Chéri attendit que Léa expliquât qu'il entrait chez elle pour la première fois depuis cinq années, mais elle ne fit que rire bonnement, et cligner d'un air entendu.[46] L'agitation croissait en lui, il ne sut comment protester, comment crier très haut qu'il ne revendiquait[47] pas l'amitié de cette énorme femme coiffée en[48] vieux violoncelliste, et que s'il avait su, il n'aurait jamais gravi l'étage, jamais franchi le seuil, foulé[49] le tapis, croulé dans la bergère[50] à coussin de plume, au fond de laquelle il gisait maintenant sans force, et muet . . .

— Eh bien, je m'en vais, dit Valérie. Je ne veux pas attendre l'heure de l'embouteillage[51] du métro, tu penses.[52]

Elle se leva, affronta la grande lumière clémente à son visage romain, si fortement construit que la soixantaine proche ne l'atteignait guère, rehaussé[53] à l'ancienne mode d'une poudre blanche en couche égale[54] sur les joues, et sur les lèvres d'un rouge presque noir, onctueux. [. . .]

Elle les enveloppa tous deux de son regard velouté[55] de barbare et partit. Chéri la vit s'éloigner, gagner l'issue,[56] et n'osa pas prendre le même chemin. Il resta immobile, presque supprimé par la conversation de ces deux femmes qui avaient parlé de lui au passé, comme d'un mort. Mais déjà Léa revenait et s'esclaffait:[57]

— Princesse Cheniaguine! Soixante millions! Et veuve! Et elle n'est pas contente! Si c'est ça le plaisir de vivre, vrai,[58] non, tu sais! . . .

Sa main levée claqua sur sa cuisse comme sur une croupe de cavale.[59]

— Qu'est-ce qu'elle a?

— La frousse.[60] Seulement la frousse. C'est une femme qui ne sait pas porter l'argent. Cheniaguine lui a tout laissé. Mais on peut dire qu'il lui a fait plus de mal en lui donnant qu'en lui prenant. [. . .]

Elle se laissa aller au creux d'une bergère douillette,[61] et Chéri haït le soupir mou du coussin sous le vaste séant. Elle passa le bout de son doigt dans la gorge d'une moulure[62] de son fauteuil, souffla sur une trace poudreuse et se rembrunit:[63]

— Ah! ça n'est plus ce que c'était, même comme service. Hein?

Il se sentait pâle, et la peau raidie autour de la bouche, ainsi que par[64] un grand froid. Il retenait un terrible élan de rancune et de supplication, le besoin de crier: «Cesse! Reparais! Jette cette mascarade! Tu es bien quel-

[46] *cligner d'un air entendu:* wink knowingly
[47] *revendiquait:* réclamait
[48] *coiffée en:* avec la coiffure d'un
[49] *foulé:* marché sur
[50] *croulé dans la bergère:* collapsed (sprawled) in the easy-chair
[51] *embouteillage:* congestion of traffic, bottle-neck
[52] *tu penses:* i.e. tu comprends, bien entendu
[53] *rehaussé:* enhanced, touched up
[54] *en couche égale:* (put on) in even layers
[55] *velouté:* velvet-like, soft as velvet
[56] *gagner l'issue:* atteindre la sortie
[57] *s'esclaffait:* riait bruyamment
[58] *vrai:* vraiment
[59] *croupe de cavale:* rump of a mare
[60] *frousse:* peur extrême (argot)
[61] *douillette:* douce et molle
[62] *gorge d'une moulure:* groove in an ornamental molding
[63] *se rembrunit:* devint triste
[64] *par:* au temps d'

que part là-dessous, puisque je t'entends parler! Éclos![65] Surgis toute neuve, les cheveux rougis de ce matin, poudrée de frais; reprends ton long corset, ta robe bleue à fin jabot,[66] ton parfum de prairie que je quête en vain dans ta nouvelle maison . . . Quitte tout cela, viens-t'en,[67] à travers Passy[68] mouillé, ses oiseaux et ses chiens, jusqu'à l'avenue Bugeaud,[69] où sûrement Ernest[70] fait les cuivres[71] de ta grille . . .» Il ferma les yeux, à bout de force.

— Toi, mon petit, je m'en vais[72] te dire une bonne chose: tu devrais faire analyser tes urines. Ta couleur de teint, et un pincement autour des lèvres, je connais ça: tu ne soignes pas ton rein.[73]

Chéri rouvrit les yeux, les emplit du placide désastre installé devant lui, et dit héroïquement:

— Tu crois? c'est bien possible.

— Dis que c'est certain. Et puis tu n'es pas assez gras . . . On a beau dire que les bons coqs sont maigres, il te manque dix livres, bien pesé.[74]

— Passe-les moi, dit-il en souriant. Mais il sentait sa joue singulièrement raide et rebelle au sourire, comme si sa peau eût vieilli.[75]

Léa éclata de son rire heureux, le même rire qui saluait, autrefois, une impertinence notoire du «nourrisson méchant». Chéri goûta, au son grave et rond de ce rire, un plaisir qu'il n'eût pas supporté[76] longtemps.

— Ça! je le pourrais sans me faire tort! J'en ai pris,[77] hein? Tiens, là . . . Et là . . . Crois-tu!

Elle alluma une cigarette, souffla par les narines un double jet de fumée et haussa les épaules:

— C'est l'âge!

Le mot s'envola de ses lèvres avec une légèreté qui rendit à Chéri une sorte d'espoir extravagant: «Oui, elle plaisante . . . Elle va tout d'un coup m'apparaître . . .» Il attacha sur elle un regard qu'elle sembla, un moment, comprendre:

— J'ai changé, hein, petit? Ça n'a pas d'importance, heureusement. Tandis que toi, tu m'as l'air je ne sais comment . . . Battu de l'oiseau,[78] comme nous disions autrefois. Hein?

Il n'aimait pas ce «hein?» nouveau et saccadé,[79] qui ponctuait les phrases de Léa. Mais il se raidissait[80] à chaque interrogation, et maîtrisait chaque fois un élan dont il ne voulait discerner ni le motif ni le but.

— Je ne te demande pas si tu as des ennuis dans ton intérieur.[81] D'abord ça ne me regarde pas, et ensuite ta femme,[82] je la connais comme si je l'avais faite.

Il l'écoutait parler, mais sans application. Il remarquait surtout que lorsqu'elle quittait le sourire et le rire, elle cessait d'appartenir à un sexe défini. En dépit des énormes seins et de la

---

[65] *Éclos!:* Manifeste-toi!
[66] *jabot:* frill, ruffle
[67] *viens-t'en:* come along (with me)
[68] *Passy:* le 16e arrondissement de Paris
[69] *l'avenue Bugeaud:* la rue qu'habitait Léa autrefois
[70] *Ernest:* le concierge de l'ancienne demeure de Léa
[71] *fait les cuivres:* polit le cuivre
[72] *je m'en vais:* je vais
[73] *ton rein:* your kidneys
[74] *bien pesé:* i.e. au moins
[75] *eût vieilli:* avait vieilli

[76] *qu'il n'eût pas supporté:* qu'il n'aurait pas pu supporter
[77] *J'en ai pris:* I did gain weight
[78] *Battu de l'oiseau:* qui ne vole plus et a les ailes pendantes; donc, plus dans ton état normal
[79] *saccadé:* brusque
[80] *se raidissait:* tenait ferme
[81] *dans ton intérieur:* chez toi
[82] *ta femme:* Chéri s'était marié après avoir quitté Léa et après avoir fait la guerre.

fesse écrasante, elle pénétrait, de par [83] l'âge, dans une virilité de tout repos.[84]

— Et je la sais très capable, ta femme, de rendre un homme heureux.

Il ne put s'empêcher de trahir un rire intérieur, et Léa se reprit promptement.

— J'ai dit: un homme. Je n'ai pas dit: n'importe quel homme. Te voilà chez moi, et sans avertissement, tu ne viens pas, j'imagine, pour mes beaux yeux, hein?

Elle les appuyait sur Chéri, ses «beaux yeux», rapetissés, traversés en tous sens de fibulles [85] rouges, narquois,[86] pas méchants ni bons, avisés et luisants, certes, mais . . . Mais où, leur humidité saine qui baignait d'azur leur blanche marge, où leur contour bombé comme le fruit, comme le sein, comme l'hémisphère, et bleu comme une contrée [87] arrosée par maint fleuve? . . .

Il dit en bouffonnant:

— Pouh! . . . Détective, va! . . .

Et il s'étonna de se trouver assis négligemment, les jambes croisées, à la manière d'un beau jeune homme qui ne se tient pas très bien. Car en lui-même il contemplait son double éperdu,[88] agenouillé, les bras agités et la poitrine offerte, et criant des cris incohérents.

— Je ne suis pas plus bête qu'une autre. Mais avoue que tu ne m'as pas rendu, aujourd'hui, la besogne difficile?

Elle se rengorgea,[89] répandant son second menton sur son col, et le double agenouillé pencha la tête comme frappé à mort.

— Tu as tout à fait la dégaîne [90] de quelqu'un qui souffre du mal de l'époque. Laisse-moi parler! . . . Tu es comme les camarades, tu cherches ton paradis, hein, le paradis qu'on vous devait, après la guerre? Votre victoire, votre jeunesse, vos belles femmes . . . On vous devait tout, on vous a tout promis, ma foi c'était bien juste . . . Et vous trouvez quoi? Une bonne vie ordinaire. Alors vous faites de la nostalgie, de la langueur, de la déception, de la neurasthénie . . . Je me trompe?

—Non, dit Chéri . . .

Car il pensait qu'il eût donné [91] un doigt de sa main pour qu'elle se tût.

Léa lui frappa l'épaule, y laissa sa main à grosses bagues, et comme il inclinait un peu la tête, sa joue perçut la chaleur de cette lourde main.

— Ah! continua Léa en élevant la voix, tu n'es pas le seul, va! Combien en ai-je vu, depuis la fin de la guerre, des gars de ton espèce . . .

— Où donc? interrompit Chéri.

La soudaineté de l'interruption, son caractère agressif suspendirent le lyrisme bénisseur de Léa. Elle retira sa main.

— Mais il n'en manque pas, mon petit. Es-tu orgueilleux, quand même! [92] Tu pensais qu'il n'y avait que toi, à trouver au temps de paix le goût de trop-peu? Détrompe-toi!

Elle rit tout bas, hocha ses cheveux gris badins [93] autour d'un important sourire de juge gourmet:

— Es-tu orgueilleux, à toujours te vouloir seul de ton espèce!

[83] de par: à cause de
[84] de tout repos: perfectly safe; possibly also: completely calm
[85] fibulles: petits filaments
[86] narquois: malicieux, rusés
[87] contrée: country, region
[88] éperdu: distracted, desperate, wild
[89] se rengorgea: pushed her neck forward and her head back (like a peacock)
[90] dégaîne: contenance
[91] eût donné: aurait donné
[92] Es-tu orgueilleux, quand même!: Que tu es orgueilleux, mon Dieu!
[93] badins: playful, sportive

Elle s'écarta d'un pas, affûta[94] son regard, et acheva, peut-être vindicative:

— Tu n'as été unique que . . . pendant un temps.

Chéri retrouva la féminité sous l'insulte vague et choisie, et se redressa, tout heureux de souffrir moins. Mais déjà Léa redevenait bonne.

— Mais ce n'est pas pour t'entendre dire ça que tu es venu ici. Tu t'es décidé tout d'un coup?

— Oui, dit Chéri.

Il eût voulu[95] que ce oui fût, entre elle et lui, la dernière parole. Timide, il errait, du regard, tout autour de Léa. Il cueillit, dans une assiette, un gâteau sec en forme de tuile courbe,[96] puis le reposa, persuadé qu'une cendre siliceuse[97] de brique rose, s'il y mordait, allait lui emplir la bouche. Léa remarqua son geste, et la manière pénible dont il avala sa salive.

— Oh! Oh! nous avons des nerfs? Et un menton de chat maigre, et un pli sous l'œil. C'est du beau.[98]

Il ferma les yeux, et consentit lâchement à l'entendre sans la voir.

— Écoute, petit, je connais un bistro, avenue des Gobelins[99] . . .

Il releva les yeux sur elle, plein de l'espoir qu'elle devenait folle et qu'ainsi il pourrait lui pardonner ensemble sa déchéance physique et ses errements de vieille dame.

— Oui, je connais un bistro . . . Laisse-moi parler! Seulement il faut se dépêcher, avant que les Clermont-Tonnerre et les Corpechot[100] l'aient décrété chic et qu'on remplace la bonne femme par un chef. C'est la bonne femme elle-même qui cuisine, et, mon petit . . .

Elle réunit ses doigts sur sa bouche en[1] baiser et Chéri détourna son regard vers la fenêtre, où l'ombre d'une branche fouettait[2] le rayon de soleil à temps égaux,[3] comme une herbe que bat l'onde régulière d'un ruisseau.

— Quelle drôle de conversation . . . risqua-t-il d'une voix fausse.

— Elle n'est pas plus drôle que ta présence chez moi, répliqua vertement[4] Léa.

De la main, il fit signe qu'il voulait la paix, seulement la paix, et peu de paroles, et même le silence . . . Il sentait en cette femme âgée des forces fraîches, un appétit élastique devant lesquels il battait en retraite.[5] Déjà le sang prompt[6] de Léa montait, violet, à son cou grenu et à ses oreilles. «Elle a un cou de vieille poule», constata Chéri avec un pâle plaisir féroce d'autrefois.

— C'est vrai, ça! jeta Léa échauffée. Tu t'amènes ici d'un air Fantomas,[7] et je cherche le moyen d'arranger les choses, moi qui te connais, tout de même, assez bien . . .

Il lui sourit avec découragement.

«Et comment me connaîtrait-elle? De plus malins qu'elle, et même que moi . . .»

— Une certaine espèce de vague-à-

---

[94] *affûta:* sharpened (as of a tool)
[95] *eût voulu:* aurait voulu
[96] *tuile courbe:* curved tile
[97] *siliceuse:* siliceous, full of silica
[98] *C'est du beau:* That's a fine state of affairs
[99] *avenue des Gobelins:* dans le 13e arrondissement, assez loin de chez Léa
[100] *Clermont-Tonnerre, Corpechot:* noms de familles illustres de la haute société

[1] *en:* en forme de
[2] *fouettait:* frappait
[3] *à temps égaux:* at even intervals
[4] *vertement:* sharply
[5] *battait en retraite:* se retirait
[6] *le sang prompt:* the ready blush
[7] *Fantomas:* personnage inventé en France, semblable au *Superman* des États-Unis

l'âme,[8] mon petit, et de désillusion, c'est une question d'estomac. Oui, oui, tu ris!

Il ne riait pas, mais elle put croire qu'il riait.

— Le romantisme, la neurasthénie, le dégoût de la vie: estomac. Tout ça, estomac. Et même l'amour! Si on voulait être sincère, on avouerait qu'il y a l'amour bien nourri, et l'amour mal nourri. Et le reste c'est de la littérature. Si je savais écrire, ou parler, mon petit, j'en dirais, là-dessus . . . Oh! naturellement je n'inventerais rien, mais enfin je saurais de quoi je parle. Ça changerait[9] des écrivains d'aujourd'hui.

Quelque chose de pire que cette philosophie culinaire décomposait Chéri: un apprêt,[10] un faux naturel, une gaillardise[11] presque étudiée. Il soupçonna que Léa jouait la jovialité, l'épicuréisme, de même qu'un gros acteur, au théâtre, joue les «rondeurs»[12] parce qu'il prend du ventre.[13] Comme par défi, elle frotta son nez vernissé, vermeil de couperose,[14] du dos de l'index, et éventa[15] son torse en s'aidant des deux panneaux de sa longue veste. Ce faisant, elle comparaissait devant Chéri avec un excès de complaisance, et même elle peigna d'une main sa dure chevelure grise qu'elle secoua.

— Ça me va, les cheveux courts?

Il ne daigna répondre que d'une négation muette, ainsi qu'on écarte un argument oiseux.[16]

— Tu disais donc qu'avenue des Gobelins, il y a un bistro . . . ?

A son tour, elle répondit, intelligemment: «Non», et il vit au battement de ses narines qu'il l'avait un peu, enfin, irritée. Le guet[17] animal ressuscitait en lui, l'allégeait, tendait derechef[18] ses instincts, épouvantés jusque-là et épars. Il projeta de communiquer, à travers l'impudente chair, les frisons[19] grisonnants et la bonne humeur prébendière,[20] avec la créature cachée à laquelle il revenait comme au lieu de son crime. Une divination fouisseuse[21] le maintenait autour du trésor caché. «Comment cela lui est-il arrivé, d'être vieille? Tout d'un coup, un matin? ou peu à peu? Et cette graisse, ce poids dont gémissent les fauteuils? Est-ce un chagrin qui l'a changée ainsi, et désexuée? Quel chagrin? Est-ce à cause de moi?»

Mais il n'interrogeait que lui, et tout bas.

«Elle est fâchée. Elle est sur le chemin de me comprendre. Elle va me dire . . .»

Il la vit se lever, marcher, rassembler des papiers sur le tablier abattu[22] du bonheur-du-jour. Il nota qu'elle se tenait plus droite qu'au moment où il était entré, et sous le regard qui la suivait elle se redressa encore. Il accepta qu'elle fût véritablement énorme, et sans galbe[23] visible de l'aisselle à la hanche. [. . .] Il l'entendit respirer profondément, puis elle revint à lui, sur un rythme aisé de bête pesante, et elle lui sourit.

— Je te reçois bien mal, il me semble.

[8] *vague-à-l'âme:* feeling of emptiness and aimlessness
[9] *changerait:* serait différent
[10] *apprêt:* affectation dans le discours
[11] *gaillardise:* broad humor
[12] *rondeurs:* personnages francs et loyaux
[13] *prend du ventre:* engraisse
[14] *couperose:* a blotchy skin condition
[15] *éventa:* fanned
[16] *oiseux:* inutile

[17] *guet:* tense watchfulness
[18] *derechef:* de nouveau
[19] *frisons:* boucles de cheveux
[20] *prébendière:* prebendary (ecclesiastic)
[21] *fouisseuse:* burrowing
[22] *tablier abattu:* open drop-leaf
[23] *galbe:* curves, contour

Ce n'est pas poli que [24] d'accueillir quelqu'un en lui donnant des conseils, surtout des conseils inutiles.

[. . .]

Ils ne parlèrent pas pendant un temps, secourus par une chanson fraîche d'enfant qu'ils eurent l'air d'écouter. Léa ne s'était pas assise. Droite, massive, elle portait plus haut son menton irrémédiable, et une sorte de malaise se traduisait dans le battement fréquent de ses paupières.

— Je te retarde? Tu as à sortir? Tu veux t'habiller?

La question fut brusque et obligea Léa à regarder Chéri.

— M'habiller? Et en quoi, Seigneur, veux-tu que je m'habille? Je suis habillée, — définitivement.

Elle rit d'un rire incomparable qui commençait haut et descendait par bonds égaux jusqu'à une grave région musicale réservée aux sanglots et à la plainte amoureuse. Chéri leva inconsciemment la main pour une supplication.

— Habillée pour la vie, je te dis! Ce que c'est commode! Des blouses, du beau linge, cet uniforme par là-dessus,[25] me voilà parée. Prête pour dîner chez Montagné [26] aussi bien que chez M. Bobette,[27] prête pour le ciné, pour le bridge et pour la promenade au Bois.[28]

— Et l'amour que tu oublies?

— Oh! petit!

Elle rougit franchement sous sa rougeur constante d'arthritique, et Chéri, après le lâche plaisir d'avoir prononcé quelques mots outrageants, fut saisi de honte et de regret devant ce réflexe de jeune femme.

—C'est pour blaguer, dit-il gauchement. Je te scandalise?

— Même pas. Mais tu sais que je n'ai jamais aimé un certain genre de choses pas propres et de plaisanteries pas drôles.

Elle s'appliquait à parler d'une voix calme, mais son visage la révélait blessée, et sur sa face épaissie s'agitait un désordre qui peut-être était la pudeur.

«Mon Dieu, si elle s'avise de pleurer . . .» Il imagina la catastrophe, les larmes sur ces joues creusées d'un seul ravin profond près de la bouche, et les paupières ensanglantées par le sel des larmes . . . Il se hâta:

— Mais non, voyons! Mais quelle idée! Je n'ai pas voulu . . . voyons, Léa . . .

Au mouvement qu'elle fit, il s'aperçut qu'il ne l'avait pas encore appelée par son nom. Fière, comme autrefois, de son empire [29] sur elle-même, elle l'interrompit avec douceur.

— Je ne t'en veux pas, petit. Mais pour le peu d'instants que tu passes ici, ne me laisse rien de vilain.

Il ne fut touché ni de la douceur, ni des paroles auxquelles il trouva une délicatesse hors de propos.[30]

«Ou elle ment, ou elle est devenue telle qu'elle se montre. La paix, la pureté, et quoi encore? Ça lui va comme un anneau dans le nez. La paix du cœur, la boustifaille,[31] le ciné . . . Elle ment, elle ment, elle ment! Elle veut me faire croire que c'est commode, et même agréable, de devenir une vieille femme . . . A d'autres! A d'autres elle peut raconter les bobards [32] de la bonne vie et du bistro à cuisine régionale, mais à moi! [. . .]»

— Je n'ai plus l'habitude, figure-toi,

---

[24] *Ce n'est pas poli que:* il n'est pas poli
[25] *par là-dessus:* on top
[26] *Montagné:* restaurant parisien très chic
[27] *M. Bobette:* petit bistro bien simple
[28] *Bois:* Bois de Boulogne, énorme parc à Paris, assez près de chez Léa

[29] *son empire:* son pouvoir, sa maîtrise
[30] *hors de propos:* ill-timed or irrelevant
[31] *boustifaille:* nourriture (argot)
[32] *bobards:* tall stories

de ta façon de te taire. A te voir assis là, il me semble à chaque instant que tu as quelque chose à me dire.

Debout, séparée de Chéri par un guéridon et le service à porto,[33] elle ne se défendait pas contre une sévère surveillance qui lui pesait; mais certains signes à peine visibles frémissaient sur elle, et Chéri discernait l'effort musculaire qui, entre les pans [34] de la longue veste, essayait de ravaler le poids du ventre épanoui.[35]

«Combien de fois l'a-t-elle remis, quitté, remis courageusement, son long corset, avant de l'abandonner tout à fait? . . . Combien de matins a-t-elle varié la nuance de sa poudre de riz,[36] frotté sa joue d'un rouge nouveau, massé son cou avec le cold-cream et le morceau de glace noué dans un mouchoir, avant de se résigner à ce cuir vernissé qui reluit sur ses joues? . . .»

Il se pouvait qu'elle ne frémît, imperceptiblement, que d'impatience, mais de ce frémissement il attendait, avec une inconscience rigide, un miracle d'éclosion, la métamorphose . . .

— Pourquoi ne dis-tu rien? insista Léa.

Elle perdait par degrés son calme en dépit de son immobilité résolue. Elle jouait, d'une main, avec sa chaîne de grosses perles, nouait et dénouait leur nacre [37] éternelle, lumineuse et comme voilée d'une humidité indicible, autour de ses grands doigts flétris et soignés.

«Peut-être a-t-elle seulement peur de moi», rêvait Chéri . . . «Un homme qui se tait, comme je fais, c'est toujours un peu un fou. [. . .] Si j'étendais le bras, est-ce qu'elle crierait à l'assassin? Ma pauvre Nounoune [38] . . .»

Il craignit de prononcer ce nom à haute voix, et parla pour se préserver d'une sincérité, fût-elle [39] éphémère.

— Qu'est-ce que tu vas penser de moi? dit-il.

— Ça dépend, répondit Léa circonspecte. Tu m'as l'air en ce moment-ci d'un de ces types qui posent un paquet de gâteaux dans l'antichambre en se disant: «Il sera toujours temps de l'offrir», et puis ils le reprennent en s'en allant.

Rassurée par le son de leurs voix, elle raisonnait en Léa d'autrefois, perspicace, fine à la manière des paysans fins. Chéri se leva, tourna le meuble qui le séparait de Léa, et reçut ainsi en plein visage la grande lumière de la baie tendue de rose. Léa put mesurer à l'aise, sur des traits presque intacts mais de toutes parts menacés, la longueur des jours et des années. Un délabrement [40] aussi secret avait de quoi tenter sa pitié, émouvoir son souvenir, arracher d'elle le mot, le geste qui précipiteraient Chéri dans un vertige d'humilité, et il risqua, offert à la lumière, les yeux bas, comme endormi, sa dernière chance d'un dernier affront, d'une dernière prière, d'un dernier hommage . . .

Rien ne vint, et il rouvrit les yeux. De nouveau il dut accepter la véridique image: la gaillarde vieille amie, à distance prudente, lui manifestait une bienveillance mesurée, dans un soupçonneux petit regard bleu.

Dessillé,[41] égaré, il la chercha dans la pièce partout où elle n'était pas. «Où est-elle? où est-elle? Celle-ci me la cache. Celle-ci, je l'ennuie, et elle pense, en attendant que je m'en aille,

---

[33] *service à porto:* port-wine set
[34] *pans:* flaps, skirts
[35] *épanoui:* broadened
[36] *poudre de riz:* face powder
[37] *nacre:* mother-of-pearl

[38] *Nounoune:* nom affectueux que Chéri donnait à Léa au temps de leurs amours
[39] *fût-elle:* même si elle avait été
[40] *délabrement:* decay
[41] *dessillé:* undeceived

que c'est [42] bien des embarras, tous ces souvenirs, et ce revenant [43] . . . Mais si tout de même je l'appelais à mon secours, et que je lui redemande Léa . . .» En lui-même le double agenouillé tressaillait encore, comme un corps qui se vide de son sang . . . D'un effort dont il se fût cru [44] incapable, Chéri se dégagea de son image suppliciée.[45]

— Je te laisse, dit-il à voix haute. Il ajouta sur le ton d'une finesse banale: «et je remporte mon paquet de gâteaux.»

Un soupir d'allégement souleva le débordant corsage de Léa.

— A ta guise, mon petit. Mais, tu sais? toujours à ta disposition si tu as un ennui.

Il sentit la rancune sous la fausse obligeance, et l'énorme édifice de chair, couronné d'une herbe argentée, rendit encore une fois un son féminin, tinta tout entier d'une harmonie intelligente. Mais le revenant, rendu à sa susceptibilité de fantôme, exigeait, malgré lui, de se dissoudre.

— Bien sûr, répondit Chéri. Je te remercie.

A partir de cet instant, il sut, sans faute ni recherche, comment il devait s'en aller, et les paroles convenables sortirent de lui, facilement, rituellement.

— Tu comprends, je suis venu aujourd'hui . . . pourquoi aujourd'hui plutôt qu'hier? . . . Il y a longtemps que j'aurais dû le faire . . . Mais tu m'excuses. . . .

— Naturellement, dit Léa.

— Je suis encore plus braque [46] qu'avant la guerre, tu comprends alors . . .

— Je comprends, je comprends.

Parce qu'elle l'interrompait, il pensa qu'elle avait hâte de le voir partir. Il y eut encore entre eux, pendant la retraite de Chéri, quelques paroles, le bruit d'un meuble heurté, un pan [47] de lumière, bleue par contraste, que versa une fenêtre ouverte sur la cour, une grande main bossuée [48] de bagues qui se leva à la hauteur des lèvres de Chéri, un rire de Léa, qui s'arrêta à mi-chemin de sa gamme habituelle ainsi qu'un jet d'eau coupé dont la cime, privée soudain de sa tige, retombe en perles espacées . . . L'escalier passa sous les pieds de Chéri ainsi que le pont qui soude [49] deux songes, et il retrouva la rue Raynouard qu'il ne connaissait pas.

Il remarqua que le ciel rose se mirait [50] dans le ruisseau,[51] gorgé encore de pluie, sur le dos bleu des hirondelles volant à ras de terre,[52] et parce que l'heure devenait fraîche, et que traîtreusement le souvenir qu'il emportait se retirait au fond de lui-même pour y prendre sa force et sa dimension définitives, il crut qu'il avait tout oublié et il se sentit heureux.

[42] c'est: ce sont
[43] revenant: Remarquer le jeu de mots: un revenant est celui qui revient; c'est aussi un fantôme.
[44] fût cru: serait cru
[45] suppliciée: torturée
[46] braque: hare-brained
[47] pan: patch
[48] bossuée: embossed (with rings)
[49] soude: lie, welds
[50] se mirait: se regardait, i.e. se reflétait
[51] ruisseau: gutter
[52] à ras de terre: près de la terre, i.e. bas

LOUIS ARAGON [1897–   ]

Aragon débuta en littérature comme surréaliste et dadaïste, c'est-à-dire comme membre d'un groupe d'écrivains qui, niant toutes les valeurs établies de la poésie, eurent l'immense désir et la profonde espérance d'une solution humaine aux désordres humains. Tout en s'exprimant dans un langage parfaitement pur, ils évitèrent tous les mythes et toutes les mystifications.[1] Comme d'autres dadaïstes, Aragon ne voulut pas se borner à une lutte stérile de l'esprit: il se rapprocha du parti communiste en France, dont il devint le directeur littéraire.[2]

Pendant la Deuxième Guerre mondiale, Louis Aragon reçut la médaille militaire pour ses efforts au cours de la bataille de Dunquerque, qui lui servit d'inspiration pour plusieurs recueils de poèmes. Il fut évacué en Angleterre, mais revint bientôt combattre en France et devint un des plus grands poètes de la Résistance, certainement un des plus populaires. Il sut décrire son temps parce qu'il le vivait. Il accepta son devoir d'homme, écrivant pour d'autres hommes, et ainsi ramena la poésie moderne au public. A travers toute sa poésie [3] de ces jours douloureux — poésie concrète, quotidienne et immédiate — filtre un amour complet, un amour total; l'amour de sa femme et l'amour de sa patrie s'y retrouvent, s'y entrelacent et s'y confondent.

Du recueil intitulé *Le Crève-Cœur* (1940), nous choisissons *Richard II Quarante;* des *Yeux d'Elsa* (1942), recueil de poèmes d'amour qui restent pourtant des vers patriotiques, *Les Larmes se ressemblent* et l'*Ouverture* du poème intitulé *Cantique à Elsa.*

[1] *évitèrent . . . les mystifications:* Parmi les écrits d'Aragon de cette première période de sa vie littéraire on trouve *Feu de joie* (1920), *La Grande gaieté* (1929), et la *Revue surréaliste* qu'il fonda en 1924.
[2] *directeur littéraire:* C'est surtout en forme de romans que parurent ses ouvrages d'inspiration communiste, par exemple *Les Cloches de Bâle* (1934), *Les Beaux Quartiers* (1936) et *Les Voyageurs de l'impériale* (1941).
[3] *poésie:* Noter l'absence de ponctuation dans ces poèmes.

Richard II [1] *Quarante* [2]

Ma patrie est comme une barque
Qu'abandonnèrent ses haleurs [3]
Et je ressemble à ce monarque
Plus malheureux que le malheur
Qui restait roi de ses douleurs   5

[1] *Richard II:* drame où Shakespeare fit un tableau attachant de la faiblesse du malheureux roi, dominé par de néfastes conseillers
[2] *Quarante:* 1940
[3] *haleurs:* towers, haulers

Vivre n'est plus qu'un stratagème
Le vent sait mal sécher les pleurs
Il faut haïr tout ce que j'aime
Ce que je n'ai plus donnez-leur [4]
Je reste roi de mes douleurs   10

Le cœur peut s'arrêter de battre
Le sang peut couler sans chaleur
Deux et deux ne fassent plus quatre
Au Pigeon-Vole des voleurs [5]
Je reste roi de mes douleurs   15

Que le soleil meure ou renaisse
Le ciel a perdu ses couleurs
Tendre Paris de ma jeunesse
Adieu printemps du Quai-aux-Fleurs [6]
Je reste roi de mes douleurs   20

Fuyez les bois et les fontaines
Taisez-vous oiseaux querelleurs
Vos chants sont mis en quarantaine [7]
C'est le règne de l'oiseleur [8]
Je reste roi de mes douleurs   25

Il est un temps pour la souffrance
Quand Jeanne [9] vint à Vaucouleurs [10]
Ah coupez en morceaux la France [11]
Le jour avait cette pâleur
Je reste roi de mes douleurs   30

[4] *leur:* aux Allemands
[5] *Deux et deux ne fassent plus quatre Au Pigeon-Vole des voleurs:* Il faut se rappeler que ceci est un poème clandestin et qu'il fallut donc des symboles incompréhensibles pour les Allemands. Pour les Français, ces vers signifient tout ce qu'ils avaient perdu à cause de l'Occupation. (Le pigeon-vole est un jeu d'enfants.)
[6] *Quai-aux-Fleurs:* quai sur l'Île de la Cité à Paris où l'on vend des fleurs et, une fois par semaine, des oiseaux
[7] *mis en quarantaine:* quarantined

[8] *oiseleur:* bird-catcher, fowler
[9] *Jeanne:* Jeanne d'Arc, héroïne française au temps de Charles VII (1403–61), personnifie le patriotisme populaire français.
[10] *Vaucouleurs:* ville dans l'est de la France. C'est au capitaine de Vaucouleurs, Robert de Baudricourt, que Jeanne d'Arc parla d'abord de son dessein de secourir Charles VII.
[11] *France:* allusion à la division de la France en zones — la zone libre et la zone occupée

Les Larmes se ressemblent

Dans le ciel gris des sanglots étouffés
Il me souvient [12] de ces jours de Mayence [13]
Dans le Rhin [14] noir pleuraient les filles-fées

[12] *Il me souvient:* je me souviens
[13] *Mayence:* ville d'Allemagne sur la rive gauche du Rhin

[14] *Rhin:* long fleuve important d'Europe qui divise la France et l'Allemagne

On trouvait parfois au fond des ruelles
Un soldat tué d'un coup de couteau   5
On trouvait parfois cette paix cruelle
Malgré le jeune vin blanc des coteaux [15]

J'ai bu l'alcool transparent des cerises [16]
J'ai bu les serments échangés tout bas
Qu'ils étaient beaux les palais les églises   10
J'avais vingt ans Je ne comprenais pas
Dans le ciel gris des anges de faïence

Qu'est-ce que je savais de la défaite
Quand ton pays est amour défendu
Quand il te faut la voix des faux-prophètes   15
Pour redonner vie à l'espoir perdu

Il me souvient [12] de chansons qui m'émurent
Il me souvient [12] des signes à la craie
Qu'on découvrait au matin [17] sur les murs
Sans en pouvoir déchiffrer les secrets   20

Qui peut dire où la mémoire commence
Qui peut dire où le temps présent finit
Où le passé rejoindra la romance [18]
Où le malheur n'est qu'un papier jauni

Comme l'enfant surpris parmi ses rêves [19]   25
Les regards bleus des vaincus sont gênants
Le pas des pelotons [20] à la relève [21]
Faisait frémir le silence rhénan [22]

[15] *coteaux:* slopes, hillsides
[16] *l'alcool transparent des cerises:* cherry brandy
[17] *au matin:* le matin
[18] *romance:* ballad

[19] *surpris parmi ses rêves:* à moitié réveillé
[20] *pelotons:* platoons
[21] *relève:* change (of the patrols)
[22] *rhénan:* aux bords du Rhin

Cantique à Elsa [23]

OUVERTURE

Je te touche et je vois ton corps et tu respires
Ce ne sont plus les jours du vivre séparés
C'est toi tu vas tu viens et je suis ton empire
    Pour le meilleur et pour le pire
Et jamais tu ne fus si lointaine à mon gré [24]   5

[23] *Elsa:* Elsa Triolet, romancière de talent, femme de Louis Aragon
[24] *à mon gré:* à mon avis

Ensemble nous trouvons au pays des merveilles
Le plaisir sérieux couleur de l'absolu
Mais lorsque je reviens à nous que [25] je m'éveille
    Si je soupire à ton oreille
Comme des mots d'adieu tu ne les entends plus   10

Elle dort Longuement je l'écoute se taire
C'est elle dans mes bras présente et cependant
Plus absente [26] d'y être et moi plus solitaire
    D'être plus près de son mystère
Comme un joueur qui lit aux dés le point perdant   15

Le jour qui semblera l'arracher à l'absence
Me la rend plus touchante et plus belle que lui
De l'ombre [27] elle a gardé les parfums et l'essence
    Elle est comme un songe des sens
Le jour qui la ramène est encore une nuit   20

Buissons quotidiens à quoi [28] nous nous griffâmes [29]
La vie aura passé comme un air entêtant [30]
Jamais rassasié [31] de ces yeux qui m'affament
    Mon ciel mon désespoir ma femme
Treize ans j'aurai guetté ton silence chantant   25

Comme le coquillage enregistre la mer [32]
Grisant [33] mon cœur treize ans treize hivers treize étés
J'aurai tremblé treize ans sur le seuil des chimères
    Treize ans d'une peur douce-amère
Et treize ans conjuré des périls inventés   30

Ô mon enfant le temps n'est pas à notre taille [34]
Que mille et une nuits sont peu pour des amants
Treize ans c'est comme un jour et c'est un feu de paille [35]
    Qui brûle à nos pieds maille à maille [36]
Le magique tapis de notre isolement   35

PERMISSION DE REPRODUCTION — LOUIS ARAGON

[25] *que:* lorsque
[26] *Plus absente:* i.e. à cause de son sommeil
[27] *De l'ombre:* i.e. du sommeil
[28] *à quoi:* auxquels
[29] *griffâmes:* scratched
[30] *entêtant:* heady
[31] *rassasié:* satiated
[32] *Comme le coquillage enregistre la mer:* allusion au son que l'on entend en mettant certaines coquilles contre l'oreille
[33] *Grisant:* enivrant
[34] *le temps n'est pas à notre taille:* i.e. le temps est trop court pour nous
[35] *un feu de paille:* a flash in the pan
[36] *maille à maille:* stitch by stitch, i.e. petit à petit

PAUL ÉLUARD [1895–1952]

Paul Éluard poursuivit toute sa vie son rêve d'être poète et rien que poète. Dans la Première Guerre mondiale, cependant, il combattit; pendant la Deuxième, il se fit résistant. Ses vers écrits au cours des années de la Résistance [1] restent, avec ceux d'Aragon, une des manifestations les plus vraies et les plus émouvantes des sentiments de la France occupée.

Il est classé parmi les surréalistes,[2] mais l'expression de sa pensée est presque toujours claire. Grâce à son style naturel et très direct, on le considère comme le plus humain, même peut-être le plus important des poètes surréalistes. Ses thèmes sont sans prétention — les joies de l'amour, le goût du bonheur, les misères de l'homme.

[1] Tous les poèmes cités furent tirés du volume intitulé *Au Rendez-vous allemand* (1944); d'autres recueils de cette époque sont *Poésie et vérité* (1942) et *Dignes de vivre* (1943).
[2] *surréaliste:* Parmi ses premiers recueils surréalistes il faut citer *Capitale de la douleur* 1926) et *La Rose publique* (1934).

Courage [1]

Paris a froid [2] Paris a faim
Paris ne mange plus de marrons dans la rue
Paris a mis de vieux vêtements de vieille
Paris dort tout debout sans air dans le métro [3]
Plus de malheur encore est imposé aux pauvres   5
Et la sagesse et la folie
De Paris malheureux
C'est l'air pur c'est le feu
C'est la beauté c'est la bonté
De ses travailleurs affamés   10
Ne crie pas au secours Paris
Tu es vivant d'une vie sans égale
Et derrière la nudité
De ta pâleur de ta maigreur
Tout ce qui est humain se révèle en tes yeux   15
Paris ma belle ville

[1] *Courage:* Noter l'absence de ponctuation dans la poésie de Paul Éluard.
[2] *froid:* Il s'agit du rude hiver 1940–41 où les Parisiens souffrirent terriblement du froid.

[3] *le métro:* A cause du froid, on garda tout fermé autant que possible, et dans le métro des vieilles femmes et des jeunes gens s'évanouissaient.

Fine comme une aiguille forte comme une épée
Ingénue et savante
Tu ne supportes pas l'injustice
Pour toi c'est le seul désordre   20
Tu vas te libérer Paris
Paris tremblant comme une étoile
Notre espoir survivant
Tu vas te libérer de la fatigue et de la boue
Frères ayons du courage   25
Nous qui ne sommes pas casqués [4]
Ni bottés ni gantés ni bien élevés [4]
Un rayon s'allume en nos veines
Notre lumière nous revient
Les meilleurs d'entre nous sont morts pour nous   30
Et voici que leur sang retrouve notre cœur
Et c'est de nouveau le matin un matin de Paris
La pointe de la délivrance
L'espace du printemps naissant
La force idiote a le dessous [5]   35
Ces esclaves nos ennemis
S'ils ont compris
S'ils sont capables de comprendre
Vont se lever.

[4] *casqués, bottés, gantés, bien élevés:* allusions aux Allemands; le dernier adjectif est
évidemment employé dans un sens sarcasti-
que

[5] *La force idiote a le dessous:* la force
physique, i.e. les Allemands, ne vaincra pas.
Il est intéressant de noter que ce poème fut
écrit en 1942.

Gabriel Péri [6]

Un homme est mort qui n'avait pour défense
Que ses bras ouverts à la vie
Un homme est mort qui n'avait d'autre route
Que celle où l'on hait les fusils
Un homme est mort qui continue la lutte   5
Contre la mort contre l'oubli

Car tout ce qu'il voulait
Nous le voulions aussi
Nous le voulons aujourd'hui
Que le bonheur soit la lumière   10
Au fond des yeux au fond du cœur
Et la justice sur la terre

[6] *Gabriel Péri:* Journaliste résistant, ami
et camarade de Paul Éluard, il fut fusillé par
les Allemands.

Il y a des mots qui font vivre
Et ce sont des mots innocents   15
Le mot chaleur le mot confiance
Amour justice et le mot liberté
Le mot enfant et le mot gentillesse
Et certains noms de fleurs et certains noms de fruits
Le mot courage et le mot découvrir   20
Et le mot frère et le mot camarade
Et certains noms de pays de villages
Et certains noms de femmes et d'amis
Ajoutons-y Péri
Péri est mort pour ce qui nous fait vivre   25
Tutoyons-le [7] sa poitrine est trouée
Mais grâce à lui nous nous connaissons mieux
Tutoyons-nous son espoir est vivant.

[7] *Tutoyons-le:* appelons-le *tu* et *toi* puisqu'il était un ami intime

En avril 1944, Paris respirait encore [8]

Nous descendions vers le fleuve fidèle:
ni son flot, ni nos yeux n'abandonnaient
Paris.
Non pas ville petite, mais enfantine et
maternelle.   5

Ville au travers de tout comme un sentier d'été, plein de fleurs et d'oiseaux,
comme un baiser profond plein d'enfants
souriants, plein de mères fragiles.
Non pas ville ruinée, mais ville compli-   10
quée, marquée par sa nudité.

Ville entre nos poignets comme un lien
rompu, entre nos yeux comme un œil
déjà vu, ville répétée comme un poème.
Ville ressemblante.   15

Vieille ville . . . Entre la ville et l'homme,
il n'y avait même plus l'épaisseur d'un
mur.
Ville de la transparence, ville inno-
cente.   20

[8] *En avril . . . encore:* Comme beaucoup de poètes contemporains — et surtout sur-réalistes — Paul Éluard écrivit quelques poèmes qui défient toutes les règles poéti-ques et que l'on pourrait appeler de la prose poétique, devenue poésie seulement grâce aux contrastes chers au poète et à la disposition des mots sur la page.

Il n'y avait plus, entre l'homme seul
et la ville déserte, que l'épaisseur d'un
miroir.
Il n'y avait plus qu'une ville aux cou-
leurs de l'homme, terre et chair, sang et   2
sève.[9]

Le jour qui joue dans l'eau, la nuit qui
meurt sur terre,
Le rythme de l'air pur est plus fort que
la guerre.   3
Ville à la main tendue et tout le monde
de rire [10] et tout le monde de jouir, ville
exemplaire.

Nul ne put briser les ponts qui nous
menaient au sommeil et du sommeil à nos   3
rêves et de nos rêves à l'éternité.
Ville durable où j'ai vécu notre victoire sur la mort.

[9] *sève:* sap   [10] *tout le monde de rire:* tout le monde r

Liberté [11]

Sur mes cahiers d'écolier
Sur mon pupitre et les arbres
Sur le sable sur la neige
J'écris ton nom

Sur toutes les pages lues
Sur toutes les pages blanches
Pierre sang papier ou cendre
J'écris ton nom

Sur les images dorées
Sur les armes des guerriers   1
Sur la couronne des rois
J'écris ton nom

Sur la jungle et le désert
Sur les nids sur les genêts [12]
Sur l'écho de mon enfance   1
J'écris ton nom

[11] *Liberté:* Noter le mélange d'images quo-   [12] *genêts:* broom plants
tidiennes et d'images inattendues et surpre-
nantes au cours de ce poème.

Sur les merveilles des nuits
Sur le pain blanc des journées
Sur les saisons fiancées
J'écris ton nom   20

Sur tous mes chiffons d'azur
Sur l'étang soleil moisi [13]
Sur le lac lune vivante
J'écris ton nom

Sur les champs sur l'horizon   25
Sur les ailes des oiseaux
Et sur le moulin des ombres
J'écris ton nom

Sur chaque bouffée [14] d'aurore
Sur la mer sur les bateaux   30
Sur la montagne démente [15]
J'écris ton nom

Sur la mousse des nuages
Sur les sueurs de l'orage
Sur la pluie épaisse et fade   35
J'écris ton nom

Sur les formes scintillantes
Sur les cloches des couleurs
Sur la vérité physique
J'écris ton nom   40

Sur les sentiers éveillés
Sur les routes déployées [16]
Sur les places qui débordent [17]
J'écris ton nom

Sur la lampe qui s'allume   45
Sur la lampe qui s'éteint
Sur mes maisons réunies
J'écris ton nom

Sur le fruit coupé en deux
Du miroir et de ma chambre   50
Sur mon lit coquille vide
J'écris ton nom

[13] *moisi:* moldy, musty
[14] *bouffée:* whiff, puff
[15] *démente:* totalement folle

[16] *déployées:* deployed, spread out
[17] *débordent:* overflow; in military language: outflank (the enemy)

Sur mon chien gourmand et tendre
Sur ses oreilles dressées
Sur sa patte maladroite   55
J'écris ton nom

Sur le tremplin [18] de ma porte
Sur les objets familiers
Sur le flot du feu béni   60
J'écris ton nom

Sur toute chair accordée
Sur le front de mes amis
Sur chaque main qui se tend
J'écris ton nom

Sur la vitre des surprises   65
Sur les lèvres attentives
Bien au-dessus du silence
J'écris ton nom

Sur mes refuges détruits
Sur mes phares écroulés   70
Sur les murs de mon ennui
J'écris ton nom

Sur l'absence sans désir
Sur la solitude nue
Sur les marches de la mort   75
J'écris ton nom

Sur la santé revenue
Sur le risque disparu
Sur l'espoir sans souvenir
J'écris ton nom   80

Et par le pouvoir d'un mot
Je recommence ma vie
Je suis né pour te connaître
Pour te nommer

Liberté.   85

[18] *tremplin:* spring-board, diving-board

JEAN ANOUILH [1910–   ]

Jean Anouilh fit ses débuts de dramaturge à l'âge de 22 ans. Quatre ans plus tard personne ne doutait plus de son talent,[1] et on le considérait comme un des noms les plus importants du théâtre français. Le pessimisme et la fantaisie s'unissent dans ce théâtre, mais le plus souvent la fantaisie sert à cacher une philosophie amère, comme le jeu des mots cache le mouvement de la pensée. Convaincu que le mal existe, que la vie est ignoble et la société corruptrice, Anouilh allège pourtant ses drames en introduisant dans chaque pièce deux personnages purs et vertueux, un jeune couple. Les pièces sont peuplées de corrompus, d'imbéciles, de lâches, d'êtres qui portent les misères de leur milieu et les flétrissures de leur passé; et puis, il y a le jeune couple: il aspire à la joie parfaite qui efface le vice et le malheur; il cherche le paradis — non pas celui de Dieu, mais celui de la pureté. Ce paradis, les jeunes gens tâchent à le trouver dans leur amour.

Anouilh lui-même divise ses pièces en deux séries, les *Pièces noires*[2] et les *Pièces roses*. Dans celles-ci, le dénouement est heureux puisque le jeune couple peut rester ensemble; dans celles-là, ou il est séparé par les circonstances, ou il se sépare parce qu'il sait que son rêve est inaccessible. Mais ces séries ne diffèrent pas essentiellement l'une de l'autre, si ce n'est que les *Pièces noires* sont encore plus pessimistes, encore plus ironiques, que les *roses*. Tristes, ne laissant aucun espoir, les *Pièces noires* nous présentent des personnages très humains, qu'ils se révoltent et préfèrent au compromis l'angoisse, la souffrance et la mort, ou qu'ils choisissent de faire des compromis et deviennent des ratés. Le lecteur et le spectateur entrent dès la première scène dans ce monde que l'art d'Anouilh sait rendre réel et vivant.

Peut-être la plus caractéristique des pièces d'Anouilh est *Antigone* (1942), jouée d'abord sous l'Occupation.[3] Les faits sont ceux traités dans la tragédie de Sophocle,[4] et le dénouement est le même: Antigone[5] est enterrée vive; son fiancé, Hémon, décide de mourir avec elle; la femme de Créon[6] se suicide et le

---

[1] *talent:* La pièce avec laquelle s'imposa Anouilh est *Le Voyageur sans bagages* (1936), l'histoire d'un amnésique de guerre qui, petit à petit, retrouve son horrible passé.

[2] *Pièces noires:* Parmi les meilleures *Pièces noires* il faut noter *La Sauvage* (1932), *Colombe* (1951), *Médée* (1953) et *L'Alouette* (1953), l'histoire de Jeanne d'Arc traduite en anglais et jouée avec grand succès aux États-Unis.

[3] *l'Occupation:* Noter que l'on pourrait interpréter les événements historiques de la pièce comme symboles de la vie dans la France occupée.

[4] *Sophocle:* poète tragique grec du Ve siècle avant J.-C.

[5] *Antigone:* Pour le caractère des personnages et leurs rapports familiaux, voir l'extrait ci-dessous.

[6] *Créon:* tyran de Thèbes, qui succéda au roi Œdipe

malheureux Créon reste seul à supporter l'horreur de ses actions. L'intrigue des deux tragédies est donc la même, mais ces pièces ne sauraient être plus différentes: l'orientation et le langage de l'*Antigone* d'Anouilh sont totalement modernes. L'auteur décrit, dans cette pièce comme dans les autres, la bassesse de l'existence commune et quotidienne, le sentiment de la révolte contre la condition humaine, le refus d'un bonheur médiocre et l'aspiration désespérée à la pureté.

Antigone

Un décor neutre. Trois portes semblables. Au lever du rideau, tous les personnages sont en scène. Ils bavardent, tricotent, jouent aux cartes.
Le Prologue se détache et s'avance.

LE PROLOGUE

Voilà. Ces personnages vont vous jouer l'histoire d'Antigone. Antigone, c'est la petite maigre qui est assise là-bas, et qui ne dit rien. Elle regarde droit devant elle. Elle pense. Elle pense qu'elle va être Antigone tout à l'heure, qu'elle va surgir soudain de la maigre jeune fille noiraude et renfermée[1] que personne ne prenait au sérieux[2] dans la famille et se dresser seule en face du monde, seule en face de Créon, son oncle, qui est le roi. Elle pense qu'elle va mourir, qu'elle est jeune et qu'elle aussi, elle aurait bien aimé vivre. Mais il n'y a rien à faire. Elle s'appelle Antigone et il va falloir qu'elle joue son rôle jusqu'au bout . . . Et, depuis que ce rideau s'est levé, elle sent qu'elle s'éloigne à une vitesse vertigineuse de sa sœur Ismène, qui bavarde et rit avec un jeune homme, de nous tous, qui sommes là bien tranquilles à la regarder, de nous qui n'avons pas à mourir ce soir.

Le jeune homme avec qui parle la blonde, la belle, l'heureuse Ismène, c'est Hémon, le fils de Créon. Il est le fiancé d'Antigone. Tout le portait vers Ismène: son goût de la danse et des jeux, son goût du bonheur et de la réussite, sa sensualité aussi, car Ismène est bien plus belle qu'Antigone, et puis un soir, un soir de bal où il n'avait dansé qu'avec Ismène, un soir où Ismène avait été éblouissante[3] dans sa nouvelle robe, il a été trouver[4] Antigone qui rêvait dans un coin, comme en ce moment, ses bras entourant ses genoux, et il lui a demandé d'être sa femme. Personne n'a jamais compris pourquoi. Antigone a levé sans étonnement ses yeux graves sur lui et elle lui a dit «oui» avec un petit sourire triste . . . L'orchestre attaquait une nouvelle danse, Ismène riait aux éclats,[5] là-bas, au milieu des autres garçons, et voilà, maintenant, lui, il allait être le mari d'Antigone. Il ne savait pas qu'il ne devait jamais exister de mari d'Antigone sur cette terre et

---

[1] *la maigre . . . renfermée:* the skinny, dark, reserved girl
[2] *prenait au sérieux:* took seriously
[3] *éblouissante:* dazzling
[4] *il a été trouver:* il est allé trouver
[5] *riait aux éclats:* was laughing heartily

que ce titre princier lui [6] donnait seulement le droit de mourir.

Cet homme robuste, aux cheveux blancs, qui médite là, près de son page, c'est Créon. C'est le roi. Il a des rides, il est fatigué. Il joue au jeu difficile de conduire les hommes. Avant, du temps d'Œdipe,[7] quand il n'était que le premier personnage de la cour, il aimait la musique, les belles reliures,[8] les longues flâneries chez les petits antiquaires de Thèbes.[9] Mais Œdipe et ses fils sont morts. Il a laissé ses livres, ses objets, il a retroussé ses manches et il a pris leur place.

Quelquefois, le soir, il est fatigué, et il se demande s'il n'est pas vain de conduire les hommes. Si cela n'est pas un office sordide qu'on doit laisser à d'autres, plus frustes.[10] . . . Et puis, au matin,[11] des problèmes précis se posent, qu'il faut résoudre, et il se lève, tranquille, comme un ouvrier au seuil de sa journée.

La vieille dame qui tricote, à côté de la nourrice qui a élevé les deux petites, c'est Eurydice, la femme de Créon. Elle tricotera pendant toute la tragédie jusqu'à ce que son tour vienne de se lever et de mourir. Elle est bonne, digne, aimante. Elle ne lui [12] est d'aucun secours. Créon est seul. Seul avec son petit page qui est trop petit et qui ne peut rien non plus pour lui.[13]

Ce garçon pâle, là-bas, au fond, qui rêve adossé au mur, solitaire, c'est le Messager. C'est lui qui viendra annoncer la mort d'Hémon tout à l'heure. C'est pour cela qu'il n'a pas envie de bavarder ni de se mêler aux autres. Il sait déjà . . .

Enfin les trois hommes rougeauds [14] qui jouent aux cartes, leur chapeau sur la nuque, ce sont les gardes. Ce ne sont pas de mauvais bougres,[15] ils ont des femmes, des enfants, et des petits ennuis comme tout le monde, mais ils vous [16] empoigneront les accusés le plus tranquillement du monde [17] tout à l'heure. Ils sentent l'ail, le cuir et le vin rouge et ils sont dépourvus de toute imagination. Ce sont les auxiliaires, toujours innocents et toujours satisfaits d'eux-mêmes, de la justice. Pour le moment, jusqu'à ce qu'un nouveau chef de Thèbes dûment mandaté [18] leur ordonne de l'arrêter à son tour, ce sont les auxiliaires de la justice de Créon.

Et maintenant que vous les connaissez tous, ils vont pouvoir vous jouer leur histoire. Elle commence au moment où les deux fils d'Œdipe, Étéocle et Polynice, qui devaient régner sur Thèbes un an chacun à tour de rôle,[19] se sont battus et entre-tués sous les murs de la ville, Étéocle l'aîné, au terme de [20] la première année de pouvoir ayant refusé de céder la place à son frère. Sept grands princes étrangers que Polynice avait gagnés à sa cause ont été défaits devant les sept portes de Thèbes. Maintenant la ville est sauvée, les deux frères enne-

---

[6] *lui:* à Hémon
[7] *Œdipe:* fils de Laïos, roi de Thèbes, et de Jocaste. Il devint roi à son tour après avoir tué son père et épousé sa mère.
[8] *reliures:* bookbindings
[9] *Thèbes:* ancienne capitale de la Béotie (contrée de l'ancienne Grèce)
[10] *frustes:* rough
[11] *au matin:* le matin
[12] *lui:* à Créon
[13] *qui ne peut rien non plus pour lui:* qui ne peut pas non plus l'aider

[14] *rougeauds:* au visage rouge
[15] *bougres:* individus
[16] *vous:* ici est impersonnel et pourrait être omis
[17] *le plus tranquillement du monde:* in the calmest, most placid way imaginable
[18] *dûment mandaté:* duly elected
[19] *à tour de rôle:* taking turns
[20] *au terme de:* à la fin de

mis sont morts et Créon, le roi, a ordonné qu'à Étéocle, le bon frère,[21] il serait fait d'imposantes funérailles, mais que Polynice, le vaurien, le révolté, le voyou, serait laissé sans pleurs et sans sépulture, la proie des corbeaux et des chacals. Quiconque osera lui rendre les devoirs [22] funèbres sera impitoyablement puni de mort.

(Pendant que le Prologue parlait les personnages sont sortis un à un. Le Prologue disparaît aussi.

L'éclairage s'est modifié sur la scène. C'est maintenant une aube grise et livide dans une maison qui dort.

Antigone entr'ouvre la porte et rentre de l'extérieur sur la pointe de ses pieds nus, ses souliers à la main. Elle reste un instant immobile à écouter.

La nourrice surgit.)

LA NOURRICE

D'où viens-tu?

ANTIGONE

De me promener, nourrice. C'était beau. Tout était gris. Maintenant, tu ne peux pas savoir, tout est déjà rose, jaune, vert. C'est devenu une carte postale.[23] Il faut te lever plus tôt, nourrice, si tu veux voir un monde sans couleurs.

(Elle va passer.)

LA NOURRICE

Je me lève quand il fait encore noir, je vais à ta chambre pour voir si tu ne t'es pas découverte en dormant et je ne te trouve plus dans ton lit!

ANTIGONE

Le jardin dormait encore. Je l'ai sur-

pris, nourrice. Je l'ai vu sans qu'il s'en doute. C'est beau un jardin qui ne pense pas encore aux hommes.

LA NOURRICE

Tu es sortie. J'ai été à la porte du fond, tu l'avais laissée entrebâillée.

ANTIGONE

Dans les champs c'était tout mouillé et cela attendait. Tout attendait. Je faisais un bruit énorme toute seule sur la route, et j'étais gênée parce que je savais bien que ce n'était pas moi qu'on attendait. Alors j'ai enlevé mes sandales et je me suis glissée dans la campagne sans qu'elle s'en aperçoive . . .

LA NOURRICE

Il va falloir te laver les pieds avant de te remettre au lit.

ANTIGONE

Je ne me recoucherai pas ce matin.

LA NOURRICE

A quatre heures! Il n'était pas quatre heures! Je me lève pour voir si elle n'était pas découverte. Je trouve son lit froid et personne dedans.

ANTIGONE

Tu crois que si on se levait comme cela tous les matins, ce serait tous les matins aussi beau, nourrice, d'être la première fille dehors?

LA NOURRICE

La nuit! C'était la nuit! Et tu veux me faire croire que tu as été te promener, menteuse! D'où viens-tu?

ANTIGONE, *a un étrange sourire*

C'est vrai, c'était encore la nuit. Et il n'y avait que moi dans toute la campagne à penser que c'était le

---

[21] *le bon frère:* Noter l'ironie puisque c'est évidemment Étéocle qui avait tort.
[22] *les devoirs:* les honneurs
[23] *C'est devenu une carte postale:* i.e. cela a l'air d'une carte postale en couleurs

matin. C'est merveilleux, nourrice. J'ai cru au jour la première aujourd'hui.

LA NOURRICE

Fais la folle! Fais la folle! Je la connais, la chanson. J'ai été fille avant toi. Et pas commode [24] non plus, mais dure tête [25] comme toi, non. D'où viens-tu, mauvaise?

ANTIGONE, *soudain grave*

Non. Pas mauvaise.

LA NOURRICE

Tu avais un rendez-vous, hein? Dis non, peut-être.

ANTIGONE, *doucement*

Oui. J'avais un rendez-vous.

LA NOURRICE

Tu as un amoureux?

ANTIGONE, *étrangement, après un silence*

Oui, nourrice, oui, le pauvre. J'ai un amoureux.

LA NOURRICE, *éclate*

Ah! c'est du joli! c'est du propre! [26] Toi, la fille d'un roi! Donnez-vous du mal; [27] donnez-vous du mal pour les élever! Elles sont toutes les mêmes. Tu n'étais pourtant pas comme les autres, toi, à t'attifer [28] toujours devant la glace, à te mettre du rouge aux lèvres, à chercher à ce qu'on te remarque. Combien de fois je me suis dit: «Mon Dieu, cette petite, elle n'est pas assez coquette! Toujours avec la même robe et mal peignée. Les garçons ne verront qu'Ismène avec ses bouclettes et ses rubans et ils me la laisseront sur les bras. [29]» Hé bien, tu vois, tu étais comme ta sœur, et pire encore, hypocrite! Qui est-ce? Un voyou, hein, peut-être? Un garçon que [30] tu ne peux pas dire à ta famille: «Voilà, c'est lui que j'aime, je veux l'épouser.» C'est ça, hein, c'est ça? Réponds donc, fanfaronne! [31]

ANTIGONE, *a encore un sourire imperceptible*

Oui, nourrice.

LA NOURRICE

Et elle dit oui! Miséricorde! Je l'ai eue toute gamine; j'ai promis à sa pauvre mère que j'en [32] ferais une honnête fille, et voilà! Mais ça ne va pas se passer comme ça, ma petite. Je ne suis que ta nourrice, et tu me traites comme une vieille bête, bon! mais ton oncle, ton oncle Créon saura. Je te le promets!

ANTIGONE, *soudain un peu lasse*

Oui, nourrice, mon oncle Créon saura. Laisse-moi maintenant.

LA NOURRICE

Et tu verras ce qu'il dira quand il apprendra que tu te lèves la nuit. Et Hémon? Et ton fiancé? Car elle est fiancée! Elle est fiancée et à quatre heures du matin elle quitte son lit pour aller courir avec un autre. Et

---

[24] *pas commode:* not easy to get along with
[25] *dure tête:* ici, entêtée; plus souvent, lent à comprendre
[26] *c'est du joli! c'est du propre!:* that's fine! that's a fine way to behave! (Noter que l'on dit très souvent le contraire de ce que l'on veut dire pour garder un ton ironique.)
[27] *Donnez-vous du mal:* Take pains
[28] *t'attifer:* t'orner, te parer

[29] *ils me la laisseront sur les bras:* they will leave her on my hands, i.e. they won't marry her
[30] *que:* dont
[31] *fanfaronne:* braggart
[32] *en:* Le *en* impersonnel est employé ici au lieu de *d'elle* pour montrer le mépris et la colère de la nourrice.

ça[33] vous répond qu'on la laisse, ça voudrait qu'on ne dise rien. Tu sais ce que je devrais faire? Te battre comme lorsque tu étais petite.

ANTIGONE

Nounou,[34] tu ne devrais pas trop crier. Tu ne devrais pas être trop méchante ce matin.

LA NOURRICE

Pas crier! Je ne dois pas crier par-dessus le marché![35] Moi qui avais promis à ta mère . . . Qu'est-ce qu'elle me dirait si elle était là? «Vieille bête, oui, vieille bête, qui n'as pas su me la garder pure, ma petite. Toujours à[36] crier, à[36] faire le chien de garde, à[36] leur tourner autour avec des lainages pour qu'elles ne prennent pas froid ou des laits de poule[37] pour les rendre fortes; mais à quatre heures du matin tu dors, vieille bête, tu dors, toi qui ne peux pas fermer l'œil,[38] et tu les laisses filer, marmotte,[39] et quand tu arrives le lit est froid!» Voilà ce qu'elle me dira ta mère, là-haut quand j'y monterai, et moi j'aurai honte, honte à en mourir si je n'étais pas déjà morte, et je ne pourrai que baisser la tête et répondre: «Madame Jocaste, c'est vrai.»

ANTIGONE

Non, nourrice. Ne pleure plus. Tu pourras regarder maman bien en face,[40] quand tu iras la retrouver. Et elle te dira: «Bonjour, nounou, merci pour la petite Antigone. Tu as bien pris soin d'elle.» Elle sait pourquoi je suis sortie ce matin.

LA NOURRICE

Tu n'as pas d'amoureux?

ANTIGONE

Non, nounou.

LA NOURRICE

Tu te moques de moi, alors? Tu vois, je suis trop vieille. Tu étais ma préférée, malgré ton sale caractère.[41] Ta sœur était plus douce, mais je croyais que c'était toi qui m'aimais. Si tu m'aimais tu m'aurais dit la vérité. Pourquoi ton lit était-il froid quand je suis venue te border?[42]

ANTIGONE

Ne pleure plus, s'il te plaît, nounou. (Elle l'embrasse.) Allons, ma vieille bonne pomme rouge. Tu sais[43] quand je te frottais pour que tu brilles? Ma vieille pomme toute ridée. Ne laisse pas couler tes larmes dans toutes les petites rigoles,[44] pour des bêtises comme cela — pour rien. Je suis pure, je n'ai pas d'autre amoureux qu'Hémon, mon fiancé, je te le jure. Je peux même te jurer, si tu veux, que je n'aurai jamais d'autre amoureux . . . Garde tes larmes, garde tes larmes; en auras peut-être besoin encore, nounou. Quand tu pleures comme cela, je redeviens petite . . . Et il ne faut pas que je sois petite ce matin.
(Entre Ismène.)

---

[33] ça: elle; voir note précédente
[34] Nounou: nom affectueux et enfantin pour les nourrices
[35] par dessus le marché: on top of everything else
[36] à: ici veut dire occupée à
[37] lait de poule: mélange d'un jaune d'œuf, de lait chaud et de sucre
[38] fermer l'œil: dormir
[39] marmotte: marmot; on dit «dormir comme une marmotte» quand on veut dire «dormir profondément»
[40] bien en face: straight (full) in the face
[41] sale caractère: nasty disposition
[42] te border: to tuck you in
[43] Tu sais: i.e. te rappelles-tu
[44] rigoles: furrows, i.e. wrinkles

ISMÈNE

Tu es déjà levée? Je viens de ta chambre.

ANTIGONE

Oui, je suis déjà levée.

LA NOURRICE

Toutes les deux alors! . . . Toutes [10] les deux vous allez devenir folles et vous lever avant les servantes? Vous croyez que c'est bon d'être debout le matin à jeun, que c'est convenable pour des princesses? Vous n'êtes [15] seulement [45] pas couvertes. Vous allez voir que vous allez encore me prendre mal.[46]

ANTIGONE

Laisse-nous, nourrice. Il ne fait pas froid, je t'assure; c'est déjà l'été. Va nous faire du café. (*Elle s'est assise, soudain fatiguée.*) Je voudrais bien un peu de café, s'il te plaît, nounou. Cela [25] me ferait du bien.

LA NOURRICE

Ma colombe! La tête lui tourne d'être sans rien [47] et je suis là comme [30] une idiote au lieu de lui donner quelque chose de chaud.

(*Elle sort vite.*)

ISMÈNE [35]

Tu es malade?

ANTIGONE

Ce n'est rien. Un peu de fatigue. (*Elle sourit.*) C'est parce que je me [40] suis levée tôt.

ISMÈNE

Moi non plus je n'ai pas dormi.

[45] *seulement:* ici signifie *même*
[46] *me prendre mal:* to get sick on me
[47] *sans rien:* i.e. sans avoir mangé

ANTIGONE, *sourit encore*

Il faut que tu dormes. Tu serais [5] moins belle demain.

ISMÈNE

Ne te moque pas.

ANTIGONE

Je ne me moque pas. Cela me rassure ce matin, que tu sois belle. Quand j'étais petite, j'étais si malheureuse, tu te souviens? Je te barbouillais [48] de terre, je te mettais des vers dans le cou.[49] Une fois je t'ai attachée à un arbre et je t'ai coupé tes cheveux, tes beaux cheveux . . . (*Elle caresse les cheveux d'Ismène.*) Comme cela doit être facile de ne pas penser de bêtises [20] avec toutes ces belles mèches lisses et bien ordonnées autour de la tête!

ISMÈNE, *soudain*

Pourquoi parles-tu d'autre chose?

ANTIGONE, *doucement, sans cesser de lui caresser les cheveux*

Je ne parle pas d'autre chose . . .

ISMÈNE

Tu sais, j'ai bien pensé, Antigone.

ANTIGONE

Oui.

ISMÈNE

J'ai bien pensé toute la nuit. Tu es folle.

ANTIGONE

Oui.

ISMÈNE

Nous ne pouvons pas.

[48] *barbouillais:* salissais
[49] *je te mettais des vers dans le cou:* I stuck worms down your back

ANTIGONE, *après un silence, de sa petite*
voix

Pourquoi?

ISMÈNE

Il [50] nous ferait mourir.

ANTIGONE

Bien sûr. A chacun son rôle. Lui, il doit nous faire mourir, et nous, nous devons aller enterrer notre frère. C'est comme cela que ç'a été distribué. Qu'est-ce que tu veux que nous y fassions?

ISMÈNE

Je ne veux pas mourir.

ANTIGONE, *doucement*

Moi aussi j'aurais bien voulu ne pas mourir.

ISMÈNE

Écoute, j'ai bien réfléchi toute la nuit. Je suis l'aînée. Je réfléchis plus que toi. Toi, c'est ce qui te passe par la tête tout de suite,[51] et tant pis si c'est une bêtise. Moi, je suis plus pondérée.[52] Je réfléchis.

ANTIGONE

Il y a des fois où il ne faut pas trop réfléchir.

ISMÈNE

Si, Antigone. D'abord c'est horrible, bien sûr, et j'ai pitié moi aussi de mon frère, mais je comprends un peu notre oncle.

ANTIGONE

Moi, je ne veux pas comprendre un peu.

ISMÈNE

Il est le roi, il faut qu'il donne l'exemple.

5

ANTIGONE

Moi, je ne suis pas le roi. Il ne faut pas que je donne l'exemple, moi . . . Ce qui lui passe par la tête, la petite Antigone, la sale bête, l'entêtée, la mauvaise, et puis on la met dans un coin ou dans un trou. Et c'est bien fait pour elle. Elle n'avait qu'à ne pas désobéir!

ISMÈNE

Allez! Allez! . . . Tes sourcils joints, ton regard droit devant toi et te voilà lancée sans écouter personne. Écoute-moi. J'ai raison plus souvent que toi.

ANTIGONE

Je ne veux pas avoir raison.

ISMÈNE

Essaie de comprendre au moins!

ANTIGONE

Comprendre . . . Vous n'avez que ce mot-là dans la bouche, tous, depuis que je suis toute petite. Il fallait comprendre qu'on ne peut pas toucher à l'eau, à la belle eau fuyante et froide parce que cela mouille les dalles,[53] à la terre parce que cela tache les robes. Il fallait comprendre qu'on ne doit pas manger tout à la fois, donner tout ce qu'on a dans ses poches au mendiant qu'on rencontre, courir, courir dans le vent jusqu'à ce qu'on tombe par terre et boire quand on a chaud et se baigner quand il est trop tôt ou trop tard,

[50] *Il:* Créon
[51] *tout de suite:* ici veut dire *tout d'un coup*

[52] *pondérée:* équilibrée
[53] *dalles:* flagstones, flooring-tiles

mais pas juste quand on en a envie!
Comprendre. Toujours comprendre.
Moi, je ne veux pas comprendre. Je
comprendrai quand je serai vieille.
(*Elle achève doucement.*) Si je deviens 5
vieille. Pas maintenant.

ISMÈNE

Il est plus fort que nous, Antigone.
Il est le roi. Et ils pensent tous comme 10
lui dans la ville. Ils sont des milliers
et des milliers autour de nous, grouillant [54] dans toutes les rues de Thèbes.

ANTIGONE   15

Je ne t'écoute pas.

ISMÈNE

Ils nous hueront.[55] Ils nous prendront avec leurs mille bras, leurs mille 20
visages et leur unique regard. Ils nous
cracheront à la figure. Et il faudra
avancer dans leur haine sur la charrette avec leur odeur et leurs rires
jusqu'au supplice. Et là il y aura les 25
gardes avec leurs têtes d'imbéciles,
congestionnées sur leurs cols raides,
leurs grosses mains lavées, leur regard
de bœuf — qu'on sent qu'on pourra
toujours crier, essayer de leur faire 30
comprendre, qu'ils vont comme des
nègres [56] et qu'ils feront tout ce qu'on
leur a dit scrupuleusement, sans savoir si c'est bien ou mal . . . Et
souffrir? Il faudra souffrir, sentir que la 35
douleur monte, qu'elle est arrivée au
point où l'on ne peut plus la supporter;
qu'il faudrait qu'elle s'arrête, mais
qu'elle continue pourtant et monte encore, comme une voix aiguë . . . Oh! 40
je ne peux pas, je ne peux pas . . .

[54] *grouillant:* swarming, teeming
[55] *hueront:* boo, hoot
[56] *nègres:* i.e. esclaves, sans pouvoir ou
pensées individuels
[57] *Comme tu as bien tout pensé!:* How well
you have thought it all over!

ANTIGONE

Comme tu as bien tout pensé! [57]

ISMÈNE

Toute la nuit. Pas toi?

ANTIGONE

Si, bien sûr.

ISMÈNE

Moi, tu sais, je ne suis pas très
courageuse.

ANTIGONE, *doucement*

Moi non plus. Mais qu'est-ce que
cela fait?
(*Il y a un silence, Ismène demande
soudain:*)

ISMÈNE

Tu n'as donc pas envie de vivre, toi?

ANTIGONE, *murmure*

Pas envie de vivre . . . (*Et plus
doucement encore si c'est possible.*)
Qui se levait la première, le matin,
rien que pour sentir l'air froid sur sa
peau nue? Qui se couchait la dernière
seulement quand elle n'en pouvait plus
de fatigue, pour vivre encore un peu
de la nuit? Qui pleurait déjà toute
petite, en pensant qu'il y avait tant de
petites bêtes, tant de brins d'herbe
dans le pré et qu'on ne pouvait pas
tous les prendre?

ISMÈNE, *a un élan soudain vers elle*

Ma petite sœur . . .

ANTIGONE, *se redresse et crie*

Ah, non! Laisse-moi! Ne me caresse
pas! Ne nous mettons pas à pleurnicher [58] ensemble, maintenant. Tu as
bien réfléchi, tu dis? Tu penses que
toute la ville hurlante contre toi, tu

[58] *pleurnicher:* to whimper, whine

penses que la douleur et la peur de mourir c'est assez?

ISMÈNE, *baisse la tête*

Oui.

ANTIGONE

Sers-toi de ces prétextes.

ISMÈNE, *se jette contre elle*

Antigone! Je t'en supplie! C'est bon pour les hommes de croire aux idées et de mourir pour elles. Toi tu es une fille.

ANTIGONE, *les dents serrés*

Une fille, oui. Ai-je assez pleuré d'être une fille!

ISMÈNE

Ton bonheur est là devant toi et tu n'as qu'à le prendre. Tu es fiancée, tu es jeune, tu es belle . . .

ANTIGONE, *sourdement*

Non, je ne suis pas belle.

ISMÈNE

Pas belle comme nous, mais autrement. Tu sais bien que c'est sur toi que se retournent les petits voyous dans la rue; que c'est toi que les petites filles regardent passer, soudain muettes sans pouvoir te quitter des yeux jusqu'à ce que tu aies tourné le coin.

ANTIGONE, *a un petit sourire imperceptible*

Des voyous, des petites filles . . .

ISMÈNE, *après un temps*

Et Hémon, Antigone?

ANTIGONE, *fermée*

Je parlerai tout à l'heure à Hémon: Hémon sera tout à l'heure une affaire réglée.

ISMÈNE

Tu es folle.

ANTIGONE, *sourit*

Tu m'as toujours dit que j'étais folle, pour tout, depuis toujours. Va te recoucher, Ismène . . . Il fait jour maintenant, tu vois, et, de toute façon, je ne pourrais rien faire. Mon frère mort est maintenant entouré d'une garde exactement comme s'il avait réussi à se faire roi. Va te recoucher. Tu es toute pâle de fatigue.

ISMÈNE

Et toi?

ANTIGONE

Je n'ai pas envie de dormir . . . Mais je te promets que je ne bougerai pas d'ici avant ton réveil. Nourrice va m'apporter à manger. Va dormir encore. Le soleil se lève seulement. Tu as les yeux tout petits de sommeil. Va . . .

ISMÈNE

Je te convaincrai, n'est-ce pas? Je te convaincrai? Tu me laisseras te parler encore?

ANTIGONE, *un peu lasse*

Je te laisserai me parler, oui. Je vous laisserai tous me parler. Va dormir maintenant, je t'en prie. Tu serais moins belle demain. (*Elle la regarde sortir avec un petit sourire triste, puis elle tombe soudain lasse sur une chaise.*) Pauvre Ismène! . . .

LA NOURRICE, *entre*

Tiens, te voilà un bon café et des tartines,[59] mon pigeon. Mange.

[59] *te voilà . . . tartines:* voilà un bon café et des tartines pour toi

ANTIGONE

Je n'ai pas très faim, nourrice.

LA NOURRICE

Je te les ai grillées moi-même et beurrées comme tu les aimes.

ANTIGONE

Tu es gentille, nounou. Je vais seulement boire un peu.

LA NOURRICE

Où as-tu mal?

ANTIGONE

Nulle part, nounou. Mais fais-moi tout de même bien chaud comme lorsque j'étais malade . . . Nounou plus forte que la fièvre, nounou plus forte que le cauchemar, plus forte que l'ombre de l'armoire qui ricane [60] et se transforme d'heure en heure sur le mur, plus forte que les mille insectes du silence qui rongent quelque chose, quelque part dans la nuit, plus forte que la nuit elle-même avec son hululement [61] de folle qu'on n'entend pas; nounou plus forte que la mort. Donne-moi ta main comme lorsque tu restais à côté de mon lit.

LA NOURRICE

Qu'est-ce que tu as, ma petite colombe?

ANTIGONE

Rien, nounou. Je suis seulement encore un peu petite pour tout cela. Mais il n'y a que toi qui dois le savoir.

LA NOURRICE

Trop petite pourquoi, ma mésange? [62]

ANTIGONE

Pour rien, nounou. Et puis, tu es là. Je tiens ta bonne main rugueuse [63] qui sauve de tout, toujours, je le sais bien. Peut-être qu'elle va me sauver encore. Tu es si puissante, nounou.

LA NOURRICE

Qu'est-ce que tu veux que je fasse pour toi, ma tourterelle?

ANTIGONE

Rien, nounou. Seulement ta main comme cela sur ma joue. (*Elle reste un moment les yeux fermés.*) Voilà, je n'ai plus peur. Ni du méchant ogre, ni du marchand de sable, [64] ni de Taoutaou [65] qui passe et emmène les enfants . . . (*Un silence encore, elle continue d'un autre ton.*) Nounou, tu sais, Douce, ma chienne . . .

LA NOURRICE

Oui.

ANTIGONE

Tu vas me promettre que tu ne la gronderas plus jamais.

LA NOURRICE

Une bête qui salit tout avec ses pattes! Ça ne devrait pas entrer dans les maisons!

ANTIGONE

Même si elle salit tout. Promets, nourrice.

LA NOURRICE

Alors il faudra que je la laisse tout abîmer sans rien dire?

[60] *ricane:* rit malicieusement
[61] *hululement:* hooting
[62] *mésange:* titmouse

[63] *rugueuse:* roughened
[64] *marchand de sable:* sandman
[65] *Taoutaou:* personnage inventé pour les histoires d'enfants

ANTIGONE

Oui, nounou.

LA NOURRICE

Ah! ça serait un peu fort! [66]

ANTIGONE

S'il te plaît, nounou. Tu l'aimes bien,
Douce, avec sa bonne grosse tête. Et
puis, au fond, tu aimes bien frotter
aussi. Tu serais très malheureuse si
tout restait propre toujours. Alors je
te le demande: ne la gronde pas.

LA NOURRICE

Et si elle pisse sur mes tapis?

ANTIGONE

Promets que tu ne la gronderas
tout de même pas. Je t'en prie, dis, je
t'en prie, nounou . . .

LA NOURRICE

Tu profites de ce que tu câlines [67]
. . . C'est bon. C'est bon. On essuiera
sans rien dire. Tu me fais tourner en
bourrique.[68]

ANTIGONE

Et puis, promets-moi aussi que tu lui
parleras, que tu lui parleras souvent.

LA NOURRICE, *hausse les épaules*

A-t-on vu ça? Parler aux bêtes!

ANTIGONE

Et justement pas comme à une bête.
Comme à une vraie personne, comme
tu m'entends faire . . .

LA NOURRICE

Ah, ça non! A mon âge, faire l'idiote!
Mais pourquoi veux-tu que toute la
maison lui parle comme toi, à cette
bête?

ANTIGONE, *doucement*

Si moi, pour une raison ou pour une
autre, je ne pouvais plus lui parler [69] . . .

LA NOURRICE, *qui ne comprend pas*

Plus lui parler, plus lui parler?
Pourquoi?

ANTIGONE, *détourne un peu la tête et
puis elle ajoute, la voix dure*

Et puis, si elle était trop triste, si
elle avait trop l'air d'attendre tout de
même, — le nez sous la porte comme
lorsque je suis sortie, — il vaudrait
peut-être mieux la faire tuer, nounou,
sans qu'elle ait mal.

LA NOURRICE

La faire tuer, ma mignonne? Faire
tuer ta chienne? Mais tu es folle ce
matin!

ANTIGONE

Non, nounou. (*Hémon paraît.*)
Voilà Hémon. Laisse-nous, nourrice.
Et n'oublie pas ce que tu m'as juré.
(*La nourrice sort.*)

ANTIGONE, *court à Hémon*

Pardon, Hémon, pour notre dispute
d'hier soir et pour tout. C'est moi qui
avais tort. Je te prie de me pardonner.

HÉMON

Tu sais bien que je t'avais pardonné,

[66] *ça serait un peu fort!:* that would be going too far!
[67] *tu câlines:* you are wheedling
[68] *Tu me fais tourner en bourrique:* You are making a fool of me.
[69] *je . . . parler:* Il ne reste plus de doute ici qu'Antigone a enterré son frère pendant sa promenade matinale et met tout en ordre avant de mourir.

à peine avais-tu [70] claqué la porte. Ton parfum était encore là et je t'avais déjà pardonné. (*Il la tient dans ses bras, il sourit, il la regarde.*) A qui l'avais-tu volé, ce parfum? 5

ANTIGONE

A Ismène.

HÉMON

Et le rouge à lèvres, la poudre, la belle robe?

ANTIGONE

Aussi. 15

HÉMON

En quel honneur t'étais-tu faite si belle?

ANTIGONE

Je te dirai. (*Elle se serre contre lui un peu plus fort.*) Oh! mon chéri, comme j'ai été bête! Tout un soir gaspillé. Un beau soir. 25

HÉMON

Nous aurons d'autres soirs, Antigone. 30

ANTIGONE

Peut-être pas.

HÉMON 35

Et d'autres disputes aussi. C'est plein de disputes un bonheur.

ANTIGONE 40

Un bonheur, oui . . . Écoute, Hémon.

HÉMON

Oui. 45

70 *à peine avais-tu:* presque aussitôt que tu avais

ANTIGONE

Ne ris pas ce matin. Sois grave.

HÉMON

Je suis grave.

ANTIGONE

Et serre-moi. Plus fort que tu ne m'as jamais serrée. Que toute ta force s'imprime dans moi.

HÉMON

Là. De toute ma force.

ANTIGONE, *dans un souffle*

C'est bon. (*Ils restent un instant sans rien dire, puis elle commence doucement.*) Écoute, Hémon.

HÉMON

Oui.

ANTIGONE

Je voulais te dire ce matin . . . Le petit garçon que nous aurions eu [71] tous les deux . . .

HÉMON

Oui.

ANTIGONE

Tu sais, je l'aurais bien défendu contre tout.

HÉMON

Oui, Antigone.

ANTIGONE

Oh! je l'aurais serré si fort qu'il n'aurait jamais eu peur, je te le jure. Ni du soir qui vient, ni de l'angoisse du plein soleil immobile, ni des ombres . . . Notre petit garçon, Hémon! Il

71 *que nous aurions eu:* this can be translated either *that we were supposed to have* or *that we would have had*

aurait eu une maman toute petite et mal peignée — mais plus sûre que toutes les vraies mères du monde avec leurs vraies poitrines et leurs grands tabliers. Tu le crois, n'est-ce pas, toi? 5

HÉMON

Oui, mon amour.

ANTIGONE 10

Et tu crois aussi, n'est-ce pas, que toi, tu aurais eu une vraie femme?

HÉMON, *la tient*

J'ai une vraie femme. 15

ANTIGONE, *crie soudain, blottie* [72] *contre lui*

Oh! tu m'aimais, Hémon, tu m'aimais, tu en es bien sûr, ce soir-là? 20

HÉMON, *la berce doucement*

Quel soir?

ANTIGONE 25

Tu es bien sûr qu'à ce bal où tu es venu me chercher dans mon coin, tu ne t'es pas trompé de jeune fille? Tu es sûr que tu n'as jamais regretté depuis, jamais pensé, même tout au fond de 30 toi, même une fois, que tu aurais plutôt dû demander Ismène?

HÉMON 35

Idiote!

ANTIGONE

Tu m'aimes, n'est-ce pas? Tu m'aimes comme une femme? Tes bras 40 qui me serrent ne mentent pas? Tes grandes mains posées sur mon dos ne mentent pas, ni ton odeur, ni ce bon chaud, ni cette grande confiance qui m'inonde quand j'ai la tête au creux 45 de ton cou?

[72] *blottie:* snuggled

HÉMON

Oui, Antigone, je t'aime comme une femme.

ANTIGONE

Je suis noire et maigre. Ismène est rose et dorée comme un fruit.

HÉMON, *murmure*

Antigone . . .

ANTIGONE

Oh! Je suis toute rouge de honte. Mais il faut que je sache ce matin. Dis la vérité, je t'en prie. Quand tu penses que je serai à toi, est-ce que tu sens au milieu de toi comme un grand trou qui se creuse, comme quelque chose qui meurt?

HÉMON

Oui, Antigone.

ANTIGONE, *dans un souffle après un temps*

Moi, je sens comme cela. Et je voulais te dire que j'aurais été très fière d'être ta femme, ta vraie femme, sur qui tu aurais posé ta main, le soir, en t'asseyant, sans penser, comme sur une chose bien à toi. (*Elle s'est détachée de lui, elle a pris un autre ton.*) Voilà. Maintenant, je vais te dire encore deux choses. Et quand je les aurai dites il faudra que tu sortes sans me questionner. Même si elles te paraissent extraordinaires, même si elles te font de la peine. Jure-le moi.

HÉMON

Qu'est-ce que tu vas me dire encore?

ANTIGONE

Jure-moi d'abord que tu sortiras sans rien me dire. Sans même me regarder. Si tu m'aimes, jure-le moi.

(*Elle le regarde avec son pauvre visage bouleversé.*) Tu vois comme je te le demande, jure-le moi, s'il te plaît, Hémon . . . C'est la dernière folie que tu auras à me passer.[73]

HÉMON, *après un temps*

Je te le jure.

ANTIGONE

Merci. Alors, voilà. Hier d'abord. Tu me demandais tout à l'heure pourquoi j'étais venue avec une robe d'Ismène, ce parfum et ce rouge à lèvres. J'étais bête. Je n'étais pas très sûre que tu me désires vraiment et j'avais fait tout cela pour être un peu plus comme les autres filles, pour te donner envie de moi.

HÉMON

C'était pour cela?

ANTIGONE

Oui. Et tu as ri et nous nous sommes disputés et mon mauvais caractère a été le plus fort, je me suis sauvée. (*Elle ajoute plus bas.*) Mais j'étais venue chez toi pour que tu me prennes hier soir, pour que je sois ta femme avant. (*Il recule, il va parler, elle crie.*) Tu m'as juré de ne pas me demander pourquoi. Tu m'as juré, Hémon! (*Elle dit plus bas, humblement.*) Je t'en supplie . . . (*Et elle ajoute, se détournant, dure.*) D'ailleurs, je vais te dire. Je voulais être ta femme quand même parce que je t'aime comme cela, moi, très fort, et que — je vais te faire de la peine, ô mon chéri, pardon! — que jamais, jamais, je ne pourrai t'épouser. (*Il est resté muet de stupeur, elle court à la fenêtre, elle crie.*) Hémon, tu me l'as juré! Sors. Sors tout de suite sans rien dire. Si tu parles, si tu fais un seul pas vers moi, je me jette par cette fenêtre. Je te le jure, Hémon. Je te le jure sur la tête du petit garçon que nous avons eu tous les deux en rêve, du seul petit garçon que j'aurai jamais. Pars maintenant, pars vite. Tu sauras demain. Tu sauras tout à l'heure. (*Elle achève avec un tel désespoir qu'Hémon obéit et s'éloigne.*) S'il te plaît, pars, Hémon. C'est tout ce que tu peux faire encore pour moi, si tu m'aimes. (*Il est sorti. Elle reste sans bouger, le dos à la salle, puis elle referme la fenêtre, elle vient s'asseoir sur une petite chaise au milieu de la scène, et dit doucement, comme étrangement apaisée.*) Voilà. C'est fini pour Hémon, Antigone.

[73] *que tu auras à me passer:* that you will have to let me get by with

ANTOINE DE SAINT-EXUPÉRY [1900–1944]

C'est en faisant son service militaire que Saint-Exupéry découvrit sa vocation. Il commença, en 1921, une carrière brillante d'aviateur et devint le compagnon intrépide de l'aventure et du danger. Pilote de ligne, il établit de nouvelles routes à travers l'Atlantique du Sud et à travers l'Amérique du Sud;

il survola les Andes la nuit, exploit très périlleux à cette époque. Pendant la Deuxième Guerre mondiale, Saint-Exupéry s'engagea dans l'armée alliée et fit partie d'un groupe de reconnaissance aérienne; il disparut tragiquement au cours d'un vol en service commandé.

On se souviendra de Saint-Exupéry à la fois, sans doute, comme pilote et comme écrivain. Ses œuvres, autobiographiques [1] pour la plupart, présentent un intérêt documentaire, mais aussi lyrique et philosophique. Les joies et les dangers de la navigation aérienne lui permirent de pénétrer dans un monde jusqu'alors inexploré. Dans ce monde fait de deux éléments, l'homme et le ciel, l'homme côtoie constamment la mort. Il en résulte une morale fondée sur l'esprit de solidarité, le sens des responsabilités, et le courage. Saint-Exupéry adopte, pour nous révéler sa philosophie de la vie, un ton très simple, mais sérieux. Trois préoccupations essentielles reviennent sans cesse: l'amour de la vie, avec son corollaire le sentiment intense de la mort, la communion profonde des hommes entre eux, et le désir de connaître les choses au delà de leur apparence.

Au cours de la Campagne de 1939–40, après neuf mois de guerre, la France est en plein désastre; il ne lui reste que cinquante équipages de reconnaissance de trois hommes chacun. Dans *Pilote de guerre*, il s'agit d'une mission sacrifiée — futile même si elle réussit — à laquelle tient énormément l'État-Major. Le capitaine Saint-Exupéry, avec son lieutenant-observateur, Dutertre, et son mitrailleur, doit survoler, à sept cents mètres d'altitude, les parcs à tanks de la région d'Arras.[2]

---

[1] *autobiographiques: Courrier-Sud* (1928), *Vol de nuit* (1931), *Terre des hommes* (1939), *Pilote de guerre* (1942) et *Lettre à un otage* (1943) sont tous des récits d'expériences personnelles.

[2] *Arras:* ville à 192 kilomètres au nord de Paris, dans le département du Pas-de-Calais

Pilote de guerre

N'empêche que cette guerre, en dehors du sens spirituel qui nous la faisait nécessaire, nous est apparue, dans l'exécution, comme une drôle de guerre. Le mot ne m'a jamais fait honte. A peine avions-nous déclaré [1] la guerre, nous commencions d'attendre, faute d'être en mesure d'attaquer,[2] que l'on voulût bien nous anéantir!

C'est fait.

Nous avons disposé de gerbes de 5 blé pour vaincre des tanks. Les gerbes de blé n'ont rien valu. Et aujourd'hui l'anéantissement est consommé. Il n'est

---

[1] *avions-nous déclaré:* Noter l'inversion du sujet et du verbe après *à peine.*

[2] *faute d'être en mesure d'attaquer:* puisque nous ne pouvions pas attaquer

plus [3] ni armée, ni réserves, ni liaisons, ni matériel.

Cependant je poursuis mon vol avec un sérieux imperturbable. Je plonge vers l'armée allemande à huit cents kilomètres-heure [4] et à trois mille cinq cent trente tours-minute.[5] Pourquoi? Tiens! Pour l'épouvanter! Pour qu'elle évacue le territoire! Puisque les renseignements souhaités de nous sont inutiles, cette mission ne peut avoir un autre but.

Drôle de guerre.

J'exagère d'ailleurs. J'ai perdu beaucoup d'altitude. Les commandes et les manettes [6] se sont dégelées. J'ai repris, en palier, [7] ma vitesse normale. Je fonce vers l'armée allemande à cinq cent trente kilomètres-heure seulement et à deux mille deux cents tours-minute. C'est dommage. Je lui ferai bien moins peur.

On nous reprochera d'appeler cette guerre une drôle de guerre!

Ceux qui appellent cette guerre une «drôle de guerre» c'est nous! [8] Autant la trouver drôle. Nous avons le droit de la plaisanter comme il nous plaît parce que, tous les sacrifices, nous les prenons à notre compte.[9] J'ai le droit de plaisanter ma mort, si la plaisanterie me réjouit. Dutertre aussi. [. . .]

J'ai tous les droits, car, en cette seconde, je connais [10] bien ce que je fais. J'accepte la mort. Ce n'est pas le risque que j'accepte. Ce n'est pas le combat que j'accepte. C'est la mort. J'ai appris une grande vérité. La guerre, ce n'est pas l'acceptation du risque. Ce n'est pas l'acceptation du combat. C'est, à certaines heures, pour le combattant, l'acceptation pure et simple de la mort. [. . .]

— Cent soixante-douze.[11]

— Entendu. Cent soixante-douze.

Va pour [12] cent soixante-douze. Épitaphe: «A maintenu correctement cent soixante-douze au compas.» [. . .] Je navigue à sept cent cinquante mètres d'altitude sous le plafond de lourds nuages. Si je m'élevais de trente mètres, Dutertre, déjà, serait aveugle. Il nous faut demeurer bien visibles, et offrir ainsi au tir allemand une cible pour écoliers.[13] Sept cents mètres est une altitude interdite.[14] On sert de point de mire [15] à toute une plaine. On draine le tir de toute une armée. On est accessible à tous les calibres. On demeure une éternité dans le champ de tir [16] de chacune des armes. Ce n'est plus du tir, c'est du bâton. C'est comme si l'on défiait mille bâtons d'abattre une noix.

J'ai bien étudié le problème: il n'est pas question de parachute. Quand l'avion avarié [17] plongera vers le sol, l'ouverture de la trappe de départ occupera, à elle seule,[18] plus de secondes que la chute n'en accordera. Cette

---

[3] *Il n'est plus:* il n'y a plus

[4] *kilomètres-heure:* kilomètres par heure

[5] *tours-minute:* tours (révolutions) par minute

[6] *Les commandes et les manettes:* the controls and the control levers

[7] *en palier:* during the horizontal flight

[8] *nous:* c'est-à-dire les combattants qui risquent leur vie; en particulier, Saint-Exupéry, Dutertre et le mitrailleur

[9] *nous les prenons à notre compte:* we take them upon ourselves

[10] *connais:* Noter l'emploi du verbe *connaître* au lieu du verbe *savoir.*

[11] *Cent soixante-douze:* C'est l'observateur Dutertre qui indique au pilote à combien de degrés au compas il doit maintenir l'avion pour arriver à sa destination.

[12] *Va pour:* d'accord pour

[13] *une cible pour écoliers:* a target for schoolboys, i.e. an easy mark

[14] *interdite:* à cause du danger — en temps normaux

[15] *point de mire:* cible

[16] *dans le champ de tir:* within the firing range

[17] *avarié:* damaged, i.e. hit

[18] *à elle seule:* by itself

ouverture exige sept tours d'une manivelle [19] qui résiste. Au surplus, à pleine
vitesse, la trappe se déforme et ne
coulisse [20] pas.

C'est ainsi. Fallait [21] bien l'avaler un
jour cette médecine! Le cérémonial
n'est pas compliqué: maintenir cent
soixante-douze au compas. J'ai eu tort
de vieillir. Voilà. J'étais si heureux
dans l'enfance. Je le dis, mais est-ce
vrai? [. . .]

C'est maintenant qu'elle se fait
douce, l'enfance. Non seulement l'enfance, mais toute la vie passée. Je la
vois dans sa perspective, comme une
campagne . . .

Et il me semble que je suis un.[22] Ce
que j'éprouve je l'ai toujours connu.
Mes joies ou mes tristesses ont sans
doute changé d'objet, mais les sentiments sont restés les mêmes. J'étais
ainsi heureux ou malheureux. J'étais
puni ou pardonné. Je travaillais bien.
Je travaillais mal. Cela dépendait des
jours . . .

Mon plus lointain souvenir? J'avais
une gouvernante tyrolienne [23] qui
s'appelait Paula. Mais ce n'est même
pas un souvenir: c'est le souvenir d'un
souvenir. Paula, lorsque j'avais cinq
ans, [. . .] n'était déjà plus qu'une
légende. Pendant des années ma mère
nous a dit, à l'époque du nouvel an:
«Il y a une lettre de Paula!» C'était
une grande joie pour nous, les enfants.
Cependant pourquoi étions-nous heureux? Nul d'entre nous ne se souvenait de Paula. Elle était retournée à
son Tyrol. Donc à sa maison tyro-

lienne. Une sorte de chalet-baromètre [24] perdu dans la neige. Et Paula se
montrait à la porte, les jours de soleil,
comme dans tous les chalets-baromè-
tres.

— Paula est jolie?

— Ravissante.

— Il fait souvent beau au Tyrol?

— Toujours.

Il faisait toujours beau au Tyrol. Le
chalet-baromètre poussait Paula très
loin, dehors, sur sa pelouse de neige.
Lorsque j'ai su écrire, on m'a fait
écrire des lettres à Paula. Je lui disais:
«Ma chère Paula, je suis bien content
de vous écrire . . .» C'était un peu
comme des prières, puisque je ne la
connaissais pas . . .

— Cent soixante-quatorze.

— Entendu. Cent soixante-quatorze.

Va pour cent soixante-quatorze.
Faudra [25] modifier l'épitaphe. C'est
curieux comme d'un coup [26] la vie
s'est rassemblée. J'ai fait mes bagages
de souvenirs. Ils ne serviront plus
jamais à rien. Ni à personne. J'ai le
souvenir d'un grand amour. Ma mère
nous disait: «Paula écrit que l'on vous
embrasse tous pour elle . . .» Et ma
mère nous embrassait tous pour Paula.

— Paula sait que j'ai grandi?

— Bien sûr. Elle sait.

Paula savait tout.

— Mon Capitaine, ils [27] tirent.

Paula, on me tire dessus! Je jette un
coup d'œil à l'altimètre: six cent cinquante mètres. Les nuages sont à sept
cents mètres. Bon. Je n'y puis rien.[28]
Mais sous mon nuage, le monde n'est

[19] *manivelle:* crank
[20] *coulisse:* slide
[21] *Fallait:* il fallait
[22] *un:* une unité
[23] *tyrolienne:* du Tyrol, pays alpestre partagé entre la Suisse, l'Autriche et l'Italie
[24] *chalet-baromètre:* En Suisse et en Autriche on construit souvent les baromètres en
forme de chalet: quand il fait beau, une

statuette en robe légère sort par une porte
du chalet; quand il fait mauvais, une autre
en imperméable sort de l'autre petite porte.
[25] *Faudra:* il faudra
[26] *d'un coup:* tout d'un coup, soudaine-
ment, subitement
[27] *ils:* les Allemands
[28] *Je n'y puis rien:* Je ne peux rien changer
aux circonstances.

pas noirâtre[29] comme je croyais le pressentir: il est bleu. Merveilleusement bleu. C'est l'heure du crépuscule, et la plaine est bleue. Par endroits, il pleut. Bleue de pluie . . .

— Cent soixante-huit.

— Entendu. Cent soixante-huit.

Va pour cent soixante-huit. Il fait bien des zigzags le chemin vers l'éternité . . . Mais ce chemin, qu'il me paraît tranquille! Le monde ressemble à un verger. Tout à l'heure il se montrait dans la sécheresse d'une épure.[30] Tout m'apparaissait inhumain. Mais je vole bas, dans une sorte d'intimité. Il y a des arbres isolés ou groupés, par petits paquets. On les rencontre. Et des champs verts. Et des maisons aux tuiles rouges avec quelqu'un devant la porte. Et de belles averses[31] bleues tout autour. Paula, par ce temps-là, sans doute nous rentrait vite[32] . . .

— Cent soixante-quinze.

Mon épitaphe perd beaucoup de sa rude noblesse: «A maintenu cent soixante-douze, cent soixante-quatorze, cent soixante-huit, cent soixante-quinze . . .» J'ai plutôt l'air versatile.[33] Tiens! Mon moteur tousse! Il se refroidit. Je ferme donc les volets de capot.[34] Bon. Comme c'est l'heure d'ouvrir le réservoir supplémentaire, je tire le levier. Je n'oublie rien? Je jette un coup d'œil sur la pression d'huile. Tout est en ordre.

— Ça commence à faire vilain, mon Capitaine . . .

Tu entends, Paula? Ça commence à faire vilain. Et cependant je ne puis pas ne pas m'étonner de ce bleu du soir. Il est tellement extraordinaire!

Cette couleur est si profonde. Et ces arbres fruitiers, ces pruniers peut-être, qui défilent. Je suis entré dans ce paysage. Finies les vitrines![35] Je suis un maraudeur qui a sauté le mur. Je marche à grandes enjambées[36] dans une luzerne[37] mouillée et je vole des prunes. Paula, c'est une drôle de guerre. C'est une guerre mélancolique et toute bleue. Je me suis un peu égaré. J'ai trouvé cet étrange pays en vieillissant . . . Oh! non, je n'ai pas peur. C'est un peu triste, et voilà tout.

— Zigzaguer, Capitaine!

Ça, c'est un jeu nouveau, Paula! Un coup de pied[38] à droite, un coup de pied à gauche, on déroute le tir. Quand je tombais je me faisais des bosses. Tu me les soignais sans doute avec des compresses d'arnica. Je vais avoir fameusement[39] besoin d'arnica. Tu sais, quand même . . . c'est merveilleux le bleu de soir!

J'ai vu là, sur l'avant,[40] trois coups de lance divergents. Trois longues tiges verticales et brillantes. Sillages[41] de balles lumineuses ou d'obus lumineux à petit calibre. C'était tout doré. J'ai vu brusquement, dans le bleu du soir, jaillir l'éclat de ce candélabre à trois branches . . .

— Capitaine! A gauche tirent[42] très fort! Obliquez!

Coup de pied.

— Ah! ça s'aggrave[43] . . .

Peut-être . . .

Ça s'aggrave, mais je suis à l'in-

[29] *noirâtre:* blackish, darkish
[30] *une épure:* un dessin achevé
[31] *averses:* downpours, showers
[32] *nous rentrait vite:* nous faisait vite rentrer
[33] *versatile:* inconstant, changeant
[34] *volets de capot:* cowl shutters

[35] *Finies les vitrines!:* i.e. je ne suis plus spectateur
[36] *à grandes enjambées:* à grands pas
[37] *luzerne:* alfalfa field
[38] *un coup de pied:* stepping on the control levers of the plane
[39] *fameusement:* extrêmement
[40] *sur l'avant:* ahead, on the forward side
[41] *Sillages:* tracks, trajectories
[42] *tirent:* ils tirent
[43] *ça s'aggrave:* cela devient pire

térieur des choses. Je dispose de tous mes souvenirs et de toutes les provisions que j'ai faites, et de toutes mes amours. Je dispose de mon enfance qui se perd dans la nuit comme une racine. J'ai commencé la vie sur la mélancolie d'un souvenir . . . Ça s'aggrave, mais je ne reconnais rien en moi de ce que je pensais ressentir face à ces coups de griffe[44] d'étoiles filantes.[45]

Je suis dans un pays qui me touche au cœur. C'est la fin du jour. Il est de grands pans[46] de lumière, entre les orages, sur la gauche, qui bâtissent des carrés de vitrail. Je palpe[47] presque, de la main, à deux pas de moi, toutes les choses qui sont bonnes. Il y a ces pruniers à prunes. Cette terre à odeur de terre. Il doit être bon de marcher au travers des terres humides. Tu sais, Paula, j'avance doucement, en balançant de droite à gauche, comme un char à foin.[48] Tu crois ça rapide, un avion . . . bien sûr, si tu réfléchis! Mais si tu oublies la machine, si tu regardes, tu te promènes tout simplement dans la campagne . . .

— Arras . . .

Oui. Très loin en avant. Mais Arras n'est pas une ville. Arras n'est rien d'autre qu'une mèche rouge[49] sur fond bleu de nuit. Sur fond d'orage. Car décidément, à gauche et en face, c'est un fameux grain[50] qui se prépare. Le crépuscule n'explique pas ce demi-jour. Il faut des massifs de nuages, pour filtrer une lumière aussi sombre . . .

La flamme d'Arras a grandi. Ce n'est pas une flamme d'incendie. Un incendie s'élargit comme un chancre, avec, autour, un simple rebord de chair vive.[51] Mais cette mèche rouge, alimentée en permanence,[52] est celle d'une lampe qui fumerait un peu. C'est une flamme sans nervosité, assurée de durer, bien installée sur sa provision d'huile. Je la sens pétrie[53] d'une chair compacte, presque pesante, que le vent remue quelquefois comme il inclinerait un arbre. Voilà . . . un arbre. Cet arbre a pris Arras dans le réseau de ses racines. Et tous les sucs[54] d'Arras, toutes les provisions d'Arras, tous les trésors d'Arras montent, changés en sève,[55] pour nourrir l'arbre.

Je vois cette flamme parfois trop lourde perdre l'équilibre à droite ou à gauche, cracher une fumée plus noire, puis de nouveau se reconstruire. Mais je ne distingue toujours pas la ville. Toute la guerre se résume à cette lueur. Dutertre dit que ça s'aggrave. Il observe, de l'avant, mieux que moi. N'empêche que je suis surpris d'abord par une sorte d'indulgence; cette plaine vénéneuse lance peu d'étoiles.

Oui mais . . .

Tu sais, Paula, dans les contes de fées de l'enfance, le chevalier marchait, à travers de terribles épreuves, vers un château mystérieux et enchanté. Il escaladait[56] des glaciers. Il franchissait des précipices, il déjouait[57] des trahisons. Enfin le château

---

[44] *coups de griffe:* clawings
[45] *étoiles filantes:* météors lumineux, ici: balles lumineuses ou obus lumineux
[46] *Il est de grands pans:* il y a de grands murs
[47] *palpe:* feel, touch
[48] *un char à foin:* a hay wagon
[49] *une mèche rouge:* a red wick (puisque la ville flamboie)
[50] *fameux grain:* heavy squall

[51] *un chancre, . . . chair vive:* a canker sore with just a rim of quick flesh around it
[52] *en permanence:* constamment, sans interruption
[53] *pétrie:* kneaded, moulded
[54] *sucs:* sap, essence
[55] *sève:* sap, vigor
[56] *escaladait:* scaled
[57] *déjouait:* faisait échouer

lui apparaissait, au cœur d'une plaine bleue, douce au galop comme une pelouse. Il se croyait déjà vainqueur . . . Ah! Paula, on ne trompe pas une vieille expérience des contes de fées! C'était toujours là le plus difficile . . .

Je cours ainsi vers mon château de feu, dans le bleu du soir. [. . .]

Mais voici que:

— Ah! Capitaine. Je n'ai jamais vu ça . . .

Je n'ai jamais vu ça non plus. Je ne suis plus invulnérable. Ah! Je ne savais pas que j'espérais . . . [. . .]

Malgré les sept cents mètres, j'espérais. Malgré les parcs à tanks, malgré la flamme d'Arras, j'espérais. J'espérais désespérément. Je remontais dans ma mémoire jusqu'à l'enfance, pour retrouver le sentiment d'une protection souveraine. Il n'est point [58] de protection pour les hommes. Une fois homme on vous laisse aller . . . Mais qui peut quelque chose contre [59] le petit garçon dont une Paula toute-puissante tient la main bien enfermée? Paula, j'ai usé de ton ombre comme d'un bouclier . . .

J'ai usé de tous les trucs. Lorsque Dutertre m'a dit: «Ça s'aggrave . . .» j'ai usé, pour espérer, de cette menace même. Nous étions en guerre: il fallait bien que la guerre se montrât. Elle se réduisait, en se montrant, à quelques sillages de lumière: «Voilà donc ce fameux péril de mort sur Arras? Laissez-moi rire . . .»

Le condamné s'était fait du bourreau l'image d'un robot blême. Se présente [60] un brave homme quelconque, qui sait éternuer, ou même sourire. Le condamné se raccroche au sourire comme à un chemin vers la délivrance . . . Ce n'est qu'un fantôme de chemin. Le bourreau, bien qu'en éternuant, tranchera cette tête. Mais comment refuser l'espérance?

Comment [61] ne me serais-je pas trompé moi-même sur un certain accueil, puisque tout se faisait intime et campagnard, puisque luisaient si gentiment les ardoises mouillées et les tuiles, [62] puisque rien ne changeait d'une minute à l'autre, ni ne semblait devoir changer. Puisque nous n'étions plus, Dutertre, le mitrailleur et moi, que trois promeneurs à travers champs, qui rentrent lentement sans avoir trop à relever le col, car véritablement il ne pleut guère. Puisque au cœur des lignes allemandes, rien ne se révélait qui méritât véritablement d'être raconté, et qu'il n'était point [63] de raison absolue pour que, plus loin, la guerre fût autre. Puisqu'il semblait que l'ennemi se fût dispersé et comme fondu dans l'immensité des campagnes, à raison [64] d'un soldat peut-être par maison, d'un soldat peut-être par arbre, dont l'un, de temps à autre, se souvenant de la guerre, tirait. On lui avait rabâché la consigne: [65] «Tu tireras sur les avions . . .» La consigne se mêlait au songe. Il lâchait ses trois balles, sans trop y croire. J'ai chassé ainsi des canards, le soir, dont je me moquais bien si la promenade était un peu tendre. [66] Je les tirais en parlant d'autre chose: ça ne les dérangeait guère . . .

On voit si bien ce que l'on voudrait

[58] *Il n'est point:* il n'y a point
[59] *qui peut quelque chose contre:* qui peut faire du mal à
[60] *Se présente:* il se présente
[61] *Comment:* i.e. pourquoi
[62] *les ardoises mouillées et les tuiles:* the wet pieces of slate and the tiles (Noter l'inversion du sujet et du verbe.)
[63] *il n'était point:* il n'y avait point
[64] *à raison:* in the proportion
[65] *On lui avait rabâché la consigne:* they had pounded into him the order
[66] *un peu tendre:* i.e. délicieuse, amoureuse

voir: ce soldat m'ajuste,[67] mais sans conviction, et il me manque. Les autres laissent passer. Ceux qui sont en mesure de [68] nous donner des crocs-en-jambe [69] respirent peut-être, en cet instant, avec plaisir, l'odeur du soir, ou allument des cigarettes, ou achèvent une plaisanterie — et ils laissent passer. D'autres, de ce village où ils cantonnent,[70] tendent peut-être leur gamelle [71] vers la soupe. Un grondement s'éveille et meurt. Est-il ami ou ennemi? Ils n'ont pas le temps de le connaître, ils surveillent leur gamelle qui s'emplit: ils laissent passer. Et moi je tente de traverser, les mains dans les poches, en sifflotant, et le plus naturellement que je puis, ce jardin qui est interdit aux promeneurs, mais dont chaque garde — qui compte sur l'autre — laisse passer . . .

Je suis si vulnérable! Ma faiblesse même leur est un piège: «Pourquoi vous agiter? On me descendra un peu plus loin . . .» C'est évident! «Va-t'en te faire pendre ailleurs . . . !» Ils rejettent sur autrui la corvée,[72] pour ne pas manquer leur tour à la soupe, pour ne pas interrompre une plaisanterie, ou par simple goût du vent du soir. J'abuse ainsi de leur négligence, je tire mon salut de cette minute où la guerre les fatigue tous, tous ensemble, comme par hasard — et pourquoi pas? Et, déjà, j'escompte [73] vaguement que, d'homme en homme, d'escouade [74] en escouade, de village en village, je parviendrai bien à finir à mon tour. Après

tout, nous ne sommes qu'un passage d'avion dans le soir . . . ça ne fait même pas lever la tête! [. . .]

Quelque chose dans le paysage vient de se rompre. Ainsi la bûche [75] qui paraissait éteinte, soudain craque et délivre une provision d'étincelles. Par quel mystère toute cette plaine a-t-elle réagi dans le même instant? Les arbres, le printemps venu, lâchent leurs graines. Pourquoi ce soudain printemps des armes? Pourquoi ce déluge lumineux qui monte vers nous, et qui se montre, d'emblée,[76] universel?

La sensation que d'abord j'éprouve est d'avoir manqué de prudence. J'ai tout gâché. Il suffit parfois d'un clin d'œil, d'un geste, quand l'équilibre est trop précaire! Un alpiniste tousse, et il déclenche [77] l'avalanche. Et maintenant qu'il l'a déclenchée, tout est conclu.

Nous avons marché lourdement dans ce marécage [78] bleu déjà noyé de nuit. Nous avons remué cette vase [79] tranquille, et voici que, vers nous, par dizaines de milliers, elle lâche des bulles d'or.

Un peuple de jongleurs vient d'entrer dans la danse. Un peuple de jongleurs égrène [80] vers nous, par dizaines de milliers, ses projectiles. Ceux-ci, faute de variation angulaire, nous semblent d'abord immobiles, mais, pareils à ces billes que l'art du jongleur ne projette pas, mais délivre, ils commencent avec lenteur leur ascension. Je vois des larmes de lumière couler vers moi à travers une huile de silence.

[67] *m'ajuste:* takes aim (at me)
[68] *en mesure de:* capables de
[69] *donner des crocs-en-jambe:* to trip
[70] *ils cantonnent:* they are quartered, billeted
[71] *gamelle:* mess-tin
[72] *Ils rejettent sur autrui la corvée:* ils laissent à d'autres le travail ingrat
[73] *j'escompte:* I anticipate, reckon
[74] *escouade:* squad, section (of infantry)

[75] *bûche:* morceau de gros bois de chauffage
[76] *d'emblée:* du premier coup, sans peine
[77] *déclenche:* met en mouvement
[78] *marécage:* marshland, swamp
[79] *vase:* mud, slime, sludge
[80] *égrène:* lance

De ce silence qui baigne le jeu des jongleurs.

Chaque rafale[81] de mitrailleuse ou de canon à tir rapide[82] débite,[83] par centaines, obus ou balles phosphorescentes, qui se succèdent comme les perles d'un chapelet. Mille chapelets élastiques s'allongent vers nous, s'étirent à rompre,[84] et craquent à notre hauteur.

En effet, vus par le travers,[85] les projectiles qui nous ont manqués montrent, dans leur passage tangentiel, une allure vertigineuse.[86] Les larmes se changent en éclairs. Et voici que je me découvre noyé dans une moisson[87] de trajectoires qui ont couleur dé tiges de blé. Me voici centre d'un épais buisson de coups de lances. Me voici menacé par je ne sais quel vertigineux travail d'aiguilles.[88] Toute la plaine s'est liée à moi, et tisse, autour de moi, un réseau fulgurant[89] de lignes d'or.

Ah! Quand je me penche vers la terre je découvre ces étages de bulles lumineuses qui montent avec la lenteur de voiles de brouillard. Je dé-
couvre ce lent tourbillon de semences:[90] ainsi s'envole l'écorce[91] du blé que l'on bat! Mais si je regarde à l'horizontale, il n'est plus que[92] gerbes de lances! Du tir? Mais non! Je suis attaqué à l'arme blanche![93] Je ne vois qu'épées de lumière! Je me sens . . . Il n'est pas question de danger! M'éblouit le luxe où je trempe![94]

— Ah!

J'ai décollé de vingt centimètres de mon siège.[95] Ç'a été[96] sur l'avion comme un coup de bélier.[97] Il s'est rompu, pulvérisé . . . mais non . . . mais non . . . je le sens qui répond encore aux commandes. Ce n'est rien que le premier coup d'un déluge de coups. Cependant je n'ai point observé d'explosions. La fumée des éclatements se confond sans doute avec le sol sombre . . .

[81] *rafale:* burst of gun-fire
[82] *à tir rapide:* rapid-fire
[83] *débite:* discharges, releases
[84] *s'étirent à rompre:* stretch to the breaking point
[85] *par le travers:* abeam, on the broadside
[86] *vertigineuse:* giddying
[87] *moisson:* crop
[88] *je ne sais quel vertigineux travail d'aiguilles:* some sort of dizzying needlework

[89] *réseau fulgurant:* flashing network
[90] *tourbillon de semences:* swirl of seeds
[91] *écorce:* husk
[92] *il n'est plus que:* je vois seulement
[93] *à l'arme blanche:* with cold steel
[94] *M'éblouit le luxe où je me trempe!:* Le luxe où je me trempe (i.e. qui m'entoure) m'éblouit.
[95] *J'ai décollé de vingt centimètres de mon siège:* I was lifted 20 centimeters out of my seat.
[96] *Ç'a été:* cela a été
[97] *un coup de bélier:* a blow with a battering ram

JEAN-PAUL SARTRE [1905–   ]

Brillant élève de l'École normale supérieure, agrégé [1] en 1928, Sartre alla à Berlin pour y étudier la philosophie allemande, en particulier l'existentialisme de Heidegger.[2] Le mot *existentialisme* représente donc à la fois un système philosophique et la doctrine d'un groupe littéraire dont Sartre est le représentant le plus important.

Les existentialistes pensent que l'existence humaine est absurde, qu'elle est inutile et qu'elle aboutit au néant. La thèse de doctorat de Sartre, *L'Être et le Néant* (1943), est une œuvre monumentale qui exprime cette idée si présente à l'esprit de beaucoup de Français pendant la Deuxième Guerre mondiale. Le sens de la vie ne réside pas dans le monde extérieur puisque celui-ci est étranger à l'homme.[3] S'il y a un sens à la vie, on le trouve dans l'expérience personnelle. Si le regard que l'homme jette sur le monde réel manque de force et de but, ce monde lui semblera informe et vide, écœurant, répugnant et déprimant. Bien que membre de la société, l'homme vit seul; il forme son être par le choix libre de ses actions. Mais cette liberté individuelle affecte toujours le bonheur ou la liberté des autres, leur inflige un «enfer», et par conséquent entraîne de graves responsabilités. Dans une pièce intitulée *Huis-clos* (1944) — présentée aux États-Unis sous le titre *No Exit* — Sartre dit que «L'enfer, c'est les autres». L'homme ne saura justifier son existence qu'en regardant bien en face cette «nausée» [4] qu'est la vie, en luttant pour ses idées, en prenant parti,[5] en vivant, en agissant — bref, en «s'engageant». A travers le désespoir et par l'engagement de toute sa personne, l'homme saura peut-être atteindre la liberté, mais en fin de compte, cette liberté même n'a pas beaucoup de sens.

Jean-Paul Sartre voit un monde qui n'a pas de sens et il y répond par une morale sans illusions. Ses romans sont parfois difficiles; comme son théâtre, ils présentent souvent des personnages qui ne servent qu'à refléter l'idéologie de

[1] *agrégé:* personne qui, par suite d'un concours est déclarée apte à enseigner dans un lycée. Sartre enseigna en effet pendant plusieurs années, d'abord en province et ensuite à Paris. Ce ne fut qu'en 1944 qu'il quitta définitivement l'enseignement.

[2] *Heidegger, Martin* (1889–1945): philosophe allemand et un des fondateurs de la philosophie existentialiste

[3] *étranger à l'homme:* Un recueil de cinq nouvelles, *Le Mur* (1939), montre les rapports de l'esprit d'un homme, non pas avec l'existence extérieure, mais avec d'autres esprits.

[4] *«nausée»:* La première œuvre de Sartre, et peut-être la plus originale, s'appelle *La Nausée* (1938). C'est un essai philosophique sur le dégoût et le non-sens de l'existence.

[5] *en prenant parti:* Pendant l'Occupation, Sartre réussit à publier et à faire mettre sur la scène *Les Mouches* (1943). Sous forme d'une ancienne légende, c'est la critique de la soumission du gouvernement français aux Allemands. En 1948, il publia une autre pièce, *Les Mains sales,* qui exprime le sens du tragique intérieur et s'élève contre l'opportunisme communiste.

leur auteur. Sartre met en jeu des idées; mail il les rend vivantes, et c'est là son incontestable talent.

Nous donnons deux extraits des *Jeux sont faits* [6] (1947), œuvre qui exprime plusieurs idées philosophiques de Sartre, mais qui est moins difficile que la plupart de ses ouvrages.

Pierre Dumaine et Ève Charlier ne se connaissent pas et viennent de milieux sociaux très différents. Ils meurent par des causes différentes et dans différents quartiers de la ville, mais leur mort arrive à peu près au même moment. De chaque corps s'élève un spectre, susceptible d'éprouver les émotions des vivants et capable de circuler librement. Les deux fantômes entendent une voix mystérieuse qui leur indique une adresse. Sans savoir qu'ils sont morts, sans savoir ce qui leur arrive ni pourquoi ils doivent aller à l'impasse Laguénésie, ils s'y dirigent et attendent leur tour d'entrer dans l'unique boutique de la rue. C'est le tour de Pierre.

[6] *Les Jeux sont faits:* fut le scénario d'un film

Les Jeux sont faits

L'ARRIÈRE-BOUTIQUE

Après avoir refermé la porte, Pierre s'avance dans la pièce.

Il fait quelques pas vers une dame 5 qui est assise devant un bureau. Une lampe à huile, posée sur cette table, ajoute un peu de lumière à cette pièce à peine éclairée par le jour très rare [1] qui tombe d'une étroite fenêtre don- 10 nant sur une cour intérieure.

Les murs sont couverts de médaillons, de gravures, de tableaux qui, pour autant qu'on en puisse juger,[2] représentent tous l'impasse Lagué- 15 nésie.

Pierre s'avance jusqu'à la table et interroge:

— Pardon, madame. C'est bien avec vous que j'ai rendez-vous? 20

Digne et corpulente, avec son face-à-main,[3] la vieille dame est assise de-

vant un énorme registre ouvert, sur lequel un gros chat noir est couché en rond.[4]

Elle regarde Pierre à travers son face-à-main, en souriant d'un air affable:

— Mais oui, monsieur.

— Alors, vous allez pouvoir me renseigner, poursuit Pierre en caressant le chat qui s'étire [5] et se frotte contre lui. Qu'est-ce que je viens faire ici?

— Régulus! [6] réprimande la vieille dame, veux-tu laisser monsieur tranquille!

Avec un sourire, Pierre prend dans ses bras le chat, pendant que la vieille dame continue:

— Je ne vous retiendrai pas longtemps, monsieur. J'avais besoin de vous pour une petite formalité d'état civil.[7]

[1] *le jour très rare:* le peu de lumière
[2] *pour autant qu'on en puisse juger:* as far as one can judge
[3] *face-à-main:* lorgnette
[4] *en rond:* curled up
[5] *s'étire:* stretches
[6] *Régulus:* le nom du chat
[7] *état civil:* civil status (official records of birth, marriage and death)

Elle consulte son registre ouvert, puis:

— Vous vous appelez bien Pierre Dumaine?

Surpris, Pierre balbutie:

— Oui, madame . . . mais je . . .

Posément, la vieille dame tourne les pages de son registre.

— Da, da, di, di, do, du . . . Dumaine, nous y voilà . . . né en 1912? 10

Pierre est maintenant stupéfait; le chat profite de la situation pour lui grimper sur les épaules.

— En juin 1912, oui.

— Vous étiez contremaître à la 15 fonderie d'Answer? [8]

— Oui.

— Et vous avez été tué ce matin à 10 heures moins 5?

Cette fois, Pierre se penche en avant, 20 les mains appuyées sur le rebord de la table, et fixe la vieille dame avec stupeur. Le chat saute de ses épaules sur le registre.

— Tué? articule Pierre d'un air in- 25 crédule.

La vieille dame acquiesce aimablement. Alors Pierre se rejette brusquement en arrière et se met à rire.

— C'est donc ça . . . C'est donc ça 30 . . . Je suis mort.

[. . .]

— A la bonne heure, constate la vieille dame souriante. Vous prenez bien la chose. Je voudrais pouvoir en 35 dire autant de tous ceux qui viennent ici.

— Ça les ennuie d'être morts?

— Il y a des caractères chagrins [9] . . .

— Moi, vous comprenez, explique 40 Pierre, je ne laisse personne derrière moi, je suis bien tranquille. Il se met à marcher dans la pièce avec animation et ajoute:

— Et puis, l'essentiel, c'est d'avoir fait ce qu'on avait à faire.

Il se retourne vers la vieille dame, qui le regarde d'un air sceptique à 5 travers son face-à-main.

— Ce n'est pas votre avis? interroge-t-il.

— Moi, vous savez, dit-elle, je ne suis qu'une simple employée . . .

Puis, tournant le registre vers Pierre:

— Je vais vous demander une petite signature . . .

Une seconde, Pierre demeure décontenancé. Enfin, il revient vers la table, prend le porte-plume et signe.

— Là! déclare la vieille dame, à présent vous êtes mort pour de bon.[10]

Pierre se redresse, toujours un peu gêné. Il pose le porte-plume, caresse le chat et demande:

— Et où faut-il que j'aille?

La vieille dame le considère d'un air étonné:

— Mais où vous voudrez . . .

Cependant, comme il va sortir par où il est entré, elle lui désigne une autre porte sur le côté:

— Non, par là . . .

Tandis que Pierre referme la porte, la vieille dame ajuste son face-à-main, consulte son registre et d'un air très naturel, fait le simulacre [11] de tirer un cordon. Et l'on entend au loin tinter la clochette d'entrée qui annonce le prochain client.

UNE RUE

La petite porte d'un immeuble vétuste et crasseux.[12] Pierre vient de sortir. Il s'oriente et fait quelques pas, d'un air amusé, les mains dans les poches.

---

[8] *contremaître à la fonderie d'Answer:* foreman at the Answer smelting works

[9] *chagrins:* fretful

[10] *pour de bon:* véritablement

[11] *fait le simulacre:* fait semblant

[12] *immeuble vétuste et crasseux:* bâtiment vieux et très sale

La rue débouche, à vingt mètres de là, sur une large artère où voitures et piétons se croisent en un mouvement très animé. Dans ce court espace, quelques rares vivants circulent affairés,[13] tandis qu'une dizaine de personnages morts sont assis ou debout contre les murs, ou bien encore se promènent nonchalamment en regardant les vitrines.

Deux ou trois morts d'autrefois, en costumes d'époque,[14] se retournent sur Pierre et parlent de lui à voix basse.

RUE ET PLACE

Pierre s'avance lentement, lorsqu'une voix d'homme âgé prononce derrière lui:

— Soyez, monsieur, le bienvenu parmi nous.

Pierre se retourne. Il aperçoit un groupe de personnages en costumes divers des époques les plus différentes; des mousquetaires, des romantiques, des modernes et, parmi eux, un vieillard à tricorne,[15] habillé à la mode du XVIIIᵉ siècle, l'interroge aimablement:

— Vous êtes nouveau?

— Oui. Et vous?

Le vieillard sourit, et désignant son costume:

— J'ai été pendu en 1778.

Pierre, avec sympathie, prend part au triste événement . . .

Le vieillard poursuit:

— C'était une simple erreur judiciaire. Ça n'a d'ailleurs aucune importance. Est-ce que vous avez quelque chose de précis à faire?

Et, devant l'air étonné de Pierre, blasé, il ajoute:

— Oui . . . Aller voir si votre femme vous pleure, ou si elle vous trompe, si vos enfants veillent sur votre corps, en quelle classe ils vous font enterrer [16] . . .

Pierre l'interrompt vivement:

— Non, non. Tout marchera très bien sans moi.

— A la bonne heure. Alors, voulez-vous de moi [17] pour guide?

— Trop   aimable . . . murmure Pierre.

Mais, déjà, le vieillard l'entraîne, en assurant:

— Non, non, tout le plaisir est pour moi. Nous avons l'habitude d'attendre les nouveaux pour les initier à leur nouvel état, ça distrait.

Parvenus au coin de la rue, tous deux s'arrêtent. Pierre, amusé, regarde devant lui. Il a remis les mains dans les poches.

Une foule bigarrée évolue [18] sur une petite place. Vivants et morts y sont mêlés.

Les morts sont vêtus de costumes de toutes les époques, un peu usés, un peu délavés.[19]

Alors que les vivants ont l'air pressé, les morts vont flânant, tristes et quelque peu honteux. La plupart, d'ailleurs, se contentent de rester assis ou encore stationnent dans les encoignures,[20] devant des vitrines, dans les embrasures des portes.

— Dites donc! s'exclame Pierre, il y a foule.

— Pas plus que d'habitude, réplique le vieux gentilhomme. Seulement, maintenant que vous êtes enregistré, vous voyez aussi les morts.

[16] *classe . . . enterrer:* En France, il y a différentes classes de funérailles, des plus simples aux plus chères.
[17] *voulez-vous de moi:* me voulez-vous
[18] *une foule bigarrée évolue:* a motley crowd mills around
[19] *délavés:* faded
[20] *encoignures:* nooks and corners

[13] *affairés:* très occupés
[14] *costumes d'époque:* period costumes
[15] *à tricorne:* with a three-cornered hat

— Comment les distingue-t-on des vivants?

— C'est bien simple: les vivants, eux, sont toujours pressés.

Et comme un homme passe d'un pas rapide, une serviette sous le bras, le vieillard affirme:

— Tenez, celui-ci . . . C'est sûrement un vivant.

L'homme en question est passé si près qu'il aurait dû, en effet, s'il avait été mort, entendre le propos.[21]

Pierre le suit des yeux, l'air réjoui.

On sent que Pierre s'exerce à distinguer les vivants des morts, et qu'il y trouve un certain plaisir. Ils dépassent une femme qui marche plus lentement qu'eux, le visage maquillé, la jupe très courte. Pierre la dévisage en essayant de se faire une opinion. La femme ne semble pas le voir. Pierre se tourne vers le vieillard avec un regard interrogateur, et fait un geste discret vers la femme.

Le vieillard secoue la tête:

— Non, non! vivante.

Pierre fait un geste de léger dépit, tandis que la femme ralentit à l'approche d'un vivant pressé.

Le vieillard a remarqué la déconvenue[22] de Pierre.

— Ne vous inquiétez pas, dit-il, vous apprendrez vite.

Ils continuent leur marche, mais bientôt ils sont arrêtés par un groupe qui vient à leur rencontre.

En tête,[23] marche un petit homme à l'air idiot et dégénéré. Derrière lui, suit toute sa noble ascendance[24] mâle, du dix-neuvième siècle au moyen âge,

tous gens de belle prestance[25] et de grande taille.

Le rejeton[26] vivant de cette noble famille s'arrête pour allumer une cigarette; les ascendants s'arrêtent derrière lui, suivant avec une attention étonnée le moindre de ses mouvements.

Pierre ne peut retenir une exclamation amusée:

— Qu'est-ce que c'est que ce carnaval?

A peine a-t-il lâché ces paroles imprudentes que quelques-uns des nobles lancent à Pierre un regard furieux et consterné.

Le vieillard explique discrètement:

— Une très vieille famille de haute noblesse. Ces gens suivent leur suprême[27] rejeton . . .

— Eh bien, murmure Pierre, il n'est pas beau. Ils ne doivent pas en[28] être fiers. Pourquoi est-ce qu'ils le suivent?

Le vieillard hausse les épaules, d'un air fataliste.

— Ils attendent qu'il soit mort pour pouvoir l'engueuler.

Cependant, ayant allumé sa cigarette, le rejeton se remet en marche, l'air important et niais, suivi de tous ses ascendants qui le couvent d'un regard[29] attentif et désolé.

Pierre et le vieillard reprennent leur promenade, traversent la rue.

Une voiture arrive assez rapidement et le vieillard passe juste devant le capot[30] sans la moindre réaction, tandis que Pierre fait un brusque écart.

Le vieillard le contemple avec un sourire indulgent:

---

[21] *L'homme . . . propos:* Dans cet ouvrage, les vivants ne peuvent ni voir ni entendre les morts, mais les morts peuvent tout voir et tout entendre.

[22] *déconvenue:* insuccès inattendu ou humiliant

[23] *en tête:* at the head

[24] *ascendance:* ancêtres

[25] *prestance:* bearing

[26] *rejeton:* descendant

[27] *suprême:* dernier

[28] *en:* au lieu de *de lui* pour marquer le dédain

[29] *couvent d'un regard:* regardent fixement d'un air

[30] *capot:* hood (of a car)

— On s'y fait [31] . . . on s'y fait . . .
Pierre comprend, se détend, sourit à son tour, et ils reprennent leur marche.

L'ARRIÈRE-BOUTIQUE

Ève est assise sur une chaise devant le bureau, le visage anxieux. Elle demande nerveusement:

— Vous en êtes sûre? Vous en êtes bien sûre?

La vieille dame, dont le calme courtois et ennuyé contraste avec la nervosité d'Ève, réplique avec dignité:

— Je ne me trompe jamais. C'est professionnel.

Ève insiste:

— Il [32] m'a empoisonnée?

— Eh oui, madame.

— Mais pourquoi? pourquoi?

— Vous le gêniez, répond la vieille dame. Il a eu votre dot. Maintenant, il lui faut celle de votre sœur.

Ève joint les mains dans un geste d'impuissance et murmure accablée:

— Et Lucette [33] est amoureuse de lui!

La vieille dame prend une mine de circonstance: [34]

— Toutes mes condoléances . . . Mais voulez-vous me donner une signature?

Machinalement, Ève se lève, se penche sur le registre et signe.

— Parfait, conclut la vieille dame. Vous voilà morte officiellement.

Ève hésite, puis s'informe:

— Mais où faut-il que j'aille?

— Où vous voudrez. Les morts sont libres.

Ève, comme Pierre, se dirige machinalement vers la porte par où elle est entrée, mais la vieille dame intervient:

— Non . . . , par là . . .

Ève, absorbée, quitte la pièce.

UNE RUE

Ève marche tristement dans une rue, la tête basse, les mains dans les poches de sa robe de chambre.[35]

Elle ne s'intéresse pas à ce qui l'entoure, et croise, sans les regarder, les vivants et les morts. Soudain, elle entend la voix d'un camelot: [36]

— Mesdames et messieurs, encore quelques francs et Alcide va réaliser devant vous une performance sensationnelle . . . D'un seul bras, d'un seul, il arrachera un poids de cent kilos. J'ai dit cent kilos, cent.

Un cercle de badauds [37] entoure un hercule de fête foraine.[38] C'est un gros homme en maillot rose, moustache provocante, raie au milieu, avec un accroche-cœur [39] sur chaque tempe. Il se tient immobile dans une pose avantageuse. Le bonimenteur [40] le présente au public.

Ève contourne le groupe de badauds, jette un coup d'œil sur le spectacle sans s'arrêter.

Au dernier rang des curieux, Pierre et le vieillard regardent.

— Venez donc, dit ce dernier, il y a mieux à voir . . . Nous avons un club . . .

[31] *On s'y fait:* on s'y accoutume (i.e. à la mort)
[32] *Il:* André Charlier, son mari
[33] *Lucette:* la sœur d'Ève
[34] *de circonstance:* appropriate to the occasion

[35] *robe de chambre:* Les morts gardent ici les vêtements qu'ils portaient au moment de mourir.
[36] *camelot:* street peddler
[37] *badauds:* strollers, idlers
[38] *un hercule de fête foraine:* a Strong Man of a traveling show
[39] *accroche-cœur:* lovelock, spitcurl
[40] *bonimenteur:* barker

— Une minute, répond Pierre agacé, j'ai toujours aimé les hercules.

De son côté, Ève a contourné le cercle des badauds. Elle s'arrête, regardant machinalement du côté de l'hercule.

Le bonimenteur s'efforce toujours de stimuler la générosité de la foule:

— Allons, messieurs, dames![41] Vous ne voudrez pas laisser dire que l'haltérophilie[42] se meurt faute d'encouragements. Encore douze francs, et Alcide commence. Douze francs. Douze fois vingt sous.[43] Un franc à droite? Un franc à gauche? Merci. Plus que[44] dix francs, dix, et on commence!

Soudain, le regard d'Ève est attiré par une petite fille d'une douzaine d'années qui porte un panier d'où dépassent une bouteille de lait et un sac de dame très abîmé dans lequel, sans doute, elle met son argent. On l'a envoyée faire des courses, mais elle s'attarde un instant à regarder le camelot.

Elle ne s'aperçoit pas qu'un jeune voyou,[45] de dix-sept ans environ, s'est glissé derrière elle et essaie de la voler.

Après avoir jeté un coup d'œil négligent autour de lui, il allonge doucement la main et saisit le sac de la fillette.

Ève a vu le geste. Elle crie:

— Attention, petite, on te vole!

Pierre, de l'autre côté de l'enfant, tourne vivement la tête vers Ève, puis ses yeux s'abaissent sur la petite fille.

Ève a remarqué le mouvement de Pierre, et c'est maintenant à lui qu'elle s'adresse:

— Arrêtez-le, mais arrêtez-le donc!

Le vieillard, d'un air complice, pousse Pierre du coude.

Le voyou a tout le temps[46] de s'éloigner . . .

Ève, le bras tendu, crie:

— Au voleur! Au voleur!

D'un air très amusé, Pierre observe la jeune femme.

Le vieillard constate:

— Cette dame est aussi une nouvelle.

— Oui, fait Pierre, un peu fat, elle n'a pas encore compris . . .

Ève se retourne vers Pierre:

— Mais, faites quelque chose! lui lance-t-elle. Qu'est-ce que vous avez à rire?[47] Arrêtez-le donc!

Pierre et le vieillard échangent un clin d'œil et Pierre remarque:

— Madame n'a pas encore l'habitude.

— Comment? s'étonne Ève, l'habitude de quoi?

Ève les regarde l'un et l'autre et comprend soudain. Elle semble désemparée, découragée.

— Ah! Oui, murmure-t-elle, c'est vrai.

Pierre et Ève se regardent une seconde avec intérêt, puis suivent la petite fille des yeux.

Celle-ci vient de constater que le sac a disparu. Elle fouille son panier de plus en plus fébrilement,[48] va même jusqu'à[49] regarder dans sa boîte à lait, cherche par terre entre les jambes des spectateurs, puis elle se redresse avec un petit visage pâle traqué, sa bouche se crispe, des larmes brillent dans ses yeux agrandis.

Ève, Pierre et son guide se taisent et observent l'enfant d'un air boule-

[41] *messieurs, dames:* façon inélégante de dire *mesdames et messieurs*

[42] *haltérophilie:* weight lifting

[43] *sous:* Le *sou* était la vingtième partie d'un franc.

[44] *Plus que:* encore

[45] *voyou:* young hooligan

[46] *tout le temps:* plenty of time

[47] *Qu'est-ce que vous avez à rire?:* Pourquoi riez-vous?

[48] *fébrilement:* feverishly

[49] *va même jusqu'à:* goes even so far as to

versé, même le vieillard chez lequel, pourtant, les sentiments ont dû s'émousser [50] . . .

La petite fille s'éloigne, traînant son panier et sa boîte à lait.

Elle fait quelques pas, se laisse tomber sur un banc, et se met à sangloter, pitoyable, la tête dans son bras.

— Pauvre gosse, murmure Pierre. Elle va se faire passer quelque chose,[51] en rentrant.

Puis il ajoute, avec, pour la première fois, une nuance d'amertume:

— Et voilà!

Ève s'insurge:

— *Et voilà!* C'est tout l'effet que ça vous produit?

Pierre s'efforce de dissimuler son émotion derrière une apparente insolence.

— Qu'est-ce que vous voulez que j'y fasse?

Ève hausse les épaules.

— Rien.

Mais elle tourne la tête du côté de l'enfant:

— Ah! C'est odieux, dit-elle, odieux de ne pouvoir rien faire.

Ève et Pierre se regardent de nouveau. Puis, Pierre se détourne brusquement, comme pour chasser une pensée importune.

— Allons-nous-en, propose-t-il au vieillard. Tenez, je vous suis . . .

Il s'éloigne en compagnie de son guide tout heureux de cette diversion.

De son côté, Ève se remet en marche, tête basse, les mains dans les poches de sa robe de chambre. Elle passe près de la petite fille sans la regarder et s'en va . . .

[. . .]

[50] *s'émousser:* s'affaiblir
[51] *elle va se faire passer quelque chose:* she is really going to catch it (argot)

UN PARC

Pierre et le vieillard cheminent côte à côte dans une allée du parc.

Pierre, fatigué, s'adresse à son compagnon:

— C'est une belle saloperie [52] d'être mort!

— Oui . . . Mais il y a quand même de petites compensations . . .

— Vous n'êtes pas difficile! [53]

— Pas de responsabilités. Pas de soucis matériels. Une liberté totale. Des distractions de choix. [. . .]

A ce moment, ils croisent une jolie marquise. Le vieillard la suit des yeux en souriant, et il ajoute:

— Et puis, il y a de jolies mortes . . .

Pierre ne répond pas.

Petit à petit, un chant nasillard [54] de flûte s'impose à l'oreille de Pierre; le chant se rapproche.

Pierre aperçoit tout à coup, devant lui, un vieux clochard [55] aveugle qui se tient accroupi à l'angle d'une allée.

Il a posé sa sébile [56] devant lui et joue de la flûte. Les vivants, en passant, jettent des pièces dans la sébile.

Pierre s'arrête devant l'aveugle, le regarde et dit:

— C'est les vivants qui m'intéressent. Tenez, ce vieux clochard. C'est un pauvre type. Le dernier des hommes. Mais il est vivant.

Doucement, il s'accroupit près de l'aveugle. Il le regarde, comme fasciné. Il lui touche le bras, puis l'épaule, et murmure, ravi:

— C'est vivant!

Il lève les yeux vers le vieillard et interroge:

[52] *une belle saloperie:* a dirty trick
[53] *Vous n'êtes pas difficile!:* You are not hard to please!
[54] *nasillard:* reedy
[55] *clochard:* hobo, tramp
[56] *sébile:* (beggar's) tin cup

— Ça n'est jamais arrivé à personne de revenir sur terre pour arranger ses affaires?

Mais le vieillard ne l'entend point, trop occupé à sourire à la jolie marquise du xviiie siècle, qui repasse près d'eux. Très émoustillé,[57] le vieillard s'excuse auprès de Pierre:

— Vous permettez?

Pierre répond avec indifférence:

— Je vous en prie . . .

Le vieillard fait deux pas en direction de la marquise, puis se ravise[58] et croit devoir expliquer:

— Cela ne va jamais très loin, mais cela fait passer le temps.

Puis, vivement, il emboîte le pas à[59] la marquise.

Pierre passe son bras autour de l'épaule du clochard, et se serre contre lui, comme s'il voulait lui prendre un peu de sa chaleur.

Un court instant, il demeure dans cette attitude jusqu'à ce qu'une voix lui demande:

— Qu'est-ce que vous faites là?

Pierre a reconnu la voix d'Ève.

Il se retourne et se lève brusquement.

La jeune femme le contemple et lui sourit:

— Il n'y a pas de quoi rire, dit Pierre.

— Vous étiez si drôle, avec ce bonhomme!

— Il est vivant, vous comprenez? rétorque-t-il, comme pour s'excuser.

— Pauvre vieux! murmure-t-elle, je lui donnais toujours quelque chose en passant . . . , mais à présent . . .

En parlant, elle s'est assise à son tour auprès du vieux bonhomme, qu'elle regarde, elle aussi, avec un sentiment de regret et d'envie.

Pierre se rassied, de l'autre côté de l'aveugle. Ils sont ainsi, Ève et lui, de chaque côté du mendiant.

— Oui, dit-il, à présent, c'est nous qui aurions besoin de lui. Ah! si je pouvais me glisser dans sa peau et retourner sur terre un moment, rien qu'un petit moment.[60]

— Ça m'arrangerait bien,[61] moi aussi.

— Vous avez des ennuis, de l'autre côté?

— Un seul, mais qui compte.

Pendant qu'ils parlent, l'aveugle s'est mis à se gratter; discrètement d'abord, puis de plus en plus vigoureusement.

Ni Pierre, ni Ève ne le remarquent tout de suite, parce que, dès qu'ils parlent de leurs ennuis, ils cessent de regarder le vieux, ou bien se regardent l'un et l'autre.

— Moi, c'est pareil, déclare Pierre, c'est peut-être ridicule, mais je n'arrive pas à l'oublier.

Tout à coup, sans raison apparente, il se met à rire.

— Qu'est-ce qui vous fait rire? demande-t-elle.

— Je vous imaginais dans la peau du vieux.

Ève hausse les épaules.

— Celle-là ou une autre . . .

— Vous perdriez au change, assure Pierre, en la regardant.

A cet instant, l'aveugle cesse brusquement de jouer et se gratte le mollet[62] avec violence.

Ève se lève et reconnaît:

— Tout de même, j'aimerais mieux qu'on en trouve une autre.

Souriant, Pierre se redresse égale-

---

[57] émoustillé: exhilarated
[58] se ravise: reconsidère
[59] emboîte le pas à: falls in step with
[60] rien qu'un petit moment: un court instant seulement
[61] ça m'arrangerait bien: cela me serait bien utile
[62] mollet: calf (of the leg)

ment, et ils s'éloignent en abandonnant le vieil aveugle.

Côte à côte, ils suivent maintenant une allée du parc. Ils ne parlent plus.

A quelques mètres, deux femmes quelconques les croisent. A chacune d'elles, Pierre jette un coup d'œil critique, puis, brusquement, il déclare:

— Ça doit être rare.

Mais Ève ne comprend pas.

— Quoi donc?

— Une vivante avec qui vous ne perdriez pas au change.

Ève sourit au compliment, mais, presque aussitôt, ils croisent une jeune femme, élégante et jolie.

Ève déclare, affirmative:

— Celle-là . . .

Pierre fait «non» de la tête, comme si Ève n'avait aucun goût, et, très naturellement, il lui prend le bras. Elle a une légère réaction, mais ne tente pas de se dégager.

Sans la regarder, Pierre dit alors:

— Vous êtes belle.

— J'étais belle, rectifie Ève en souriant.

Toujours sans la regarder, Pierre répond:

— Vous êtes belle. La mort vous va bien. Et puis, vous avez une de ces robes . . .

— C'est une robe de chambre.

— Vous pourriez la mettre pour aller au bal.

Tous deux restent un instant silencieux, puis il questionne:

— Vous habitiez la ville?

— Oui.

— C'est bête, murmure-t-il. Si je vous avais rencontrée avant . . .

— Qu'est-ce que vous auriez fait?

Pierre se tourne brusquement vers la jeune femme avec une sorte d'élan. Il va dire quelque chose, mais les mots s'arrêtent au bord de ses lèvres.

Son visage se rembrunit,[63] et il grogne:

— Rien.

Ève le regarde d'un air interrogateur. Il hausse les épaules. Puis il dit soudain, en s'arrêtant:

— Tenez, regardez ces deux-là.

Une luxueuse voiture, pilotée par un chauffeur en livrée, vient de s'immobiliser au bord du trottoir.

Une jeune femme, très jolie, très élégante, en descend, suivie d'un caniche qu'elle tient en laisse.[64] Cette jeune femme fait quelques pas.

Sur le même trottoir, venant au-devant d'elle, s'avance un ouvrier d'une trentaine d'années. Il porte un tuyau de fonte [65] sur l'épaule.

— Elle, constate Pierre, c'est à peu près votre genre, en moins bien. Lui, c'est un type comme moi, en moins bien aussi . . .

Pendant qu'il parle, la jolie femme et l'ouvrier se croisent.

— Ils se rencontrent, poursuit Pierre . . .

La passante élégante et l'ouvrier s'éloignent, chacun de son côté.

Pierre se tourne vers Ève, et conclut simplement:

— Et voilà . . . Ils ne se sont même pas regardés.

En silence, ils reprennent leur promenade.

UN ÉTABLISSEMENT MON-DAIN [66] DANS LE PARC

Un établissement très chic, sorte de laiterie mondaine, immense terrasse, des tables et des chaises en rotin [67]

---

[63] *se rembrunit:* devient triste
[64] *tient en laisse:* holds on a leash
[65] *tuyau de fonte:* cast iron pipe
[66] *mondain:* fashionable
[67] *chaises en rotin:* cane chairs

clair, une pergola[68] blanche et une piste pour les danseurs. Quelques tables sont occupées par des consommateurs très élégants.

La jeune femme qui vient de descendre de la voiture rejoint ses amis.

Deux chevaux de selle sont attachés à une barrière. Une amazone descend de cheval, aidée par un lad.

Pierre et Ève, poursuivant leur promenade silencieuse, arrivent devant l'établissement. Pierre propose à sa compagne:

— Allons nous asseoir.

Ils se dirigent vers la laiterie au moment où l'élégante amazone passe juste devant eux, et Pierre, la suivant du regard, déclare:

— Je n'ai jamais compris qu'on se déguise pour monter à cheval.

Ève approuve, gaiement:

— C'est ce que je lui ai dit souvent.

Et elle ajoute, à l'adresse de l'amazone:

— N'est-ce pas, Madeleine?

Pierre, confus, balbutie:

— Oh! vous la connaissiez? Je vous demande pardon . . .

— C'est une des relations de mon mari, précise Ève en riant.

Madeleine s'est approchée d'un groupe de trois personnages, deux hommes et une femme. Les deux hommes se lèvent et baisent cérémonieusement la main de la nouvelle arrivée. Ils sont en tenue de cheval très chic: melon[69] clair, veston cintré,[70] cravate blanche. L'un des cavaliers offre galamment un siège à l'amazone:

— Asseyez-vous, chère amie.

La jeune femme s'assied, pose son melon sur la table, ébouriffe[71] ses cheveux et dit d'une voix mondaine:

— Le bois était un pur charme ce matin.

Pierre a suivi la scène. Il s'informe:

— On vous baisait aussi la main, à vous?

— Quelquefois.

Alors Pierre l'invite à s'asseoir, sans toucher la chaise, en imitant les gestes et la voix du cavalier:

— Asseyez-vous, chère amie.

Ève entre dans le jeu, s'assied et tend sa main à baiser, avec une grâce affectée.

Après une petite hésitation, Pierre saisit la main offerte et la baise, assez gauchement, mais gentiment tout de même. Puis il s'assied à côté d'Ève en déclarant d'une voix naturelle:

— Il faudra que je travaille sérieusement.

Ève répond, en imitant la voix de l'amazone et en minaudant[72] comme elle:

— Du tout, du tout, cher ami, vous avez des dispositions.

Mais Pierre ne relève pas la plaisanterie. Il regarde du côté des cavaliers d'un air sombre. Puis ses yeux se perdent dans le vide et il reste songeur.

Ève l'observe un moment. Enfin, elle dit, pour dire quelque chose:

— Il vous plaît, cet endroit?

— Oui, mais pas les gens qui y viennent.

— J'y venais souvent.

— Je ne dis pas ça pour vous, répond-il, toujours soucieux.

Un nouveau silence s'établit entre eux.

— Vous n'êtes pas bavard, reproche-t-elle enfin.

Pierre se tourne vers elle:

— C'est vrai, dit-il. Pourtant, écoutez . . .

Mais il semble un peu égaré.

[68] *pergola:* arbor
[69] *melon:* derby
[70] *veston cintré:* tight-fitting jacket
[71] *ébouriffe:* fluffs up
[72] *minaudant:* simpering

Il la regarde avec une grande tendresse.

— Je voudrais vous dire des tas de
choses, mais je me sens vidé dès que
je commence à parler. Tout fiche le 5
camp.[73] Tenez, je vous trouve belle,
par exemple. Eh bien, ça ne me fait
pas vraiment plaisir. C'est comme si
je regrettais quelque chose . . .

Ève lui sourit avec une douceur 10
triste.

Elle va sans doute parler, mais deux
voix joyeuses, très proches, l'en
empêchent.

Ce sont celles d'un jeune homme et 15
d'une jeune fille qui hésitent devant
une table libre.

Le jeune homme interroge:

— Là?

— Comme vous voudrez.   20

— Face à face, ou à côté de moi?

La jeune fille, après une légère hésitation, décide en rougissant:

— A côté de vous.

Ils prennent place à la table même 25
qu'occupent Pierre et Ève.

Alors que la jeune fille hésitait dans
le choix de sa place, Pierre a fait le
geste machinal de se lever pour céder
la sienne.   30

Cependant, une serveuse s'approche et le jeune homme commande:

— Deux portos flips.[74]

Ève observe les deux jeunes gens et
dit: 35

— Elle est jolie.

Pierre, sans quitter des yeux sa compagne, sourit et approuve:

— Très jolie.

Mais on sent que c'est à Ève qu'il 40
pense. Elle s'en est aperçue et se
trouble un peu.

La jeune fille demande:

— A quoi pensez-vous?

— Je pense, répond le jeune homme,
qu'on habite depuis vingt ans la même
ville et qu'on a failli ne pas se connaître.

— Si Marie n'avait pas été invitée
chez Lucienne.

— . . . On ne se serait peut-être
jamais rencontré.

Et, d'une seule voix, ils s'exclament:

— On l'a échappé belle! [75]

La serveuse a posé deux verres devant eux. Ils s'en saisissent et trinquent
gravement, les yeux dans les yeux.

Tandis que les verres se choquent,
les voix des jeunes gens s'assourdissent,[76] et ce sont les voix de Pierre et
d'Ève qui prononcent:

— A votre santé!

— A votre santé!

Les voix un instant étouffées des
deux jeunes gens se font plus distinctes. C'est elle qui reproche:

— Ce jour-là, vous n'aviez pas l'air
de faire attention à moi . . .

— Moi? proteste le jeune homme
indigné. Dès que je vous ai vue, j'ai
pensé: elle est faite pour moi. Je l'ai
pensé et je l'ai senti dans mon corps.

Pierre et Ève se regardent, écoutent,
sans bouger, et l'on sent qu'ils voudraient que les paroles des jeunes gens
soient les leurs. Leurs lèvres ont parfois des mouvements nerveux comme
s'ils allaient parler.

Le jeune homme poursuit:

— Je me sens plus fort et plus solide
qu'avant, Jeanne. Aujourd'hui, je
soulèverais [77] des montagnes.

Le visage de Pierre s'anime et il regarde Ève comme s'il la désirait.

Le jeune homme tend la main à son
amie qui lui donne la sienne.

---

[73] *Tout fiche le camp:* tout m'échappe, i.e.
je ne peux plus rien dire (argot)
[74] *portos flips:* drink made from port wine
and spices

[75] *On l'a échappé belle!:* We have had a
narrow escape! (colloq.)
[76] *s'assourdissent:* become muffled
[77] *soulèverais:* pourrais soulever

Pierre a pris la main d'Ève.

— Je vous aime, murmure le jeune homme.

Les deux jeunes gens s'embrassent. Ève et Pierre se regardent, profondément troublés. Il entr'ouvre la bouche, comme s'il allait dire: «Je vous aime . . .»

Le visage d'Ève se rapproche du sien. On a un moment l'impression qu'ils vont s'embrasser.

Mais Ève se reprend. Elle s'écarte de Pierre et se lève, sans toutefois lâcher sa main.

— Venez danser, dit-elle.

Pierre la regarde, étonné:

— Je danse très mal, vous savez.

— Ça ne fait rien, venez!

Pierre se lève, hésitant encore:

— Tout le monde va nous regarder.

Cette fois, Ève rit franchement:

— Mais non, voyons! Personne.

A son tour, il rit de sa bévue [78] et enlace la jeune femme avec un peu de timidité.

Ils gagnent la piste, passant entre les tables.

Ils sont bientôt seuls sur la piste, et Pierre entraîne sa compagne avec plus d'assurance.

— Qu'est-ce que vous racontiez? remarque Ève, vous dansez très bien.

— C'est bien la première fois que l'on me dit ça.

— C'est moi qu'il vous fallait pour danseuse.

— Je commence à le croire . . .

Ils se regardent et dansent un moment en silence.

— Dites-moi, interroge Pierre tout à coup, qu'est-ce qui se passe? Je ne pensais qu'à mes ennuis tout à l'heure, et maintenant, je suis là . . . Je danse et je ne vois que votre sourire . . . Si c'était ça, la mort . . .

— Ça?

— Oui. Danser avec vous, toujours, ne voir que vous, oublier tout le reste . . .

— Eh bien?

— La mort vaudrait mieux que la vie. Vous ne trouvez pas?

— Serrez-moi fort, souffle-t-elle.

Leurs visages sont tout proches l'un de l'autre. Ils dansent encore un instant, et elle répète:

— Serrez-moi plus fort!

Brusquement, le visage de Pierre s'attriste. Il s'arrête de danser, s'éloigne un peu d'Ève et murmure:

— C'est une comédie.[79] Je n'ai même pas effleuré [80] votre taille . . .

Eve comprend à son tour:

— C'est vrai, dit-elle lentement, nous dansons chacun tout seul . . .

Ils demeurent debout l'un en face de l'autre.

Puis Pierre avance ses mains comme pour les poser sur les épaules de la jeune femme, puis il les ramène vers lui avec une sorte de dépit:

— Mon Dieu, dit-il, ce serait si doux de toucher vos épaules. J'aimerais tant respirer votre souffle quand vous me souriez. Mais ça aussi, je l'ai manqué. Je vous ai rencontrée trop tard . . .

Ève pose sa main sur l'épaule de Pierre.

Elle le regarde de tous ses yeux.[81]

— Je donnerais mon âme pour revivre un instant et danser avec vous.

— Votre âme?

— C'est tout ce qui nous reste.

Pierre se rapproche de sa compagne et l'enlace à nouveau. Ils se remettent à danser très doucement, joue contre joue, en fermant les yeux.

Soudain Pierre et Ève quittent la

---

[78] *bévue:* erreur

[79] *C'est une comédie:* this is all a make-believe, a sham

[80] *effleuré:* touché légèrement

[81] *de tous ses yeux:* i.e. avidement

piste de danse et s'éloignent dans la rue Laguénésie dont le décor s'est brusquement dressé autour d'eux, tandis que la laiterie s'efface lentement.

Pierre et Ève dansent toujours sans 5 s'apercevoir de ce qui s'est passé. Ils sont maintenant absolument seuls, dans cette impasse dont on aperçoit au fond l'unique boutique.

Enfin, dans un lent mouvement, le 10 couple cesse de danser. Ils ouvrent les yeux, s'immobilisent.

Ève s'écarte un peu et dit:

— Il faut que je vous quitte. On m'attend.   15

— Moi aussi.

A cet instant seulement, ils regardent autour d'eux et reconnaissent l'impasse Laguénésie.

Pierre dresse la tête, comme s'il en- 20 tendait un appel et dit:

— C'est nous deux qu'on attend . . .

Ensemble, ils se dirigent vers la sombre boutique; la musique de danse s'estompe [82] et l'on entend résonner le 25 tintement de la clochette d'entrée.

L'ARRIÈRE-BOUTIQUE

La vieille dame est assise à son 30 pupitre, les coudes posés sur son grand registre fermé, le menton appuyé sur ses mains jointes.   35

Le chat est installé sur le registre, comme à son habitude.

Ève et Pierre s'approchent timidement de la vieille dame. Celle-ci se redresse:

— Ah! vous voilà! Vous êtes en re- 40 tard de cinq minutes.

— Nous ne nous sommes pas trompés? demande Pierre. Vous nous attendiez?   45

[82] s'estompe: fades
[83] greffier: (court) clerk

La vieille dame ouvre le gros livre à une page marquée d'un signet et commence à lire d'une voix de greffier,[83] froide et sans timbre:

— Article 140: si, par suite d'une erreur imputable à la seule direction,[84] un homme et une femme qui étaient destinés l'un à l'autre ne se sont pas rencontrés de leur vivant, ils pourront demander et obtenir l'autorisation de retourner sur terre sous certaines conditions, pour y réaliser l'amour et y vivre la vie commune dont ils ont été indûment frustrés.

Ayant terminé sa lecture, elle relève la tête, et regarde à travers son face-à-main le couple ahuri.[85]

— C'est bien pour ça que vous êtes ici?

Pierre et Ève s'entre-regardent, et sous leur ahurissement perce une grande joie.

— C'est-à-dire . . . , fait Pierre.

— Désirez-vous retourner sur terre?

— Mon Dieu, madame . . . , dit Ève.

La vieille dame insiste avec un léger agacement:

— Je vous pose une question précise, fait-elle avec impatience; répondez.

Pierre lance à sa compagne un nouveau regard, joyeusement interrogatif.

De la tête, Ève fait: «Oui.»

Alors, il se retourne vers la vieille dame et déclare:

— Nous le désirons, madame. Si c'est possible, nous le désirons.

— C'est possible, monsieur, assure la vieille dame. Cela complique énormément le service, ajoute-t-elle, mais c'est possible.

Pierre saisit brusquement le bras d'Ève. Mais il le lâche bien vite et son visage redevient sérieux sous le re-

[84] la seule direction: the management only
[85] ahuri: stupéfait

gard sévère que lui lance la vieille dame.

Comme un officier d'état civil,[86] elle interroge Pierre:

— Vous prétendez être fait pour Madame?

— Oui, dit-il timidement.

— Mme Charlier, vous prétendez être faite pour Monsieur?

Rougissante comme une jeune mariée, Ève murmure:

— Oui.

La vieille dame se penche alors sur son registre, tourne les pages et marmonne:

— Camus . . . Cera . . . Chalot . . . Charlier . . . Bon, Da . . . di, di . . . do . . . Dumaine . . . Bon, bon, bon. C'est parfait. Vous étiez authentiquement destinés l'un à l'autre. Mais il y a eu erreur au service des naissances.

Ève et Pierre se sourient, heureux et confus, et leurs mains se serrent furtivement.

Ève est un peu étonnée. Pierre, un peu fat.

La vieille dame se renverse en arrière et les examine attentivement, et les regarde à travers son face-à-main:

— Beau couple! fait-elle.

Cependant, la vieille dame se penche à nouveau sur le livre dans lequel elle a lu le fameux article 140. Mais cette fois, c'est pour résumer:

— Voici les conditions auxquelles vous devez satisfaire. Vous reviendrez à la vie. Vous n'oublierez rien de ce que vous avez appris ici. Si, au bout de vingt-quatre heures, vous avez réussi à vous aimer en toute confiance et de toutes vos forces, vous aurez droit à une existence humaine entière.

Puis elle désigne sur son bureau un réveille-matin:

— Si dans vingt-quatre heures, c'est-à-dire demain à 10 h. 30, vous n'y êtes pas parvenus . . .

Pierre et Ève fixent avec angoisse le réveille-matin.

— S'il demeure entre vous la plus légère défiance,[87] eh bien, vous reviendrez me voir et vous reprendrez votre place parmi nous. C'est entendu?

Il y a chez Pierre et Ève un mélange de joie et de crainte qui se traduit par un acquiescement timide:

— Entendu.

Cependant, la vieille dame se lève et prononce solenellement:

— Eh bien, vous êtes unis.[88]

Puis, changeant de ton, elle leur tend la main avec un sourire:

— Toutes mes félicitations.[88]

— Merci, madame, répond Pierre.

— Mes vœux vous accompagnent.[88]

Pierre et Ève s'inclinent, puis, se tenant par la main, un peu gauches, ils se dirigent vers la porte.

— Pardon, madame. Mais quand nous arriverons là-bas, qu'est-ce que vont penser les vivants?

— Nous n'aurons pas l'air trop louche?[89] s'inquiète Ève.

La vieille dame secoue la tête, en fermant son registre:

— Ne vous inquiétez pas. Nous remettrons les choses dans l'état où elles se trouvaient à la minute même où vous êtes morts. Personne ne vous prendra pour des fantômes.

— Merci, madame . . .

Ève et Pierre s'inclinent à nouveau. Puis ils sortent en se tenant toujours par la main.

[. . .]

[86] *officier d'état civil:* registrar, recording clerk

[87] *défiance:* manque de confiance

[88] *unis . . . félicitations . . . accompagnent:* phrases d'habitude prononcées par le maire à la fin du mariage civil

[89] *louche:* suspect, équivoque

ALBERT CAMUS [1913–60]

Albert Camus naquit en Algérie où il passa une jeunesse difficile — mort de son père, pauvreté, études interrompues à cause de sa mauvaise santé. Pendant la Deuxième Guerre mondiale il alla à Lyon,[1] où il dirigea le groupe des Résistants qui publiait le journal clandestin *Combat*. Après la Libération, Camus s'établit à Paris, devint rédacteur en chef de *Combat* (poste qu'il garda jusqu'en 1947), et se lança dans sa carrière littéraire.

La sensibilité et la réflexion imprègnent les livres d'Albert Camus.[2] La forme de ses œuvres révèlent un souci de clarté et d'ordre, et le désir de Camus de pousser certaines attitudes jusqu'à leurs conséquences ultimes. Il fut obsédé, comme les existentialistes, par l'absurdité de la vie et le malheur de l'homme. Sa mort prématurée nous empêchera à tout jamais de connaître la réponse qu'il aurait donnée.

Les premiers écrits d'Albert Camus semblent le rapprocher de Sartre. Entre 1942 et 1945 il publia *L'Étranger*,[3] récit, *Le Mythe de Sisyphe*,[4] essai, et deux pièces de théâtre, *Le Malentendu*[5] et *Caligula*.[6] Tous ces écrits sont nihilistes.[7] Ils mettent en lumière les conséquences inhumaines de certaines formes de l'existence. La vie est un non-sens, une absurdité, puisqu'elle ne mène qu'à la mort, voilà le thème central de ces premières œuvres qui sont à la fois une âpre protestation contre la position injuste de l'homme dans l'univers et l'examen des problèmes moraux qui en résultent. Albert Camus retint les protestations de la foi chrétienne sans en accepter les consolations; son attitude envers la vie resta pourtant religieuse.

[1] *Lyon:* ville importante au sud-est de Paris, troisième ville de France par sa population et son industrie
[2] *Camus:* À cause de ses expériences personnelles, il comprit certaines souffrances humaines et répugna à les justifier et à les exalter au nom d'un pouvoir supérieur.
[3] *L'Étranger:* Dans *L'Étranger* (1942) il s'agit d'un homme qui ne partage en rien les sentiments des autres hommes, qui n'obéit pas à leurs lois, mais qui tombe sous leurs coups. Il reste étranger aux autres comme il reste étranger à lui-même; c'est son objectivité même qui le perd.
[4] *Le Mythe de Sisyphe* (1942): Ce héros grec, condamné à rouler éternellement une grosse pierre au sommet d'une montagne d'où elle retombe sans cesse, symbolise la vie. La vie n'a pas de sens; néanmoins, par un effort déployé, on peut se procurer assez de bonheur pour ne pas l'appeler vraiment absurde.
[5] *Le Malentendu:* Dans *Le Malentendu* (1944) deux aubergistes, la mère et la fille, tuent un voyageur pour le voler — sans savoir que le voyageur est leur fils et frère revenu incognito.
[6] *Caligula:* Dans *Caligula* (1945) une victime de la cruauté de l'empereur romain comprend que les crimes de Caligula sont une sorte de réponse à l'absurdité de l'univers.
[7] *nihilistes:* niant toute croyance

Avec la publication de *La Peste* [8] (1947), *Actuelles* [9] (1950) et *L'Homme révolté* [10] (1951), entre autres, commença une nouvelle phase dans l'évolution de la philosophie de Camus. Il s'était écarté de la philosophie existentialiste [11] et s'était engagé dans la Résistance; était-ce à cause de cela qu'il reconnut les valeurs éternelles de la conscience? En partie, peut-être, mais on dirait plutôt qu'à force de vivre et de réfléchir, Camus découvrit la charité — sans foi, mais engagée à partager la souffrance de tous, à combattre pour le bonheur qui n'existe que quand il est partagé et devient justice. C'est vers l'exaltation de la fraternité et du dévouement que tendent ces œuvres où Camus traite avant tout de problèmes moraux. Le prix Nobel lui fut décerné en 1957; on est porté à croire que ce tribut fut accordé non seulement à Camus, écrivain éminent, mais aussi à Camus, l'homme intègre, incapable de tricherie intellectuelle ou spirituelle.

L'extrait suivant est tiré de *La Chute* (1956), récit de Jean-Baptiste Clamence qui raconte sa vie (i.e. sa chute) à un Français rencontré dans un bar. Clamence ne peut accepter les limites étroites de la condition humaine. Honorable et respecté, voué à faire le bien, Clamence commet une faute d'omission [12] et plonge peu à peu dans le gouffre du dédain total de lui-même. Son introspection féroce détruit tout — même ce qu'il y avait eu dans sa vie de plus beau et de plus innocent. Clamence finit par ne trouver, en lui-même comme dans l'humanité entière, qu'une hypocrisie monstrueuse et la volonté satanique d'écraser ses semblables.[13]

[8] *La Peste:* livre très important, essaie de résoudre le conflit entre l'absurdité de la vie et une morale positive. En combattant un mal commun, les hommes ne réussiront pas à le vaincre, mais ils donneront un sens à la vie et établiront la solidarité.

[9] *Actuelles:* chroniques écrites entre 1944 et 1948, sont des articles qui insistent sur la dignité humaine et la nécessité d'une morale

[10] *L'Homme révolté:* Dans *L'Homme révolté*, études anticommunistes sur des révoltés fameux, Camus explique que l'homme a droit à la révolte, comme il a droit à se révolter contre la révolution elle-même lorsque celle-ci devient tyrannique.

[11] *existentialiste:* Camus fit sa rupture avec Sartre surtout à cause des tendances communistes de celui-ci.

[12] *faute d'omission:* Une nuit, en traversant un pont de Paris, Clamence vit une femme appuyée sur le parapet. Il continua sa promenade sans se retourner et sans rien faire, même quand il entendit un cri au secours au moment où elle tomba à l'eau.

[13] *écraser ses semblables:* Le ton de *La Chute* est d'un cynisme extrême qui rappelle la première phase de la vie littéraire de Camus.

La Chute

[. . .] Je perds le fil de mes discours, je n'ai plus cette clarté d'esprit à laquelle mes amis se plaisaient à rendre hommage. Je dis mes amis, d'ailleurs, pour le principe. Je n'ai plus d'amis, je n'ai que des complices. En revanche,[1] leur nombre a augmenté, ils

[1] *en revanche:* on the other hand

sont le genre humain. Et dans le genre humain, vous [2] le premier. Celui qui est là est toujours le premier. Comment je sais que je n'ai pas d'amis? C'est très simple: je l'ai découvert le jour où j'ai pensé à me tuer pour leur jouer une bonne farce, pour les punir, en quelque sorte. Mais punir qui? Quelques-uns seraient surpris; personne ne se sentirait puni. J'ai compris que je n'avais pas d'amis. Du reste, même si j'en avais eu, je n'en serais pas plus avancé.[3] Si j'avais pu me suicider et voir ensuite leur tête,[4] alors, oui, le jeu en valait la chandelle.[5] Mais la terre est obscure, cher ami, le bois épais, opaque le linceul.[6] Les yeux de l'âme, oui, sans doute, s'il y a une âme et si elle a des yeux! Mais voilà, on n'est pas sûr, on n'est jamais sûr. Sinon,[7] il y aurait une issue, on pourrait enfin se faire prendre au sérieux. Les hommes ne sont convaincus de vos raisons, de votre sincérité, et de la gravité de vos peines, que par votre mort. Tant que vous êtes en vie, votre cas est douteux, vous n'avez droit qu'à leur scepticisme. Alors, s'il y avait une seule certitude qu'on puisse jouir du spectacle, cela vaudrait la peine de leur prouver ce qu'ils ne veulent pas croire, et de les étonner. Mais vous vous tuez et qu'importe [8] qu'ils vous croient ou non: vous n'êtes pas là pour recueillir leur étonnement et leur contrition, d'ail-

leurs fugaces, pour assister enfin, selon le rêve de chaque homme, à vos propres funérailles. Pour cesser d'être douteux, il faut cesser d'être, tout bellement.[9]

Du reste, n'est-ce pas mieux ainsi? Nous souffririons trop de leur indifférence. «Tu me le paieras!», disait une fille à son père qui l'avait empêchée de se marier à un soupirant [10] trop bien peigné. Et elle se tua. Mais le père n'a rien payé du tout. Il adorait la pêche au lancer.[11] Trois dimanches après, il retournait à la rivière, pour oublier, disait-il. Le calcul était juste, il oublia. A vrai dire, c'est le contraire qui eût [12] surpris. On croit mourir pour punir sa femme, et on lui rend la liberté. Autant [13] ne pas voir ça. Sans compter qu'on risquerait d'entendre les raisons qu'ils donnent de votre geste. Pour ce qui me concerne, je les entends déjà: «Il s'est tué parce qu'il n'a pu supporter de . . .» Ah! cher ami, que les hommes sont pauvres en invention.[14] Ils croient toujours qu'on se suicide pour une raison. Mais on peut très bien se suicider pour deux raisons. Non, ça ne leur rentre pas dans la tête. Alors, à quoi bon mourir [15] volontairement, se sacrifier à l'idée qu'on veut donner de soi. Vous mort,[16] ils en profiteront pour donner à votre geste des motifs idiots, ou vulgaires. Les martyrs, cher ami, doivent choisir d'être oubliés, raillés,[17] ou utilisés. Quant à être compris, jamais.

[2] *vous:* le Français rencontré dans le bar. Dans tout le livre, le Français écoute et pose quelques questions, mais on n'entend parler que Clamence.
[3] *je n'en serais pas plus avancé:* I would not be any the better off because of it
[4] *leur tête:* i.e. leurs expressions, leurs réactions
[5] *le jeu en valait la chandelle:* the game would have been worth the candle
[6] *linceul:* shroud
[7] *Sinon:* autrement
[8] *qu'importe:* il n'importe pas

[9] *tout bellement:* tout simplement
[10] *un soupirant:* a suitor
[11] *la pêche au lancer:* cast fishing
[12] *eût:* aurait
[13] *Autant:* il vaut mieux
[14] *en invention:* en ce qui concerne l'imagination
[15] *à quoi bon mourir:* what is the good of dying
[16] *Vous mort:* une fois que vous êtes mort
[17] *raillés:* mocked

Et puis, allons droit au but,[18] j'aime la vie, voilà ma vraie faiblesse. Je l'aime tant que je n'ai aucune imagination pour ce qui n'est pas elle. Une telle avidité a quelque chose de plébéien, vous ne trouvez pas? L'aristocratie ne s'imagine pas sans un peu de distance à l'égard de soi-même et de sa propre vie. On meurt s'il le faut, on rompt plutôt que de plier. Mais moi, je plie, parce que je continue de m'aimer. Tenez, après tout ce que je vous ai raconté, que croyez-vous qu'il me soit venu? Le dégoût de moi-même? Allons donc, c'était surtout des autres que j'étais dégoûté. Certes, je connaissais mes défaillances[19] et je les regrettais. Je continuais pourtant de les oublier, avec une obstination assez méritoire. Le procès des autres,[20] au contraire, se faisait sans trêve[21] dans mon cœur. Certainement, cela vous choque? Vous pensez peut-être que ce n'est pas logique? Mais la question n'est pas de rester logique. La question est de glisser au travers, et surtout, oh! oui, surtout, la question est d'éviter le jugement. Je ne dis pas d'éviter le châtiment. Car le châtiment sans jugement est supportable. Il a un nom d'ailleurs qui garantit notre innocence: le malheur. Non, il s'agit au contraire de couper au jugement,[22] d'éviter d'être toujours jugé, sans que jamais la sentence soit prononcée.

Mais on n'y coupe pas si facilement. Pour le jugement, aujourd'hui, nous sommes toujours prêts. [. . .] Si vous en doutez, prêtez l'oreille aux[23] propos de table, pendant le mois d'août, dans ces hôtels de villégiature[24] où nos charitables compatriotes viennent faire leur cure d'ennui. Si vous hésitez encore à conclure, lisez donc les écrits de nos grands hommes du moment. Ou bien observez votre propre famille, vous serez édifié. Mon cher ami, ne leur donnons pas de prétexte à nous juger, si peu que ce soit![25] Ou sinon, nous voilà en pièces. Nous sommes obligés aux mêmes prudences que le dompteur. S'il a le malheur, avant d'entrer dans la cage, de se couper avec son rasoir, quel gueuleton[26] pour les fauves![27] J'ai compris cela d'un coup,[28] le jour où le soupçon m'est venu que, peut-être, je n'étais pas si admirable. Dès lors,[29] je suis devenu méfiant. Puisque je saignais un peu, j'y passerais tout entier: ils allaient me dévorer.

Mes rapports avec mes contemporains étaient les mêmes, en apparence, et pourtant devenaient subtilement désaccordés.[30] Mes amis n'avaient pas changé. Ils vantaient toujours, à l'occasion,[31] l'harmonie et la sécurité qu'on trouvait auprès de moi. Mais je n'étais sensible qu'aux dissonances, au désordre qui m'emplissait; je me sentais vulnérable, et livré à l'accusation publique. Mes semblables cessaient d'être à mes yeux l'auditoire respectueux dont j'avais l'habitude. Le cercle dont j'étais le centre se brisait et ils se plaçaient sur une seule rangée, comme au

---

[18] *allons droit au but:* let us go straight to the point
[19] *défaillances:* défauts, faiblesses
[20] *Le procès des autres:* the prosecution of the others (Clamence is a lawyer, so the use of the term prosecution here is all the more understandable.)
[21] *sans trêve:* sans cesse, sans relâche
[22] *couper au jugement:* échapper au jugement

[23] *prêtez l'oreille aux:* écoutez les
[24] *villégiature:* holiday (out of town)
[25] *si peu que ce soit:* however little
[26] *gueuleton:* big feed, banquet (colloq.)
[27] *fauves:* bêtes féroces de grande taille
[28] *d'un coup:* soudain
[29] *Dès lors:* à partir de ce moment-là
[30] *désaccordés:* out of tune
[31] *à l'occasion:* at times, when the occasion arose

tribunal. A partir du moment où j'ai appréhendé [32] qu'il y eût en moi quelque chose à juger, j'ai compris, en somme, qu'il y avait en eux une vocation irrésistible de jugement. Oui, ils étaient là, comme avant, mais ils riaient. Ou plutôt il me semblait que chacun de ceux que je rencontrais me regardait avec un sourire caché. J'eus même l'impression, à cette époque, qu'on me faisait des crocs-en-jambe.[33] Deux ou trois fois, en effet, je butai,[34] sans raison, en entrant dans des endroits publics. Une fois même, je m'étalai.[35] Le Français cartésien [36] que je suis eut vite fait de se reprendre et d'attribuer ces accidents à la seule divinité raisonnable, je veux dire le hasard. N'importe, il me restait de la défiance.

Mon attention éveillée, il ne me fut pas difficile de découvrir que j'avais des ennemis. Dans mon métier d'abord, et puis dans ma vie mondaine. Pour les uns, je les avais obligés. Pour d'autres, j'aurais dû les obliger. Tout cela, en somme, était dans l'ordre et je le découvris sans trop de chagrin. Il me fut plus difficile et douloureux, en revanche, d'admettre que j'avais des ennemis parmi des gens que je connaissais à peine, ou pas du tout. J'avais toujours pensé, avec l'ingénuité [37] dont je vous ai donné quelques preuves, que ceux qui ne me connaissaient pas ne pourraient s'empêcher de m'aimer s'ils venaient à me fréquenter. Eh bien,

non! Je rencontrai des inimitiés surtout parmi ceux qui ne me connaissaient que de très loin, et sans que je les connusse moi-même. Sans doute me soupçonnaient-ils de vivre pleinement et dans un libre abandon au bonheur: cela ne se pardonne pas. L'air de la réussite, quand il est porté d'une certaine manière, rendrait un âne enragé. Ma vie, d'autre part, était pleine à craquer [38] et, par manque de temps, je refusais beaucoup d'avances. J'oubliais ensuite, pour la même raison, mes refus. Mais ces avances m'avaient été faites par des gens dont la vie n'était pas pleine et qui, pour cette même raison, se souvenaient de mes refus.

C'est ainsi, pour ne prendre qu'un exemple, que les femmes, au bout du compte,[39] me coûtaient cher. Le temps que je leur consacrais, je ne pouvais le donner aux hommes, qui ne me le pardonnaient pas toujours. Comment s'en tirer? [40] On ne vous pardonne votre bonheur et vos succès que si vous consentez généreusement à les partager. Mais pour être heureux, il ne faut pas trop s'occuper des autres. Dès lors, les issues sont fermées. Heureux et jugé, ou absous et misérable. Quant à moi, l'injustice était plus grande: j'étais condamné pour des bonheurs anciens. J'avais vécu longtemps dans l'illusion d'un accord général, alors que, de toutes parts, les jugements, les flèches et les railleries fondaient [41] sur moi, distrait et souriant. Du jour où je fus alerté, la lucidité me vint, je reçus toutes les blessures en même temps et je perdis mes forces d'un seul coup. L'univers entier se mit alors à rire autour de moi.

---

[32] *appréhendé:* saisi, compris
[33] *qu'on me faisait des crocs-en-jambe:* that they tripped me
[34] *butai:* stumbled
[35] *m'étalai:* tombai (colloq.)
[36] *cartésien:* deductive, logical (thinker following the doctrines of René Descartes, 1596–1650, French mathematician and philosopher)
[37] *ingénuité:* naïveté

[38] *pleine à craquer:* très pleine (filled to the bursting point)
[39] *au bout du compte:* in the final analysis
[40] *s'en tirer:* get out of it (the difficulty)
[41] *fondaient:* pounced, swooped down

Voilà ce qu'aucun homme (sinon [42] ceux qui ne vivent pas, je veux dire les sages) ne peut supporter. La seule parade est dans la méchanceté. Les gens se dépêchent alors de juger pour ne pas l'être eux-mêmes. Que voulez-vous? L'idée la plus naturelle à l'homme, celle qui lui vient naïvement, comme du fond de sa nature, est l'idée de son innocence. De ce point de vue, nous sommes tous comme ce petit Français qui, à Buchenwald,[43] s'obstinait à vouloir déposer une réclamation auprès du scribe, lui-même prisonnier, et qui enregistrait son arrivée. Une réclamation? Le scribe et ses camarades riaient: «Inutile, mon vieux. On ne réclame pas, ici.» «C'est que, voyez-vous, monsieur, disait le petit Français, mon cas est exceptionnel. Je suis innocent!»

Nous sommes tous des cas exceptionnels. Nous voulons tous faire appel [44] de quelque chose! Chacun exige d'être innocent, à tout prix, même si, pour cela, il faut accuser le genre humain et le ciel. Vous réjouirez médiocrement un homme en lui faisant compliment des efforts grâce auxquels il est devenu intelligent ou généreux. Il s'épanouira au contraire si vous admirez sa générosité naturelle. Inversement, si vous dites à un criminel que sa faute ne tient pas à sa nature ni à son caractère, mais à de malheureuses circonstances, il vous en sera violemment reconnaissant. Pendant la plaidoirie,[45] il choisira même ce moment pour pleurer. Pourtant, il n'y a pas de mérite à être honnête, ni intelligent,

de naissance. Comme on n'est sûrement pas plus responsable à être criminel de nature qu'à l'être de circonstance.[46] Mais ces fripons veulent la grâce, c'est-à-dire l'irresponsabilité, et ils excipent [47] sans vergogne [48] des justifications de la nature ou des excuses des circonstances, même si elles sont contradictoires. L'essentiel est qu'ils soient innocents, que leurs vertus, par grâce de naissance, ne puissent être mises en doute,[49] et que leurs fautes, nées d'un malheur passager, ne soient jamais que provisoires. Je vous l'ai dit, il s'agit de couper au jugement. Comme il est difficile d'y couper, délicat de faire en même temps admirer et excuser sa nature, ils cherchent tous à être riches. Pourquoi? Vous l'êtes-vous demandé? Pour la puissance, bien sûr. Mais surtout parce que la richesse soustrait au jugement immédiat, vous retire de la foule du métro pour vous enfermer dans une carrosserie nickelée,[50] vous isole dans de vastes parcs gardés, des wagons-lits, des cabines de luxe. La richesse, cher ami, ce n'est pas encore l'acquittement, mais le sursis,[51] toujours bon à prendre . . .

Surtout, ne croyez pas vos amis, quand ils vous demanderont d'être sincère avec eux. Ils espèrent seulement que vous les entretiendrez dans la bonne idée qu'ils ont d'eux-mêmes, en les fournissant d'une certitude supplémentaire qu'ils puiseront dans votre promesse de sincérité. Comment la sincérité serait-elle une condition de

[42] *sinon:* sauf, excepté
[43] *Buchenwald:* ville d'Allemagne où se trouvait, pendant la Deuxième Guerre mondiale, un des camps de concentration les plus atroces. Ici, Camus parle du camp lui-même.
[44] *faire appel:* to appeal at law
[45] *plaidoirie:* counsel's speech (the defense)

[46] *de circonstance:* due to circumstances
[47] *excipent:* prétextent
[48] *vergogne:* honte, pudeur
[49] *mises en doute:* doutées
[50] *une carrosserie nickelée:* the nickled body of a car, i.e. a car with much chrome on it
[51] *sursis:* stay of proceedings, reprieve (from execution, sentence)

l'amitié? Le goût de la vérité à tout prix est une passion qui n'épargne rien et à quoi rien ne résiste. C'est un vice, un confort parfois, ou un égoïsme. Si, donc, vous vous trouvez dans ce cas,[52] n'hésitez pas: promettez d'être vrai et mentez le mieux possible. Vous répondrez à leur désir profond et leur prouverez doublement votre affection.

C'est si vrai que nous nous confions rarement à ceux qui sont meilleurs que nous. Nous fuirions plutôt leur société. Le plus souvent, au contraire, nous nous confessons à ceux qui nous ressemblent et qui partagent nos faiblesses. Nous ne désirons donc pas nous corriger, ni être améliorés: il faudrait d'abord que nous fussions jugés défaillants.[53] Nous souhaitons seulement être plaints et encouragés dans notre voie. En somme, nous voudrions, en même temps, ne plus être coupables et ne pas faire l'effort de nous purifier. Pas assez de cynisme et pas assez de vertu. Nous n'avons ni l'énergie du mal, ni celle du bien. [. . .]

De la patience? Vous avez raison, sans doute. Il nous faudrait la patience d'attendre le jugement dernier. Mais voilà, nous sommes pressés. Si pressés même que j'ai été obligé de me faire juge-pénitent. Cependant, j'ai dû d'abord m'arranger de[54] mes découvertes et me mettre en règle[55] avec le rire de mes contemporains. A partir du soir où j'ai été appelé, car j'ai été appelé réellement, j'ai dû répondre ou du moins chercher la réponse. Ce n'était pas facile; j'ai longtemps erré. Il a fallu d'abord que ce rire perpétuel, et les rieurs, m'apprissent à voir plus clair en moi, à découvrir enfin que je n'étais

pas simple. Ne souriez pas, cette vérité n'est pas aussi première[56] qu'elle paraît. On appelle vérités premières, celles qu'on découvre après toutes les autres, voilà tout.

Toujours est-il[57] qu'après de longues études sur moi-même, j'ai mis au jour[58] la duplicité profonde de la créature. J'ai compris alors, à force de fouiller[59] dans ma mémoire, que la modestie m'aidait à briller, l'humilité à vaincre et la vertu à opprimer. Je faisais la guerre par des moyens pacifiques et j'obtenais enfin, par les moyens du désintéressement, tout ce que je convoitais. Par exemple, je ne me plaignais jamais qu'on oubliât la date de mon anniversaire; on s'étonnait même, avec une pointe d'admiration, de ma discrétion à ce sujet. Mais la raison de mon désintéressement était encore plus discrète: je désirais être oublié afin de pouvoir m'en plaindre à moi-même. Plusieurs jours avant la date, entre toutes glorieuse, que je connaissais bien, j'étais aux aguets,[60] attentif à ne rien laisser échapper qui puisse éveiller l'attention et la mémoire de ceux dont j'escomptais la défaillance[61] (n'ai-je pas eu un jour l'intention de truquer un calendrier d'appartement?). Ma solitude bien démontrée, je pouvais alors m'abandonner aux charmes d'une virile tristesse.

La face de toutes mes vertus avait ainsi un revers moins imposant. Il est vrai que, dans un autre sens, mes défauts tournaient à mon avantage. L'obligation où je me trouvais de cacher la partie vicieuse de ma vie me donnait

---

[52] *dans ce cas:* dans cette situation
[53] *défaillants:* wanting
[54] *m'arranger de:* me mettre d'accord avec, m'accommoder de
[55] *me mettre en règle:* to come to terms

[56] *première:* initial, basic
[57] *Toujours est-il:* the fact remains
[58] *j'ai mis au jour:* I brought to light
[59] *fouiller:* creuser, chercher
[60] *j'étais aux aguets:* I was on the look-out
[61] *dont j'escomptais la défaillance:* whose lapse (of memory) I anticipated

par exemple un air froid que l'on confondait avec celui de la vertu, mon indifférence me valait d'être aimé,[62] mon égoïsme culminait dans mes générosités. Je m'arrête: trop de symétrie nuirait à ma démonstration. [. . .]

[. . .] En tout cas, voilà: je n'ai jamais pu croire profondément que les affaires humaines fussent choses sérieuses. Où était le sérieux, je n'en savais rien, sinon qu'il n'était pas dans tout ceci que je voyais et qui m'apparaissait seulement comme un jeu amusant, ou importun.[63] [. . .]

Sans doute, je faisais mine,[64] parfois, de prendre la vie au sérieux. Mais, bien vite, la frivolité du sérieux lui-même m'apparaissait et je continuais seulement de jouer mon rôle, aussi bien que je pouvais. Je jouais à être efficace, intelligent, vertueux, civique, indigné, indulgent, solidaire, édifiant . . . [. . .] Je n'ai vraiment été sincère et enthousiaste qu'au temps où je faisais du sport, et, au régiment, quand je jouais dans les pièces que nous représentions pour notre plaisir. Il y avait dans les deux cas une règle du jeu, qui n'était pas sérieuse, et qu'on s'amusait à prendre pour telle. Maintenant encore, les matches du dimanche, dans un stade plein à craquer, et le théâtre, que j'ai aimé avec une passion sans égale, sont les seuls endroits du monde où je me sente innocent.

Mais qui admettrait qu'une pareille attitude soit légitime quand il s'agit de l'amour, de la mort et du salaire des misérables? Que faire pourtant? Je n'imaginais l'amour d'Yseult [65] que dans les romans ou sur une scène. Les agonisants me paraissaient parfois pénétrés de leurs rôles. Les répliques de mes clients pauvres me semblaient toujours conformes au même canevas.[66] Dès lors, vivant parmi les hommes sans partager leurs intérêts, je ne parvenais pas à croire aux engagements que je prenais. J'étais assez courtois, et assez indolent, pour répondre à ce qu'ils attendaient de moi dans mon métier, ma famille ou ma vie de citoyen, mais, chaque fois, avec une sorte de distraction, qui finissait par tout gâter. J'ai vécu ma vie entière sous un double signe et mes actions les plus graves ont été souvent celles où j'étais le moins engagé. N'était-ce pas cela, après tout, que, pour ajouter à mes bêtises, je n'ai pu me pardonner, qui m'a fait regimber [67] avec le plus de violence contre le jugement que je sentais à l'œuvre,[68] en moi et autour de moi, et qui m'a obligé à chercher une issue?

Pendant quelque temps, et en apparence, ma vie continua comme si rien n'était changé. J'étais sur des rails et je roulais. Comme par un fait exprès, les louanges redoublaient autour de moi. [. . .]

C'est à ce moment que la pensée de la mort fit irruption dans ma vie quotidienne. Je mesurais les années qui me séparaient de ma fin. Je cherchais des exemples d'hommes de mon âge qui fussent déjà morts. Et j'étais tourmenté par l'idée que je n'aurais pas le temps d'accomplir ma tâche. Quelle tâche? Je n'en savais rien. A franchement parler, ce que je faisais valait-il la peine d'être continué? Mais ce n'était pas exactement cela. Une crainte ridicule me poursuivait, en effet: on ne pouvait

[62] *me valait d'être aimé:* resulted in my being loved

[63] *importun:* fâcheux, incommode

[64] *je faisais mine:* je faisais semblant

[65] *Yseult:* personnage féminin dans *Tristan et Yseult,* poème médiéval français tiré d'une vieille légende celtique; aussi, opéra de Richard Wagner. Yseult aima d'un amour complet et irrévocable.

[66] *canevas:* pattern

[67] *regimber:* me révolter

[68] *à l'œuvre:* in the making

mourir sans avoir avoué tous ses mensonges. Non pas à Dieu, ni à un de ses représentants, j'étais au-dessus de ça, vous le pensez bien. Non, il s'agissait de l'avouer aux hommes, à un ami, ou à une femme aimée, par exemple. Autrement, et n'y eût-il qu'un seul mensonge de caché[69] dans une vie, la mort le rendrait définitif. Personne, jamais plus, ne connaîtrait la vérité sur ce point puisque le seul qui la connût était justement le mort, endormi sur son secret. Ce meurtre absolu d'une vérité me donnait le vertige.[70] [. . .]

Je me secouais, bien sûr. Qu'importait le mensonge d'un homme dans l'histoire de générations, et quelle prétention de vouloir amener dans la lumière de la vérité une misérable tromperie, perdue dans l'océan des âges comme le grain de sel dans la mer! Je me disais aussi que la mort du corps, si j'en jugeais par celles que j'avais vues, était, par elle-même, une punition suffisante et qui absolvait tout. On y gagnait son salut (c'est-à-dire le droit de disparaître définitivement) à la sueur de l'agonie. Il n'empêche, le malaise grandissait, la mort était fidèle à mon chevet,[71] je me levais avec elle, et les compliments me devenaient de plus en plus insupportables. Il me semblait que le mensonge augmentait avec eux, si démesurément, que jamais plus je ne pourrais me mettre en règle.[72]

Un jour vint où je n'y tins plus.[73] Ma première réaction fut désordonnée. Puisque j'étais menteur, j'allais le manifester et jeter ma duplicité à la figure de tous ces imbéciles avant même qu'ils la découvrissent. Provoqué à la vérité, je répondrai au défi.[74] Pour prévenir le rire, j'imaginai donc de me jeter dans la dérision générale. En somme, il s'agissait encore de couper au jugement. Je voulais mettre les rieurs de mon côté ou, du moins, me mettre de leur côté. Je méditais par exemple de bousculer des aveugles dans la rue, et à la joie sourde et imprévue que j'en éprouvais, je découvrais à quel point une partie de mon âme les détestait;[75] je projetais de crever les pneumatiques des petites voitures d'infirmes, d'aller hurler «sale pauvre» sous les échafaudages[76] où travaillaient les ouvriers, de gifler des nourrissons[77] dans le métro. Je rêvais de tout cela et n'en fis rien, ou, si je fis quelque chose d'approchant, je l'ai oublié. Toujours est-il que[78] le mot même de justice me jetait dans d'étranges fureurs. Je continuais, forcément, de l'utiliser dans mes plaidoiries. Mais je m'en vengeais en maudissant publiquement l'esprit d'humanité; j'annonçais la publication d'un manifeste dénonçant l'oppression que les opprimés faisaient peser sur les honnêtes gens. [. . .]

Vous devez trouver cela puéril. Pourtant, il y avait peut-être une raison plus sérieuse à ces plaisanteries. Je voulais déranger le jeu et surtout, oui, détruire cette réputation flatteuse dont la pensée me mettait en fureur. «Un

[69] *n'y eût-il qu'un seul mensonge de caché:* même s'il n'y avait qu'un seul mensonge caché

[70] *me donnait le vertige:* made me dizzy, i.e. overwhelmed me

[71] *chevet:* bedside

[72] *me mettre en règle:* i.e. to put things to rights

[73] *je n'y tins plus:* I could not stand it any longer

[74] *défi:* provocation

[75] *Je méditais . . . détestait:* Dans une partie antérieure de ce récit, Clamence raconte qu'il avait toujours aidé les aveugles, avant sa chute.

[76] *échafaudages:* scaffolding

[77] *nourrissons:* petits bébés

[78] *Toujours est-il que:* the fact remains that

homme comme vous . . .» me disait-on avec gentillesse, et je blêmissais.[79] Je n'en voulais plus de [80] leur estime puisqu'elle n'était pas générale et comment aurait-elle été générale puisque je ne pouvais la partager? Alors, il valait mieux tout recouvrir, jugement et estime, d'un manteau de ridicule. Il me fallait libérer de toutes façons [81] le sentiment qui m'étouffait. Pour exposer aux regards ce qu'il avait dans le ventre, je voulais fracturer le beau mannequin que je présentais en tous lieux. Je me souviens ainsi d'une causerie que je devais faire devant de jeunes avocats stagiaires.[82] Agacé par les incroyables éloges du bâtonnier [83] qui m'avait présenté, je ne pus tenir [84] longtemps. J'avais commencé avec la fougue [85] et l'émotion qu'on attendait de moi et que je n'avais aucune difficulté à livrer sur commande. Mais je me mis soudain à conseiller l'amalgame [86] comme méthode de défense. Non pas, disais-je, cet amalgame perfectionné par les inquisitions modernes qui jugent en même temps un voleur et un honnête homme pour accabler le second des crimes du premier. Il s'agissait au contraire de défendre le voleur en faisant valoir [87] les crimes de l'honnête homme, l'avocat en l'occurrence.[88] Je m'expliquai fort clairement sur ce point:

«Supposons que j'aie accepté de défendre quelque citoyen attendrissant, meurtrier par jalousie. Considérez, dirais-je, messieurs les jurés, ce qu'il y a de véniel à [89] se fâcher, lorsqu'on voit sa bonté naturelle mise à l'épreuve par la malignité du sexe. N'est-il pas plus grave au contraire de se trouver de ce côté-ci de la barre, sur mon propre banc, sans avoir jamais été bon, ni souffert d'être dupe. Je suis libre, soustrait [90] à vos rigueurs, et qui suis-je pourtant? Un citoyen-soleil [91] quant à l'orgueil, un bouc de luxure,[92] un pharaon [93] dans la colère, un roi de paresse. Je n'ai tué personne? Pas encore sans doute! Mais n'ai-je pas laissé mourir de méritantes créatures? Peut-être. Et peut-être suis-je prêt à recommencer. Tandis que celui-ci, regardez-le, il ne recommencera pas. Il est encore tout étonné d'avoir si bien travaillé.» Ce discours troubla un peu mes jeunes confrères. Au bout d'un moment, ils prirent le parti d'en rire. Ils se rassurèrent tout à fait lorsque j'en vins à ma conclusion, où j'invoquais avec éloquence la personne humaine, et ses droits supposés. L'habitude, ce jour-là, fut la plus forte.

En renouvelant ces aimables incartades,[94] je réussis seulement à désorienter un peu l'opinion. Non à la désarmer, ni surtout à me désarmer. L'étonnement que je rencontrais généralement chez mes auditeurs, leur

[79] je blêmissais: je pâlissais
[80] Je n'en voulais plus de: je ne voulais plus
[81] de toutes façons: i.e. n'importe comment, à tout prix
[82] avocats stagiaires: lawyers (practicing) on probation
[83] bâtonnier: leader, president of the French Bar
[84] je ne pus tenir: I could not stand it
[85] fougue: ardeur
[86] l'amalgame: la confusion
[87] en faisant valoir: by making the most of
[88] en l'occurrence: in this case

[89] ce qu'il y a de véniel à: how venial a sin it is to
[90] soustrait à: libre de
[91] Un citoyen-soleil: a shining example of a citizen
[92] bouc: ram; les juifs chassaient un bouc dans le désert, après que le grand prêtre l'avait chargé de toutes les iniquités du peuple; luxure: lewdness
[93] pharaon: souverain (titre des anciens rois d'Égypte)
[94] incartades: tirades, (verbal attacks)

gène un peu réticente, assez semblable à celle que vous montrez — non, ne protestez pas — ne m'apportèrent aucun apaisement. Voyez-vous, il ne suffit pas de s'accuser pour s'inno- center, ou sinon je serais un pur agneau. Il faut s'accuser d'une certaine manière, qu'il m'a fallu beaucoup de temps pour mettre au point,[95] et que je n'ai pas découverte avant de m'être trouvé dans l'abandon le plus complet. Jusque-là, le rire a continué de flotter autour de moi, sans que mes efforts désordonnés réussissent à lui ôter ce qu'il avait de bienveillant, de presque tendre, et qui me faisait mal.

[95] *mettre au point:* perfectionner

Vocabulaire

adj.	adjective
adv.	adverb
f.	feminine
inf.	infinitive
m.	masculine
pres. p.	present participle
p.p. or *p. part.*	past participle
pl.	plural
Poet.	poetic
Pop.	populaire
préc.	précieux
qqch.	something
qqn.	somebody
sing.	singular

A

abaisser to lower, reduce, abase, belittle

abandon *m.* abandonment, forsaking, neglect

abandonner to abandon, leave; **s'—** to give oneself up

abat-jour *m.* shade

abattre to pull down, throw down, lower; **s'—** to alight, come down, collapse

abbaye *f.* abbey

abcès *m.* abscess

abîme *m.* abyss, unfathomable depth(s), person of unlimited knowledge

abîmer to spoil, damage, ruin; **s'—** to sink, be swallowed up

abonder to abound, be plentiful; **— dans le sens de qqn.** to be entirely of someone's opinion

abord *m.* access, approach, attack; **au premier —** at first sight; **d'—** at first; **tout d'—** at the very first

aborder to accost, approach

aboutir à to end in, result in

abréger to shorten, cut short

abri *m.* shelter; **à l'— de** protected by

abriter to shelter, shield, shade

absolu *m.* absolute

absoudre to absolve, forgive, exonerate

s'abstenir to abstain, refrain

abstrait abstract

abus *m.* abuse, corrupt practice

abuser to misuse, deceive, take advantage of

abusif(-ve) excessive, abusive

acajou *m.* mahogany

accabler to overwhelm, crush

accéder to agree, consent

accélérer to accelerate, speed up

acceptation *f.* acceptance

accident *m.* accident, calamity

acclamer to acclaim, cheer

accommodement *m.* compromise

s'accommoder de to put up with

accomplir to accomplish

accorder to grant, concede

accort pleasing, trim

s'accouder to lean (on one's elbows)

accouplé hitched together, joined, coupled

accourir to rush up, hurry

accoutrement *m.* dress, garb, get-up

accoutumé customary

accoutumer to accustom; **s' — à** to get used to

accroc *m.* hitch, difficulty

accroche-cœur *m.* lovelock, spit-curl

accrocher to hook, hang, catch (by hooking); **s'— à** to cling to

accroire: en faire accroire à qqn. to delude someone

accroissement *m.* growth, increase

accroître to increase, enlarge, augment

accroupi squatting, crouching

s'accroupir to squat, crouch

accueil *m.* reception, welcome, greeting

accueillir to receive, greet, welcome

accusateur(-trice) accusatory, incriminating

accuser to accuse, show up, accentuate; **accuse juste** indicates correctly

acéré sharp, keen, sharp-edged

acharné relentless, furious; — (à) eager, bent on

acharnement m. relentlessness

achevé completely crazy

achever to finish, overwhelm; — **de** to complete

acier m. steel

acquérir to acquire, gain, obtain

acquiescement m. consent, acquiescence

acquittement m. acquittal

s'acquitter to acquit, discharge; **s'— de** to perform, to carry out

acrostiche m. acrostic

actualité f. reality, question, event of the day

actuel(-le) of the present day, existing, current

adieu adv. or noun m. good-by, farewell

s'adjoindre à to associate with

adorer to adore, worship, love

adossé à with one's back to, leaning on

adoucir to soften, soothe

adoucissement m. softening, mitigation

adresse f. adroitness, shrewdness, address, direction; **à l'— de** directed to

adroit skillful, shrewd

advenir to occur, happen; **advienne que pourra** come what may

aérien(-ne) aerial, (light and) airy

affaiblir to weaken; **s'—** to become weak(er)

affaire f. business, affair, question, matter; **Affaires Étrangères** Foreign Affairs; **avoir — à qqn.** to deal, have to do with someone

affairé busy, bustling

affamer to starve

affection f. fondness, attachment, ailment

affermir to strengthen; **s'—** to establish oneself

affinité f. affinity, similarity, attraction

affirmatif(-ve) affirmative, positive, assertive

affligé adj. or noun distressed, grieved, sorrowful

affliger to afflict; **s'—** to grieve, worry; **pour m'—** as a grievous concern

affoler to madden, drive crazy, perturb; **s'—** to fall into a panic, to spin

affranchir to free

affreusement frightfully

affreux(-se) dreadful

affronter to face, confront, bring together

affûter to sharpen (as of a tool)

agacement m. annoyance

agacer to whet, provoke, annoy

agacerie f. flirtation, advance

âge m. age, time, period; **à cet —** at that time

agenouillé kneeling

aggraver to aggravate, increase; **s'—** to grow worse

agir to act; **s'— de** to be a question of

agiter to agitate, wave, shake; **s'—** to be agitated, struggle, get excited

agonie f. death agony, pangs of death

agonisant m. dying person

agneau m. lamb

agrandir to make larger, enlarge, magnify

agréer to permit, accept

agrégation f. competitive examination conducted by the State for admission to posts on the teaching staff of French lycées and universities

agrément m. pleasure

s'agripper à to cling to

agronomique adj. agricultural

aguets m. pl., **aux —** watchful, on the look-out

ahuri bewildered, dumbfounded, dazed

ahurissement m. bewilderment, stupefaction

ahy! ouch!

aide f. aid, help, assistance; **à l'— de** aided by

aïeul m., **aïeux** m. pl. ancestor(s)

aigle m. eagle

aigu(-uë) sharp, intense, high-pitched, shrill

aiguille f. needle

aiguiser to sharpen, make keen

ail m. garlic

aile f. wing

ailleurs elsewhere; **d'—** besides

aimable m. gallant, ladies' man

aimable adj. aimiable, pleasant, kind

aimer to love, like; **s'—** to fall in love, to make love (to each other); **qu'il s'aime** let him regard himself highly aîné *adj.* or *noun* elder

air *m.* tune, air, appearance; **d'un — entendu** with a knowing look; **grand —** fresh air, open air; **le bel — des choses** the proper manner of doing things

aise *f.* ease, comfort; **être à l'—** to be comfortable; **être fort (bien) —** to be quite pleased; **plus à son —** more comfortably; **(tout) à leur —** just as they like

aisé easy, free, comfortable

aisément easily

aisselle *f.* armpit

ajouter to add

ajustement *m.* dress, attire

ajuster to aim, arrange, adjust, put straight; **s'—** to fix together

album *m.* album, notebook

alentour around

alerte *f.* alarm

alfange *m.* scimitar

aligner to line up, align

aliment *m.* food

alimenter to feed, nourish

allée *f.* alley, lane, path

allégement *m.* lightening, unburdening, relief, alleviation

alléger to relieve, unburden, lighten

allégresse *f.* happiness

aller to go, **— à** to be becoming to; **il y va de ta gloire** your reputation is at stake

alliance *f.* alliance, marriage, union

s'allonger to stretch out

allumer to light, ignite, inflame; **s'—** to catch fire, kindle

allure *f.* walk, bearing, speed, pace, look, behaviour

allusion *f.* allusion; **faire — à** to refer to

alourdir to make heavy, weigh down

alpestre *adj.* alpine

alpiniste *m.* mountain climber

altération *f.* change

altéré changed, spoiled

altérer to change, spoil; **s'—** to deteriorate

altesse *f.* highness

altier (-ière) haughty, proud

amalgame *m.* medley, mixture, confusion

amande *f.* almond

amant *m.* lover, sweetheart

amazone *f.* horsewoman, rider

ambre *m.* amber

âme *f.* soul, spirit, heart; **grandeur d'âme** magnanimity; **les âmes des pieds** violins (*préc.*)

amélioration *f.* improvement

améliorer to ameliorate, better, improve

amende *f.* fine; **— honorable** public confession

amener to bring, bring in, lead, bring out

amer (-ère) bitter

amèrement bitterly

amertume *f.* bitterness

amiral *m.* admiral

amitié *f.* friendship, act of friendship

amnésique *m.* victim of amnesia

amoindrir to reduce, decrease, lessen, diminish

s'amollir to soften, be mollified

amollissant softening, enervating

amortir to muffle

Amour *m.* Cupid, Eros

amoureux *m.* lover, sweetheart

amoureux (-se) *adj.* loving, amorous, in love

amour-propre *m.* vanity, pride, self-esteem

amuseur *m.* entertainer, amuser

ancrer to anchor

Andes (les) *f. pl.* the Andes, high mountain chain in South America

âne *m.* ass, donkey

anéantir to annihilate, destroy

anéantissement *m.* annihilation, destruction

ange *m.* angel

angélus *m.* angelus (evening bell)

angle *m.* angle, corner

angoisse *f.* anguish, agony

angoisser to anguish, distress

animal *m.* animal, brute, stupid fool

animer to animate, inspire; **s'—** to come to life, become animated

anneau *m.* ring

anonymat *m.* anonymity

anonyme anonymous

antérieur previous, earlier, prior, anterior, previously conceived

antipode *m.* opposite

antiquaire *m.* antiquarian

aoriste *m.* aorist (a past tense in classical Greek)

août *m.* August

apaisement *m.* appeasement

s'apaiser to appease, calm

apercevoir to perceive, notice; **s'— de** to be aware

aperçu m. glimpse, sketch, survey

apothicaire m. druggist, apothecary

appareil m. preparation for ceremonies, machine; **en grand —** in full regalia

appareiller to fit up, get under way

apparence f. appearance, probability

apparentage m. alliance, connection

appartenir to belong

appât m. bait, lure, charm; **appâ(t)s** m. pl. (préc.) charms; **en —** as a lure, as bait

appel m. call; **faire — à** to call to one's aid, call upon; **faire —** to appeal at law

appentis m. lean-to

applaudir to applaud

applaudissement m. applause

application f. application

appliquer to apply, lay, fix, place, put; **s' — à** to apply oneself to, study

appointements m. pl. salary, pay

apporter to bring

s'apprécier to appreciate, esteem

appréhender to seize, dread, apprehend

appréhension f. fear

apprendre to learn, teach

apprentissage m. apprenticeship

apprêt m. affectation, affectedness

apprêter to prepare; **s'—** to prepare oneself, get ready; **— à rire** to afford food for laughter

approfondir to examine, investigate

approfondissement m. deepening, investigation, profound study

s'approprier to appropriate for oneself

appui m. support

s'appuyer to support, prop, lean, rest

âpre rough, harsh, bitter, scathing, keen

après after, afterwards

après-demain day after tomorrow

apte à fit to, qualified to

aquilin aquiline

aquilon m. north wind, cold blast

araignée f. spider; **toile** (f.) **d' —** spider's web

arbuste m. bush, shrub

arc m. bow

arc-en-ciel m. rainbow

archétype m. archetype, model

ardent burning, scorching, ardent, passionate, light-colored

ardeur f. ardor, earnestness, desire

ardoise f. slate

ardu arduous, hard

argent m. money, silver; **de l'— bel et bon** good hard cash

argenté silver(ed), silvery

argile f. clay

argus m. Argus, spy

arme f. arm, weapon; **à l'— blanche** with cold steel; **aux armes!** to arms!; **la place d'armes** parade ground

armée f. army; **la grande —** the famous army of Napoleon

s'armer to arm

armoire f. wardrobe, cupboard

armoiries f. pl. crests, arms, armoried bearings

arpenter to stride rapidly along

arracher to pull (up, out, away), tear (out, up, away); **— à, de** to tear away from

arranger to arrange, set in order, contrive, straighten out, accommodate; **s'—de** to make the best of, put up with, come to terms with

arrêt m. judgment, decree, decision, sentence

arrêter to stop, arrest; **idée arrêtée** definite idea

arrière (en) behind, backward

arrière-boutique f. back-shop

arrière-pensée f. mental reservation, ulterior motive

arriver to arrive, happen; **—à** to manage to; **qui lui arrivait** which came to him

arroser to water, sprinkle

artère f. artery, thoroughfare

artichaut m. artichoke

articulation f. joint; **à articulations noueuses** with gnarled joints

ascendance f. ancestry

ascendant m. ancestor

ascenseur m. elevator

ascension f. ascent, rising

asile m. refuge, shelter

aspect m. sight, aspect, appearance

aspérité f. roughness of the surface

s'assagir to become wiser, to settle down

assaillant attacker, assailant, aggressor

assaisonner to season, give zest to

assassiner to kill, assassinate; **assassiné de billets** killed with promissory notes asservi subdued, enslaved, conquered

assiéger to besiege, crowd around

assiette *f.* position, plate, dish

assistance *f.* audience, spectators

assister to help, assist; — à to be present at, attend

assombrir to darken, make gloomy

assommer to overwhelm, to bore to death

assoupi drowsy

s'assoupir to become drowsy

assourdir to deafen; s'— to grow fainter, die away, become muffled

assujettir to restrict, limit

assurance *f.* boldness, assurance

assurer to assure, make sure of, secure; s'— de to secure, make sure of

astre *m.* star, heavenly body

s'astreindre (à) to confine oneself (to), tie oneself down (to)

astucieux(-se) astute, wily, crafty

athée *adj.* atheistic

atome *m.* infinitely small particle

atone immobile

atour(s) *m.* women's dress, finery

âtre *m.* hearth

attachant arresting, interesting, engaging, winning

attachement *m.* affection, attachment

s'attacher à to cling to

attaquer to attack, accost, address

s'attarder to linger, loiter, stay (up) late

atteindre to reach, attain; atteint de attacked by (a disease)

atteinte *f.* effect

attendre to wait (for); s'— à to expect

attendri *m.* the tenderhearted

attendri *adj.* fond, compassionate, full of pity

attendrissant moving, touching

attendrissement *m.* compassion, pity, relenting, tenderness

attentat *m.* attack, outrage

attente *f.* waiting, expectation

s'attifer to dress up

attirer to attract; — qqch. sur qqn. to bring something to someone; s'— to win, gain

attrait *m.* attraction, lure, allurement, charm

attraper to catch, seize; — qqn. to cheat, trick, take someone in

attrayant attractive, alluring

attribut *m.* object, attribute

attrister to sadden; s'— to become sad

s'attrouper to flock together, assemble

aube *f.* dawn

aubépine *f.* hawthorn

auberge *f.* inn

aubergiste *m.* or *f.* innkeeper

aucun: ne . . . aucun none, no

aucunement in no way

audace *f.* audacity, boldness

audacieux(-se) audacious, bold, daring

au-dessous *prep.* beneath; *adj.* inferior

au-dessus above, over

au-devant; aller — de to go to meet; venir — de to come to meet

audience *f.* hearing; donner — à to listen to

auditoire *m.* audience

augmentation *f.* increase

s'augmenter to increase, augment

augure *m.* augury, prediction

augurer to augur, conjecture, surmise

auguste august

aumône *f.* alms

auparavant before, formerly

auprès near, nearby

auréole *f.* aureola, halo

aurore *f.* dawn, daybreak

aussitôt immediately, at once

d'autant mieux . . . que all the better . . . as

autel *m.* altar

auteur *m.* author, creator, source

authentique authentic, genuine, true

automate *m.* automaton

autour around; tout — all-encompassing

autrefois in former days, in the past, formerly

autrement otherwise

Autriche *f.* Austria

autrichien(-ne) Austrian

autrui others, other people

auxiliaire *m.* auxiliary, aid, assistant

avaler to swallow

avancer to advance, put forward, make earlier, hasten on, promote, be better off

avant *m.* bow (of ship)

avant before; pousser plus — to penetrate further, go farther

avant-hier the day before yesterday

avant-propos *m.* preface, foreword

avant-scène *f.* fore-stage, apron

avantage *m.* advantage, success, profit, chance

avantageusement advantageously, favorably

avantageux(-se) advantageous, favorable

avare *m.* miser

avarié damaged

avenir *m.* future; à l'— in the future

aventure *f.* adventure, chance, luck, story; d'— by chance; par — by chance, perchance

aventureux(-se) adventurous

aventurier *m.* adventurer

averse *f.* downpour, sudden shower

aversion *f.* aversion, dislike

avertir to advise, notify, warn

avertissement *m.* warning, notice

aveu *m.* avowal, confession

aveugle *m.* or *f.* blind man, woman; *adj.* blind

aveuglement *m.* blindness

aveugler to blind

aviné intoxicated (with wine)

avis *m.* opinion

avisé circumspect, farseeing; c'est bien — that's a good idea

s'aviser de to take it into one's head to

avocat *m.* lawyer; — au Parlement court lawyer; — stagiaire student lawyer, probationary lawyer

avoine *f.* oat(s); folles avoines oat grass, wild oats

avoir to have, possess; — beau faire qqch. to do something in vain; — coutume de to be in the habit of; — le dessous to get the worst of it, be defeated; — vite fait de to quickly (do something)

avoisiner to border upon, be contiguous to

avouer to acknowledge, confess, confirm; s'— to admit to oneself; s'avoua confus admitted his embarrassment

azur azure, blue

B

bachelier *m.* bachelor, novice in arms, young man

badaud *m.* stroller, idler

badin playful, sportive

bagage *m.* baggage; *pl.* luggage; faire ses bagages to do one's packing, pack

bagne *m.* convict prison

bague *f.* ring

baie *f.* bay (window)

baigner to bathe, steep; se — to bathe

bail *m.* lease

baiser *m.* kiss

baiser to kiss

baisser to lower

bajoues *f. pl.* cheeks

bal *m.* ball, dance

balance *f.* scales; on met tout en — one weighs everything

balancer to balance, hesitate, swing; balancez! halt!

balancier *m.* pendulum

balayer to sweep

balbutier to stammer, to mumble

Bâle *f.* Basel

baleiné whaleboned

baliverne *f.* idle story; *pl.* nonsense

balle *f.* ball, bullet

ballon *m.* balloon

bambin *m.* brat, kid, little boy

banal commonplace, trite, banal

banc *m.* bench, seat, pew

bandoulière *f.* shoulder strap; en — across one's back

bannir to banish, exclude

baptême *m.* baptism; nom de — Christian name

baragouin *m.* prattle

baraque *f.* stand; — de toile cloth covered stand

barbare *m.* barbarian; *adj.* barbaric

barbarisme *m.* barbarism

barbe *f.* beard

barbier *m.* barber

barbouiller to daub, smear, dirty, disfigure; barbouillé de surcroît disfigured in addition

bariolé gaudy, of many colors, splashed with color

barque *f.* boat

barre *f.* bar, rod

barreau *m.* bar

barrer to bar, block

barrière *f.* barrier, (starting) post

bas *m.* stocking

bas(-se) low, base; à — cast down; à — du lit off the bed; tout — in a low voice basque *f.* skirt (of a coat)

basse-cour *f.* barnyard, farmyard

bassesse *f.* baseness, lowness; low, mean, contemptible action

bataille *f.* battle

bâtir to build, make

batiste *f.* cambric

bâton *m.* stick, rod, stroke, carrying rod of sedan chair

bâtonnier *m.* leader, president, of the French Bar

battement *m.* fluttering, beating

battre to beat; se — to fight; — en retraite to beat a retreat, retire; être battu to be beaten

baudet *m.* ass, donkey

bavard talkative

bavardage *m.* chatter(ing), chit-chat

bavarder to chat(ter), gossip

bavardise *f.* chatter(ing), chit-chat

béat sanctimonious, blissful

beau (belle) beautiful, handsome; avoir — faire qqch. to do something in vain; avoir — enfler enlarge in vain; c'est du — that's a fine state of affairs; du dernier — extremely beautiful

beaux-arts *m. pl.* fine arts

beaucoup much, many; de — by far

bec *m.* beak

bedeau *m.* beadle, official attendant

béguin *m.* tight-fitting cap; — sans bordure tight-fitting cap without edging

bêlement *m.* bleating

bêler to bleat

bélier *m.* battering ram, ram; — mérinos ram of Spanish breed

belle *f.* beauty, pretty girl

bellement gently, softly; tout — (very) simply

bénéfice *m.* benefit, advantage

bénir to bless

bénisseur(-se) who is all fair words and empty promises

berceau *m.* arbor, cradle

bercer to rock, lull

berger *m.* shepherd

bergère *f.* easy-chair

berlue *f.* dimness of sight; avoir la — to be dim-sighted, see things which do not exist

besogne *f.* work, task, job

besogneux needy, impecunious

besoin *m.* need

bête *f.* beast, animal, dumb creature, fool, simpleton; faire la — to act stupidly

bêtise *f.* stupidity, silliness, blunder, nonsense

beugler to bellow, low

beurrer to (put on) butter

bévue *f.* blunder, mistake, slip

biais oblique, slanting; de — indirect(ly)

bien *m.* possession(s), welfare, wealth, property, good; — des many; faire le — to do a good turn; homme de — honorable man; me fait du — does me good

bien *adv.* well, quite; aussi — indeed

bien-aimé(-e) *m.* or *f.* beloved; *adj.* beloved

bien-être *m.* comfort, well-being

bienfaisant charitable, kind, bountiful

bienfait *m.* kindness, charity

bienveillance *f.* kindliness

bienveillant benevolent, kind(ly)

bigarré motley

bigarrure *f.* medley, mixture (of colors)

bijou *m.* jewel

bille *f.* (small) ball

billet *m.* note, short letter, promissory note, bank note; — de logement billeting order; — doux love letter

billon *m.* copper or nickel coin

bisaïeul *m.* great-grandfather

bise *f.* north wind

bistro *m.* pub, tavern

bizarrerie *f.* oddity, strangeness

blafard pale, sallow

blaguer to joke

blancheur *f.* whiteness, white patches

blanchissage *m.* washing, laundering

blé *m.* wheat, corn

blême pale, colorless, livid, ghastly

blêmir to turn pale

blessé *m.* wounded person, casualty

blesser to wound, hurt

blessure *f.* wound

blet overripe

bloc *m.* block, lump; en — in a lump, all together

se blottir to snuggle, crouch, hide, cower, huddle

bluet *m.* cornflower

bobard *m.* tall story

bocage *m.* grove

bœuf *m.* beef, ox

boire to drink; **que je boive l'affront** that I swallow the insult

bois *m.* wood, forest; *pl.* woodwind instruments

boisson *f.* drink

boîte *f.* box, can

boiter to limp

boiteux(-se) limping

bombarde *f.* mortar, firing of a mortar

bombé convex, bulging

bomber to hollow, make convex

bon (-ne) good, virtuous, kind, profitable; **pour de —** for good, in earnest

bon *m.* goodness, bond; **ma toute bonne** my dear

bond *m.* bound, leap

bondir to jump

bone Deus! (Latin) Good heavens!

bonheur *m.* happiness; **bonheur-du-jour** *m.* lady's ornate writing desk

bonhomme *m.* simple, good-natured man; old fellow

bonimenteur *m.* barker

bonne *f.* maid, servant

bonnement simply

bonté *f.* goodness, kindness

bord *m.* bank, edge, brink, shore

bordé *adj.* limited, edged

border to tuck in, border (on), adjoin

borgne *m.* one-eyed person

borne *f.* boundary-mark, -stone, -post, limit; **sans borne(s)** boundless

borné limited

borner to limit, restrict; **se —** to restrict oneself

bosquet *m.* thicket

bosse *f.* hump

bossette *f.* knob

bossu *m.* hunchback; *adj.* hunchbacked

bossué humped

botanique *f.* botany

botté with boots on

bouc *m.* he-goat

bouche *f.* mouth; **— béante** with mouth(s) wide open, gaping

bouché corked

boucher to stop, cork

boucherie *f.* butcher's shop, slaughter

boucle *f.* buckle, curl, lock (of hair), earring

boucler to curl

bouclette *f.* little curl

bouclier *m.* shield

bouder to sulk

boue *f.* mud, mire, filth, dirt

bouffée *f.* puff, whiff

bouffer to puff, swell out

bouffi puffed, inflated

bouffon *m.* clown, jester, buffoon

bouffonner to play, act, the buffoon

bougeoir *m.* candlestick

bouger to budge, stir, move

bougie *f.* candle

bougre *m.* guy, fellow; **mauvais —** ugly customer

bouillir to boil

boulanger *m.* baker

boule *f.* ball, sphere

bouleversé upset, overcome

bouleverser to upset, overturn, throw into confusion

bourdonner to buzz, hum

bourg *m.* town

bourgeois middle-class; **du dernier —** the limit of middle-class vulgarity

bourgeoise *f.* townswoman

bourgeon *m.* bud, shoot

Bourgogne *f.* Burgundy

bourrade *f.* blow, dig

bourreau *m.* executioner, hangman; **garçon du —** executioner's assistant

bourrelet *m.* roll of fat (around the neck)

bourrique *f.* donkey, ass, dunce

bourse *f.* purse, wallet

bousculer to knock over, jostle

boussole *f.* compass

boustifaille *f.* food, grub

bout *m.* end; **— de vers** bit of verse

bouteille *f.* bottle

boutique *f.* shop

brahmane *m.* Brahmin, Brahman

brailler to bawl

branchage *m.* branches, boughs

branle *m.* impetus; **donner le — à** to set into motion

branler to shake, totter, stir

braque hare-brained

bras *m.* arm; **qui vous tend les —** holds out its arms to you; **saisir à pleins —** to embrace ardently; **sur les —** on my hands

brasier *m.* fire of live coals

braver to defy, dare, brave

braverie f. elegance of dress
brebis f. sheep, lamb
bref in short
breuvage m. beverage, drink
brevet m. certificate
bréviaire m. breviary, prayer book
bribe f. tiny bit
bridé constricted, tight, closed
brider to bridle
brigade f. troop, company
briller to shine
brimborion m. knick-knack
brin m. shoot (of tree), blade (of grass), sprig, feather
brioche f. bun; **brioches embrochées à** buns stuck on
brique f. brick
brise f. breeze
brisées f. track, footstep; **aller sur nos brisées** to rival us
se briser to break (up), tear
broder to embroider
broderie f. embroidery
brouhaha m. uproar, noisy applause, hubbub
brouillard m. fog, mist, haze
brouillé jumbled, mixed, on bad terms
broussailles f. pl. briars, brambles
broyer to grind, crush
bruire to rumble, murmur, sound
bruit m. noise; **faux bruits** rumors, gossip
brûle-parfums m. incense burner
brûler to burn, be very anxious to; **me — la cervelle** to blow out my brains
brûlure f. burn, blight
brumeux(-se) foggy, misty
brun brown
brune f. dusk; **à la — ** toward dusk
brunir to burnish, polish
brusque abrupt, blunt, sudden
brusquement abruptly, suddenly
brusquer to be sharp with, treat roughly
bruyant noisy
bruyère f. heather, heath
bûche f. log
bûcher m. stake, funeral pyre
buée f. mist, moisture
buffet m. sideboard
buisson m. bush, thicket
bulle f. bubble
bureau m. office, center
but m. purpose, aim; **aller droit au — ** to go straight to the point; **de — en blanc** directly
buter to stumble
butin m. booty
butor m. lout
butte f. knoll, mound; **en — à** exposed to

C

cabane f. rude hut or shelter, cabin
cabaret m. inn, tavern
cabinet m. small room, office, study, closet, dressing room; **chambre à —** room with adjoining closet
câble m. cable, hawser
cacher to hide
cachet m. seal
cacheter to seal (letters, etc.)
cachette f. hiding place; **en — ** secretly, on the sly
cachot m. dungeon, dark cell, cell
cadeau m. gift, present
cadre m. frame, framework
cafetière f. coffee pot
caillou m. stone, pebble
caisse f. pay office, cashier's office
calcul m. calculation, reckoning
calèche f. open carriage
calembour m. play on words, pun
calfeutrer to make (a room) draft-proof, keep behind locked doors
calice m. chalice
calicot m. calico
câliner to wheedle, pet, caress
calomnie f. calumny, slander, false charge
calomnier to slander
calotte f. skull-cap
Calvaire m. (Mount) Calvary
camarade m. or f. comrade, fellow, mate
camelot m. street hawker
camisole f. loose bodice with sleeves
campagnard m. peasant, rustic; *adj.* country, rustic
campagne f. (military) campaign, countryside, open country
canaille f. rabble, mob, scum
canard m. duck
candeur f. candor, purity
canevas m. outline

caniche m. poodle
cannelle f. cinnamon
canon m. ruffle
canot m. boat, dinghy
cantique m. hymn
canton m. canton, political subdivision
cantonner to quarter, billet
capot m. cover, hood, cowl(ing) (of engine)
capote f. hood, bonnet; l'ovale de sa — oval opening of her bonnet
caprice m. caprice, whim
capricieux(-se) capricious, whimsical
capucinade f. dull sermon
capucine f. musket
caquet m. chatter, prattle
carabine f. carbine
caractère m. character, graphic symbol; nature, disposition, characteristic, personality, character
cardeur m. carder
caresse f. caress
carnaval m. carnival
carne f. tough meat
carré noun m. or adj. square
carreau m. tile floor, floor
carrefour m. intersection, crossroads
carrière f. course, race; très avancé dans sa — well along in years
carrosse m. coach, stagecoach, carriage
carrosserie f. body of a car
carte f. map
cartésien(-ne) deductive, logical
carton m. cardboard
cas m. case, instance, matter; en pareil — in such a case; faire (du) cas de qqch. to set value on something
cascatelle f. (small) cascade
casqué with a helmet on
cassé ill, infirm
casser to break
castillan adj. Castilian
castor m. beaver, beaver skin
cauchemar m. nightmare
cause f. cause, lawsuit, case
causer to cause, chat, talk about
causerie f. chat, talk
cauteleux(-se) crafty, cunning
cavale f. mare
cavalier m. horseman, gentleman, noble, trooper, gallant; adj. flippant, offhand; l'air — light touch

cave f. cellar, vault
caveau m. small cellar, vault
cécité f. blindness
céder to give up, yield, cede; — à to give in to
ceinture f. belt
celer to hide, conceal
céleste adj. heavenly
cendre f. ash(es), cinders
cendré ash-blond
censé supposed
centuple hundredfold
cependant however, in the meantime; — que whereas
cerf m. deer, stag; courir un — to go deer hunting
cerise f. cherry
certes indeed, to be sure
certitude f. certainty
cerveau m. brain
cervelle f. brain(s), mind
cesse f. cease, ceasing; sans — unceasingly
cesser to stop, cease
chacal m. jackal
chacun each, each one, everybody
chagrin m. sorrow, grief, shagreen (grain-leather)
chagrin adj. fretful
chagriner to grieve, distress, vex, annoy
chaîne f. chain
chair f. flesh; en — et en os in flesh and blood
chaise f. chair; — à porteurs sedan chair
chaland m. customer, purchaser
châle m. shawl
chaleur f. heat, warmth, ardor, zeal, anger; les grandes chaleurs hot weather
champêtre rustic, rural
chancelant tottering, staggering
chancellement m. staggering, totter
chancre m. canker sore
chandelle f. candle, taper; en valoir la — to be worthwhile
change m. exchange; donner le — à to put on the wrong scent; prendre le — to get on the wrong track
changer to change; — . . . de force to change the impact of
chanson f. song; — à boire drinking song
chant m. singing, song, canto
chantage m. blackmail

chantonner to hum

chapelet m. rosary

char m. chariot, wagon

charbon m. (char)coal; **un —** a piece of coal

chardon m. thistle

charge f. office, load; **— de marée** shipment of fresh deep sea fish; **— publique** public employment

charger (de) to load with; **chargé** burdened, heavy; **se — de** to load oneself with; **— qqn. de (faire) qqch.** to charge someone with (doing) something

charnel(-le) carnal, sensual

charnu fleshy

charrette f. cart

charrier to cart

charrue f. plough

chartreux m. Carthusian

chasse f. hunt(ing); **chien de —** hunting dog

chasser to hunt, chase

chasseur m. hunter

chaste chaste, pure

chat m. cat; **— fourré** (cat's) fur bonnets and robes

château m. castle; **châteaux en Espagne** air castles

châtier to punish

châtiment m. punishment, chastisement

chaudron m. kettle

chauffer to warm, heat; **se —** to get warm

chaufferette f. footwarmer

chaumière f. thatched cottage

chausses f. pl. breeches

chaussette f. sock

chauve bald

chef m. head, chief, chef; **chef-d'œuvre** m. masterpiece

chemin m. way, road; **à mi-chemin** halfway; **en —** on the way, en route

cheminer to walk, proceed

chemise f. shirt, nightshirt

chemisette f. (woman's) front tucker, chemisette

chêne m. oak (tree)

chercher to search, look for; **— à** to try

chère f. food; **faire bonne —** to eat well

chéri noun or adj. beloved, darling

chérir to cherish, love

chétif(-ve) weak, puny, sickly

chevalier m. knight; **— errant** knight-errant

chevalin equine, pertaining to horses

se chevaucher to overlap

chevelure f. hair

chevet m. bedside

cheville f. ankle

chèvre f. goat

chien m. **chienne** f. dog, bitch; **— de garde** watchdog; **ce — de Barbin** that damned Barbin

chiffon m. rag, scrap

chiffonner to arrange rags, scraps of silk, to rumple, crumple

chiffre m. figure, number, monogram

chimère f. chimera, fancy

chimérique adj. fanciful

chimie f. chemistry

chimiste m. chemist

chirurgien m. surgeon

choc m. shock

chœur m. chorus, choir

choquer to shock, strike, knock

chou(x) m. cabbage

chouette f. owl

choyer to pet, coddle

chrétien(-ne) Christian; **parler —** to speak French

christianisme m. Christianity

chronique f. chronicle, news, reports

chuchotement m. whispering

chuchoter to whisper

chute f. fall(ing)

cible f. target

cicatrice f. scar

cidre m. cider

ciel m. (**cieux**) sky, heaven; **justes cieux!** good heavens!

cierge m. wax candle, taper

cigale f. grasshopper, cicada

cil m. eyelash; **cils courbes** curved lashes

cime f. summit, top

cimeterre m. scimitar

cimetière m. cemetery, graveyard

ciné m. cinema, movies

cintré tight-fitting

circonspect circumspect, prudent, wary

circonstance f. circumstance, incident, event; **de —** improvised for the occasion, appropriate to the occasion; **vaines circonstances** idle irrelevant details; **vu la —** because of the event

circuit *m.* circuit, circuitous itinerary; **fit un —** went in a round-about way
circuler to circulate, move about
cire *f.* wax
ciron *m.* mite
ciseaux *m. pl.* scissors
citer to cite, quote
citoyen *m.* (private) citizen; **citoyen-soleil** shining example of a citizen
citoyenne *f.* girl of the middle class
citron *m.* lemon
citrouille *f.* pumpkin
civil civil, civilized
civilité *f.* courtesy, politeness
clair *m.* light; **le — de (la) lune** moonlight; *adj.* clear, light
clair *adv.* clearly, distinctly light-colored, manifest; **d'y voir —** to understand
clandestin clandestine, secret, illicit, underground
claquer to clap, bang, slap; **claqué de** trimmed with
clarté *f.* clearness, clarity, light, brightness
classement *m.* classification
clavecin *m.* harpsichord
clavier *m.* keyboard
clé (or **clef**) *f.* key
clément merciful
clerc *m.* cleric, scholar; **quelque peu —** a bit learned
clignement *m.* blink(ing), wink(ing), flicker of the eyelids
cligner to wink
clin *m.* **d'œil** wink
clinique clinical
cliquetis *m.* clicking, clank
clochard *m.* vagabond, beggar
cloche *f.* bell
clochette *f.* small bell
cloison *f.* partition; **— de son nez** septum
cloître *m.* cloister
clou *m.* nail; **je ne donnerais pas un —** I shouldn't give a pin
clouer to nail
cocher *m.* coachman, driver
cochon *m.* hog, pig
cœur *m.* heart, the emotions, courage; **avoir mal au —** to be sick at one's stomach; **de bon —** heartily; **de grand — willingly, gladly; de tout leur —**

quite heartily; **faire en gens de —** to behave courageously; **homme de —** courageous man
coffre *m.* chest, trunk
cogner to knock, strike against
coiffe *f.* headdress
coiffé wearing (on the head); **être né —** to be lucky
coiffeur *m.*, **coiffeuse** *f.*, barber, hair dresser
coiffure *f.* hairdo, headdress
coin *m.* corner
col *m.* collar
colère *f.* anger; **se mettre en —** to become angry; **mettre qqn. en —** to make someone angry
colifichet *m.* trinket, bauble
colique *f.* colic
collation *f.* light repast
collationner to compare, verify
se coller to stick, adhere closely; **se — à un mur** to stand close to a wall
collet *m.* collar
collier *m.* necklace
colline *f.* hill
colloque *m.* conversation
Colomb, Christophe Christopher Columbus
colombe *f.* pigeon, dove
colombier *m.* dove-house
colonne *f.* column
se colorer to become colored
colza *m.* colza (a cultivated plant)
combattant *m.* fighting man, soldier
combattre to combat, fight
comble *m.* summit, limit; **— de misères** summit of misfortune; **pour —** to top it all; **pour comble de misère** to top her misfortune, *adj.* packed, full to overflowing
combler to fill in
comédie *f.* play, comedy, theater; **— d'intrigue** comedy depending chiefly on intricacy of plot
comédien *m.* actor
comices *m. pl.* meeting
comique *m.* comedy
commandant *m.* commander, commanding officer, major
commande *f.* order, control, lever
commencement *m.* beginning
commerce *m.* commerce, dealing, busi-

ness, relationship; **commerces** *m. pl.*
wares, productions
commère *f.* gossip, tattling woman
commettre commit
commissaire *m.* commissioner; **— de police** superintendent of police
commission *f.* errand, committee; **— consultative** consulting committee
commode *f.* chest of drawers
commode *adj.* convenient, comfortable;
pas — not easy to get along with
commodément comfortably
commodité *f.* convenience, accommoda-
tion
commun *m.* the greatest part, bulk; *adj.*
common (place), mediocre, everyday,
general, universal, usual, plentiful; **vie
commune** shared life, life together
commune *f.* parish
communier to take, receive Holy Communion
compagne *f.* companion, partner (in life)
compagnon *m.* companion, comrade, fellow
comparaison *f.* comparison
comparaître to appear (before a court of
justice)
compartiment *m.* compartment, division,
part
compas *m.* compass
compassé formal, stiff
complaisance *f.* complacency, (self-)
satisfaction, kindness, complaisance
compléter to complete, perfect
complexion *f.* constitution, health
complice *noun* or *adj.* accomplice, ac-
cessory
compliquer to complicate
complot *m.* plot, conspiracy
comporter to comprise; **se —** to behave
composé *m.* compound
comprendre to understand, comprise,
include, grasp, embrace
compromettre to compromise
compromis *m.* compromise
compte *m.* account, calculation; **au bout
du —** in final analysis; **en fin de —** at
last, in fine; **faire les comptes** to settle accounts; **livre de comptes** account
book; **prendre qqch. à son —** to accept
responsibility for something; **régler le
— de** to settle accounts with; **rendre**

— to report; **se rendre — de qqch.** to
realize; **rendre — de qqch.** to render
an account of something; **tenir — de**
to take into account
compter to count, expect; **à — de** count-
ing from
concedo (Latin) I concede
concevoir to conceive
conclure to conclude, end, come to a
conclusion
concourir to concur, contribute
concours *m.* competition, competitive examination
concubinage, *m.* illicit cohabition
concupiscence *f.* lust
concurrence *f.* competition
condamné condemned
condition *f.* condition, state, situation, social position; **gens de —** people of position
conducteur *m.* guide, leader
conducteur (-trice) *adj.* leading, conduct-
ing
conduire to conduct, lead; **se —** to behave, act
conduite *f.* conduct
confectionner to make
confiance *f.* confidence, trust
confiant confiding, trustful, confident
confier to confide; **se — à qqn.** to put
one's trust in someone
confisqué confiscated, seized
confiture *f.* preserve(s), jam
confondre to confuse, take for, disturb;
se — to blend, intermingle
conforme à according to, consistent with
conformité *f.* conformity, similarity
confrère *m.* colleague
confronter to confront, bring face to face
with, compare, bring together
congédier to dismiss
congestionné flushed, red
congruent suitable, (well) matched
conjuration *f.* conspiracy
conjurer to exorcise, avert, ward off (danger), entreat
connaissance *f.* acquaintance, knowledge,
understanding; **reprendre —** to regain
consciousness
connaître to know, be acquainted with,
meet, find out; **se —** to know one's
place; **je ne m'y connais pas** I am no

expert (in this), I don't know anything about it

conquérir to conquer, win

conquête f. conquest

consacrer to consecrate, dedicate, assign; se — to devote oneself; consacré consecrated, sacred

conscience f. consciousness, conscience, conscientiousness; avoir — de to be aware of

consciencieusement conscientiously

conscient conscious, fully aware

conseil m. advice, council, committee; tenir — to hold a council

conseiller m. counsellor; — de préfecture prefect's councillor

conseiller to advise

conséquence f. conclusion

conservation f. preservation

conserver to preserve, protect, keep

considérable considerable, eminent, large

considération f. respect, esteem

considéré esteemed, respected

considérer to consider, ponder, think, examine, look at, regard, esteem, notice

consigne f. deposit, order

consigner to write down, record

consistance f. (social) standing

consistant firm, solid

console f. console (table)

consommateur m. customer, consumer

consommer to consummate, accomplish

consonance f. a pleasing combination of tones

constamment steadfastly

constance f. constancy, steadfastness

constater to establish, ascertain, state, certify

consterner to dismay, strike with consternation

constitutif(-ve) constituent, component

constitution f. physical constitution

consulter to consult, hesitate

consumer to consume; se — to wear oneself out; se consume sans fruit is used up without result

conte m. short story, tale; — de fées fairy tale; faire si peu de — show so little concern; trop de — too much of a story

contempler to contemplate, behold, ponder

contemporain m. and adj. contemporary

contenance f. countenance, mien

contenir to contain, restrain, keep in check

contentement m. satisfaction

contenter to satisfy, content

contenu m. content

contenu adj. restrained, reserved

conter to tell, relate; lui en — plus long to tell him more about it

conteur m. narrator, storyteller

continu continuous, unceasing, sustained

contour m. outline, contour, circumference

contourner to pass around, skirt

contractile contractible

contraindre to constrain, restrain, compel

contrainte f. constraint, restraint, compulsion, coercion

contrarier to thwart, vex, annoy

contre against; par — on the other hand; tout — exactly opposite

contre-allée f. side-alley

à contre-biais the other way, in the opposite direction

contrebasse f. (stringed) double bass

contrebassiste m. double-bass player

contredire to contradict, oppose

contrée f. country, region

contrefaire to imitate

contrefait deformed

contremaître m. foreman

contrepied m. reverse, contrary

contretemps m. mishap, hitch, untoward event

contribution f. contribution; contributions directes direct taxation

controversable controversial

convaincre to convince

convaincu convinced

convenable suitable, proper

convenance f. decorum, conformity

convenir to fit, suit, agree; — de qqch. to admit something; la convenue the conventional; une chose convenue something agreed upon

convention f. convention

convertir to convert; se — en to turn into

convier to summon

convoiter to covet, desire, lust after

coquet(-te) coquettish

coquillage m. shell(fish)

coquille *f.* shell
coquin *m.* rogue, rascal, knave
cor *m.* horn
corbeau *m.* raven
corbeille *f.* basket
corde *f.* cord, rope; **instrument à cordes** string(ed) instrument; **jouer à la —** to jump rope
cordon *m.* cord, string, strand, twist
cordonnier *m.* shoemaker
corne *f.* horn
corneille *f.* rook, crow
cornet *m.* small horn, trumpet, cornet (bag)
corps *m.* body; **à son — défendant** reluctantly
corriger to correct
corrompre to corrupt
corrompu *m.* corrupt person
corrupteur, corruptrice corrupt(ing)
corsage *m.* bodice, bust
corsaire *adj.* ruthless and grasping
corset *m.* corset, stays
cortège *m.* escort, retinue
corvée *f.* chore
côte *f.* rib, slope, coast, shore; **— à —** side by side
côté *m.* side; **à ses côtés** at his side; **la chambre à —** the next room
coteau *m.* slope, hillside
cotillon *m.* petticoat, slip
couche *f.* layer, childbirth
coucher *m.* formal retiring (of a king); **petit —** the same, restricted to a small group of courtiers
coucou *m.* cuckoo(clock)
coude *m.* elbow; **coup de —** nudge; **pousser du —** to nudge
couler to flow, run
couleur *f.* color, pretext
coulisser to slide
coup *m.* knock, blow, strike, shot; **— d'essai** trial stroke; **— d'œil** glance; **— de grenade** grenade shot; **— de pinceau** brush stroke; **— sur —** in rapid succession; **d'un —** suddenly; **encore un —** once again; **quelque bon —** a good piece of business; **tout d'un —** at one go, all at once; **un — de vin** a drink of wine
coupable *m.* the guilty person; *adj.* guilty, sinful, unpardonable

coupe *f.* cup
couper to cut (off), interrupt; **coupée de** crossed by
couperose *f.* acne
couplet *m.* verse
cour *f.* court, courtyard, lawcourt; **faire la —** à to court; to "play up" to
courant *m.* current, stream, course
courant *adj.* current, general, running, flowing
courante *f.* a dance (popular in 17th century)
courbature *f.* over-fatigue, backache
courbe curved
courber to bend, curve, bow
courir to run, run through
courone *f.* crown
couronner to crown
courrier *m.* courier, messenger, mail
courroux *m.* anger
cours *m.* course, flow; **au — de** during
course *f.* path, way, race, trip; **à la —** in running; **faire des courses** to go shopping
court short, quick
courtisan *m.* agent, courtier
courtois polite, courteous
courtoisie *f.* courtesy, politeness
coussin *m.* cushion
coussinet *m.* small cushion, pad
couteau *m.* knife
coûteux (-se) costly, expensive
coûter to cost, make heavy demands on
coutil *m.* ticking
coutume *f.* custom
coutumier(-ière) customary
couvée *f.* brood, hatch
couver to brood, sit; **— qqn. des yeux** to gaze intently at someone
cracher to spit
craie *f.* chalk
craindre to fear
crainte *f.* fear
crâne *m.* skull
craquer to crack, creak, burst
crasseux(-se) squalid, dirty, filthy
créancier *m.* creditor
créateur(-trice) creator; *adj.* creative
crécelle *f.* rattle
crédit *m.* authority
créer to create
crêpe *m.* crepe

crépuscule *m.* twilight, dusk
creuser to hollow (out), groove, dig
creux *m.* hollow, pit
crevassé chapped, cracked
crève-cœur *m.* heartbreaking affair
crever to burst, split, puncture, put out; **je crève de dépit** I am mortified to death
cribler to sift, screen, riddle; **— de balles** to riddle with bullets; **criblé de fleurs des champs** studded with wild flowers in rich abundance
crier to shout, creak, grind
crise *f.* crisis
se crisper to contract; **crispé** contracted, tense
critique critical
croc *m.* hook; **croc-en-jambe** trip (to bring down opponent); **donner des crocs-en-jambe** to trip (up)
croire to believe; **cru** believed
croisée *f.* window
croiser to cross
croissant growing, increasing
croître to grow, increase
croix *f.* cross
croquer to crunch, munch
crotté muddy
crouler to collapse, crumble
croupe *f.* rump
croyance *f.* belief
croyant *m.* believer
cru *adj.* raw
cruauté *f.* cruelty, act of cruelty
cueilleur *m.* gatherer, picker
cueillir to gather, pick
cuir *m.* leather; **— verni** patent leather
cuirassé armored
cuisant sharp, keen
cuisiner to cook, do the cooking
cuisinière *f.* cook
cuisse *f.* thigh
cuistre *m.* ill-bred pedant
cuivre *m.* copper, brass, brass instrument
culinaire culinary
culotte *f.* breeches
culte *m.* cult, worship, veneration
cultivateur *m.* farmer
culture *f.* culture, farming, cultivation
curé *m.* parish priest
curiosité *f.* curiosity, curio, inquisitiveness

cygne *m.* swan
cynisme *m.* cynicism

D

daigner to deign, condescend
dalle *f.* flooring tile, flagstone
danois Danish
dansotter to dance stiffly
darder to hurl, dart
davantage more
dé *m.* die, dice
déballer to unpack
débarrasser qqn. de qqch. to rid someone of something; **se — de qqch.** to get rid of, extricate oneself from something
se débattre to struggle, flounder
débauche *f.* debauchery, dissolute living; **faire la —** to drink and sing bawdy songs
débauché *m.* libertine, rake
débaucher to corrupt
débiter to utter, pronounce, discharge, yield
déborder to overflow, brim over, project, outflank (the enemy)
déboucher to open, uncork
debout standing; **se tenir —** to stand up
débris *m.* fragment
débuter to start, begin
décacheter to unseal, break open (a letter, etc.)
décadence *f.* decay, decline
décamper to make off, get out
déception *f.* disappointment
décerner to award, bestow
décevant disappointing
décevoir to deceive, disappoint; **déçu** disappointed
décharge *f.* discharge
décharger to unload, relieve of part of load
décharné fleshless, emaciated, skinny
déchéance *f.* fall, downfall
déchiffrer to decipher, make out
déchirer to tear
déchu (de) fallen (from)
déclamer to declaim, rant
déclarer to declare, proclaim; **se —** to proclaim oneself or itself, break out

déclencher to unlatch, release, set in motion

décoller to unglue, loosen, rise, take off

décolorer to discolor, fade, grow pale

déconcertant disconcerting

décontenancé abashed

déconvenue f. disappointment

décor m. decoration, set (ting)

découdre to rip up, unstitch

découvrir to discover, uncover

décrépitude f. decrepitude, decline

décréter to decree

décrier to belittle

décrire to describe

décroître to decrease, diminish

décupler to increase, multiply tenfold

dédaigner to scorn, disdain

dédain m. disdain, scorn; **— de soi-même** self-disdain

dédire to deny

dédommager to compensate; **se — de** to repay oneself for

défaillance f. extinction, decay, lapse, fault, fainting fit

défaillant wanting

défaire to demolish, destroy, undo, untie, defeat; **se — de** to rid oneself of, get rid of

défait exhausted-looking, done in, beaten, defeated

défaite f. defeat

défaut m. fault, shortcoming

défendre to defend, protect, forbid

défense f. protection, defense

défi m. challenge, defiance

défiance f. mistrust, distrust, suspicion

défier to challenge, defy; **se — de** to beware of, be on one's guard against

défiler to march past, walk in procession

définitif (-ve) definitive, final, permanent

défoncer to smash in, break up

déformer to deform, buckle; **se —** to get out of shape, warp, buckle

défunt m. deceased

dégagé adj. free (and easy)

dégager to disengage, free; **dégagé (de)** free (from)

dégaîne f. countenance, gait

dégeler to thaw

dégénérer to degenerate

se dégorger de to pour out of

dégoût m. disgust

dégoûter to disgust

degré m. degree, step

dégringoler to tumble down, fall

dégriser to sober

déguisement m. disguise

déguiser to disguise, conceal; **être déguisé en bourgeois** to be dressed like ordinary people

dehors outside; **du —** from outside

déjouer to thwart, frustrate

(au) delà (de) beyond

délabré dilapidated

délabrement m. decay

délaisser to forsake, abandon

délasser to rest, refresh

délavé washed out

délégué m. delegate

délibérer to deliberate, ponder

délicat delicate, slight, small, fine

délicatesse f. delicacy, refinement, nicety, tactfulness, weakness

délices f. pl. delight

délicieux (-se) delicious, delightful

délier to untie, unbind, loosen (fetters)

délire m. delirium

délit m. misdemeanor; **pris en flagrant —** caught in the act, red-handed

délivrance f. deliverance, rescue, release

déloger to dislodge, oust, expel

déluge m. flood, deluge

démarche f. step, proceeding, development

démasquer to unmask, expose

démêlé m. quarrel

démêler to make out, discover

dément crazy, mad

démentir to contradict, give the lie to, belie

démesuré inordinate, huge

demeure f. residence, abode

demeurer to dwell, remain; **— d'accord** to agree with; **— sur le cœur** to rankle

demi-jour m. half-light, dusk

demi-lune f. part of a redoubt or fortification

demi-voix low voice; **à —** in an undertone

démodé old-fashioned, out-of-date

démontrer to demonstrate, prove

démordre to let go one's hold

dénaturé unnatural, hardhearted

dénicher to take out of the nest, discover, find, rout out

denier *m.* coin worth twelfth part of a sou

dénomination *f.* denomination, name, appellation

dénommer to denominate, name

dénouement *m.* outcome, ending

dénouer to unknot

dent *f.* tooth

dénué stripped, bare

départ *m.* departure

se départir de qqch. to give up, part with, something

dépasser to pass, go beyond, surpass, stick out

dépeindre to depict, describe

dépens *m. pl.* expense; **à mes —** at my expense

dépense *f.* expenditure, expense, outlay

dépenser to spend, expend

dépister to track down

dépit *m.* spite, resentment, chagrin; **en — de** despite, in spite of

dépiter to annoy, irritate

déplaire to displease, offend, fail to please

déplaisir *m.* displeasure, dislike, annoyance

déplier to unfold

déploiement *m.* display, use

déployé expended, expanded

déployer to unfold, spread out, deploy

déposer to lay, set down, deposit

déposition *f.* deposition, statement

déposséder to dispossess

dépouille *f.* outer skin; **les dépouilles** *f. pl.* spoils, effects of a deceased person

dépouiller to strip, despoil

dépourvoir de to deprive of

déprimer to depress

depuis since; **— que** since

déraciner to uproot

déraisonner to talk nonsense

déranger to upset, disturb; **se —** to inconvenience oneself

derechef a second time, once more

dérisoire insignificant

dernier last, utmost, greatest

dernièrement recently

(à la) dérobée stealthily, secretly, on the sly

dérober to hide, steal; **se — à** to escape

dérouler to unroll; **se —** to become unrolled, develop

dérouter to throw off, lead out of the right way, confuse

dès from, beginning with; **— lors** from then on

désabuser to disabuse, undeceive

désaccord *m.* disagreement, dissension, discord

désaccordé out of tune

désagrément *m.* source of annoyance, unpleasant occurrence

se désaltérer to quench one's thirst

désarmer to disarm, disband

désarroi *m.* disarray, disorder, confusion

désaveu *m.* denial, disavowal

désavouer to disavow, disown

descendre to descend, disembark, dismount

désemparé in distress, at a loss

désert deserted

désespérer to drive to despair; **— de** to despair of; **désespéré** in despair

désespoir *m.* despair; **au —** in despair

désexuer to desex

déshabillé *m.* boudoir wrap; **être en —** to be in dishabille, undressed

se déshabiller to undress

déshonorer to dishonor

désigner to show, indicate, point out

désillusion *f.* disappointment, disillusion

désintéressé unselfish

désintéressement *m.* unselfishness, disinterestedness

désolé desolate, grieved, very sorry

désordonné disordered, disorderly

désordre *m.* disorder, irregularity; **désordres du sentiment** amorous misconduct

désorienter to disconcert, bewilder, make lose one's bearings

désormais from now on

dessein *m.* design, plan, scheme, intention, purpose

dessiller to unseal (eyes); undeceive

dessin *m.* drawing, sketch(ing)

dessiner to outline, make stand out (in relief); **se —** to stand out (in relief)

dessous *m.* the underside; *adv.* under, underneath

dessus *m.* (the) upper hand; *adv.* on, over, as (an accompaniment)

destin *m.* fate, destiny

destinée *f.* destiny, fate

destiner to intend; — **qqch. à qqn.** to have something in store for someone, intend something for someone

destituer to dismiss, discharge

détaché liberated, freed, detached

se détacher to stand out

dételer to unhitch (from a carriage)

se détendre to relax, become slack

détendu slack

détention *f.* detention, imprisonment

détermination *f.* determination; — **antérieure** something previously agreed upon or determined

déterminer to determine, influence, persuade

détoner to detonate, explode

détonner to be (play, sing) out of tune, jar, clash

détour *m.* turning, winding, roundabout way

détourné unfrequented, out of the way

détourner to divert, turn away from, check; **se** — to turn aside

détresse *f.* distress

détromper to undeceive

détrôner to dethrone

détrousser to rob, plunder

détruire to destroy

dette *f.* debt

deuil *m.* mourning, mourning dress

devancer to precede, anticipate

devant (que) before

devanture *f.* front window, front

développer to develop, unfold, evolve

devenir to become; **qu'êtes-vous devenu?** what has become of you?

devin *m.* soothsayer

deviner to guess, find out, understand; **se** — to understand oneself, each other

dévisager to stare at

devise, f. motto, slogan

dévoiler to unveil, reveal

devoir *m.* duty; *pl.* (last) honors, duties

devoir to owe, ought to, be obliged to; **vous ne m'en devez rien** you are in no regard inferior to me

dévorer to devour, swallow

dévotement devoutly

dévotieux imbued with formalism (in matters of worship)

dévoué loyal, devoted

dévouement *m.* devotion, devotedness, self-sacrifice

dévouer to sacrifice, doom, dedicate; **se** — to sacrifice oneself

diable *m.* devil; **au** — to the devil with, to blazes with

diablement devilishly; — **fort** devilishly clever

dialectique *f.* dialectics, abstract reasoning

diamant *m.* diamond

diaphragme *f.* horizontal partition

Dieu *m.* God; **Grand Dieu!** Good Heavens!; **vive Dieu** for goodness' sake!

diffamer to defame, discredit

différer to defer, postpone, put off, differ

difficile difficult; **difficile à vivre** hard to live with; **être difficile** to be hard to please

digérer to digest, stomach, tolerate, think over, arrange methodically

digne worthy, dignified

dire to say, tell; **à** — **vrai** to be truthful, to tell the truth; **au** — **de** according to; **cela ne vous dit rien** you do not care about that; **pour ainsi** — so to speak

directeur(-rice) directing, controlling, guiding

direction *f.* direction, guidance, management

diriger to direct

discerner to discern, distinguish

discourir to discourse

discours *m.* talk, discourse, speech, oration, declaration

discret(-ète) discreet, cautious, unobtrusive, modest

disgrâce *f.* misfortune, disgrace

disgracier to disgrace, put out of favor

disparate dissimilar, ill-matched, jarring

dispenser to dispense, deal out, excuse, exempt; **se** — **de (faire) qqch.** to get out of doing something, do without

disposer to dispose, set out, incline; — **de** to have at one's disposal, ordain, decree; **se** — **à** to get ready to

disposition *f.* arrangement, predisposition, disposal, situation; *pl.* natural aptitude

dispute *f.* dispute, quarrel

disputer to dispute, argue, compete for; **se** — to contend

dissemblable dissimilar, unlike
dissimuler to dissemble, conceal (feelings)
dissiper to dissipate, scatter, waste, divert
dissocier to dissociate
se dissoudre to dissolve
distinction f. division, separation
distinguer to distinguish, take notice of
distraction f. absence of mind, distraction, amusement
distraire to distract, amuse
distrait absent-minded, inattentive
divaguer to wander
divertir to amuse; **se —** to have a good time
divertissement m. entertainment
divination f. sooth-saying, divination
diviser to divide
dodu plump
doigt m. finger
dolent doleful, mournful
domestique m. or f. servant
dominer to rule, hold sway, dominate, tower above
dompter to subdue, master
dompteur m. tamer (of wild beasts)
don m. gift, talent
don m. (Spanish) Sir, Mr.
donnée f. datum, fundamental idea
donner to give; **— dans le vrai de la chose** to get to the heart of the matter; **— de notre sérieux** to take seriously; **— lieu de** to give reason to; **— sur to** look out onto, look eagerly for; **pour vous — dans la vue** to impress you; **se — la peine de** to take the trouble to
doré golden, gilded
dorénavant from now on
dormir to sleep; **— en assurance** to rest assured; **qui sont à —** who are sleeping
dos m. back; **voir de —** to get a back view of
dossier m. documents, file, record
dot f. dowry
douanier m. customs officer
doubler to double, pass; **— le pas** to walk fast
doublure f. lining

doucement gently, quietly
douceur f. sweetness, softness, pleasantness, gentleness, mellowness, bliss
doué gifted
douer de to endow with
douillet(-te) soft, downy
douleur f. pain, sorrow
douloureux (-se) pained, painful, sorrowful
doute m. doubt; **mettre en —** to doubt
se douter (de) to suspect
douteux(-se) doubtful, uncertain, questionable
doux(-ce) sweet, soft, pleasant, gentle, mild
drainer to drain
dramaturge m. playwright
drame m. drama, play, sensational affair
drapeau m. flag, regimental colors
dresser to erect, set up, raise; **se —** to stand up, rise
droit m. right, law; **— des gens** civil right(s)
drôle m. rogue, scamp
drôle adj. funny, odd
ducat m. ducat (a coin)
ductilité f. pliableness
dulciter (Latin) gently, slowly
dûment duly, in due form
Dunkerque f. Dunkirk
duper to dupe
duperie f. cheat, fraud, trickery
dur hard, harsh
durable lasting
durée f. length of time, duration
durer to last
dureté f. hardness, harshness

E

eau f. water; **eau-de-vie** f. brandy
ébahir to astound, flabbergast
s'ébattre to frolic, play
éblouir to dazzle
éblouissant dazzling
éblouissement m. dazzlement, astonishment, bewilderment
ébouriffer to fluff up, ruffle, dishevel
ébranler to shake
écarquiller (les yeux) to stare

écart *m.* motion or distance apart, separation, deviation; **à l'—** to one side; **prendre à l'—** to take aside; **rester à l'— de** to stay out of the way of, away from

écarter to thrust aside, divert, push over, keep away, keep off; **écartés droit** held straight out; **s'—** to move aside, stand off, move away, get off the subject

échafaud *m.* scaffold

échafaudage *m.* scaffolding, pile

échange *m.* exchange; **en — de** in return for

échanson *m.* cup bearer

échapper to escape; **s'—** to escape; **— à** to slip (away) from; **l'— belle** to have a narrow escape; **s'en échappa** fell out of them

écharpe *f.* sash, scarf

échauffer to overheat, warm, anger; **m'en échauffa l'imagination** stirred my imagination; **sa tête s'échauffait** he became very excited

échec *m.* failure

échelle *f.* ladder, scale

échelon *m.* rung (of a ladder)

échouer to fail

éclair *m.* flash (of lightning)

éclairage *m.* lighting, illumination

éclaircissement *m.* enlightenment, elucidation

éclairement *m.* illumination, lighting

éclairer to light (up), illuminate; **s'—** to light up, clear up, become clear, become intelligent

éclat *m.* splinter, chip, burst, flash, glitter, luster, brilliancy, dash; **faire un — de rire** to burst out laughing

éclatant loud, ringing, shining

éclatement *m.* bursting

éclater to burst, explode, show forth, sparkle, glitter; **— de rire** to burst out laughing

écloper to cripple, hurt

éclore to open, blossom (out)

éclosion *f.* blossoming, birth

écœurant disgusting, loathsome, sickening

écolier *m.* scholar, schoolboy

écorce *f.* husk, bark

écorcher to skin; **— tout vif** to skin alive

s'écouler to elapse, slip away

écoutant *m.* listener

écouter to listen (to)

écran *m.* screen, (candle-) shade, painting

écrasant crushing

écrasement *m.* crushing

écraser to crush, squash

s'écrier to exclaim

écrit *m.* writing

écriture *f.* (hand-) writing

s'écrouler to collapse, fall in

écu *m.* crown, five-franc piece

écueil *m.* reef, rock

écume *f.* foam, froth

écumer to froth

écureuil *m.* squirrel

écurie *f.* horse stable

effacé effaced, obliterated

effacer to efface, obliterate, erase; **s'—** to efface oneself

effaré frightened, bewildered

effarouché terrified

effectivement indeed, actually

effet *m.* effect, result, impression, feat of arms; **à cet —** for that purpose; **faire l'— de** to look like, seem

s'effeuiller to shed its leaves

efficace efficacious, effectual, effective

effleurer to touch lightly, brush

effluve *f.* emanation

s'efforcer de to strive, do one's utmost to

effort *m.* effort, exertion, strain, force; **faire un — sur soi-même** to use self-control

effrayer to frighten; **s'—** to become frightened

effroi *m.* fright

effroyable frightful

effroyablement frightfully

égal equal, even; **— à** similar to, like

également equally, likewise

égaler to equal, compare, put on same level with

égard *m.* consideration, respect; **à l'— de** with regard to, with respect to, compared to; **à leur —** in regard to them

égaré stray, lost, distraught, distracted

s'égarer to lose one's way, go astray

égayer to cheer up, brighten (up)

égoïsme *m.* selfishness

égoïste *adj.* selfish

égrener to shed

élan *m.* impetus, (out) burst, bound, dash

élancé slender, tall and slim

s'élancer to spring, bound, leap, rush

élargir to widen, enlarge; s'— to widen out, grow

élastique *adj.* elastic, springy

élevé noble, lofty; **bien —** well-mannered, well brought up

élever to elevate, raise, erect, bring up; s'— to rise (up)

élire to elect

éloge *m.* eulogy, praise

éloigné distant, far (away)

éloignement *m.* remoteness

éloigner to remove to a distance, further off; s'— to move off, withdraw, go further away

embarras *m.* obstruction, encumbrance, trouble, difficulty, embarrassment, confusion

embellir to embellish, beautify

d'emblée directly, straight off, right away

emboîter to encase; **— le pas à** to fall in step with

embonpoint *m.* plumpness, fine appearance

embouteillage *m.* congestion of traffic, bottleneck

embrancher to put together; s'— to branch off

embraser to fire, set in a blaze

embrasser to embrace, kiss

embrasure *f.* window recess

embuscade *f.* ambush

s'embusquer to lie in ambush

éminence *f.* mound

emmailloter to wrap in swaddling clothes or bands

emmanchure *f.* armhole

emmener to take, lead away

émoi *m.* emotion

émotivité *f.* degree of liability to emotion

s'émousser to become blunted, dull

émoustillé exhilarated

émouvant moving, touching, thrilling

émouvoir to move, stir up, rouse, affect

empaillé stuffed

empaler to impale

s'emparer de to take hold of, seize upon

empêcher to prevent, hinder; **il n'empêche** or **n'empêche que** nonetheless, all the same

empiler to pile up, stack

empire *m.* sovereign authority, dominion, empire

empirisme *m.* empiricism

emplir to fill (up)

emploi *m.* use, employment, occupation, service

employer to use, employ

empoigner to grasp, seize, grab, arrest

empoisonner to poison

emportement *m.* fit of passion, outburst

emporter to carry away, take away, capture; s'— to lose one's temper, be carried away; **— la balance** to outweigh (one's indecision); **— la raison hors des gonds** to unhinge (one's) reason; **l' — sur** to prevail over, get the better of; **me l'emporte** carries me away

s'empourprer to flush, turn crimson

empreindre to impress, imprint, stamp

empreint (**de**) stamped (with), full (of), impressed, placed

empreinte *f.* impression, imprint, stamp

empressé eager, officious

empressement *m.* eagerness, bustling zeal

s'empresser (**de**) to hasten (to)

emprunt *m.* borrowing or loan; **nom d'—** assumed name

emprunter to borrow, call upon

ému affected (by emotion), moved, touched

encadrer to frame

en-cas *m.* catch-all, anything prepared for an emergency

enceinte *f.* enclosure

encens *m.* incense

enchaîné in chains

enclin inclined, disposed

enclos *p.p.* of **enclore,** enclosed, fenced in

encoignure *f.* street corner

encolure *f.* neck (usually the neck of a horse)

encombre *m.* obstacle; **arriver sans —** to arrive without accident

encore yet, still, again, furthermore

encourir to incur

endormir to put to sleep; s'— to fall asleep

endroit *m.* place, spot; **au bel —** at the best place

enduire to coat, cover

endurant enduring

endurer to tolerate, endure, suffer

enfance *f.* childhood; **en —** in (his) second childhood, dotage

enfanter to give birth to, beget

enfantin childish, infantile

enfer *m.* hell

enfermer to shut up, lock up, contain; **s'— à clef** to lock oneself in

enfiévrer to give a fever

enfiler to go along, take

enflammé on fire, in flames

s'enfler to swell

enfoncer to break in, thrust, enter, push in, sink into; **enfoncé** sunken; **la forme enfoncée dans la matière** mind overcome by materialistic considerations

enfouir to bury

s'enfuir to escape, run away

engagement *m.* engagement, promise; **prendre un —** to enter into an agreement, a contract

engager to pledge, urge, engage, place; **— qqn. à faire qqch.** to advise, urge someone to do something; **être engagé** to be engaged (in combat), involved; **j'engage ma foi** I pledge my honor; **s'—** to become involved, pledge one's word; **s'— dans** to enter, go into

engelure *f.* chilblain

engendrer to engender, give rise to

engloutir to swallow (up), engulf, gulp down; **s'—** to be swallowed up

engourdi numb(ed)

engourdissement *m.* numbness, dullness, sluggishness (of mind)

engrais *m.* fertilizer

engraisser to fatten; **s'—** to fatten

engueuler (*pop.*) to bawl out, scold

enguirlander to adorn with wreaths, festoon

énigme *f.* enigma, poem with riddle

enivrer to intoxicate, charm

enjambée *f.* stride

enjôleur *m.* coaxer, cajoler

enjoué gay

enlacer to clasp in one's arms, intertwine

enlèvement *m.* abduction

enlever to remove, take away, abduct, carry (one) away; **s'—** to come off, rise

ennui *m.* boredom, worry, anxiety, tedium

ennuyer to annoy, worry, bore

ennuyeux(-se) boring, dull, tedious

s'énoncer to state, express

enregistrer to register, record

enrichi embellished, adorned, ornamented

enroué hoarse

ensanglanter to cover or stain with blood

enseignement *m.* teaching, education

enseigner to teach

ensemble *m.* whole, entirety

ensemencer to sow

ensevelir to bury, shroud

s'ensuivre to follow

entamer to cut into

entasser to accumulate, pile (up)

entendement *m.* understanding

entendre to understand, hear, mean; **bien entendu** of course; **qui n'entend pas raillerie là-dessus** who won't hear of jokes about that; **s'—** to be agreed; **s'— à** to know something about

entente *f.* understanding; **à double —** with a double meaning

enterrement *m.* burial, funeral

enterrer to bury

entêté *noun* or *adj.* obstinate, headstrong, stubborn

entêter to give a headache, intoxicate

entorse *f.* sprain, twist (particularly the ankle); **prendre une —** to sprain one's ankle

s'entortiller to twist, twine, coil

entourer to surround

entournure *f.* armhole, underarm lining

entraîner to drag, draw, carry along, inveigle; **se laisser —** to let oneself get carried away

entrave *f.* shackle, fetter

entre-bâiller to half-open, set ajar (a door)

entre-deux-guerres *m.* period between the two World Wars, approx. 1920–39

entrefermer to close part way

s'entrelacer to intertwine

entremêler to intermix, mix

entreprenant enterprising

entreprendre to undertake

entrer to enter, go in; **— dans** to grasp

entretenir to maintain, keep up, support, talk to, speak for; **— qqn.** to talk to someone; **s'—** to talk about

entretien *m.* conversation, interview

s'entre-tuer to kill one another

entrevoir to catch a glimpse of, have an imperfect notion of, have an idea of

entrevue f. interview

entr'ouvert partly open

s'entr'ouvrir to open part way, half open

énumérer to enumerate

envahir to invade; **se laisser —** to let oneself be encroached upon

envergure f. span, scope

envers m. wrong side, reverse, back; adv. toward

(à l')envi de in emulation of

envie f. desire, longing, envy; **avoir — de** to feel like, be in the mood for; **donner — à qqn. de qqch.** to make someone long for something; **il leur prit —** they had the desire

envier to envy

envieux m. envious person; adj. envious, grudging

environ about, around

environner to surround

envisager to envisage, consider

s'envoler to fly away, off

épagneul m. spaniel

épais thick, dense

épaisseur f. thickness, depth, density

épaissir to thicken, grow stout

épanchement m. pouring out, overflow

épancher to pour, shed

épanoui broadened, expansive, cheerful

s'épanouir to beam, light up

épanouissement m. bloom, blossoming

épargner to save, spare, have mercy on

épars scattered, sparse

épaule f. shoulder

épave f. wreck

épée f. sword, rapier; **homme d'—** soldier

épeler to spell

éperdu distracted, desperate, wild

éperdument desperately

épervier m. hawk

éphémère short-lived, fleeting, ephemeral

épicier m. grocer

épier to spy upon, watch, be on the watch for

épine f. thorn

épingle f. pin

épistolaire epistolary (comprised of letters)

époque f. epoch, period; **costume d'—** period costume

épouse f. wife, spouse

épouser to marry, espouse, take up

épouvantable fearful, frightful

épouvante f. fright, fear, terror, dismay

épouvanter to terrify; **s'—** to become panic-stricken, terror-stricken

époux m. husband; pl. married couple

épreinte(s) f. straining, labor pains

épreuve f. proof, test, trial

épris in love

éprouver to experience, feel, test, put to the test

épuiser to exhaust, use up, consume; **s'—** to wear oneself out, become exhausted

épure f. working drawing, finished design

épuré(e) purified

épurer to purify

équilibre m. equilibrium, balance

équipage m. crew; **— préfectoral** drivers of the prefect's carriage

équitable equitable, fair, just

équité f. equity, fairness; **la même —** fairness itself

équivalent equal, equivalent; **figures équivalentes** equally disagreeable persons

ère f. era, epoch

errements m. pl. mistaken ideas, erring ways

errer to roam, wander (about)

escabeau m. stool

escalader to scale, climb

escalier m. staircase

Eschyle m. Aeschylus

s'esclaffer to burst out laughing, roar with laughter

esclandre m. scandal

esclavage m. slavery

esclave m. or f. slave

escompter to anticipate, reckon upon

escouade f. section (of infantry)

escrimer to fence; **s' —** to have a turn at, try

espace m. space; **non de l'— et de la durée** not by space and time

espacé far apart, at wide intervals

espèce f. kind, type, species; pl. coins, cash

espérance f. hope

espérer to hope

espion m. spy

espoir m. hope

esprit *m.* mind, spirit, wit, vital spirit, imagination; **un bel —** a wit; **— gaulois** coarse humor; **faire de l'—** to (try to) be witty; **il m'est venu à l'—** it occurred to me; **mes esprits** my reason; **rappeler ses esprits** to regain consciousness

esquif *m.* skiff, small sailing vessel

essai *m.* effort, attempt

essayer to try

essence *f.* essence, extract

essentiellement in its very essence

essoufflé out of breath

s'essouffler to get out of breath

essuyer to wipe (up), suffer, endure

esthétique *adj.* aesthetic

estime *f.* estime, regard

estimer to estimate, esteem, value

estomac *m.* stomach; **— ouvert** unprotected body

s'estomper to fade

estrade *f.* platform

estropier to cripple, maim

étable *f.* cowstable

établir to establish, set up, work out, institute, prescribe; **s'—** to set up

établissement *m.* establishment, establishing

étage *m.* floor, level, tier, range, layer, formation; **premier —** equivalent to second floor in U.S.

étai *m.* stay, prop

s'étaler to stretch oneself out, sprawl, fall flat on one's face, display

étamine *f.* stamen

étang *m.* pond, pool

état *m.* state, condition, status; **état-civil** civil status (concerning birth, marriage and death), registry office; **état-major** (General) staff; **être en — de** to be capable of; **hors d'— de** to be incapable of, in no condition to

étau *m.* vice

éteindre to extinguish, put out; **s'—** to go out, die out

éteint extinguished, dead; **voix éteinte** faint voice

étendard *m.* flag, standard, banner

étendre to extend, put forth; **s'—** to stretch (out), expand, increase; **étendu** stretched out, extensive, extended

étendue *f.* extent, size; stretch (of water)

éternuer to sneeze

éther *m.* ether

éthique *f.* ethics

étinceler to sparkle, glitter, gleam

étincelle *f.* spark

s'étioler to become feeble, sickly

étiquette *f.* label, etiquette, ceremony

s'étirer to stretch

étoffe *f.* material, fabric

étoile *f.* star; **— filante** shooting star; **— solitaire** evening star

étonnement *m.* amazement, astonishment

étonnant astounding, amazing

étonner to stun, astonish, amaze, terrify; **s'—** to be surprised, wonder

étouffer to suffocate, choke, smother, stifle

étourdiment in a dazed way

étourdissement *m.* dizzy spell

étranger(-ère) foreign, strange, unknown

étrangler to strangle

être *m.* being

être to be; **— à qqn. de** to be up to someone to; **— aise de** to be glad to; **— difficile** to be hard to please; **— en peine de** to be uneasy, anxious about; **pour ce qui est de** as far as . . . is concerned, as to; **si ce n'est que** except that

étreinte *f.* embrace

étroit narrow, tight, close, intimate; **— d'esprit** narrow-minded

étroitement closely

étui *m.* case, needle case, box

eunuque *m.* eunuch

euphorie *f.* well-being

évangile *m.* Gospel

s'évanouir to faint, become unconscious, vanish

évanouissement *m.* fainting, fainting spell

évasion *f.* escape

éveil *m.* awakening

éveillé alert, wide-awake, intelligent

éveiller to awaken; **s'—** to wake up, awake

événement *m.* event

éventer to fan

évêque *m.* bishop

évidemment evidently

éviter to avoid

évoluer to revolve, go around, evolve, develop

exact punctual

examen *m.* examination, judging, inspection

exaucer (**qqn.**) to grant (someone's) prayer

excédé worn out, overburdened

excès *m.* excess; **à (l')excès** to excess, tremendously

exciper to put in, offer a plea

exécrable abominable

exécrer to execrate, detest

exemplaire exemplary

exempt exempt, devoid of

exercer to exercise, train, drill; **s'—** to practice, exert oneself

exhaler to exhale, give off; **s'—** to be emitted

exhorter to urge

exigence *f.* demand(s), requirement(s)

exiger to demand, require, insist on

exotisme *m.* exotism

expédier to kill, dispatch

expédition *f.* expedition, warlike undertaking

expert *m.* expert; **à dire d'experts** according to expert opinion

expier to expiate, atone for

expirer to expire, die

explicateur *m.* explainer, exponent

expliquer to explain; **s'—** to explain to oneself

exposer to exhibit, show, set forth, expose, explain

exprès intentional(ly), on purpose

exprimer to express, say

externe external, outside

extrait *m.* extract

extravagant absurd, foolish

extrême *m.* utmost point or limit

l'Extrême-Orient *m.* the Far East

F

fabrication *f.* manufacture

fabriquer to make, manufacture

fabuleux(-se) fabulous, legendary

face *f.* face, front; **bien en —** straight in the face; **changer de —** to change aspect or appearance; **en —** opposite; **en — de** face to, face with, facing; **— à** facing

face-à-main *m.* lorgnette

fâché angry, sorry

fâcher to grieve, make angry; **se —** to become angry

fâcheux(-se) troublesome, annoying

facile easy, easily led into evil ways

façon *f.* way, manner, manners, fashioning, workmanship; **de la bonne —** in the right way; **de toute —** in any case; **de toutes façons** at any price; **faire tant de façons** to put on so many airs; **sans —** unceremonious(-ly), rough-and-ready

factice factitious, artificial

faculté *f.* faculty, ability, aptitude

fade insipid, tasteless, pointless

fagot *m.* faggot; **— d'épines** faggot made of thorn-bushes

faible weak, feeble

faiblesse *f.* weakness

faïence *f.* crockery, earthenware

faillir to fail; **— plus inf.** to almost, nearly, come near to

faillite *f.* failure; **faire —** to fail

faire to do, make, beget, say; **bien fait** well built; **c'en est fait** it's all over; **c'est bien fait (pour elle)** that serves her right; **— de bonnes années** to have good years (in business); **— des petits** to give birth to young; **— la loi** to impose the law; **— part** to inform; **— votre affaire** to arrange things for you; **qu'est-ce que cela fait?** what difference does that make?; **que veux-tu qu'on y fasse?** what do you want to do about it?; **s'y faire** to become accustomed to it

faisceau *m.* stack, pile

fait *m.* fact, occurrence, act, deed, event; **dans le —** in fact, actually; **dire son — à qqn.** to talk straight to someone, tell someone just what one thinks; **prendre — et cause pour** to take up the cudgels for; **tes hauts faits** thy great deeds

faix *m.* burden, load

falloir to be necessary; **comme il faut** in the proper manner

fameusement famously, dreadfully, extremely

familial, familiaux family
familier(-ère) domestic, familiar
fanatisme m. fanaticism
fanfaron (-ne) noun or adj. braggart
fantaisie f. imagination, fancy, whim
fantaisiste whimsical
fantasmagorique weird, illusory
fantasque odd, whimsical
faquin, m. scoundrel
farce f. practical joke, prank, farce, comedy; jouer une bonne — à qqn. to play a good trick on someone
fardeau m. burden, load
farine f. flour
farouche shy, savage, wild
faste m. show, pomp, display
fastidieux(-se) dull, tedious, tiresome
fat conceited, foppish
faubourg m. suburb, section (of a city)
fausser to strain, distort; — compagnie (à) to escape (from)
fausseté f. falsity, falseness
faute f. fault, lack, need; — de for lack, want, of; sans — without fail
fauteuil m. armchair
fauves m. pl. wild beasts
faux(-se) false; faux-monnayeur coiner (of false money), counterfeiter
favoris m. pl. whiskers
favoriser to favor, be partial to
fébrilement feverishly
fécond prolific, fruitful, rich, fertile
fécondité f. fecundity, fertility
fée f. fairy
féerique fairy(-like), magic
feindre to feign, pretend
feinte f. trick, hoax, sham
félicité f. happiness
féliciter to congratulate
femelle f. female, mate, wife
féminité f. femininity
fendu split, cloven
fente f. crack, slit
fer m. iron, steel, (horse)shoe, bond
ferme f. farm
fermement firmly, strongly
fermentation f. ferment
fermeté f. firmness, solidity
fermier m. (-ière) f. farmer
féroce ferocious, savage, fierce
ferré hobnailed, shod
fesse f. buttock

festin m. feast, banquet
fête f. feast, festival, entertainment, festivity; — foraine traveling show
fêter to entertain
feu m. fire, love; à petit — on a slow fire; des feux (our) love; — d'artifice fireworks; — de paille flash in the pan
feuillage m. foliage
feuille f. leaf, sheet
fi! fie! for shame!
fiançailles f. pl. betrothal, engagement
fiancer to betroth, affiance
ficelle f. string, twine, cord
ficher le camp (slang) to disappear, get out
fidèle faithful
fidèlement faithfully
fiel m. bitterness, rancor, gall
se fier à qqn. (de qqch.) to trust someone (with a task)
fier(-ère) proud
fierté f. pride
fièvre f. fever
figure f. face, figure; faire — dans le monde to cut a figure in society
figurer to represent, figure, appear, picture; se — to imagine
fil m. thread
file f. file, line; à la — one after the other; par —, à gauche left about, march!
filer to make off, slip away
filet m. small thread; net(ting)
fille f. daughter; jeune — girl; vieille — old maid
fin f. end, aim
fin adj. subtle, shrewd, fine, first-class, small, delicate, clever
financier(-ère) financial
finement shrewdly
finesse f. subtlety, shrewdness, fineness, delicacy (of execution)
fini m. finite; adj. finished, over, accomplished, finite
fixe firm, steady
fixement fixedly, steadfastly
fixer to fix (one's eye on), stare at, fix, settle, determine, gaze fixedly
flacon m. bottle, flask
flairer to sniff
flambeau m. torch

flamme *f.* love, flame

flanc *m.* side, flank; *pl.* womb

flâner to stroll, idle

flânerie *f.* dawdling, idling, stroll

flanquer to flank

flatter to flatter, delude, beguile

flatteur *m.* flatterer; *adj.* (-euse) flattering

fléau *m.* scourge, destroyer

flèche *f.* arrow

fléchir to bend

flétrir to fade, wither, sully

flétrissure *f.* brand, (moral) blemish, stigma

fleur *f.* flower, blossom; **à la — de son âge** in the prime of his years

fleurir to bloom, decorate with flowers; **fleuri** flowery

fleuve *m.* (large) river

flot *m.* wave, flood

flotte *f.* fleet

flottant unsettled, wavering

flotter to float

flux *m.* high tide

foi *f.* faith, belief, troth, confidence; **ma —!** indeed!

foin *m.* hay

fois *f.* time; **à la —** at one and the same time

folâtrer to romp, frolic

folie *f.* madness, folly

follet(-te) merry, lively; **feu** *m.* **—** will-o'-the-wisp

foncé dark

foncer vers to rush, charge, swoop toward

fond *m.* far end, background, bottom, depth, furthermost part; **au —** after all, in final analysis; **au — du cœur** at the bottom of his heart

fondateur *m.* founder

fondement *m.* foundation

fonderie *f.* smelting works

fondre to pounce, swoop down, melt, smelt; **— en larmes** to burst into tears; **se — en** to dissolve, blend into

fonds *m. sing.* business

forçat *m.* convict

force *f.* force, strength; **à — de** by dint of, by means of; **de toutes ses forces** with all one's might; **tout ce qui lui restait de forces** all the strength that she had left; *adj.* many

forcément perforce, inevitably

forcer to assault, attack, storm, force

forfait *m.* crime

forger to forge, make up

formateur(-rice) formative

forme *f.* form, shape; **chapeau bas de forme** derby hat

former to form, create, formulate, conceive; **se —** to conceive, be conceived, be formed

formule *f.* formula, recipe, set of words

fort *adj.* strong; **c'est un peu —** that is going too far; *adv.* very, extremely, strongly; **avoir — à faire** to have a great deal to do

fortifier to strengthen, fortify

fortune *f.* fortune, luck; **mauvaise —** lack of wealth, misfortune

fortuné happy

fossé *m.* ditch

fossoyeur *m.* grave digger

fou, folle *m.* madman, madwoman; **faire le —** to act the fool; *adj.* mad, crazy, foolish

fouetter to spank, whip, beat

fougue *f.* fire, ardor, dash

fouiller to dig, excavate, search, rummage

fouine *f.* marten, ferret

fouisseur(-euse) burrowing

foule *f.* crowd, host, great number

fouler to crush, tread down, trample

fourbe *adj.* cheating, deceiving

fournir to complete, fill, supply, furnish, provide

fourreau *m.* sheath, scabbard

foyer *m.* focus point, fireplace, hearth

frac *m.* dress coat

fracasser to smash, shatter

fracturer to fracture, break open

fraîcheur *f.* coolness, chill, freshness

frais *m. pl.* expenses, costs; **à ses —** at his (her) expense; **— de justice** court costs

frais, fraîche *adj.* fresh, cool, new, recent; **de —** freshly

franchir to clear, run past, cross

franchise *f.* freedom, liberty, boldness, safety

frappant striking

frapper to strike, hit

frayeur *f.* fear

frein *m.* brake, check
frêle frail, weak, delicate
frémir to tremble, quiver
frémissant trembling
frémissement *m.* quivering, shuddering
frêne *m.* ash-tree
frénétique frantic, frenzied
fréquentation *f.* company, being together;
  la seule — just being together
fréquenter to frequent, visit frequently
fripon *m.* rogue, rascal, knave
friponneau *adj.* roguish, knavish
frison *m.* wave (of curl), curl (of hair)
frisson *m.* shudder, shiver, quiver, thrill
frissonner to shiver, shudder, quiver
froid *m. noun* and *adj.* cold; **prendre** —
  to catch a cold
froideur *f.* cold, coolness, aloofness
froisser to bruise slightly, hurt, rumple
fromage *m.* cheese
froncer to wrinkle; — **le sourcil** to frown
front *m.* forehead, brow, (military) front
  (lines)
fronton *m.* pediment, façade
(se) frotter to rub
frousse *f.* (slang) fear, jitters
fruit *m.* fruit, result
fruitier bearing fruit
fruste worn, simple-minded
frustrer to frustrate, defraud
fugace fleeting, fugacious
fuir to shun, avoid, flee; **se** — to flee from
  one another
fuite *f.* flight
fulgurant flashing
fumée *f.* smoke
fumier *m.* manure
funèbre funereal, gloomy, funeral
funérailles *f. pl.* (elaborate) funeral,
  obsequies
funéraire funeral, pertaining to burial
funeste fatal, disastrous
fureter to ferret, pry about
furieusement terribly
furtivement stealthily, furtively
fusil *m.* gun, rifle
fusiller to shoot
fût *m.* shaft
futaie *f.* forest (of old trees); **une haute**
  — full-grown trees
future *f.* intended wife
fuyant fleeing, flying, fleeting, receding

G

gâcher to spoil, bungle
gageure *f.* wager
gagner to win, earn, gain, get to; —
  l'issue to reach the exit; **gagnèrent leur
  lit** went to bed
gaillard merry, cheery, well, vigorous
gaillardise *f.* gaiety, jollity
galant gay, elegant, gallant; **du dernier**
  — extreme of gallantry; **fête galante**
  gay party or entertainment
galanterie *f.* courtesy, attention to
  women
galbe *m.* curve(s), contour
galère *f.* galley; **galères de Malte** equivalent of the "Horse marines"
galérien *m.* galley slave
galetas *m.* garret, wretched lodging
galeux *m.* scabby fellow
galimatias *m.* grandiloquent nonsense
galoche *f.* clog
galop *m.* gallop, stride
gamelle *f.* mess tin
gamin *m.* youngster
gamme *f.* scale, gamut, range
ganache *f.* old fogy
gant *m.* glove; — **de fil** fabric glove
ganté with gloves on
garantir to warrant, protect, guarantee,
  insure
garde *f.* care, guard; **n'avoir** — **de** to be
  far from; **prendre** — to beware, take
  care
garder to keep, guard, protect, preserve,
  stay in; — **bien que** to take (good)
  care lest; — **la maison** to stay indoors;
  se — **de** to take care not to
gardien *m.* keeper; — **de chèvres** goat-
  herd
gare *f.* railway station, siding, recess (in
  trenches)
gargote *f.* cheap eating-house, lunch
  stand
gargotier *m.* lunch-stand keeper
garnir to adorn; **bien garni** well filled
gars *m.* lad, young fellow
gaspiller to waste, squander
gâteau *m.* cake; — **sec** cookie
gâter to spoil, pamper
gauche left, awkward
gaule *f.* pole

gaze *f.* gauze
gazer to gas
gazon *m.* grass, lawn, meadow
gazouiller to prattle
géant giant, gigantic
geindre to whine, whimper
gelée *f.* frost; — claire hoarfrost
geler to freeze
gémir to groan, moan, wail
gémissement *m.* moan, moaning, groan
gênant in the way, awkward, embarrassing
gendarme *m.* policeman
gendre *m.* son-in-law
gêne *f.* torture, embarrassment, discomfort; nous mettre à la — torture us; sans — free and easy
gêné short of cash, poor
gêner to inconvenience, embarrass, hinder, constrict
généreux(-se) generous, noble, honorable
générique generic, according to type
générosité *f.* honor, noble attitude
genêt *m.* broom (plant)
génie *m.* (guardian) spirit, (presiding) genius
genou *m.* knee; à genoux kneeling; les genoux the lap
genre *m.* kind, manner, type; en tout — in all respects; — humain mankind
gens *m.* or *f. pl.* people, folk(s); bonnes — honest folk; jeunes — young people, young men; petites — people of small account, of small means
gentil(-le) nice, pleasant
gentilhomme *m.* gentleman, man of gentle birth
Géorgiques *f. pl.* the *Georgics* of Virgil
gerbe *f.* sheaf
gésir to lie (helpless or dead); gisait was lying (helpless)
geste *m.* gesture, motion, movement
gifler to slap
gilet *m.* waistcoat, vest
gîte *m.* shelter
glace *f.* ice, mirror
glacé frozen, icy, cold, chilly
glacial icy
glisser to slide, slip; nous glisse slips away from us; se — to creep, steal
globe *m.* globe, world

gloire *f.* fame, glory, reputation, self-esteem, honor; il y va de ma — my reputation (honor) is at stake; mettre sa — à to derive one's reputation from; soin de sa — concern for his self-esteem
glorieux(-se) glorious
glorifier to glorify, honor
glouton greedy, gluttonous
goémon *m.* sea-weed
gonfler to inflate, bulge, become inflated; gonflé de puffed up with, bursting with; le cœur gonflé sad at heart
gorge *f.* throat, groove; tenir à la — to collar
gorger to stuff, gorge
gosse *m.* or *f.* "kid," i.e. child
gouffre *m.* gulf, pit, abyss
gourdin *m.* cudgel
gourmand greedy
goût *m.* taste, liking for; du — de to the liking of; prendre — à to develop a taste for
goûter to taste, enjoy
goutte *f.* drop, gout
gouvernante *f.* governess
gouverneur *m.* governor (of province, etc.)
grabat *m.* pallet, wretched bed
grâce *f.* grace, charm, free pardon, favor; avec bonne — with good grace, willingly; de — please; — à thanks to; pour — as a favor; rendre grâces à to thank
grade *m.* rank
grain *m.* grain, squall
graisse *f.* fat
graisser to grease
grand *m.* grandee
grandeur *f.* greatness
grandir to grow
gras(-se) fat, greasy
gratis (Latin) free (of charge)
(se) gratter to scratch
grave, heavy, grave, solemn, low-pitched, serious
graver to engrave
gravir to climb
gravité *f.* gravity, seriousness, severity, low pitch, deepness (of note)
gravure *f.* engraving
gré *m.* taste, liking; au — de mes

souhaits just as I could wish, just as I could have wished

greffe *f*. horticultural graft, slip

greffier *m*. (court) clerk

grelot *m*. small bell

grelotter to shiver with cold

grenade *f*. pomegranate, grenade, bomb

grenat *m*. garnet

grenier *m*. attic

grenu grained, leathery

grésiller to sputter

grève *f*. beach, shore

grief *m*. grievance, ground for complaint

griffe *f*. claw

griffer to scratch, claw

griffon *m*. griffin

griller to grill, broil, toast, bar, grate (a window)

grimper to climb

grincement *m*. grating, creaking

grincer to grind, gnash

gris grey, tipsy

griser to make tipsy; se — to get tipsy

grisonner to turn grey

grive *f*. thrush

grogner to grunt, grumble

groin *m*. snout

grondement *m*. growl(ing), rumble, booming

gronder to growl, snarl, scold, complain

grosseur *f*. size

grossier crude, coarse; mot — coarse expression

grossièreté *f*. crudeness, coarseness

grouiller to swarm, teem

groupement *m*. grouping, group

guenille *f*. rag, tatter; en guenilles in rags

guêpe *f*. wasp

guère hardly; ne . . . — scarcely

guéridon *m*. pedestal table

guérir to cure

guérison *f*. healing, cure

guerrier *m*. warrior

guet *m*. (sharp) watch(ing)

guetter to lie in wait for, be on the lookout for

guetteuse *f*. observer, lookout

gueuleton *m*. big feed, banquet

gueux (-euse) tramp, loafer

guise *f*. manner, way; à ta —! just as you please!

H

habile *m*. clever person; *adj*. clever, skillful, cunning, crafty

habileté *f*. cleverness, skill

habiller to dress

habit *m*. dress, costume

habiter to inhabit, live in

habitude *f*. habit, custom; avoir l'— (de) to be used, accustomed (to); d'— ordinarily

habitué *m*. frequenter, regular customer; les habitués du théâtre theatergoers

habituer to accustom; habitué *pp*. and *adj*. accustomed

hache *f*. axe, hatchet

haillon *m*. rag

haine *f*. hate, hatred

haïr to hate

hâlé tanned

haleine *f*. breath; hors d'— out of breath, breathless; prendre — to get (my) breath; prendre un peu — to stay a while

haleur *m*. tower, hauler

hallebarde *f*. halberd (a long lance or pike)

hallebardier *m*. halberdier

halles *f. pl*. market (building)

hallier *m*. thicket

haltérophilie *f*. weight lifting

hameau *m*. hamlet

hameçon *m*. fishhook

hanche *f*. hip

hanter to haunt, frequent

harangue *f*. speech, harangue, oration

hardes *f. pl*. clothing

hardi bold, impudent

hardiesse *f*. boldness

hardiment boldly

haro *m*. hue and cry; crier — sur to cry shame upon

hasard *m*. chance, luck, accident, risk; au — haphazardly, by chance; par — by chance

se hasarder to venture, risk

hâte *f*. haste; à la — hurriedly, in haste; avoir — de to be in a hurry to

se hâter to hurry, hasten

hâtif (-ve) hasty

hâtivement hastily

haussements *m. pl*. d'épaules shrugs

hausser to raise, lift; — les épaules to shrug one's shoulders
haut high; plus — above, higher
haut-de-chausses m. breeches
hautbois m. oboe
hauteur f. height, haughtiness
héberger to lodge
hébété dazed
herbe f. herb, plant, weed, grass
hercule m. strong man
hère m. wretch
héritage m. inheritance
hériter to inherit
héritier m. heir; héritière f. heiress
hermine f. ermine fur
hêtre m. beech tree
heur m. happiness
heure f. hour; à cause de l'— because it was late; à la bonne — that's right! well done! thank goodness!; à toute — constantly; tout à l'— a little while ago, right away, in a little while
heureux m. happy person
heurter to bump into, knock; se — to run into
hirondelle f. swallow
hocher to shake, nod
hommage m. homage; vous en faire — dedicate it to you
homme m. man; — d'affaires m. businessman; — d'État statesman; — de théâtre playwright; un brave — a good guy, a kind fellow
honnête honest, courteous, seemly, fair; faire en honnêtes gens to do the right thing; honnêtes gens honorable gentlemen, men of the world
honneur m. honor; en tout bien tout — in all good faith
honoraire m. fee, tip
honte f. shame; avoir — to be ashamed; faire — à qqn. to shame someone, make ashamed
honteux(-se) ashamed, bashful, sheepish
honteusement shamefully
horloge f. clock, large outside clock
horloger m. watchmaker
hors (de) out of, outside, except, beyond; mettre — de soi to drive (one) beside oneself (with rage, etc.)
hôte m. host, guest

hôtel m. mansion, townhouse, public building
hôtellerie f. inn, hostelry
housse f. covering, (furniture) cover
huer to boo, hoot
huile f. oil
huis m. door; à — clos behind closed doors
huissier m. bailiff, process-server
hululement m. hooting
hune f. top, crow's-nest
humeur f. temper, ill humor, disposition; pl. (medical) tissue fluids, body fluids
hurler to howl, roar, yell
hutte f. cabin, hut
hymen m. (Poet.) marriage
hyménée m. (Poet.) marriage

I

ichthyophage m. fisheater
ici here; ici-bas on earth, here below; jusqu'— until now, until then
idiome m. language
idolâtrer to idolize
if m. triangular frame
ignoble unspeakable, wretched
ignominie f. humiliation
ignorance f. ignorance; pl. mistakes, blunders
ignorer not to know, to be ignorant of; ignoré unknown
île f. island
illuminer to illuminate, light up, enlighten
illustre illustrious
imager to picture
imaginer to imagine, contrive, invent
immeuble m. real estate, house, premises
immobile motionless
immoler to sacrifice
immonde foul, filthy, vile
immuable unalterable, fixed, unchanging
impasse f. blind alley, dead end
s'impatienter to become impatient
imperméable m. raincoat
impertinence f. stupidity
impertinente f. insolent girl
imperturbable imperturbable, unruffled
impétueux(-se) impetuous
impiété f. impiety, godlessness
impitoyable pitiless, unmerciful, relentless

implacable implacable, irreconcilable

importer to matter; **n'importe** no matter, nonetheless; **qu'importe** what does it matter

importun *m.* intruder, nuisance (of a man); *adj.* troublesome, bothersome, tiresome, unwelcome

importuner to annoy, harass

imposant imposing, stately, dignified

imposer to impose, prescribe; **s'—** to compel recognition, assert oneself

imposteur *m.* impostor

imposture *f.* imposture, deception

imprégné impregnated, imbued

impressionnant impressive, sensational

imprévu unforeseen, unexpected

imprimer to communicate, (im)print, impress, publish; **se voir imprimé** to see oneself in print; **s'—** to be marked

impromptu *m.* impromptu (short verse form)

impudent shamelessly immodest, insolent

impudique unchaste, immodest, lewd

impuissance *f.* impotence, helplessness

impuissant powerless, ineffectual

impunément with impunity

imputable à ascribable to, attributable to

imputation *f.* charge, imputation

imputer to ascribe, impute

inadvertance *f.* inadvertence; **par —** inadvertently, by an oversight

inattendu unexpected

incartade *f.* (verbal) attack, outburst, freak, prank

incendie *m.* (outbreak of) fire, burning

incertitude *f.* uncertainty

incessamment unceasingly

inclémence *f.* inclemency, severity

inclination *f.* inclination, love, attachment

incliner to incline, slant, slope; **s'—** to bow

incognito incognito (with hidden identity)

incommoder to inconvenience

incongru unseemly, out-of-place

inconnaissable unknowable

inconnu unknown

inconscience *f.* unconsciousness, inconscience

inconscient *m.* unconscious

inconstance *f.* fickleness

inconstant fickle, changeable

incontestable incontestable, undeniable, beyond all question

incontesté undisputed

inconvenance *f.* indecency, impropriety

inconvénient *m.* disadvantage, inconvenience

incorporer to incorporate

incrédule *m.* unbeliever, infidel

incrédule *adj.* incredulous, unbelieving

incroyable incredible, unbelievable

incruster to encrust, inlay

Inde *f.* India; **Les Indes** the Indies; **Les Indes Occidentales** name for America when Columbus thought it an extension of the Indies; also used for the West Indies

indécis doubtful, undecided, indistinct, blurred

indéfinissable undefinable

index *m.* index-finger, forefinger

indicible inexpressible, indescribable

indifféremment unconcernedly, without (showing) emotion

indifférent indifferent, unconcerned, apathetic, immaterial, unimportant

indigne unworthy

indigné indignant

indigner to rouse to indignation, make indignant; **s'—** to become or be indignant

indiquer to indicate

indisposition *f.* slight illness, indisposition

indolence *f.* indolence, laziness

indolore painless

indomptable invincible

induire to lead

indûment unduly, improperly

industrie *f.* industry, occupation

inébranlable unshakable, resolute, immovable

ineffable unutterable

ineffaçable indelible

inefficace ineffectual, inefficacious

inégal unequal

inégalé unequaled

inégalité *f.* inequality

inépuisable inexhaustible, unfailing

inexorable unrelenting, pitiless

inexpérimenté inexperienced

infaillible infallible

infâme *m.* infamous person

infamie *f.* infamy, baseness, infamous words
infernal infernal, hellish
infidèle *m.* infidel, unbeliever
infini *m.* infinite, infinity; à l'— to infinity, ad infinitum; *adj.* infinite
infiniment infinitely
infinitif *m.* infinitive, indicative
infirme *m.* or *f.* invalid, cripple
influer sur to have an influence on, an effect upon
informe formless, shapeless, ill-formed
s'informer to inquire
infortune *f.* misfortune
infranchissable impassable
ingénu ingenuous, artless
ingénue *f.* artless girl
ingénuité *f.* artlessness, simplicity
inhabité uninhabited
inimitié *f.* enmity, hostility, ill-feeling
inique unjust, inequitable
injouable unplayable
injure *f.* insult, offense, wrong
injurieux(-se) offensive
inlassablement tirelessly
innocenter to declare innocent, justify
inondation *f.* flood
inonder to inundate, flood
inoubliable unforgettable
inouï unheard of
inquiet(-ète) worried, uneasy
s'inquiéter to worry
inquiétude *f.* anxiety, worry, uneasiness
insatisfaction *f.* lack of satisfaction
inscrire to write down; je m'inscris en faux I protest; se fit — entered his name
insensé *m.* madman, stupid fool
insensible imperceptible, hardly perceptible, insensitive, callous
insensiblement gradually, imperceptibly
insignifiant insignificant
s'insinuer to steal (into)
insondable unfathomable
s'inspirer de to get inspiration from
installé established, installed
instant *m.* instant; à l'— at once
institué established
instituteur *m.* (school-)teacher
institutrice *f.* (school-)teacher, governess
instruction *f.* education
instruire to inform, instruct, teach

instruit educated, learned, well-read, informed
instrument *m.* instrument, tool
(à son) insu unknown to him (her)
insuffisant insufficient
insulaire *m.* islander
insupportable unbearable
insurgé *m.* insurgent, insurrectionist
s'insurger to revolt, rise (in rebellion)
insurmontable unconquerable
intention *f.* intention; à votre — intended for you
interdiction *f.* forbidding, prohibition
interdire to forbid, prohibit
intéresser to interest; s'— to be concerned
intérêt *m.* (self-)interest, concern, love; propre — selfish interest
intérieur *m.* interior, home
intérieur *adj.* inner, inward
interloquer to disconcert, nonplus, abash
intermédiaire intermediate, middle
interposition *f.* interposition (placing between)
interrogateur (-trice) questioning, inquiring
interroger to question, interrogate
intervalle *m.* interval
intime intimate, deep-seated, personal
intimité *f.* intimacy
intituler to entitle, give a title to
intransigeant uncompromising, strict
intrépide fearless, bold
intrigue *f.* intrigue, plot (of a play)
intriguer to scheme, plot
introduire to bring in, admit, usher in; s'— to let oneself in
intrus *m.* intruder
inutile useless
invention *f.* invention, inventing, imagination, inventiveness, contrivance
invraisemblable unlikely, hard to believe
irradier to radiate
irrémédiable irreparable
irresponsabilité *f.* irresponsibility
irriter to irritate; s'— to grow angry, become irritated
irruption *f.* irruption, invasion; faire — dans to burst or rush into
isolement *m.* isolation
issue *f.* issue, end, conclusion, exit, way out
ivresse *f.* intoxication, rapture, ecstasy

J

jabot *m.* (shirt-)frill, ruffle
jadis formerly, once
jaillir to spring (up), shoot forth, spout up
jalousie *f.* jealousy, Venetian blind
jambe *f.* leg
janissaire *m.* palace guard
Janséniste *m.* Jansenist (religious sect in 17th-century France)
jardinier(-ère) *m.* gardener
jargon *m.* jargon, prattle; **quel diable de — ** what devilish talk
jarret *m.* ham hock; **— replié** one leg folded under the body; **— tendu** legs stiff, i.e. walking with a springy gait
jaser to chatter, gossip
jaspé mottled
jaunâtre yellowish
jaune yellow
jaunir to turn yellow
jet *m.* throw, stream
jeter to throw, cast, throw out; **se — ** to empty (of rivers), plunge
jeton *m.* counter, token, chip
jeu *m.* play, game, gambling; **— de mots** play on words; **les jeux sont faits** the stakes are down, the betting is over, the bets are laid
(à) jeun fasting, on an empty stomach
jeûne *m.* fast
jeunesse *f.* youth
joindre to join, clasp, add to, come up to; **se — ** to come together, meet
jointure *f.* joint, articulation
jonc *m.* rush (a plant)
jongleur *m.* juggler
jonquille *f.* jonquil
joue *f.* cheek
jouer to play; **faire — ** to set in motion; **— à qqch.** to play at something; **ne plus se — (à)** not to try again to outwit
jouet *m.* toy
joueur *m.* gambler
joug *m.* yoke
jouir de to enjoy
jouissance *f.* enjoyment, possession
jour *m.* day, light, life; **au grand — ** in broad daylight; **de — en — ** from day to day; **en plein — ** in broad daylight;

**mettre au — ** to bring to light; **sous son vrai — ** in his true light
journal *m.* newspaper, diary
journée *f.* day
jovialité *f.* joviality, jollity, breeziness
jubilation *f.* joy, rejoicing
judaïque *adj.* Judaic, Jewish
juge *m.* judge; **juge-pénitent** judge penitent
jugement *m.* sentence
juger to judge, consider, form an opinion of
jupe *f.* skirt
juré *m.* juror, juryman; **les jurés** the jury
jurer to swear, promise
jusqu'à until, as far as, even, to the extent of; **jusque là** until that time
juste *adj.* just, right, fair; **au — ** exactly, precisely
justement precisely
justesse *f.* correctness, accuracy, exactness
justice *f.* justice, fairness, impartiality

K

kiosque *m.* kiosk, summer-house
knout *m.* heavy whip, scourge

L

là-dessus thereupon
labourer to till, plough
labyrinthe *m.* labyrinth, maze
lacérer to lacerate, slash to pieces
lâche *m.* coward; *adj.* cowardly
lâcher to release, let go; **mot lâché** word that slipped out
lâcheté *f.* cowardice
lad *m.* (Eng.) groom
laid ugly, unsightly
laideur *f.* ugliness, unsightliness
lainage *m.* woolen article
laine *f.* wool
laïque *m.* layman
laisse *f.* leash
laisser to let, allow, leave; **— tomber** to drop; **ne pas — de faire qqch.** not to fail to do something
lait *m.* milk

laiterie f. dairy
laitière f. milkmaid
lambeau m. strip, fragment, scrap
lampion m. Chinese lantern
lance f. spear, lance, harpoon
lancer to throw, fling, start up, set going; **se — dans** to plunge into, launch out into
lancette f. lancet
landau m. landau (a carriage)
langueur f. languor, languidness, listlessness
languir to languish
languissant languid, listless
lanterne f. street light, lantern
lapin m. rabbit
laquais m. lackey
laque m. lacquer
larcin m. stolen article(s)
lard m. fat
large wide
largeur f. width, breadth
larme f. tear
las(-se) weary
lasser to tire, weary, exhaust; **se —** to grow weary, tired
lauréat m. prize winner; *adj.* laureate, prize winning
laurier(s) m. laurels
laver to wash (away)
lecteur m. reader
lecture f. reading
léger(-ère) light, slight
légèreté f. fickleness, levity
lendemain m. the next day, the day after
lent slow
lentement slowly
lèse-majesté f. high treason
lésiner sur to haggle over, be stingy about
lestement briskly, lightly
lettre f. letter; **lettres** f. *pl.* literature
leurrer to lure, entice
levain m. leaven
lever to raise, lift, clear
levier m. lever
lévite m. priest, novice
lèvre f. lip; **le rouge à lèvres** lipstick; **se mettre du rouge aux lèvres** to use lipstick
lézard m. lizard
liaison f. tie, bond, love affair
libérer to liberate, free

liberté f. liberty
libertin free-thinking, licentious, dissolute
lice f. dueling arena or ground, arena
licencieux(-se) licentious
licou m. halter
lie f. dregs
lien m. tie, bond
lier to bind, tie up; **se — à** to become an intimate friend of
lierre m. ivy
lieu m. place, reason, grounds; **avoir —** to take place; **en tous lieux** everywhere
lieue f. league
lièvre m. hare
ligne f. line; **— brisée** broken line; **— cube** cube of ¹⁄₁₂ inch
Limousin m. ancient province in west-central France
lin m. flax
linceul m. shroud, winding sheet
linge m. linen, calico, undergarment
lis m. lily
lisse smooth, glossy, sleek
livide (ghastly) pale, livid
livre f. pound
livrée f. livery
livrer to deliver, surrender, give off, give up; **livré à la publicité** published; **— un combat** to give battle; **se — à** to devote one's attention to, give oneself up to, expose oneself to
locataire m. tenant
loge f. loge, box
logement m. lodgings, house, dwelling
loger to lodge, live; **logé** lodged
logis m. home, house, dwelling; **au —** at home
loi f. law, rule, control
lointain distant, far off
loisir m. leisure; **à —** at leisure
long(-ue) long; **le — de** along
longueur f. length
loque f. rag
lorgner to cast a sidelong glance at, ogle
lors de at the time of
lot m. share, portion, lot
loterie f. lottery
louable praiseworthy
louage (de) hired, rented
louange f. praise, commendation
louche shady, suspicious

louer to praise, rent; **se —** to be pleased (about)

louis *m.* gold coin, originally worth 20 gold francs

loup *m.* wolf

lourd heavy

lueur *f.* gleam, glimmer, glow, light

lugubre lugubrious

luire to shine, gleam

luisant shining, bright, gleaming

lumière *f.* light; **lumières** *f. pl.* enlightenment; **mettre en —** to bring to light

luminaire *m.* luminary, light

lune *f.* moon, (enemy) redoubt or position; **une — toute entière** an entire (enemy) position

lunettes *f. pl.* eyeglasses, spectacles

lustre *m.* chandelier, light

lustrer to give gloss to

lutte *f.* contest, struggle

lutter to struggle, fight, compete

luxe *m.* luxury

luxueux(-se) luxurious, sumptuous

luxure *f.* lewdness

luzerne *f.* alfalfa (field)

lyrisme *m.* lyricism

M

machinal mechanical

machinalement mechanically, unconsciously

machine *f.* machine; **— à calculer** adding machine

mâchoire *f.* jaw

madone *f.* madonna

mage *m.* **juge —** chief justice

magistral masterly, brilliant

magnanime generous, high-souled

magnétisme *m.* magnetism, hypnotism

maigre thin, skinny; **jour —** fast day

maigreur *f.* thinness, emaciation

maille *f.* stitch

maillot *m.* tights, swimsuit

maint many (a)

maintenir to maintain, defend

maintien *m.* maintenance, bearing, comportment

maire *m.* mayor

mairie *f.* town hall, mayor's office

maison *f.* house; **— de santé** nursing home, asylum

maître *m.* master; **— à chanter** singing master; **— de harpe** master of the harp

maîtresse *f.* mistress, source, capable, managing woman, sweetheart; *adj.* governing, chief, principal

maîtriser to master, subdue, curb, get under control

mal, maux, *m.* evil, ailment, ill, plague; **avoir du — à** to have difficulty in; **avoir — to** hurt, ache; **faire du — à** to hurt; **— de rate** pain in the spleen; **— de tête** headache; **prendre —** to get sick, fall ill; **se donner du —** to take pains; **mal** *adv.* badly, ill; **pas — de** quite a lot of; **se trouver —** to faint, feel faint

maladroit awkward, clumsy

mâle manly, virile

malentendu *m.* misunderstanding, misapprehension

malfaisant evil(-minded)

malgré in spite of

malheur *m.* misfortune, calamity, bad luck; **— à** woe upon

malheureux(-se) *noun* or *adj.* wretch, unhappy (person)

malicieux(-se) malicious, sly, mischievous, bantering

malignité *f.* malignity, spite(-fulness), act of spite

malin(-igne) evil(-minded), shrewd, cunning

malle *f.* trunk

malsain(e) unhealthy, unwholesome

mamelle *f.* udder, breast

manche *f.* sleeve; **en manches de veste** in shirt sleeves

manchette *f.* cuff; **à manchettes plissées** with pleated cuffs

mandater to elect, commission

mander to inform, write

mânes *m. pl.* shades, spirits of the dead

manette *f.* control lever

manie *f.* mania, inveterate habit, idiosyncrasy

manier to handle, control, drive

manière *f.* manner, way; **à la — de** like; **de — à ce que** so that; **faire des manières** to be somewhat coy; **une — d'hippodrome** a kind of hippodrome

manifeste *m.* manifesto, proclamation
manivelle *f.* crank
mannequin *m.* manikin, dummy
manœuvre *f.* maneuver, proceeding
manœuvrer to drill
manque *m.* lack
manquer to lack, miss, fail; — (**de**) **faire qqch.** to almost do something; **ne pas — de** to nonetheless (do something), not to neglect (to do something)
mansarde *f.* attic, garret
maquiller to make up, paint
marabout *m.* marabou (-feathers)
maraîcher *m.* market-gardener
maraud *m.* rascal, rogue
marbre *m.* marble
marchand *adj.* vulgar, commercial
marche *f.* walking, step, stair
marché *m.* dealing, buying, market; **faire le —** to go marketing; **par-dessus le —** on top of everything else, into the bargain
marcher to walk, tread, proceed
marécage *m.* marshland, swamp
maréchal *m.* marshal; — **des logis** cavalry) sergeant; **maréchale** marshal's wife or widow
marée *f.* tide, deep-sea fish
marge *f.* border, edge, margin
margelle *f.* edge, curb
marguerite *f.* daisy
mari *m.* husband
mariée *f.* married woman; **jeune —** bride
marin *m.* sailor
marmiton *m.* cook's boy
marmonner to mumble, mutter
marmotte *f.* marmot
marmotter to mutter, mumble
marque *f.* mark, sign
marquer to mark, put a mark on, fix, set; **à pas marqués** marking the beat; **marquant le pas** marking time; **marqué** marked, evident
marquisat *m.* marquisate
marraine *f.* godmother
marri sorry, troubled, penitent
marron *m.* chestnut
marteau *m.* hammer; — **des portes** door knocker
martyr *m.* martyr
martyre *m.* martyrdom
masse *f.* mass, weight

masser to massage
massif *m.* solid mass, clump of trees and/or flowers
masure *f.* hovel
matelas *m.* mattress, pad where victims were placed after torture
matelot *m.* sailor, seaman
matériel *m.* (war) material, heavy equipment
matière *f.* matter, material
mâtin *m.* mastiff, cur, mongrel dog
matinée *f.* morning
maudire to curse
maudit cursed, damnable
maure Moorish
maussade peevish
maxime *f.* maxim, slogan
méchanceté *f.* wickedness, naughtiness, unkindness, ill-nature
méchant *m.* wicked person, mischievous person; **faire le —** to get naughty, be nasty
méchant *adj.* miserable, wretched, unpleasant, disagreeable, naughty, wicked, mischievous, spiteful, bad, inferior
mèche *f.* lock (of hair), wick
méconnaître to misjudge
mécontentement *m.* displeasure
médaille *f.* medal
médianoche *m.* midnight supper (often after a fast)
médiocre mediocre, second-rate, indifferent
médire to slander
médisance *f.* slander
méfiance *f.* distrust, mistrust
méfiant distrustful, suspicious
(**par**) **mégarde** inadvertently, through carelessness
mélange *m.* mixing, mixture, blending, intermixture
mélanger to mix, blend
mêlée *f.* conflict, fray, scuffle, scramble
mêler to mix, mingle; **se — à** to take part in, mix with; **se — de** to dabble in
melon *m.* derby (hat), melon
membre *m.* limb, member
même same; **de —** in the same way; **en fait de —** does the same thing
mémoire *m.* account, bill, treatise
menace *f.* menace, threat

ménage *m.* housekeeping, domestic ar-
rangements, married status; **faire le —**
to do the housework; **jeune —** young
(married) couple

ménager to save, be sparing of, take good
care of

ménagère *f.* housewife

mendiant *m.* beggar

mendier to beg

mener to lead, control, manage

mensonge *m.* lie, untruth

mensonger lying, untrue

menteur(-euse) *m.* liar; *adj.* lying, decep-
tive, false

mentir to lie, tell a lie

menton *m.* chin; **dans son —** to herself

menu spare, small, sparse

menuisier *m.* carpenter

se méprendre to be mistaken, mistake

mépris *m.* scorn

méprisable contemptible, despicable

méprise *f.* mistake, misapprehension

méprisant scornful, disdainful

mépriser to disdain, scorn

mercier, mercière haberdasher

méridional, -aux *m.* Southerner; *adj.*
Southern

mérite *m.* merit, worth

mériter to deserve, merit

méritoire meritorious, deserving

merveille *f.* marvel, wonder

mésange *f.* titmouse

messe *f.* mass

mesure *f.* measure, gauge, standard size;
à — que (in proportion) as; **en —** in
time (music); **être en — de** to be in a
position to

mesurer to measure; **mesuré** temperate,
moderate, restrained

métamorphoser to transform; **se —** to
change completely

métaphysique *f.* metaphysics

métaphysique *adj.* metaphysical, abstract

métier *m.* trade, profession, craft

métro *m.* subway

mets *m.* dish, food

mettre to put, place; **le — de** to include
someone or something in; **— en avant**
to bring forth; **— en jeu** to bring to
bear; **— en valeur** to make the most
of; **se —** to put on, dress; **se — à** to
begin; **se — en peine** to worry; **vous**
nous mettez dans de beaux draps
blancs you put us in a fine fix

meuble *m.* piece of furniture

meubler to furnish, stock

meurtre *m.* murder

meurtrier *m.* murderer

meurtrier(-ère) *adj.* murderous, deadly

miasme *m.* miasma

miel *m.* honey

mielleux(-se) honeyed, sugary

mignon(-ne) *noun* and *adj.* pet, darling,
pretty, cute

milieu *m.* middle, environment, (social)
sphere, circle; **juste —** happy medium;
— vaste vast sphere

millier *m.* about a thousand

minauder to simper

mine *f.* appearance, look; **avoir bonne —**
to look well; **avoir — de** to look like;
faire — de to give the impression of

ministère *m.* ministry, department

minutieux(-se) scrupulously careful, minute

mire *f.* sighting, aiming; **point de —** target, sighting-mark

mirer to look at, take aim at; **se —** to
look at, admire oneself (in a mirror)

miroir *m.* mirror

misanthrope *m.* misanthropist

mise *f.* placing, putting; **— en scène**
staging

misérable *m.* poor wretch, scoundrel; *adj.*
poor, wretched, miserable

misère *f.* extreme poverty, misery, desti-
tution

miséricorde *f.* mercy, mercifulness; **misé-**
ricorde! goodness gracious!

mission *f.* mission; **en —** on detached
service

mitaine *f.* mitten

mite *f.* moth

mitrailleur *m.* machine gunner

mitrailleuse *f.* machine gun

mobile *m.* driving-power, motive

mobilier *m.* furniture

mode *f.* fashion, manner

modèle *adj.* exemplary

modération *f.* moderation, restraint, tem-
perateness

se modérer to keep calm, control oneself

modification *f.* change

modifier to modify, change

moelle *f.* marrow

mœurs *f. pl.* morals, manners, customs

moi *m.* ego, self

moindre least, slightest

moine *m.* monk

moineau *m.* sparrow

moisi moldy, musty

moisson *f.* harvest(ing)

moiteur *f.* moistness

moitié *f.* half

mollesse *f.* laxity, softness

mollet *m.* calf (of the lĕg)

monacal monastic

mondain mundane, worldly, earthly, fashionable, society

monde *m.* world, society; **beau — high** society

mondial world-wide; **guerre mondiale** world war

monocle *m.* monocle, single eyeglass

monstre *m.* monster

monter to go up, carry up, stage, ride, mount; **— à cheval** to ride horseback; **être mieux monté** to ride a better horse

montre *f.* display

monture *f.* mount, horse

se **moquer de** to make fun of, not to care about

moqueur(-euse) mocking, scoffing

moral *m.* morale; **au — morally**

morale *f.* morals, ethics

mordant biting, caustic

mordre to bite

More *m.* Moor

morne dejected, gloomy

mors *m.* bit

mort *f.* death; **par la mort!** zounds!

mortifiant mortifying, humiliating

mortifier to mortify, humiliate, disappoint

mot *m.* word; **— juste** right word

moteur *m.* moving power

motif *m.* motive, reason

motivé motivated

mou, molle soft, flabby, lifeless, weak

mouche *f.* fly; **attraper la —** to hit the bull's eye

moucheron *m.* gnat

mouchoir *m.* handkerchief; **— de poche** pocket handkerchief

moue *f.* pout, pouting

mouiller to wet; **mouillé** *adj.* wet, dripping, moist, damp

moulin *m.* mill

moulure *f.* ornamental molding

mourant *m.* dying person; *adj.* dying; **voix mourante** faltering voice

mourir to die; **je me meurs** I am dying

mousquetade *f.* musket volley, firing of muskets

mousquetaire *m.* musketeer

mousse *f.* froth, foam, moss

mousseline *f.* muslin

mouton *m.* sheep

mouvement *m.* movement, emotion, agitation, impulse

moyen *m.* way, means; **au — de** by means of; **le — de?** how can one?

moyen(-ne) *adj.* middle, average

muet(-te) dumb, mute, unable to speak, silent

mugissement *m.* lowing

mule *f.* heelless slipper

mulet *m.* mule

muletier *m.* mule driver, muleteer

munir to arm, provide; **se — de** to provide oneself with

mur *m.* wall

mûr ripe

muraille *f.* wall

murer to wall up, block up

mûrir to ripen, mature

museau *m.* snout, face

muselé muzzled

mutin pert, saucy

mutisme *m.* dumbness, silence

mystification *f.* mystification, hoax

mythe *m.* myth, legend

N

nacre *f.* mother-of-pearl

nacré pearly

nager to swim; **je nage dans la joie** I am overjoyed

naguère a short time ago, but lately

naïf(-ve) artless, naïve

naissance *f.* birth

naître to be born, rise, originate; **naissant** *pres. p.* being born, i.e. primitive, rising; **né** *past. p.* born

nankin *m.* buff-colored cotton cloth

narine *f.* nostril

narquois quizzing, bantering, mocking, sly

nasillard nasal

nature *f.* nature, state, condition; **première** — original state

naturel *m.* nature, character, naturalness

naufragé *m.* shipwrecked person

nausée *f.* nausea

néant *m.* nothingness

nef *f.* nave

néfaste inauspicious, luckless, ill-starred

négligemment carelessly, casually

négligé *m.* dishabille, morning dress

négliger to neglect

négociant *m.* merchant

nègre *m.*, négresse *f.* Negro, Negress

neiger to snow

neigeux(-se) snowy, snow-covered

nerf de bœuf *m.* rawhide whip

nervosité *f.* nervousness

net(-te) clean, spotless, flawless, distinct; *adv.* plainly, outright

nettement clearly

netteté *f.* clearness, distinctness

neveu *m.* nephew

nez *m.* nose

niais foolish, inane

niaiserie *f.* foolishness, silliness

nid *m.* nest

nier to deny

nihiliste *adj.* nihilist(ic)

noblesse *f.* nobility

noce *f. sing.* and *pl.* wedding, marriage

Noël *m.* or *f.* Christmas

noir *m.* blackness; *adj.* black

noirâtre blackish, darkish

noiraud dark

noix *f.* nut

nombre *m.* number

nomenclature *f.* system of names

nommer to name, call; **comment je me nommais** what my name was; **se** — to be called

non-sens *m.* meaningless action, sentence, translation

nordique Nordic, Scandinavian

nostalgie *f.* nostalgia, homesickness

notaire *m.* notary

note *f.* note, remark, mark

notion *f.* notion, idea

notoire well-known

nouer to knot

nounou *f.* nanny

nourrice *f.* (wet-)nurse

nourrir to feed, bring up, nourish, raise; **s'en** — to feed on them

nourrisson *m.* nurseling

nourriture *f.* food, nourishment, sustenance

nouveau (nouvel, nouvelle) *adj.* new; **de** — *adv.* again, anew

nouveauté *f.* newness

nouvelle *f.* (piece of) news, novelette; **point de nouvelles** *slang* nothing doing, i.e. she refused

noyer *m.* walnut tree

noyer to drown, deluge, flood; **noyé dans son sang** weltering in his blood

nu naked, bare; **mettre** — **comme la main** to strip completely; **mettre qqch. à nu** to lay bare, expose; **nu-tête** bareheaded

nuage *m.* cloud, mist, shadow

nuance *f.* shade, hue

nuancé shaded, subtle

nudité *f.* nudity, nakedness, bareness

nuire à qqn., à qqch. to be hurtful, prejudicial to someone, to something

nuisible hurtful, harmful, detrimental

nuit *f.* night, darkness

nullité *f.* invalidity, nothingness, nonentity

nuque *f.* nape of the neck

O

objet *m.* object, matter, thing; — **aimable** charming person

obligeance *f.* obligingness

obliger to oblige, constrain; — **qqn.** to do someone a favor

obliquer to move in an oblique direction, slant

obscur obscure, dark, not clear

obscurcir to obscure, make unclear, darken

obscurité *f.* darkness

obséder to obsess, importune, worry

observation *f.* observation, remark, notice

obstination *f.* obstinacy

s'obstiner à to persist in

obus *m.* shell
obusier *m.* howitzer
occasion *f.* opportunity, occasion, chance, motive, reason; **à l'—** at times, when the occasion arose; **dans l'—** i.e. in battle
occiput *m.* back of head, occiput
s'occuper de to be interested in, show attention to; **occupé** busy, busily engaged
occurrence *f.* occurrence, event; **en l'—** in, under the circumstances
odeur *f.* odor, smell, perfume
odieux (**-se**) odious, hateful
odorat *m.* sense of smell
Œdipe *m.* Oedipus
œil, yeux *m.* eye; **coup d'—** glance; **fermer l'—** to sleep; **montrez un —** look; **quitter des yeux** to let out of one's sight
œuf *m.* egg
œuvre *f.* work; **être à l'—** to be busy with; **chef-d'—** *m.* masterpiece
offenser to offend; **offensé** *m.* offended person
office *m.* (butler's) pantry, servants' hall, office, duty, function(s)
offrande *f.* offering
oiseleur *m.* bird-catcher, fowler
oiseux (**-se**) idle, trifling
oisif *m.* idler; **oisif** (**-ve**) *adj.* idle
olivâtre sallow, olive-colored
ombrage *m.* shade (of trees); **prendre — de qqch.** to take offense at something, shy away
ombre *f.* shadow, shade, darkness
ombrelle *f.* parasol, sunshade
ombrer to darken
onagre *m.* wild ass
once *f.* ounce
onde *f.* wave, water, sea, ocean
ongle *m.* nail
opiner to give an opinion
opprimer to oppress
opter to choose (between)
opuscule *m.* short treatise
or *m.* gold
or *adv.* now
oracle *m.* oracle
orage *m.* storm
orageux (**-se**) stormy
oraison *f.* prayer
oratoire *m.* oratory, private chapel

orbe *m.* globe, orb
ordinaire *m.* the usual way; **à l'—** ordinarily; **contre l'—** contrary to custom
ordonnance *f.* order, prescription
ordre *m.* order, class, category
oreille *f.* ear
oreiller *m.* pillow
orge *f.* barley
orgue *f.* organ
orgueil *m.* pride, haughtiness
orgueilleux (**-se**) proud, arrogant
orme *m.* elm tree
orner to ornament, adorn, decorate
ornière *f.* rut, groove
orphelin *m.* orphan
orteil *m.* toe
os *m.* bone
oscillatoire oscillatory
oser to dare
otage *m.* hostage
ôter to remove, take away
ouate *f.* cotton wool
oubli *m.* forgetting, forgetfulness, omission, oversight; **tomber dans l'—** to sink into oblivion, be forgotten
oublier to forget; **s'—** to be forgotten
oui-da! sure!
ouïe *f.* hearing
ouïr to hear
ouragan *m.* hurricane
ours *m.* bear
outrage *m.* outrage
outrager to outrage, offend; **outrageant** insulting, scurrilous
outre beyond, in addition to; **en —** furthermore; **— que** in addition to the fact that; **passer —** to go on, proceed further, go beyond
outré carried away by indignation
ouverture *f.* overture, opening
ouvrage *m.* work, something to do
ouvrier, ouvrière *m.* and *f.* worker; **bonne ouvrière** made by a good house
ovin, ovine pertaining to sheep

P

pacifique peaceful
paillasse *f.* straw mattress
paille *f.* straw

paisible peaceful

paix f. peace

palais m. palace, palate

palefrenier m. stableman, groom

pâleur f. pallor, paleness

palier m. landing (of stairs), level run, level stretch; en — horizontal flight

pâlir to become pale

palmier m. palm tree

palper to feel, touch

pâmer to swoon, faint away

pâmoison f. swooning

pan m. skirt, flap, section, patch

pancarte f. card, pass

panier m. basket, hamper

panneau m. panel

panser to groom, rub down, tend, dress (a wound)

pantoufle f. slipper

papillon m. butterfly

pâquerette f. daisy

parade f. parade, show, parry, repartee

paradis m. paradise, heaven

paraître to appear, show

parapluie m. umbrella

parbleu to be sure! why, of course!

parc m. park, depot

parcelle f. small fragment, particle

parchemin m. parchment, diploma

parcourir to travel through, traverse, survey

par-dessus on top, above

pareil(-le) like, alike, the same; — à similar to

parent m., parente f. relative

parer to dress, deck out, adorn

paresse f. laziness, idleness, sloth

parfois at times, occasionally

parfum m. fragrance, perfume

parfumé fragrant

parier to wager, bet

parjure m. perjurer

Parnasse (le) the Parnassian School (of poetry)

parnassien parnassian

parodier to parody, burlesque

parole f. word, remark, promise; prendre la — to speak up, speak

parquet m. floor

parrain m. godfather

part f. share, part; à — aside (from); autre — elsewhere; avoir — à to be

concerned in; de la — de on behalf of; de ma — from me; de — en — clear through; de — et d'autre on both sides; de sa — on his part, of him; de toutes parts on all sides; d'une — on the one hand; faire — à to inform; nulle — nowhere; pour ma — as for me; prendre — à to take part in, share in; pris à — considered separately; quelque — somewhere

partage m. division, share

partager to share, divide

partant consequently, therefore

parterre m. pit, people who sit in the orchestra

parti m. party, decision, match; premier — most marriageable girl; prendre le — de faire qqch. to decide, resolve to do something; prendre — to take sides

participer à to take part in; participant de partaking of

particulier(-ière) m. private person; adj. private, peculiar, personal, individual

partie f. part (of a whole), party, opponent; être de la — to go along with them

partir to leave; à — de from . . . on

partition f. musical score

parure f. ornament, adornment

parvenir to reach; — à to succeed in, manage to, arrive

parvenu m. upstart

parvis m. outer sanctuary

pas m. step, footstep, pace; à dix — ten steps away; à grands — with long strides, at a fast pace; à — lents with slow steps; à petits — pressés with short hurried steps; à quelques — de là a few steps away

Pas de Calais (le) the Straits of Dover

passage m. passage, crossing; au — as he passed by; être de — to be only passing through, stopping over

passager(-ère) temporary inhabitant, passenger; adj. fleeting, short, transitory, temporary

passant m. passer-by

(en) passe de in the act of

passe-droit m. injustice, illegitimate favor

passer to pass, surpass, proceed; en — par où vous voulez to put up with what you want; — **pour** to have a name, reputation, for; — **qqch. à qqn.** to let someone get by with something; **y** — to put up with it; **se faire** — **qqch.** to get into serious trouble; **se** — to take place, go on

passif(-ve) passive

passion *f.* passion, desire, fondness, craze, love

passionné *m.* empassioned person or thing; **pousser le** — to talk of love; *adj.* doting, passionately fond of

pasteur *m.* pastor, minister, shepherd

patienter to exercise patience

patiner to (ice-)skate

pâtir to suffer; **à quel point la nature pâtissait chez moi** how much I was suffering

patrie *f.* fatherland, country

patron *m.* boss, skipper

patte *f.* paw; — **de devant** forepaw

paupière *f.* eyelid

pauvre *noun* or *adj.* poor; **les pauvres** *m. pl.* the poor

pavé *m.* paving stone

payer to pay, pay for; **qui ne peuvent payer** that can't be bought

pays *m.* country, region

paysage *m.* landscape

paysan *m.* peasant

peau *f.* skin

peccadille *f.* peccadillo, trifling offense

péché *m.* sin

pêche *f.* fishing, peach; — **au lancer** cast fishing

pêcher to fish

pêcheur *m.* fisherman

pédestre pedestrian

(se) peigner to comb one's hair

peignoir *m.* dressing gown, morning wrapper

peindre to paint, portray, represent, depict; — **en beau** to portray favorably

peine *f.* sorrow, trouble, affliction, difficulty, punishment; **à** — hardly, barely; **à sa** — for his efforts; **ce n'était pas la** — it wasn't worthwhile; **être en** — **de** to have trouble; **faire de la** — to hurt, cause sorrow

peiner to pain, grieve, distress

peintre *m.* painter

pelé *m.* hairless, shaven (person)

peler to peel

pèlerin *m.* pilgrim; **en pèlerins** like pilgrims, i.e. with little or no money

pelote *f.* ball, skein

peloton *m.* half-company, troop, squad

pelouse *f.* lawn, plot (of grass)

pelure *f.* peel

penchant *m.* leaning, sloping, inclination, drive, urge

(se) pencher to incline, bend, stoop, favor, sway

pendable deserving hanging

pendant hanging

pendard(-e) scamp, scoundrel, hussy

pendeloque *f.* pendant

pendre to hang; — **l'épée au croc** hang up my sword, i.e. retire from military service

pénétrant penetrating, obtrusive, pervasive, subtle, discerning

pénétré affected, deeply impressed

pénible painful, distressing

pensée *f.* thought

penser to think, be on the point of

penseur *m.* thinker

pensionnat *m.* (private) boarding-school

pente *f.* slope, inclination; **en** — sloping

percaline *f.* calico

perçant piercing, penetrating, biting

percepteur *m.* tax collector

percer to pierce through, break through

perdre to lose, ruin; **se** — to get lost; **je suis perdu d'honneur** my honor is lost; **tout est peine perdue** everything goes for nothing; **tu me perds d'honneur** you are ruining my reputation

perfectibilité *f.* perfectibility, capacity for improvement

perfection *f.* perfection, improvement

se perfectionner to become (more) perfect, improve

perfide *m.* traitor; *adj.* perfidious, faithless

perfidie *f.* act of treason, treachery

pergola *f.* arbor

périr to perish, die

péristyle *m.* peristyle (a range of columns supporting a roof)

perle *f.* pearl, bead

permanence *f.* permanence; **en** — permanently, constantly

perpétuer to perpetuate

perron m. (flight of) steps
perroquet m. parrot
perruque f. wig
personnage m. character (in a play, in a novel), personage
perspicace shrewd, perspicacious
perspicacité f. insight, shrewdness
persuader to convince
persuasion f. persuasion, conviction, belief
perte f. loss, damnation, ruin, destruction
pesant weighty, heavy
pesanteur f. heaviness
pesée f. weighing
peser to weigh
peste f. plague
petit-maître m. dandy
petite-fille f. granddaughter
petite-oie f. accessories of dress, especially ribbons
pétrifier to petrify, paralyse; **pétrifié** petrified, stupefied (with fear)
pétrir to mold, knead; **toute pétrie** quite consumed by, quite full of
pétulant petulant, saucy, sprightly
peu little; **si — de chose** such a trifle
peuple m. lower classes, people, nation
peupler to people, populate
peur f. fear; **avoir —** to be afraid; **faire — à** to frighten
peureux(-se) fearful
pharaon m. pharaoh
phare m. lighthouse, beacon, headlight
pharmacien m. pharmacist
phénomène m. phenomenon
phosphore m. phosphorus
phrase f. sentence, words
physicien m. physicist
physionomie f. face
pic m. peak; **à —** perpendicularly; **faire —, repic et capot** to make a great hit
picaresque picaresque; **roman —** novel of roguery
pièce f. room, coin; **— d'eau** pond, pool; **— (de théâtre)** play
pied m. foot, leg (of a table); **de — ferme** steadfastly, solidly
piège m. trap
pierre f. stone; **— de touche** hard black jasper, touchstone
pierreries f. pl. precious stones
piété f. piety

piéton m. pedestrian
pieu m. stake
pieux(-se) pious, godly
piller to pillage
pinceau m. brush
pincement m. pinching
pintade f. guinea-fowl
pionnier m. pioneer
piquer to prick, sting; **se — de qqch.** to pride oneself on (doing) something
piquet m. card game for two persons
piqûre f. prick, puncture
piscine f. (swimming) pool
pisser to piddle, urinate
piste f. race track, track, trail; **— de danse** dance floor
pistole f. pistole (gold coin); **double —** two pistole pieces
pistolet m. pistol; **mes pistolets en état** my pistols at the ready
piston m. plunger (of syringe, etc.)
pitoyable pitiful, pitiable, wretched
pittoresque picturesque
pivert m. green woodpecker
place f. position, square, place, spot
placide placid, calm
plafond m. ceiling
plagiat m. plagiarism
plaider to plead
plaidoirie f. pleading, counsel's speech
plaie f. wound
plaindre to pity; **à —** to be pitied; **se —** to complain
plaine f. plain, flat open country
plain-pied m. suite of rooms on one floor; **de —** on a level, on one floor, without difficulty
plainte f. moan, groan, complaint
plaire to please; p.p. **plu; plaît-il?** I beg your pardon?; **plut à Dieu** would to God; **se plaît à** likes to
plaisant amusing
plaisanter to joke, banter, poke fun at
plaisanterie f. joke
plaisir m. pleasure, delight; **à —** wantonly, without cause; **au —!** see you again!
plan m. plane
planche f. plank
plancher m. floor
planer to soar, hover; **— sur** to look down upon

plantureux(-se) copious, abundant

plaque *f.* plate, plaque; — **des shakos** polished metal plates attached to the shakos (military caps)

plastron *m.* breast plate

plat *m.* dish; *adj.* flat, level, mean, insipid

platonique platonic

plein full; **en —** in the middle of, in the throes of, fully

plénitude *f.* plenitude, completeness

pleur(s) *m.* (*pl.*) tear(s)

pleurer to weep, cry, mourn

pleurnicher to whimper, whine

pleuvoir to rain

pli *m.* fold, pleat

plier to fold (up), bend, submit, yield

plisser to wrinkle; **plissé de rides** wrinkled

plomb *m.* lead; **de —** leaden

plonger to dive, plunge, put into

plume *f.* feather

(la) plupart de most

plus more; **tout au —** at the very most

plusieurs several

plutôt rather

pluvier *m.* plover (a bird)

pluvieux(-se) rainy, wet

pneumatique *m.* tire

poche *f.* pocket; **avoir en —** to have up one's sleeve

poêle *m.* stove

poids *m.* weight

poignard *m.* dagger

poignarder to stab

poignée *f.* handful

poignet *m.* wrist

poil *m.* hair, fur; **un brave à trois poils** a very brave man

poinçon *m.* bodkin

poindre to dawn, break, come up, sprout

poing *m.* fist; **au —** in hand

point *m.* point (in time), period, dot, speck; **à — nommé** in the nick of time; **à quel —** to what extent; **au — que** or **où** to the extent that; **être sur le — de** to be about to; **mettre au —** to perfect; **— de** no, none; **— de départ** starting point; **— de France** French point (needle-point lace); **— du jour** daybreak

pointu pointed

poire *f.* pear

poisson *m.* fish

poitrine *f.* breast

poivre *m.* pepper

poli *m.* finish, smooth surface

polir to polish

politique *f.* politics

pommade *f.* pomade

pommelé mottled, dappled

pommette *f.* cheek-bone

pommier *m.* apple-tree; — **à cidre** tree bearing cider apples

pomologie *f.* pomology (the study of apples)

pompe *f.* pomp, display

pompier *m.* fireman

poncer to rub down with pumice

ponctuer to punctuate, emphasize

pondéré well-balanced, level-headed, cool

pont *m.* bridge

porc *m.* hog, pig

port *m.* port

porte *f.* door, gate; **hors des portes** outside of Paris; **— pleine** solid door; **— vitrée** door with glass panel

porte-Christ *m.* bearer of Christ

porte-étendard *m.* standard bearer

porte-parole *m.* spokesman, mouthpiece

porte-plume *m.* pen(holder)

porté inclined, disposed

portée *f.* reach, scope, range; **à la —** within reach

portefeuille *m.* wallet

porter to wear, carry, incline, lead, cast, indicate, raise; **j'ai dû m'y —** I had to do it; **— son pas** to bend one's steps toward

porteur *m.* porter, bearer, carrier

portière *f.* doorkeeper, door (of a coach)

portique *m.* porch, portico

porto *m.* port wine

posément calmly, steadily

poser to place, state; **pose en principe** lays down as a principle; **se —** to alight

posséder to possess, marry

possession *f.* possession

possible *m.* what is possible; *adj.* possible; **je ferai mon —** I shall do all I can

poste *m.* position, place; *f.* post office

poster to post, station

postiche false (hair, etc.)

pot *m.* pot; **— de terre** earthenware pot

poterne *f.* postern (gate)

pouce *m.* thumb, inch

poudre *f.* powder, gun powder; **jeter de la — aux yeux** to bluff; **— de riz** face powder

poudrer to powder

poudreux(-se) dusty

poule *f.* hen

poulet *m.* chicken; **mon petit —** my darling

pouls *m.* pulse; **tâter le — à qqn.** to take someone's pulse

poupée *f.* doll

pourparler(s) *m.* parley, palaver

pourpré purple-colored

pourrir to rot, go bad

poursuite *f.* pursuit

poursuivre to pursue, continue, prosecute, proceed against

pourtant however, nevertheless

pourvoir to provide, equip; **pourvu de** provided with, equipped with

pourvoyeur *m.* purveyor, caterer

pousse *f.* shoot, sprout; **— de vigne** vine shoot

pousser to push, drive, impel, utter, heave, grow, carry, drive (ride) on; **se — to** rush; **— le doux** to make sweet talk; **très poussé** highly developed

poussière *f.* dust

pouvoir *m.* power

pouvoir to be able; **de ne rien —** to be able to do nothing; **— qqch. pour qqn.** to be of assistance, help, to someone; **se —** to be possible

prairie *f.* meadow

pratique *f.* practice, performance, observance

pré *m.* meadow, field

prébendier (-ère) prebendary (ecclesiastic)

précaire precarious, delicate

précédemment previously, before

précepteur *m.* tutor

prêcher to preach, extol

précieux(-se) *adj.* affected; **les précieuses** *f. pl.* affected (young) ladies

préciosité *f.* preciosity, affectation, affectedness

précipiter to throw, hasten; **se —** to rush

préciser to specify, state precisely; **se —** to become precise

précurseur premonitory, precursory

prédicateur *m.* preacher

prédilection *f.* liking, fondness

prédire to predict

préféré *noun* and *adj.* favorite, preferred

préfet *m.* prefect

préjugé *m.* prejudice

préméditation *f.* premeditation; **— d'en haut** divine premeditation

premier(-ère) first, self-evident; **—** *m.* (**étage**) second floor

prendre to take, pick up, be successful; **— à** to attack; **— en mal** to be offended by; **— garde à** to notice; **— part** to participate; **— qqn. à part** to take someone to one side; **prend son parti** sides with him; **s'en — à qqn.** to blame someone; **s'y —** to go about it

prénom *m.* first name

préoccupé preoccupied, concerned

préparatif *m.* preparation

prépondérant preponderant, preponderating, leading

près near; **à peu —** nearly, just about; **à quelques exceptions —** with a few exceptions; **de —** closely

présager to conjecture, forebode

prescrire to prescribe

présent *m.* gift, present

présentement at once

pressant urgent, pressing

presse *f.* press, newspapers, crowd, throng; **sans faire la —** without being crowded

pressentiment *m.* presentiment, instinctive foresight

pressentir to have a presentiment, a foreboding

presser to press, hurry, be urgent, urge on, squeeze; **se — de** to make haste to

pression *f.* pressure

prestance *f.* bearing

prestesse *f.* quickness, alertness

prestige *m.* magic, fascination, prestige

prétendre to claim, require, maintain, assert, aspire, hope

prétendu *m.* intended, fiancé; *adj.* alleged, would-be

prêter to lend, loan; **— l'oreille à** to lend an ear to

prêtre *m.* priest

preuve *f.* proof; **faire — de** to show

prévaloir to prevail

prévenance *f.* considerate attention

prévenir to inform, forewarn, forestall

prévoyance f. foresight

prier to beg, pray, ask, invite

prière f. prayer

primo (Latin) first (of all)

princier(-ère) princely

principe m. principle, rule of conduct, beginning; **pour le —** as a matter of principle

prise f. hold, grasp, grip; **aux prises avec** at grips with

prisé esteemed

privation f. deprivation

privé private

priver de to deprive of

prix m. price, prize, value; **à ce —** under such conditions; **à tout —** at any price; **au — de** compared to

probité f. probity, honesty

procédé m. proceeding, conduct, behavior

procès m. proceedings at law, case, suit, prosecution

prochain m. neighbor

proche adj. near, close at hand, neighboring

proches m. pl. near-relatives, kindred

procurer to get, procure; **se —** to get for oneself

procureur m. attorney, solicitor

prodige m. phenomenon, wonder, marvel

prodigue lavish, unsparing, prodigal; **l'enfant —** the Prodigal Son

prodiguer to lavish

produire to produce, bring about, present

proférer to utter

profiter to profit, gain; **— de** to take advantage of

profond deep

profondément deeply

proie f. prey; **en — à** prey to

projeter to project, plan, contemplate

promener to take for a walk, push or carry along; **se —** to walk

promeneur m. walker, rambler, idler

promesse f. promise

promettre to promise

prompt prompt, quick, ready, abrupt; **prompts à décrire** quickly described

promptitude f. promptness, quickness, alertness

proportionné proportionate

propos m. subject, matter, utterance, remark; **à —** by the way, opportune; **à quel —** for what reason; **hors de —** ill-timed or irrelevant; **mal à —** inopportunely; **— de table** table conversation

proposition f. offer, proposal, sentence, expression, proposition

propre own (if before noun), clean (if after noun), appropriate, capable; **nom —** proper name; **— à** characteristic of; **qui lui était —** which was characteristic of him

proprement properly, appropriately; **— dit** properly so called, strictly, in the true sense of the word

propret(-te) neat, prim, tidy

propriété f. property

proscenium m. forestage

proscrire to proscribe, banish, exile

prosterné prostrate

protagoniste m. protagonist, hero

protester to protest, affirm

proue f. prow, stern, bow (of ship)

provincial m. person from the provinces

provision f. provision; **aller aux provisions** to go marketing

provisoire provisional, temporary

provocant, provocative, aggressive, tantalizing

prud'homie f. probity, integrity

prunelle f. pupil (of eye)

prunier m. plum tree

psalmodier to drone (out)

psychanalyse f. psychoanalysis

psychiatre m. psychiatrist

psychique adj. psychic

psychologue m. psychologist

publier to publish, spread abroad

pudeur f. modesty, sense of decency

puéril childish

puiser (à or dans) to draw (from)

puissance f. power, strength, authority; **nos puissances mentales** our faculties; **toute-puissance** omnipotence

puissant powerful, mighty

puits m. well, pit

punir to punish

punition f. punishment

pupille f. ward, pupil

pupitre m. (music) desk, music stand

pur pure (free from taint)

pureté f. purity, pureness

puritain Puritan
purpurin crimson, purplish

Q

qualité f. quality, value, rank, characteristic, trait; gens de — people of high rank
quand when, if; à — what is the date set for
quant à as for
quarantaine f. quarantine
quartier m. quarter; — de roche stone block; un grand — plus twelve full inches more
quasi almost
quatrain m. quatrain, four-line stanza
que why; — de how many
quel(-le) what; je ne sais — a kind of, some sort of; quel . . . que whatever
quelconque any (whatever), some . . . or another, nondescript
quelque . . . que however
quelque chose something; y est pour — has something to do with it
quelquefois sometimes
querelle f. quarrel, dispute; — ouverte open feud
quereller to quarrel; se — to quarrel, argue about
querelleur(-euse) quarrelsome
quérir to seek, look for
question f. question, torture; avoir la — to be put to torture
questionner to question, ask questions of
quêter to seek, search for
queue f. tail
quiconque who(so)ever, anyone who
quitte free, quit; en être — pour to get off with; — à en pleurer chance the tears
quitter to leave, take off, dismiss, lose; — des yeux to take one's eyes off; — le jour lose one's life, die
quoi what; à — bon what for, to what end, why; de — the wherewithal to, what it takes to, something with which to; de — que however greatly; — que ce soit anything at all
quoique although
quotidien(-ne) daily, everyday

R

rabâcher to harp on, be everlastingly saying the same thing
rabattu turned down, pulled down
raccommoder to mend, repair
raccourcir to shorten, abridge; ce raccourci d'atome this abridged atom
se raccrocher à to clutch at
race f. race, family
racine f. root
racontar m. (ill-natured) gossip
raconter to tell, relate
radis m. radish
rafale f. burst of gunfire
raffiné refined, subtle, clever
raffinement m. refinement
rafraîchir to refresh
ragoût m. stew
raide stiff, tight, taut
raidir to stiffen, tighten, tauten; se — to stiffen, steel, brace oneself
raie f. line, stroke, streak, part (of hair), stripe; à larges raies with wide stripes
railler to laugh at, jeer at
raillerie f. banter, chaff, raillery, joke, joking
railleur(-se) mocking, joking
rainure f. slot
raisin m. grape
raison f. reason, motive, justification, reasoning; à — in the proportion; avoir — to be right; donner — à qqn. to declare someone to be in the right
raisonnement m. reasoning
rajuster to readjust, straighten
ralentir to slow down
rallier to rally
ramasser to pick up
rameau m. (small) branch, twig
ramener to bring back
ramer to row
rampant m. sycophant
rancune f. rancor, spite, grudge; sans — without ill-feeling
rang m. rank, row
rangée f. row, line
ranger to put in order, tidy, arrange, line up
ranimer to revive
rapetisser to shrink, become smaller

rapport *m.* relation, connection, report, relationship
rapporter to bring back, report
rapproché near, close
se rapprocher to come near
rare rare, few, scattered, having few leaves
ras close-cropped; **à — de** (on a) level with, flush with
raser to shave, scratch, graze
rasoir *m.* razor
rassasier to satiate
rassemblement *m.* gathering
rassembler to assemble, collect, gather together; **se —** to come together, flock together
(se)rasseoir to sit down again
rasséréner to calm down, restore serenity to
rassis calm, serene
rassurer to reassure; **rassure-toi** don't be afraid
se ratatiner to shrivel up
rate *f.* spleen
raté *m.* unsuccessful man, failure
râtelier *m.* rack (in stables)
rater to miss (one's shot)
ratière *f.* rat trap
rattrapper to catch up to, overtake
ravager to ravage, devastate
ravaler to swallow down, choke down, reduce, abase, disparage
ravin *m.* ravine, gully
ravir to delight, ravish, snatch away; **ravi** delighted, overjoyed
se raviser to change one's mind, think better of it
ravissant entrancing, bewitching, ravishing, delightful
ravissement *m.* rapture, ecstasy, delight
ravisseur *m.* abductor
ravitaillement *m.* revictualing, supplying
rayer to scratch, strike out
rayon *m.* ray, beam
rayonnement *m.* radiance
rayonner to radiate, beam, shine
rayure *f.* streak
réagir to react
réaliser to realize, carry out; **se —** to be realized, come true
rebelle rebellious, stubborn, obstinate
rebondir to rebound, bounce, surge

rebord *m.* rim
rebuter to rebuff
recette *f.* receipt; **livre de —** receipt book
recevoir to receive; **être reçu** to qualify, be admitted
réchauffer to warm up, enliven
recherche *f.* quest, search(ing), affectation, research, suit
rechercher to search for, seek after
rechigné surly, sullen
réciproque reciprocal, mutual
récit *m.* narration, narrative, recital, story, tale
réclamation *f.* complaint, protest, claim
réclamer to lay claim to, lodge a complaint, complain, claim, demand
reclus shut up, sequestered
recommander to recommend, introduce, request
récompense *f.* reward
reconnaissance *f.* gratitude
reconnaissant grateful
reconnaître recognize; **se —** to get one's bearings, find one's way, recognize each other again
recoudre to resew, sew back up
recourir (**à**) to turn to, have recourse to
recréer to recreate
se récrier to exclaim, cry out, protest
recueil *m.* collection, compilation
recueillir to collect, gather, take in, shelter
recul *m.* retirement, backing (up), backward movement, recoil, room to move back
reculer to move back, step back, draw back, postpone; **se recula de stupéfaction** drew back in amazement
rédacteur *m.* writer, editor (on a newspaper or periodical); **— en chef** (chief) editor
rédaction *f.* writing
redescendre to come down again, redescend
redevenir to become again
redingote *f.* frock coat
redire to say again; **trouver à —** to find fault with
redoutable formidable, dangerous
redouter to fear
se redresser to sit up, draw oneself up

réduire to set (a fracture), reduce; **se — à** to confine oneself to

réfléchir to reflect, throw back, think, mull over

reflet *m.* reflection

refléter to reflect

reflux *m.* ebb tide

réformer to revise, reform

refrain *m.* refrain, chorus

se refroidir to cool off, grow cold

se réfugier to take refuge, find shelter

refus *m.* refusal

regagner to regain, go back to

regard *m.* look

regarder to look (at), concern; **cela me regarde** that is my concern

régate *f.* sailor-knot tie

regimber to kick, balk

régir to rule, govern

règle *f.* rule; **être en —** to be in order; **se mettre en —** to get on terms

règlement *m.* rule, regulation

régler to settle, regulate, adjust; **mal réglé** badly adjusted, ill-planned

règne *m.* reign, kingdom

régner to reign, prevail

regret *m.* regret; **à —** regretfully

rehausser to enhance, touch up

rein *m.* kidney; *pl.* loins

reine *f.* queen

reinette (pomme de) *f.* rennet apple

réitéré repeated

rejet *m.* rejection

rejeter to throw back, transfer, shift, reject

rejeton *m.* scion, descendant, offspring

rejoindre to rejoin, reunite, join (again)

réjouir to delight, gladden; **se —** to rejoice, make merry

relâche *f.* respite

relation *f.* statement, narrative, account

relativement à in connection with, in relation to

relève *f.* relief, changing (of guard)

relever to raise, raise again, take the bearing(s) of (land), take up; **nous relever** to elevate ourselves; **se —** to get up (again); **relevé** high, lofty

relief *m.* relief; **mettre en —** to stress, emphasize

relier to bind

religieux(-se) *m.* or *f.* priest, monk, nun

reliure *f.* bookbinding

reluire to shine, glisten

remarquer to notice, observe; **faire —** to point out

se rembrunir to cloud over, become sad

rembuchement *m.* reimbushment; **faux —** false reimbushment (return to cover)

remède *m.* remedy, cure, medicine

se remémorer to remember, call to mind

remerciements *m. pl.* thanks

remercier to thank

remettre to put back, entrust; **se — à** to resume

remis recovered, composed again

remise *f.* shed, coach-house

rémission *f.* remission, abatement

remonter to go up again, proceed, go back

remontrance *f.* remonstrance, reproof, chiding

remontrer to point out

remous *m.* eddy, swirl

se remplir to fill; **rempli** full of, filled with

remporter to win, carry off

se remuer to move, stir; **il sentit se — ses entrailles** he was moved with compassion

renaissant renascent, reviving

renaître to be born again, reappear

renard *m.* fox

renchérir (sur) to outdo, improve upon, exaggerate

rencontre *f.* encounter, meeting

rencontrer to meet, find

rendre to give, give back, return; **se —** to surrender, give in; **se — compte de** to realize

renfermé reserved, uncommunicative

renfermer to enclose

renforcer to strengthen, confirm

renfort *m.* reinforcement

se rengorger to strut, swagger (like a peacock)

renommé renowned, famed

renommée *f.* renown, fame

renoncer to renounce, give up

renouveler to renew

renouvellement *m.* renewal, renovation, complete change

renseignement *m.* information

renseigner to inform

rente *f.* (annual) income

rentier *m.* stockholder, one who lives on his income from investments

rentrer to return; **bouche rentrée** hollow mouth; **rentrait dans la coutume** resumed its usual course; **— en soi-même** to reflect

renverser to reverse, upset, knock over, throw down; **se —** to lean back, tilt one's chair back, fall over

renvoyer to send back, return, dismiss

répandre to pour, pour out, shed, spill, drop; **se —** to spread; **se — en invectives** to burst forth into invectives

répandu widespread, widely known, scattered, dispersed

réparation *f.* reparation, atonement, repair

réparer to repair, make amends for

repentir *m.* repentance

se repentir to repent

répéter to repeat, re-echo

réplique *f.* answer, retort, cue (in the theater)

répliquer to reply

répondre to answer, reply, match, equal; **— à** to correspond to; **— de qqn., de qqch.** to answer for someone, for something

reporter to carry

repos *m.* rest, repose, peace, stopping; **de tout —** perfectly safe, perfectly still

se reposer to rest, collect oneself

repousser to push back, repulse, repel, spring up again

reprendre to take again, recommence, regain, resume, answer; **se —** to correct oneself (in speaking), pull oneself together, begin again

représentant *m.* representative

représentation *f.* show, performance, remonstrance

représenter to show, set forth, explain, stage

réprimer to repress, check

reprise *f.* retaking, resumption; **à plusieurs reprises** repeatedly, on several occasions

reproche *m.* reproach, blame

se reprocher to reproach oneself

répudier to repudiate, renounce

répugnant repugnant, repulsive, disgusting

répugner à qqch. to feel repugnance to, revolt at, something

se réputer to consider oneself

requis required, necessary, in demand

réseau *m.* net(work), system

réservoir *m.* reservoir, tank

résistant *m.* member of the Resistance, Resistance fighter

résolu determined, resolute

résolument resolutely, boldly

résonner to resound, ring, reverberate

résoudre to resolve, decide

respirer to breathe, breathe in

ressaisir to seize again; **se —** to regain one's self-control

ressemblant like, alike

ressentiment *m.* grievance, resentment

ressentir to feel, experience; **se — de** to feel the effects of

resserrer to condense, compress; **se —** to contract, shrink, tighten

ressort *m.* spring

ressource *f.* resourcefulness

ressusciter to resuscitate, revive

restant *m.* remainder

reste *m.* rest, remainder, remnant; **de —** only too well; **du —** besides, moreover

résumer to summarize, sum up

retarder to retard, delay, postpone

retenir to hold back, detain, restrain, curb, retain, keep, reserve

retentir to (re)sound, ring, echo

retentissant resounding

retentissement *m.* resounding sound or noise, repercussion

réticent reticent, reserved

retirer to withdraw, remove; **se —** to withdraw

retomber to fall back

rétorquer to retort, hurl back (accusation)

retour *m.* return; **en — de** in return for

retourner to return; **s'en retournait chez lui** was returning home; **se —** to turn around

retraite *f.* refuge, shelter, retreat, retirement, retired life; **prendre sa —** to retire

retranchement *m.* fortification

rétrécir to contract, shrink, narrow

retremper to soak again, retemper, re-invigorate

retrousser to turn, roll, up

retrouver to find (again), join; **se —** to meet, be found

réunir to unite, gather together

réussir to succeed, turn out (well or ill); **mal réussi** which turned out badly

réussite *f.* success

revanche *f.* revenge, return service; **en —** in return, on the other hand

se revancher de to avenge

rêve *m.* dream

réveil *m.* awakening, waking

réveille-matin *m.* alarm clock

se réveiller to awaken

revenant *m.* ghost, one who returns; *adj.* pleasing, prepossessing

revendiquer to claim, demand

revenir to return, come back, resume; **en — à qqn.** to have coming, be due one

rêver to dream (about)

réverbère *m.* street light, lamp post

rêverie *f.* reverie, dreaming, musing

revers *m.* reverse (of fortune)

reversi *m.* reversi, a card game

revêtir to clothe, dress, invest

rêveur *m.*, **rêveuse** *f.*, dreamer; *adj.* dreamy, musing

revirement *m.* sudden change

révoquer to revoke

rez-de-chaussée *m.* ground floor

rhénan Rhenish, (of the) Rhine

rhétorique *f.* rhetoric; **figures de —** fine phrases

rhubarbe *f.* rhubarb, concession

ricaner to laugh unpleasantly, derisively, mock by laughing

ricaneur(-euse) derisive

ride *f.* furrow, wrinkle

rider to wrinkle; **ridé** wrinkled

rideau *m.* curtain

ridicule ridiculous

rien nothing; **il n'est —** it isn't true; **— que** only; **— que pour** for no reason, except to, solely to

rieur *m.* laugher, one who laughs

rigole *f.* trench

rigoureux(-se) rigorous, severe

rigueur *f.* harshness, severity; **à la — ce pouvait être** this might possibly be

rime *f.* rhyme

rire *m.* laugh

rire to laugh; **— aux éclats** to laugh heartily; **se — au nez** to laugh in one's face

ris *m.* laughter

risible laughable

risque *m.* risk

se risquer à to venture to

rivage *m.* shore, bank

rival, rivaux *m.* rival

rive *f.* shore, bank, border

river to rivet

rivière *f.* river, stream

robe *f.* dress, gown; **famille de —** family closely associated with the legal profession

roc *m.* rock

rocher *m.* rock

roide stiff

roitelet *m.* wren; petty king

romain Roman

romance *f.* (sentimental) song, ballad

romancier *m.* novelist

romanesque romantic

romantique belonging to the Romantic school of literature

romantisme *m.* romanticism

rompre to break, tear; **rompu** *p.p.* broken off, interrupted, torn

ronce *f.* thorn, bramble

rondeur *f.* frankness, outspokenness

ronfler to snore, roar, boom

ronger to gnaw, nibble, wear away

roquet *m.* mongrel, pug dog

roseau *m.* reed

rosée *f.* dew

rosse *f.* nag

rossignol *m.* nightingale

rôti *m.* roast

rotin *m.* rattan

rôtir to roast

roue *f.* wheel

roucoulement *m.* cooing

rougeaud red-faced

rougeur *f.* redness, flush, blushing

rougir to blush

rouillé rusted, rusty

rouleau *m.* roll

rouler to roll, turn, revolve, depend; **roulé** rolled up in

roux(-sse) red(haired)

royaume *m.* kingdom

ruban *m.* ribbon
rude rough, stiff, uncouth, harsh, hard
rudoyer to bully, treat harshly
ruelle *f.* lane, alley, salon, space between bed and wall
rugueux(-se) rough, wrinkled
ruine *f.* ruin, destruction
ruisseau *m.* brook, (small) stream, gutter
rumeur *f.* noise, rumor, uproar
ruminer to ruminate, chew the cud
rupture *f.* breaking (off), rupture, breach
rusé *m.* sly man; rusée *f.* crafty woman; *adj.* crafty, sly, wily

S

sable *m.* sand; marchand de — sandman
sablé sanded
sabot *m.* hoof, shoe, wooden shoe
sabre *m.* saber
sac *m.* bag, sack; — à main handbag
saccadé jerky, abrupt, staccato
sachet *m.* sachet, scented bag
sagace sagacious, shrewd
sagacité *f.* wisdom
sage *m.* wise man, sage; *adj.* wise, prudent
sagesse *f.* wisdom
saigner to bleed
saillie *f.* witticism, sally
saillir to stand out, jut out
sain healthy, hale, sound, sane
Saint-Esprit *m.* Holy Ghost
sainteté *f.* holiness, sanctity
saisir to seize, grasp, discern, shock, attach (one's business)
saisissement *m.* shock
salaire *m.* wage
salaud *m.* dirty dog, skunk
sale dirty, unclean, filthy, offensive, nasty, low, beastly
salé salt, salted, salty
salir to dirty
salle *f.* room; — basse ground-floor room
salon *m.* drawing room, literary drawing room, living room
saloperie *f.* dirty trick
saltimbanque *m.* tumbler, juggler

saluer to greet, salute, bow to
salut *m.* salvation, safety, salutation, greeting; —! hail!
salutaire salutary
sang *m.* blood
sang-froid *m.* coolness, composure
sanglant bleeding, bloody; une pièce sanglante a dirty trick
sanglé tightly laced, buttoned up
sanglot *m.* sob
sangloter to sob
sanguinaire sanguinary, bloodthirsty
sans-patrie *m.* and *f.* stateless person
santé *f.* health
saper to undermine
satanique satanic, fiendish, diabolical
satellite *m.* follower, henchman
satirique satirical
satisfaire to satisfy, gratify
satisfaisant satisfactory
satrape *m.* satrap, local governor
saturnien(-ne) gloomy
sauf, sauve safe, unhurt, unscathed
saule *m.* willow
saut *m.* leap, jump, vault
sauter to jump
sauvage *m.* savage, primitive man
sauver to save, rescue, protect; se — to run away, be off, escape
savant *m.* scientist, scholar; *adj.* learned, well-informed
saveur *f.* savor, taste, flavor
savoir to know (how); je ne sais quel a kind of; un je ne sais quoi a certain something; ne sauraient guère could scarcely
savoir-vivre *m.* good manners, knowledge of the world
savourer to taste, enjoy, savor
scabreux(-se) indelicate, improper, scabrous
scapulaire *m.* scapulary
sceau *m.* seal
scélérat *m.* scoundrel, villain; scélérate *f.* wicked woman, cunning woman
sceller to seal (up)
scène *f.* stage, scene, dispute; mettre sur la — to stage, perform
schéma *m.* schema, pattern
science *f.* knowledge, learning, science
scier to saw
scinder to divide, split up

scintillant twinkling, sparkling, scintillating

scolaire academic

scruter to scrutinize, search

séance f. session, meeting

séant m. behind, seat

seau m. pail, bucket

sébile f. (beggar's) bowl

sec, sèche dry, spare, gaunt

sécher to dry

sécheresse f. dryness, unfeelingness, barrenness

seconder to second, back up, support

secouer to shake

secourir to help, aid

secours m. help, aid, assistance

secousse f. shake, shaking, jolt, shock

sédentaire sedentary

séduction f. seductiveness, charm

séduire to seduce, charm

seigneur m. lord; also used for Spanish *señor*

seigneurial(-aux) lordly; **droits seigneuriaux** seigniorial rights

seigneurie f. lordship; **votre —** your Lordship

sein m. breast, bosom; **au — de** in the bosom of

séjour m. sojourn, stay, abode

sel m. salt

selle f. saddle

seller to saddle

selon according to; **— que** according as

semaille(s) f. (pl.) sowing

semblable m. equal; **ses semblables** his fellow men; *adj.* similar; **une gargote —!** such a wretched restaurant!

semblant seeming; **faire — to** make believe; **ne faire — de rien** to pretend not to notice; **sans faire — de rien** surreptitiously

semence f. seed

semer to sow, spread

semestre m. half year, semester

séminariste m. seminarian

sempiternel(-le) never ceasing

señora f. (Spanish) lady

sens m. sense, judgment, meaning, direction

sensibilité f. sensitiveness, feeling

sensible sensitive, tangible, perceptible, appreciable; **être — à** to appreciate

sensiblement appreciably

sensoriel(-le) sensorial, sensory

sensualité f. sensuality

sensuel(-le) sensual, sensuous

sentence f. maxim, sentence, judgment

sentier m. path, footpath

sentiment m. sentiment, feeling, opinion

sentir to feel, be conscious, smell of, realize; **ne sent point le pédant** is not at all stuffy, pedantic; **se — to** feel

sépulture f. burial (place), interment

sérail m. seraglio

séraphique angelic

sérénissime Most Serene

sérieux m. seriousness, gravity; **prendre au — to** take seriously

serin m. canary

serinette f. bird-organ

serment m. (solemn) oath

serre f. conservatory

serré tight, compact; **avoir le cœur — to** be sad at heart; **les dents serrées** (with) clenched teeth

serrer to press, clasp, tighten, squeeze, hold tight; **se — to** stand, sit, close together

serrure f. lock; **trou de la — key** hole

serveuse f. waitress

serviable willing to help, obliging

service m. service; **gens de — king's** soldiers

serviette f. brief case, towel, napkin

servir to serve; **à quoi cela me servirait-il?** what good would that do me?; **— de** to serve as; **se — de** to use

serviteur m. servant

seuil m. threshold, doorstep

seul only, sole, alone; **— à — alone** (with one another)

sève f. sap, vigor

siècle m. century

sied (*inf.* seoir) suits, fits

siège m. seat, chair

sifflement m. whistle, whistling

siffloter to whistle to oneself, under one's breath

signaler to point out, call attention to; **signalé** distinguished

signe m. sign; **faire — à** to make a sign to, motion to

signet m. bookmark, signet ring

signification f. meaning

signifier to mean, signify, intimate clearly, notify

signora *f.* (Italian) Madam

siliceux(-se) siliceous, full of silica

sillage *m.* wake, track, slip stream (of an airplane)

sillon *m.* furrow

simple simple-minded, naïve

simulacre *m.* semblance

singe *m.* monkey

singularité *f.* peculiarity, oddness

singulier(-ère) singular, peculiar, strange, odd

sinistre sinister, evil, of ill omen

sinon otherwise, except

sinuosité *f.* winding, sinuosity

sitôt so soon; **— que** as soon as

situation *f.* location, position

sobre sober, moderate

sobrement soberly, moderately

société *f.* society, high society, company

soie *f.* silk

soigner to take care of; **soigné** well finished, carefully done, cared for

soigneux(-se) careful, painstaking

soin *m.* care, concern, maintenance; **prendre — de** to care for, take care of

soit so be it

soixantaine *f.* the sixties

sol *m.* ground, earth, soil

solennel(-le) solemn

solennité *f.* ceremony, celebration

solidaire jointly responsible, interdependent

solliciter to incite, entreat, encourage

sombre dark, gloomy, dim, dull, dismal; **il fait —** it is dark

sombrer to founder, sink

somme *f.* sum, amount; **en —** in short

sommeiller to doze, slumber, lie dormant

sommer to call upon, summon

sommet *m.* summit, top

son *m.* sound, bran

sonder to sound, probe

songe *m.* dream

songer to dream, muse, think, imagine; **— à mal** to think of anything evil

songeur(-euse) pensive, dreamy, thoughtful

sonner to sound, ring, strike; **sonné** past, fulfilled

sonnerie *f.* (trumpet) call, bell ringing

sorcier *m.* sorcerer, wizard

sort *m.* fate

sortir to go out, leave, leave off; **sors d'erreur** undeceive yourself; **sorti de vous** descended from you; **— d'une maladie** to recover from an illness

sot *m.* fool, blockhead; *adj.* foolish, stupid

sottise *f.* stupidity, folly, foolishness

sou *m.* penny

souci *m.* care, solicitude, anxiety, worry

se soucier de to concern oneself about

soucieux(-se) anxious, concerned

soudaineté *f.* suddenness

souder to solder, weld, join; **se —** to be united, joined

souffle *m.* breath(ing), puff, blast (of wind)

souffler to blow (out), breathe, utter, whisper; **— qqch. à qqn.** to trick someone out of something

soufflet *m.* slap, blow

souffrance *f.* suffering

souffrant ill, suffering

souffrir to suffer, endure, sustain, permit, allow

souhait *m.* wish; **à —** as one would have it, awfully well

souhaiter to wish

souillure *f.* blemish, stain, spot

soulagement *m.* relief, solace, comfort

soulager to relieve, comfort, come to one's relief

soulever to raise, lift

soulier *m.* shoe

souligner to underline, emphasize

se soumettre to submit

soumission *f.* submission, submissiveness, obedience

soupçon *m.* suspicion

soupçonner to suspect

soupçonneux(-se) suspicious, distrustful

souper to sup, have supper

soupir *m.* sigh

soupirant *m.* suitor

soupirer to sigh

souple supple, pliant, flexible, limp

souplesse *f.* suppleness, flexibility, pliability

source *f.* source, fountain(-head), spring, origin

sourcil *m.* eyebrow

sourd deaf, dull, muffled, muted; **lanterne sourde** dark lantern

sourire *m.* smile

sourire to smile; **souriant** smiling

souris *f.* mouse

sous-jacent underlying

sous-préfecture *f.* sub-prefecture

sous-préfet *m.* sub-prefect (roughly equivalent to the rank of lieutenant-governor)

sous-titre *m.* sub-title

soustraire to withdraw, preserve; **se — à** to avoid, elude, escape; **— à** to protect from

soutane *f.* cassock (long robe)

soutenir to keep up, sustain, support, maintain, uphold

souterrain *m.* cave; *adj.* underground

soutien *m.* support(er)

souvenance *f.* recollection, memory

souvenir *m.* recollection, memory, (token of) remembrance

se souvenir de to remember

souverain *m.* sovereign, king; *adj.* sovereign, supreme

spectre *m.* specter, ghost

spirituel(-le) witty, spiritual

spiritueux(-se) spirituous, alcoholic

spontané spontaneous

stade *m.* stadium

stage *m.* term of probation

stalle *f.* stall, box

stationner to stop, take up one's position, stand

statut *m.* statute, status

sternutatoire *m.* sneezing-powder

stratagème *m.* stratagem, device, trickery

stupéfait aghast, dumbfounded, amazed, astounded

stupeur *f.* stupor, dazed state, amazement

stylet *m.* stiletto

subconscient *m.* subconscious

subir to undergo, go through

subit sudden, unexpected

subitement suddenly

subjuguer to subjugate

sublime *m.* (*préc.*) mind

suborneur *m.* seductive person, seducer

subsistance *f.* subsistence, what one lives on

subsister to continue to exist

substantif *m.* substantive, noun

subtil subtle, crafty, acute

subtilité *f.* subtleness, craft

suc *m.* sap, essence

se succéder to follow (one another)

succès *m.* success, outcome

succession *f.* inheritance

succomber to succumb, be overcome

sucre *m.* sugar

sucré sugary, sugared, sweetened

sucrier *m.* sugar bowl

suer to sweat

sueur *f.* sweat, perspiration

suffire to suffice

suffisance *f.* capacity, skill, ability

suffrage *m.* vote, approval

se suicider to commit suicide

suisse *adj.* Swiss

suite *f.* continuation, outcome, retinue, series, result, consequence; **à la — de** in pursuit of, following; **par la —** later on, afterwards; **par — de** in consequence of

suivant *adj.* next, following; *prep.* according to, in accordance with

suivre to follow

sujet *m.* subject, cause, reason

superbe superb, splendid

supercherie *f.* hoax, fraud

superficie *f.* surface

supplanter to take the place of

supplice *m.* punishment, torture, torment, anguish

supplicié *noun* and *adj.* (under torture and about to be) executed

supplier to implore, beseech, beg

supportable bearable

supporter to support, endure, bear

supposé supposed, false

suppression *f.* abolition

supprimer to suppress, do away with, abolish

suprême supreme, highest, last

sûr sure, safe

suranné out-of-date, obsolete

surchargé overloaded

surcroît *m.* addition, increase; **par — de bonheur** to add to our good luck

sûreté *f.* safety, security; **en —** in a safe place

surgir to rise, loom (up), appear unexpectedly

surhumain superhuman
sur-le-champ at once
surlendemain *m.* second day after
surmonter to surmount, overcome
surnaturel(-le) supernatural
surnom *m.* nickname
surnommer to call, nickname
surplus *m.* surplus, excess; au — besides, after all, moreover
surprendre to surprise, take by surprise
sursaut *m.* start, jump; en — with a start
sursis *m.* stay of proceedings, reprieve (from execution)
surveillant *m.* guardian, watchman
surveiller to supervise, watch, watch over
survenir to arrive unexpectedly, happen
survoler to fly over
susceptibilité *f.* touchiness, sensitiveness
susceptible, susceptible, sensitive, touchy; — de qqch. capable of, liable to, do something
susciter to raise up, give rise to, stir up
suspect suspicious
suspendre to suspend, defer, stop, hang

T

tablettes *f. pl.* notebook
tablier *m.* top (of a desk), apron
tabouret *m.* stool
tache *f.* stain, spot
tâche *f.* task
tacher to spot, stain
tâcher to try; — à to do one's best to; — de to strive to
taille *f.* stature, figure, waist, height
tailler to cut, trim
tailleur *m.* tailor; costume-tailleur *m.* woman's suit
se taire to be silent, hush
tambour *m.* (embroidery) frame, drum, drummer
tant so much, so many; à — par heure at a set price per hour; en — que (in so far) as; — mieux so much the better; — pis too bad, so much the worse; — que as long as, until; — soit peu ever so little

tantôt soon, presently, a little while ago; — . . . — sometimes . . . sometimes
(en) tapinois slyly
tapis *m.* rug, carpet, gaming table cover; mettre sur le — to bring up for discussion
tapisser to carpet, strew
tapisserie *f.* tapestry
tapissier *m.* tapestry maker; marchand tapissier tapestry maker and dealer
tarder to delay; il me tarde de I am anxious, longing, to; — à faire qqch. to be long in starting, coming
tardif(-ve) late, tardy
tarir to dry up, exhaust
tartine *f.* slice of bread and butter or jam
tas *m.* heap, pile, lot(s)
tasse *f.* cup
tâter to feel, touch, finger, handle
tâtonnement *m.* groping, tentative effort
taudis *m.* hovel
taureau *m.* bull
taxer to accuse
teindre to dye, stain, tinge
teint *m.* complexion, color
teinte *f.* tint, shade, hue
teinture *f.* color, hue
tel(-le) such; un — so-and-so
télémétreur *m.* range finder, surveyor
tellement so
téméraire *m.* rash person; *adj.* rash, reckless, foolhardy
témérairement rashly
témérité *f.* rashness, temerity
témoignage *m.* testimony, evidence, mark, token
témoigner (de) to show, display
témoin *m.* witness
temple *f.* temple
tempérer to temper, moderate; tempéré temperate, moderate
tempête *f.* storm
temple *m.* church
temps *m.* time, weather, interval, tense; de — à autre now and then
tendance *f.* tendency, trend
tendre *m.* fondness
tendre to tend, lead, hold out, hang, stretch, strain
ténèbres *f. pl.* darkness, gloom
ténébreux(-se) dark, gloomy

tenir to hold, keep, run, manage, occupy; **à quoi tient?** what's the reason for?; **cela me tient (au) cœur** I take that to heart, I have set my heart on it; **faire — qqch. à qqn.** to put someone in possession of something; **ne plus y —** not to be able to stand it any longer; **qu'à cela ne tienne** never mind that, that need be no obstacle; **se —** to be, stand, sit, behave; **tenez-vous-y** stick to it; **— à** to depend on, be anxious to; **— à faire qqch.** to be bent on doing something; **— de** to have, get, from (a source); **— pour** to consider; **tiens!** indeed!; look here, now

tentative *f.* attempt

tente *f.* tent

tenter to tempt, put to the test, attempt; **— à, de** to try, attempt

tenture *f.* hangings, tapestry

tenue *f.* dress, get-up

terme *m.* (appointed) time, term, expression, limit, goal

ternir to tarnish

terre *f.* earth, world, ground, land, soil; **— à —** down to earth, dull, commonplace; **tremblement de —** earthquake

terrestre earthly, worldly

tertre *m.* mound, knoll

tête *f.* head; **dure —** slow in understanding, stubborn; **en —** in the lead; **en tête-à-tête** privately; **voir la — de qqn.** to see someone's expression

têter to suckle

théâtral theatrical

thèse *f.* thesis, proposition, argument; **— de doctorat** doctoral thesis

tiède tepid, lukewarm

tiédeur *f.* tepidness, lukewarmness, warmth

tiédir to make lukewarm, tepid

tien *m.* thine; **les tiens** your family, relations

tiers *m.* third, third party; **deux-tiers** two-thirds

tige *f.* stem, stalk, shaft

tilleul *m.* linden tree

timbre *m.* quality of tone, timbre

tintement *m.* tinkling, ringing

tinter to ring, toll, tinkle

tir *m.* fire, firing, shooting; **champ de —** firing range

tirer to pull out, stretch, extract, shoot, fire, derive, draw (up); **s'en —** to get out of; **se — d'affaire** to get out of a difficulty; **se — de** to come from, derive from

tireur *m.* shooter, marksman

tisser to weave

tissu *m.* texture, fabric, tissue

titre *m.* title

tocsin *m.* alarm signal

toile *f.* canvas, oil painting, cloth, line; **— d'araignée** spider web

toilette *f.* (woman's) dress, costume, ceremonial dressing

tombe *f.* tomb

tombeau *m.* grave, tomb

tombée *f.* fall; **la — de la nuit** nightfall

tomber to fall; **à la nuit tombante** at dusk; **— dans** to fall into, incline toward

tombereau *m.* cart, tumbril

ton *m.* tone, intonation, manner; **le bon —** good form

tondre to shear, mow, cut

tonneau *m.* cask, barrel

tonner to thunder, inveigh

tonnerre *m.* thunder

se tordre to twist

torse *m.* torso

tort *m.* wrong, error, fault, injury, detriment; **faire — à** to damage, wrong

tortue *f.* turtle

toton *m.* spinning top, teetotum

touche *f.* key (of instrument)

toucher to touch, affect, approach, receive (money); **— un mot** to mention, say a word

touffe *f.* cluster

touffu leafy, tufted

toujours always, still, nonetheless

toupet *m.* toupee

tour *m.* turn, revolution; **à son —** in his (her) turn; **à — de rôle** in turn; **faire un — de** to journey around; **— à —** in turn

tourbillon *m.* whirlwind, whirlpool, swirl

tourmenter to torment

tournée *f.* tour, round

tourner to turn, become, bypass; **la tête me tourne** I feel giddy

tournure *f.* shape, cut, appearance

tourterelle *f.* turtledove

tousser to cough

tout *m.* whole

tout-à-fait completely, quite

tout-puissant, almighty, omnipotent, all-powerful

toutefois however, nevertheless

trace *f.* trace, mark, scar, track

trahir to betray; **les trahissait** revealed their presence

trahison *f.* betrayal, treachery

train *m.* pace, rate, speed; **d'un assez bon — ** at a rather good pace

traîneau *m.* sledge, sled

traîner to drag, pull, drag out, endure

trait *m.* feature, trait, dot, effect, stroke, shaft, trace; **comme un —** like a flash; **traits de maître** master strokes; **un — de plume** a stroke of the pen

traité *m.* treaty, agreement, treatise

traiter to treat, deal with

traître *m.* traitor; **en —** treacherously

traîtreusement treacherously

trame *f.* plot, woof, weft, course (of life)

tranchant cutting, sharp

trancher to slice, cut off, stop short

transport *m.* violent emotion, fit, rapture; **transport(s) au cerveau** stroke

transporter to carry away; **transporté** carried away

trapontin *m.* small raised seat

trappe *f.* trap(door)

traquer to track down, hunt down, hem in

travailler to work; **j'y travaille** I try hard to do it

travers *m.* beam, broadside; **à —** through

traverse *f.* obstacle; **à la traverse de** against

traverser to cross

travestir to disguise

tremble *m.* aspen

tremblement *m.* trembling; **— de terre** earthquake

tremper to soak, drench, dip

tremplin *m.* springboard, diving board

trépas *m.* death

Très-Haut *m.* Most High

trésor *m.* treasure

tressaillement *m.* tremor, thrill, shudder

tressaillir to give a start, thrill (with joy), quiver

trêve *f.* truce; **sans —** unceasing(ly), without intermission; **— de morale** no sermons

tribunal *m.* tribunal, judge's bench, court of justice

tribune *f.* pulpit

tricherie *f.* cheating, trickery

tricorne *m.* three-cornered hat

tricot *m.* knitted sweater

tricoter to knit

trinquer to clink glasses

triomphant triumphant

triomphateur *m.* winner

triste sad

tristement sadly

tristesse *f.* sadness, melancholy, gloom, dreariness, cheerlessness

Troie *f.* Troy

tromper to deceive, mislead; **se —** to be mistaken; **se — de** to get the wrong

tromperie *f.* deceit, deception, fraud

trompette *f.* trumpet, bugler

trompeur(-se) deceitful, deceiving

trône *m.* throne

trot *m.* trot; **au grand —** at a lively pace; **au petit —** at a slow trot

trottoir *m.* sidewalk

trou *m.* hole

trouble *m.* confusion, disorder, agitation

troubler to make uneasy, upset, excite, disturb; **se —** to falter, get confused, embarrassed

trouer to make a hole or holes in, perforate

troupe *f.* troop

troupeau *m.* herd, flock

trousse *f.* truss, bundle; **à mes trousses** at my heels

troussé tucked up, turned out

trouver to find, consider; **— grâce** to find favor

truc *m.* trick, dodge

truquer to fake

tudieu! zounds!, gosh!

tuer to kill

tuerie *f.* slaughter, butchery

tuile *f.* tile

tumulte *m.* tumult, uproar

tumultueux(-se) tumultuous

tunique *f.* tunic, coat

Turc *m.* Turk; **de — à More** without pity

turlupinade *f.* sorry jest, poor joke

tutélaire tutelary, guardian

tuteur *m.* guardian

tutoiement *m.* the using of *tu* and *toi* in addressing someone

tutoyer to say *tu* and *toi* to, address in the familiar form

tuyau *m.* pipe, tube; — de fonte cast-iron pipe

type *m.* fellow, guy, chap

tyran *m.* tyrant

U

ultérieur further, thither, later

ultime ultimate, final, last

ultra (Latin) beyond; *adj.* extremist (politically), biased

uni united, plain, self-colored, close-knit, similar

uniforme *m.* uniformity

unique unique, single, only, sole

unir to unite; s'— avec to unite with, join

unité *f.* unity

univers *m.* universe, world

usage *m.* use, using, custom, practice; avoir l'— du monde to have a knowledge of the ways of society

user to use up; s'— to break down, wear out; — de to use, make use of, resort to, use up, consume, behave

usurpateur *m.* usurper

utilité *f.* usefulness, profitableness

utrecht *m.* velvet upholstery material

V

va-et-vient *m.* movement to and fro, backward and forward motion

va-nu-pieds *m.* vagabond

vacarme *m.* uproar, racket; faire du — to kick up a row

vache *f.* cow

vacher *m.* cowherd

vagabonder to be a vagabond, roam

vague *f.* wave, billow, surge; *adj.* vague, waste; œil — empty glance

vague-à-l'âme *m.* feeling of emptiness and aimlessness

vaillance *f.* valor, courage

vaillant valiant

vaillamment valiantly

vain vain, useless, unreal, empty

vaincre to vanquish, conquer, defeat, overcome

vaincu *m.* vanquished, conquered person

vainqueur *m.* vanquisher, victor

vaisseau *m.* ship, vessel

vaisselle *f.* plate, dishes

valable valid, good

valet (de chambre) *m.* valet, man servant

valeur *f.* value, worth, import, weight

vallon *m.* valley, vale

valoir to be worth, be equivalent to, obtain, win, gain, shine; faire — to make the most of, show off, "push"; lui valurent earned him; — bien to be quite equal to; — la peine to be worthwhile; — mieux to be better

valser to waltz

vanter to praise, speak highly of, boast; se — to boast

vapeur *f.* vapor, fumes; *pl.* exhalations

vaporeux(-se) vaporous, misty

varié varied, chequered

vase *f.* mud, slime, sludge

vaurien *m.* waster, bad lot, good-for-nothing

veau *m.* calf

végéter to vegetate

veille *f.* evening before, vigil; à la — de just before, on the point of; — de cour court vigil, long evening sessions at court

veillée *f.* vigil, watching, evening (spent in company)

veiller to sit up, be awake, watch; — sur qqn. to take care of someone

veine *f.* vein

velours *m.* velvet

velouté velvety, velvet-like, soft as velvet

vénéneux(-se) poisonous

veneur *m.* hunter, huntsman; grand — master of the royal hunt

venger to avenge; se — to have one's revenge

vengeur *m.* avenger

véniel(-le) venial (sin)

venir to come; — à to happen to; — à bout de to break down, contrive, manage, succeed; en — à to drive at, get at, come to the point of; — **de** to have just

vent *m.* wind; **les vents sont à l'Est** the wind is from the east

ventre *m.* stomach, belly; **prendre du —** to become fat

venu *m.* comer; **le nouveau —** newcomer; **le premier —** anyone (at all)

vêpres *f. pl.* vespers, evensong

verdâtre greenish

verger *m.* orchard

vergogne *f.* shame; **sans —** shameless(ly)

véridique veracious

véritable true, real

véritablement truly

vérité *f.* truth

vermeil(-le) vermilion, bright red, ruby

verni polished

vernissé glazed, glossy

vers *m.* verse, poetry, worm

versatile changeable, fickle, inconstant, instable

verser to pour (out), shed

verset *m.* verse

vertement sharply

vertige *m.* dizziness, giddiness; **donner le — à qqn.** to make someone dizzy

vertigineux(-se) dizzy(ing), giddy

vertu *f.* courage, virtue, quality, property; **la — toute nue** unadorned merit

vertueux(-se) virtuous, chaste

verve *f.* verve, spirit, animation

veste *f.* jacket

veston *m.* (man's) jacket or suit-coat

vêtements *m. pl.* clothes

vêtir to dress

vétuste decayed, decrepit

veuve *f.* widow

viande *f.* meat

vibrant vibrating, vibrant, resonant

vibrer to vibrate

vicié corrupt, tainted, poor

vicieux(-se) vicious, depraved, defective

vicomté *f.* viscountship

vide *m.* empty space, void, vacuum, emptiness; *adj.*; **à —** empty, blank, barren

vider to empty

vie *f.* life; **être en —** to be alive

vieillard *m.* old man

vieillesse *f.* old age

vieillir to become, grow old

vieillot old-fashioned

vierge *f.* virgin; *adj.* virgin(al)

vif (vive) alive, lively, keen, animated, fast, brisk, sharp

vigne *f.* vine, vineyard

vigoureux(-se) vigorous, sturdy

vigueur *f.* vigor, strength

vil(-e) vile, base, low

vilain nasty, unpleasant, sordid

villégiature *f.* stay in the country, holiday (out of town)

vin *m.* wine; **avoir du —** to be drunk; **entre deux vins** tipsy, half drunk

vindicatif(-ve) vindictive, spiteful, revengeful

violer to violate

violoncelliste *m.* cellist

virginité *f.* virginity, innocence

virtuosité *f.* virtuosity, genius

vis-à-vis opposite, as regards, about

visage *m.* face; **avec un tel —** with such assurance; **en plein —** full in the face

vitesse *f.* speed

vitrail(-aux) *m.* stained-glass window

vitre *f.* pane, window

vitrine *f.* shop window, showcase

vivacité *f.* hastiness (of temper)

vivant *m.* living person; **de son —** during his lifetime; *adj.* alive, living, animated, lively

vivement briskly, smartly, keenly, animatedly

vœu *m.* wish, vow

voguer to sail; **vogue la galère!** let's chance it!

voie *f.* way, road, track

voilà there is, there are; **— bien les gens riches!** that's rich people for you!

voile *m.* veil; **— *f.*** sail, sailboat

voiler to veil, obscure, shade; **jour voilé** hazy day

voisin *m.* neighbor; *adj.* neighboring, near-by

voisinage *m.* proximity, nearness, neighborhood

voiturer to carry, convey

voix *f.* voice, vote; **à haute —** aloud; **aller aux —** to take a vote

vol *m.* flight, theft

volée *f.* flight

voler to rob, steal, fly

volet *m.* shutter (of windows); — **de capot** cowl shutter
voleter to flutter about
voleur *m.* thief; — **de grand chemin** highwayman
volontaire self-willed, willful
volonté *f.* will; *pl.* whims, caprices
volontiers willingly
voltiger to fly about, flutter
volupté *f.* pleasure, delight, sensuality
vouer to vow, dedicate, consecrate, pledge
vouloir *m.* will, wish
vouloir to wish, want; **en** — **à qqn.** to bear someone a grudge, ill-will; **que me voulez-vous?** what do you want of me?; **qui en voulaient à sa propre vie** who sought to take his own life; — **dire** to mean, signify

voûte *f.* vault, ceiling; — **des cieux** canopy of heaven
voyou *m.* loafer, hooligan, scum
vrai *m.* truth; *adj.* true, truthful, regular, downright; **à** — **dire** to be truthful, tell the truth
vraisemblable likely, plausible
vraisemblablement very likely, probably
vue *f.* sight, view, outlook
vulgaire *m.* ordinary people
vulgairement vulgarly

Z

zèle *m.* zeal, enthusiasm
zéphyr(e) *m.* gentle wind

Index